ODYSSÉE

Paru dans Le Livre de Poche :

ILIADE.

HOMÈRE

Odyssée

TRADUIT ET PRÉSENTÉ
PAR VICTOR BÉRARD

PRÉFACE DE FERNAND ROBERT

Index et notes de Luc Duret

LE LIVRE DE POCHE

Robert (Fernand), né le 20 mars 1908, ancien élève de l'École Normale supérieure, ancien membre de l'École d'Athènes, professeur de grec successivement à la Faculté de Rennes et à la Sorbonne, a publié, sur Homère, notamment un volume aux Presses Universitaires de France, qui ont édité de lui également une petite *Littérature grecque* et, sur l'actualité universitaire, *Un mandarin prend la parole*.

PRÉFACE

par

Fernand Robert

LA QUESTION HOMÉRIQUE

Entre hellénistes, on n'est pas encore parvenu à décider de façon définitive, non seulement si l'*Iliade* et l'*Odyssée* sont l'œuvre d'un même poète nommé Homère, mais si chacun des deux poèmes est l'œuvre d'un seul auteur ou réunit tant bien que mal les apports de plusieurs auteurs successifs. Le second problème donne lieu à une infinité de solutions. Formulé comme il vient de l'être ici et comme on l'énonce d'habitude, il est très mal posé, car il est absolument certain que les sujets traités dans chacun des deux poèmes avaient déjà donné lieu à toute une littérature avant l'*Iliade* et l'*Odyssée,* et l'on ne doit absolument pas considérer Homère comme l'inventeur de la matière épique; d'autre part, il est non moins certain que, même si l'on admet plusieurs auteurs, il y en a nécessairement un qui a eu plus de génie que les autres; à lui est due la plus grande beauté de l'œuvre et à lui on donnera le nom d'Homère. La vraie manière de définir l'alternative n'est donc pas de se demander si l'*Odyssée* est d'un seul ou de plusieurs poètes, mais si le poète de génie a créé seulement une partie de l'œuvre et a pour le reste eu des continuateurs de valeur inégale à la sienne, ou si le poète de génie est celui qui a réuni en un tout les divers éléments qui constituent le poème. On peut réserver sa plus vive admiration aux récits d'Ulysse chez Alkinoos sur ses aventures lointaines ou goûter aussi, mais moins vivement, la vengeance d'Ulysse contre les prétendants et moins encore le voyage de Télémaque au Péloponnèse. On peut au contraire penser que les plus grandes beautés du poème supposent l'existence de l'ensemble et notamment du drame qui se joue à Ithaque. Dans cette collection où l'*Odyssée* est offerte au public à travers l'admirable traduction de Victor Bérard, il convenait que fût présentée, sous la forme de la *Préface,* rédigée par lui-même en 1931 pour la Bibliothèque de Cluny, la conception que ce très grand helléniste s'était faite du poème et que toute une vie de recherches avait progressivement construite : elle correspond au premier des deux points de vue qui viennent d'être définis, où le très grand poète est l'auteur des récits chez Alkinoos. Il a semblé à l'éditeur qu'il pouvait être utile de soumettre aussi au lecteur un exemple de l'autre solution possible. Le choix est très exactement affaire de goût, puisqu'il s'agit de savoir ce qui est beau chez Homère, et tout lecteur, helléniste ou non, peut en décider.

Mais l'enjeu entraîne aussi décision sur une question de date. Il y a discussion sur le siècle où a vécu Homère tout comme sur la nature du rôle poétique qu'il convient de lui reconnaître. On le conçoit bien : si Homère n'a composé que quelques épisodes et s'il a fallu attendre des continuateurs pour qu'on eût le poème dans son ensemble, on placera nécessairement Homère à une époque plus ancienne que si l'ensemble est de lui. D'où une grande variété de solutions dont les plus extrêmes donnent un écart de plusieurs siècles, mais à s'en tenir aux plus raisonnables, si l'on tient pour Homère auteur de quelques épisodes seulement on le fera vivre au ixᵉ siècle avant J.-C., et si l'on admire en lui l'auteur de l'ensemble on se prononcera pour le viiiᵉ siècle.

De toute façon, comme il nous invite à placer la vie de ses héros vers l'époque de la guerre de Troie et comme les dates admises pour la guerre de Troie oscillent elles-mêmes du xiiiᵉ siècle au xiiᵉ siècle, il y a toujours un intervalle de plusieurs siècles entre l'époque du poète et celle de ses héros. L'époque de ses héros est celle que l'on appelle *achéenne* ou *mycénienne* : le nom d'Achéens désigne en cet emploi l'ensemble des peuples parlant grec installés dans le monde grec avant l'arrivée des Doriens, qui sont le plus récent parmi les éléments constitutifs du peuple grec; et le nom de Mycènes évoque la capitale du roi Agamemnon; cette époque appartient à l'âge du bronze. L'époque du poète est celle que l'on appelle *géométrique* en raison du décor alors principalement linéaire et abstrait des vases peints; à vrai dire, pour peu que l'on abaisse la date du poète on est à l'entrée de l'époque appelée *orientalisante,* c'est-à-dire que les vases peints recommencent à montrer du goût pour une figuration plus naturaliste des formes animales, voire humaines, et que le décor est envahi de monstres ou d'animaux dévorants, sous des influences orientales. Il y a donc mélange, dans l'*Odyssée* comme dans l'*Iliade,* de deux civilisations : celle de l'époque achéenne, à l'état de souvenir étonnamment conservé, grâce à une tradition sûrement écrite quoi qu'on en dise parfois, et celle de l'époque géométrique ou déjà orientalisante, contemporaine du poète. Plus se sont développés l'exploration archéologique des sites mycéniens depuis Schliemann et ensuite le déchiffrement depuis une vingtaine d'années des inscriptions mycéniennes, plus l'importance de l'élément mycénien authentique dans les faits de civilisation présentés par Homère est devenue frappante. Elle n'est pas exclusive cependant et il arrive au poète d'oublier un instant sous l'influence de son temps le système de conventions littéraires, historiquement fondées, en vertu duquel il nous replace dans le temps de ses héros.

De ces conventions, l'une se manifeste dans la langue employée par lui, qui mélange toutes les familles de dialectes grecs en évitant seulement et scrupuleusement le dorien, puisque le temps à évoquer est celui où il n'y avait pas encore de Doriens en Grèce. Le déchiffrement des textes mycéniens a fait surgir des théories nouvelles sur les dialectes grecs et notamment sur le rapport entre le dialecte arcado-chypriote et le dialecte éolien. De toute façon, à l'époque où les poèmes homériques ont été composés, l'éolien occupait une place prépondérante dans la langue complexe qu'ils utilisaient. Ensuite, et dans toute l'étendue des poèmes, toutes les formes éoliennes que la versification a permis de remplacer par des formes ioniennes ont disparu, et ainsi nous est parvenu un texte à prédominance dialectale ionienne. Cette transformation postérieure à la composition des poèmes est liée à un renversement de prédominance ethnique et politique au profit des Ioniens dans la région de Smyrne, et la victoire remportée là par les Ioniens sur les Éoliens en 688 marque la date que la composition de l'*Iliade* et de l'*Odyssée* doit nécessairement avoir précédée.

DE LA FICTION À LA GÉOGRAPHIE ET À L'HISTOIRE

Bien avant de rattacher à la guerre de Troie la légende d'Ulysse, on avait chanté un héros d'endurance aux aventures lointaines situées dans des pays imaginaires que peuplaient des monstres ou des sauvages. Si personne ne sait ce que veut dire le nom d'Ulysse (ou Odysseus), un jeu de mots que nous trouvons une fois dans l'*Odyssée* et que permet en grec le nom de la souffrance, *odynè,* correspond à un aspect essentiel du personnage, qui est vraiment le héros aux mille souffrances, aux mille épreuves; et les histoires d'ogres et de petits Poucets, de faibles qui par l'intelligence mettent en déroute les forts, sont parmi les sujets d'émerveillement les plus anciens chez l'homme. Peut-être personne n'avait-il exprimé avant Homère par le moyen de cette légende cette passion pour le pays natal préféré à l'immortalité dans les bras des déesses, cet amour de la vie terrestre préférée à tout ce qu'il peut y avoir au-delà du trépas, cette défiance envers les Sirènes ensorceleuses qui promettent le savoir mais sont en vérité déesses de mort. Mais si Homère a été le conteur incomparable de ces aventures fantastiques, il ne faut absolument pas croire qu'il en ait été le premier inventeur. De même la toile de Pénélope (le suaire de Laerte), la cicatrice d'Ulysse, le secret du lit fixé à une souche d'olivier reproduisent des schémas narratifs de nature indiscutablement folklorique. L'humanité invente partout spontanément des Cyclopes ou des équivalents de Cyclopes et elle en inventait depuis très longtemps déjà quand Homère lui a apporté une manière nouvelle de parler d'eux et de leur donner un sens.

Très souvent aujourd'hui l'étude savante de l'*Odyssée* se confine dans les rapprochements avec le folklore des autres peuples. C'est utile pour étudier le folklore, ce ne l'est pas pour étudier Homère. Si quelqu'un entreprend de démontrer que le mythe d'Ulysse est un mythe de l'ours et de l'hibernation, le lecteur d'Homère y gagne tout au plus de comprendre, à condition que cette étrange théorie soit vraie, pourquoi la source Artakiè chez les Lestrygons évoque le nom grec de l'ours qui se retrouve aussi dans le nom d'Arkésios, le père de Laerte. Les origines folkloriques sont déjà très loin et remplacées depuis très longtemps par des traditions proprement littéraires au moment où Homère intervient.

On s'accorde à admettre, parmi les premières influences littéraires subies par la légende, celle de contes égyptiens et celle de l'épopée mésopotamienne qui chantait Gilgamesh : elle nous est connue, non seulement au VIIe siècle dans la bibliothèque d'Assurbanipal, mais par des fragments beaucoup plus anciens, sumériens, du troisième millénaire : elle

annonce plusieurs légendes grecques dont celle d'Héraclès, mais présente un rapport avec l'*Odyssée* par le
voyage d'un héros à la conquête de l'immortalité vers
l'île des Bienheureux et par une exploration de l'au-
delà aussi décevante que le sera celle d'Ulysse. Il est
très possible que la religion minoenne, celle des
Crétois de Minos, considérés en général comme non
Grecs, ait elle-même contribué à façonner jusque
dans le deuxième tiers du deuxième millénaire la
légende d'Ulysse comme une navigation vers les îles
des Bienheureux, qu'évoquent pour nous les barques
déposées dans les tombes et les représentations de la
Grande-Déesse sur une barque sacrée. Quand Ulysse
est aux prises avec la tempête avant d'aborder chez les
Phéaciens, il est sauvé par une déesse nommée Leucothéa qui lui procure un talisman. Il se méfie de
cette ondine peu connue dont la présence nous
étonne aussi. Mais tout le monde est d'accord pour
admettre que cette Blanche-Déesse est une survi-
vante de la religion minoenne, et il se peut que sa
présence atrophiée soit le vestige d'un rôle ancien
beaucoup plus important. Les îles de Calypso, de
Circé, d'Alkinoos et Ithaque elle-même ont fort bien
pu être primitivement des îles des Bienheureux, et le
périple d'Ulysse une navigation d'outre-tombe ou une
exploration de l'au-delà, purement mythique.

Deux écoles aujourd'hui parmi les hellénistes :
l'une veut identifier avec précision tous les sites géographiques réels par où serait passé Ulysse, l'autre
tourne en dérision ces efforts et refuse absolument
qu'il y ait dans toute cette géographie du poème
autre chose qu'un ensemble de pures fictions. Erreur
dans chacun des deux excès. Oui, à l'origine, les

contes sur les aventures lointaines se situent dans
un monde de pure merveille, mais au fur et à mesure
que des navigateurs explorent les mers et les rivages,
ils identifient les sites qu'ils découvrent aux paysages
purement légendaires des contes primitifs. Au temps
d'Homère, ces paysages sont dans l'ensemble ima-
ginés vers l'Ouest méditerranéen. L'une des acquisi-
tions les plus certaines des recherches savantes sur
l'*Odyssée* consiste à avoir montré, à partir du poème
lui-même, que dans une période antérieure on les
imaginait vers l'Est, plus précisément en mer Noire.

Circé, en sa terre d'Aia, dont le nom veut simplement dire « terre », était la sœur d'un certain Aiétès,
dont le nom veut dire qu'il était de cette Aia, et qui
régnait sur les bords de la mer Noire, près du Cau-
case, au pays de la Toison d'or. Les Cimmériens, chez
qui il faut aller pour consulter Tirésias parmi les
morts selon le conseil de Circé, étaient bien connus
des Grecs d'Asie Mineure, qui sans doute n'avaient
pas encore subi leur terrible invasion du VIIe siècle,
mais étaient en contact avec eux, comme avec un certain nombre d'autres peuplades de la Bulgarie et de
la Russie actuelles. Homère nous dit que chez ce peuple cimmérien il faisait constamment nuit, et dans un
passage bien énigmatique de l'épisode lestrygon, il
paraît bien nous dire qu'il faisait constamment jour :
par où son public a-t-il pu être renseigné sur les
longs jours et les longues nuits polaires, dont il s'agit
évidemment ? Pas par des sources occidentales, car
on est encore loin de Pythéas et de son temps. Par les
Cimmériens eux-mêmes et par ces peuples de Russie
méridionale que plus tard l'infatigable enquêteur
Hérodote ira consulter encore lorsqu'il voudra

recueillir toutes les informations possibles, reçues de proche en proche, sur ce qu'on connaît le plus loin vers le nord. Et notre Source de l'Ourse, notre Artakiè des Lestrygons, c'est un lieu-dit près de Cyzique, sur la côte de Propontide, ou mer de Marmara. Sûrement Homère a eu des prédécesseurs qui situaient les aventures d'Ulysse dans les mêmes parages que celles des Argonautes, en mer Noire. Dans l'*Odyssée* même, il est question du navire Argo, qui réussit à franchir les roches jusque-là errantes, les Symplégades ou Planctes ou Cyanées, entre lesquelles ni un oiseau ni un bateau ne pouvait passer, car elles se refermaient sur eux : Homère imagine cela dans l'ouest, même pour les Argonautes, mais pour eux l'exploit a eu lieu près du Bosphore.

Que pouvait bien aller faire Ulysse en mer Noire? Ce n'est pas le moyen de rentrer à Ithaque au retour de Troie! Mais à cette époque-là Ulysse n'était pas du tout un combattant de la guerre de Troie. Sa légende est restée sûrement indépendante de la légende troyenne longtemps même après les événements historiques de la guerre. Les traditions d'après lesquelles Ulysse a fait tout ce qu'il a pu pour ne pas participer à l'expédition d'Agamemnon reflètent la réalité : cette guerre lui fut d'abord absolument étrangère et il n'y avait pas très longtemps qu'on l'y avait introduit quand l'*Iliade* fut composée. Ses aventures lointaines sont alors devenues un retour mouvementé vers la patrie, mais ce n'était sûrement pas leur sens primitif. Pour intégrer Ulysse à la légende de Troie, il a fallu lui imposer un retour plus long que celui de tous les autres guerriers, parce que c'était le seul moyen de conserver ce qui le caractérisait, ses aventures lointaines : mais on voit par là même qu'elles n'étaient pas conçues primitivement comme un retour. Une première escale chez les Kikones, c'est-à-dire au nord des Dardanelles, convenait tout aussi bien pour le commencement d'un retour de Troie que pour celui d'une randonnée en mer Noire. Mais ensuite il a fallu une coupure violente pour transférer Ulysse en Occident sans l'arrêter en Grèce, et l'étape extraordinaire qui le conduit des Dardanelles jusqu'en Tunisie sans aucune escale et sans mention d'aucune autre terre que le cap Malée est dans notre texte la marque de cette transposition brutale.

Parmi les Grecs, les navigateurs qui ont le plus contribué à l'exploration de la mer Noire en fondant sur ses côtes des colonies sont ceux de Milet, mais cette colonisation milésienne est plus récente qu'Homère. Beaucoup admettent, et ils ont probablement raison, qu'elle fut en réalité un recommencement, et que les colonies fondées alors venaient occuper la place de colonies antérieures, plus anciennes qu'Homère, milésiennes déjà, que dans l'intervalle les envahisseurs cimmériens avaient détruites. En tout cas, si les Milésiens furent favorisés par rapport aux autres Grecs d'Asie Mineure dans cette exploration, c'est que leur ville était établie dans une contrée de navigateurs non grecs, que les Grecs désignent sous le nom de Cariens, et ils appellent ainsi également les anciens habitants de presque toutes les Cyclades. Ces Préhellènes dits Cariens ont assurément joué un rôle dans la transmission et l'évolution de la légende d'Ulysse déjà modelée probablement par les Préhellènes dits Minoens : le nom de Milet désigne aussi une ville de Crète. Considérer les Grecs de Milet

eux-mêmes comme des intermédiaires particulièrement actifs dans la transmission et l'évolution de
la littérature relative à Ulysse, c'est comprendre
pourquoi Nestor a dans notre *Odyssée* un rôle bienfaisant et sympathique : il est fils de Nélée, et les
Néléides étaient un clan où se recrutaient les dynas-
ties régnantes de plusieurs villes, notamment de Milet.

Si la transformation d'Ulysse en guerrier de l'expédition troyenne a sans doute contribué à déplacer de
la mer Noire vers l'Occident méditerranéen le cadre
de ses aventures, parce que de Troie il fallait bien le
faire partir vers l'ouest, on ne peut éviter de se poser
à propos de ce transfert la question du rapport entre
les navigations du héros et la colonisation grecque
de la Sicile et de l'Italie méridionale. Ici encore deux
écoles : pour l'une, les visions monstrueuses et terri-
fiantes que l'*Odyssée* nous offre de cet Occident impli-
quent qu'il n'est pas encore exploré, pour l'autre,
une telle obsession de l'Occident, totalement étrangère à l'*Iliade* prouve que dans l'intervalle entre les
deux grands poèmes homériques l'Occident a été
brusquement projeté dans l'actualité, ce qui ne peut
résulter que de la colonisation. On date de 734 avant
J.-C. (ou, selon une autre chronologie, de 708), le
voyage des Corinthiens qui allèrent fonder Syracuse
après s'être arrêtés et avoir installé une partie d'entre
eux à Corfou, et qui marquèrent ainsi dans la colonisation grecque de l'Occident le début de la phase
intensive. On placera donc l'*Odyssée* avant ou après
734, selon qu'on y reconnaîtra ou non des perspec-
tives colonisatrices. Or, elles y sont. Le poète ne
peut pas s'empêcher, en décrivant le pays des Cyclopes, de vanter les avantages économiques qu'on

pourrait en tirer, le port naturel dont ces sauvages ne se servent pas puisqu'ils n'ont pas de bateaux, le sol qui donnerait de riches récoltes alors que les habitants ne vivent que d'un élevage grossier. La fondation de Schériè, la ville des Phéaciens, est relatée par un homme qui, de toute évidence, se passionne pour l'urbanisme en pays neuf. Même si l'on ne tient pas compte de la vieille servante achetée en Sicile et qui vit chez Laerte, plusieurs passages attestent l'importance de relations déjà commerciales avec l'Italie, par exemple lorsque Athéna sous l'aspect du Taphien Mentès se présente à Télémaque comme un négociant qui se rend à Témésa pour un troc, fer contre bronze.

Il serait trop simpliste d'écarter tous ces textes en les traitant d'interpolations tardives, et l'opinion qui considère l'*Odyssée* comme contemporaine du grand mouvement de colonisation occidentale tend à se généraliser, rendant ainsi de plus en plus classique la chronologie qui place la composition du poème dans le dernier tiers ou à l'extrême fin du VIIIe siècle. Voici, très brièvement résumée, l'une des théories par où l'on peut, cette date une fois admise, essayer d'analyser les rapports entre le contenu de l'œuvre et l'histoire de cette période. Les Cyclopes d'Homère sont la sauvagerie et la bestialité mêmes. Or, deux cités grecques ont adoré les Cyclopes comme des génies civilisateurs, grands métallurgistes et architectes, et, en dehors d'Homère et des poètes qui l'imitent directement, cette conception favorable aux Cyclopes est bien la plus répandue. En choisissant la conception opposée, Homère ne se rangerait-il pas dans un parti hostile aux deux villes en question, qui sont Corinthe et, dans l'île d'Eubée, Chalcis?

Une très longue guerre, que l'on appelle la guerre
lélantine à cause du nom porté par le territoire qui
en était l'enjeu, a opposé Chalcis à la ville qui était
sa voisine, Érétrie, et, comme toutes deux avaient
eu auparavant, au temps de leur bonne entente, une
prospérité économique qui leur donnait une grande
influence dans le monde grec tout entier, toutes les
autres villes grecques furent amenées à prendre parti
dans cette guerre, où Corinthe fut l'alliée de Chalcis.
On pourrait donc penser que l'*Odyssée* ait été composée dans une ville de la coalition d'Érétrie. Milet,
avec laquelle l'*Odyssée* a des liens certains, fit partie
de cette coalition, alors que Samos s'allia à Chalcis,
et l'on peut observer que la grande déesse de Samos,
Héra, dont le rôle est très important dans l'*Iliade*,
est à peine nommée dans l'*Odyssée*. En plus de l'épisode proprement dit des Cyclopes, l'*Odyssée* mentionne d'autres Cyclopes dans un autre passage, et
ces autres Cyclopes sont eux aussi présentés comme
antipathiques : c'est le texte où le roi Alkinoos raconte
comment les Phéaciens, son peuple, ont été obligés
de quitter leur ancienne ville d'Hypéréia, parce que
leurs voisins odieux, les Cyclopes, leur rendaient
ce séjour insupportable : de là, les Phéaciens sont
venus fonder leur nouvelle ville de Schérié. Nous
savons que les Érétriens, fuyant le voisinage de
Chalcis, vinrent à Corfou fonder la première colonie
grecque de l'île, juste avant la venue des Corinthiens
qui les submergèrent. Hypéréia est un ancien nom
d'Érétrie. La Phéacie d'Homère, c'est Corfou : des
divagations érudites ont chez les modernes oscillé
entre Chypre et la Sicile pour identifier l'île qui sans
aucun doute fut d'abord purement mythique, mais

qui au temps d'Homère était sûrement reconnue
dans une île réelle, et que presque toute l'Antiquité
place à Corfou, à commencer par l'historien athénien Thucydide, à qui l'on ne faisait pas croire n'importe quoi. Il nous présente les Corcyréens, les Cor-
fiotes de son temps, comme des hommes très inhospi-
taliers, confinés dans ce qu'ils appellent eux-mêmes
leur « splendide isolement », et depuis toujours.
Le peuple dans lequel les contemporains d'Homère
voyaient le successeur des Phéaciens était sûrement
inhospitalier : l'*Odyssée* raconte comment Alkinoos
et son peuple, punis pour avoir reconduit Ulysse
par Poseidon qui pétrifia leur navire, décidèrent que
plus jamais ils ne reconduiraient un naufragé. Le
peuple phéacien était donc devenu le contraire des
Phéaciens mythiques qui étaient essentiellement des
passeurs (passeurs des âmes sans doute, à l'origine).
Hostile à Corinthe colonisatrice de l'Ouest et à ses
Cyclopes, hostile aux Cyclopes de Chalcis, le poème
nous offre des Phéaciens une image mélangée où se
juxtaposent les traits d'une hospitalité très généreuse
et ceux de butors très déplaisants contre lesquels
Nausicaa met en garde Ulysse; osmose de légende,
d'histoire récente et d'actualité qui aurait bien pu
se produire sous l'influence de quelques Érétriens
refoulés de Corfou par les Corinthiens envahissants.
Si la date de la guerre lélantine n'est pas connue
avec précision, et si beaucoup d'historiens ont hésité
à en faire remonter le début jusque dans le dernier
tiers du VIIIe siècle, les plus récentes fouilles d'Érétrie
sembleraient confirmer au contraire qu'elle se déroula
très tôt.

L'important est que dans la longue série de siècles

que la légende d'Ulysse a traversée pour entrer dans le poème d'Homère, chaque époque a laissé son empreinte sur la matière épique et acheminé les données purement mythiques des origines vers sans cesse plus de rapport avec la réalité géographique, les événements historiques, sans doute aussi les passions et les conflits des hommes. Presque tous les personnages ont une nature très complexe, héritière de toute cette évolution. Un Cyclope que l'on peut duper en lui disant : « Je m'appelle Personne » est un personnage de conte populaire. Un Cyclope dont on crève et brûle l'œil frontal est la personnification d'un maléfice qu'un rite magique élimine. Mais un Cyclope qui arrache des roches à la cime d'une montagne pour les employer comme projectiles est déjà inséré dans un paysage déterminé, Vésuve, Etna ou Stromboli, et pourrait bien, comme on l'a soutenu, être une personnification de volcan. L'arrivée à Ithaque d'Ulysse endormi sur un vaisseau qui repart avant son réveil est un exemple de féerie qui devait couronner quelque navigation mythique, mais tout ce que le poème nous indique sur Ithaque correspond de façon remarquablement précise à une île réelle dont la topographie n'a pas pu être inventée : le mont Néritos couvert de bois, la Pierre aux Corbeaux, la Grotte des Nymphes, avec sa double entrée, l'anse de Phorkys, la source entourée d'un cercle de peupliers avec un autel des Nymphes, l'endroit où il y a des passeurs pour faire traverser l'eau aux gens, la proximité d'un îlot appelé Astéris, tout cela, de quelque façon qu'Homère l'ait connu, ce sont des détails réels, et il n'a certainement pas inventé non plus cette économie d'un pays qui

convient surtout aux chèvres et où les propriétaires
ont besoin de compléter leur exploitation insulaire
par des domaines sur le continent proche, pour l'élevage des chevaux auquel l'île est impropre. Les faits
de civilisation se mélangent d'une époque à l'autre
dans le poème, eux aussi, et si chez les Phéaciens
la reine Arètè est la première personne à qui Ulysse
doive s'adresser pour obtenir hospitalité et secours,
si on a là incontestablement un souvenir d'une époque
qui accordait à la femme une sorte de prééminence,
Pénélope, elle, ne peut plus décider de rien à partir
du moment où son fils n'est plus un enfant. Les palais
de Nestor et d'Ulysse présentent avec l'architecture
mycénienne (palais de Mycènes, de Tirynthe, de Pylos)
des analogies très visibles et souvent signalées, mais
on discerne (notamment par le développement des
pièces indépendantes ouvrant sur la cour ou alignées
sur un côté de cour) l'annonce d'une architecture
domestique à première vue entièrement différente
qui fait prévoir de très loin celle de la maison grecque
classique. Les revêtements métalliques sur les murs
d'Alkinoos sont une technique orientale qui peut être
très ancienne, même si Sparte l'emploie encore dans
son temple d'Athéna dite « A-la-demeure-de-bronze »;
mais l'Égypte semble exercer un tout récent renou-
veau de fascination, suscitant notamment un intérêt
pour les drogues magiques et miraculeuses qui était
tout à fait étranger à l'*Iliade* : Homère n'a que des
notions bien fausses encore sur la géographie égyp-
tienne (emplacement de Pharos), mais des Grecs ne
tarderont pas à s'engager comme mercenaires dans
les armées pharaoniques et le poème laisse pressentir
cela en présentant l'Égypte comme un pays d'aven-

tures mouvementées. Très actuels aussi, ces Phéniciens qui pullulent sur les mers, trafiquants de pacotille et voleurs d'enfants, donc marchands d'esclaves. L'élément le plus moderne est assurément la naissance de véritables villes, où le peuple, sans avoir encore vraiment des droits, fait maintenant sentir un peu sa présence. Mais le domaine religieux est certainement celui où il y a le plus de chances que se soient conservées les plus anciennes manières de croire et que, parmi les plus nouvelles, on commence à discerner les conceptions les plus personnelles du poète.

IDÉES RELIGIEUSES ET MORALES

Qu'un aigle soit apparu à la gauche des prétendants qui songeaient à tuer Télémaque, c'est mauvais signe pour eux; que les oiseaux aient volé à droite d'Ulysse au cours d'une escale, c'est bon signe pour lui. Voilà des éléments de religion primitifs qui sont dans le poème et dont le poème ne se moque pas; et non seulement il ne s'en moque pas, mais, comme l'*Iliade,* en nous attestant que certaines gens s'en moquent, il prend parti contre ces gens-là. Les prétendants ont tendance à s'en moquer; mais pas Amphinomos, qui est le meilleur d'entre eux. Sans doute n'avait-on pas encore inventé les dieux quand on commença à pratiquer cette adoration des coïncidences; mais l'*Odyssée* bien entendu reconnaît en elles la manifestation d'une volonté divine et elle obéit à une intention apologétique consciente en relevant ces signes dont les dieux parsèment notre vie.

L'entreprise édifiante de réhabiliter les présages contre leurs détracteurs apparaissait par endroits dans l'*Iliade* et correspondait là aussi à une conception générale de la vie selon laquelle nul succès, nulle victoire n'est possible à l'être humain sans le secours de la divinité : le mérite ne suffit jamais. Conception qui est celle de l'*Odyssée* mais avec des nuances et des restrictions. Oui, dans la bataille contre les prétendants Ulysse et les trois combattants de son parti gagnent parce qu'Athéna dirige elle-même toutes leurs flèches et détourne du but les projectiles de tous leurs adversaires. Pourtant il nous est dit que sous l'aspect d'une hirondelle elle va se jucher sur une planche de la charpente et assiste de là-haut à la lutte, parce qu'elle ne veut pas tout faire et veut qu'Ulysse et Télémaque aient l'occasion de montrer leur valeur. « N'as-tu pas d'allié ? » dit Télémaque à Ulysse au moment où le père et le fils viennent de se retrouver et de se reconnaître et où ils mesurent l'énormité de la tâche qui les attend. « Si ! répond Ulysse, j'ai Zeus et Athéna ; te suffisent-ils ? » — « Oui, ils me suffisent, bien que je les trouve installés trop haut dans les nuées. » L'*Odyssée* semble donc faire appel plus que l'*Iliade* à l'effort humain. Le Zeus de l'*Iliade* n'aurait pas dit comme celui de l'*Odyssée* que les hommes sont les auteurs de leurs propres maux et ont tort d'en accuser les dieux.

Mais si l'homme est plus libre, ne dirait-on pas que les dieux aussi goûtent une certaine sorte d'affranchissement ? On trouve quelquefois le merveilleux employé dans l'*Odyssée* comme il l'est normalement dans l'*Iliade*, c'est-à-dire pour exprimer par l'intervention d'un dieu ce qui est réellement un motif d'émerveillement dans l'expérience humaine : par exemple une inspiration irraisonnée, un mouvement de l'âme sans origine consciente, un phénomène plus ou moins instinctif de psychologie collective. Pénélope a soudain le désir de se montrer aux prétendants : c'est une inspiration venue d'Athéna. Mais si Athéna fait luire dans la grande salle une lumière merveilleuse tout au long de la nuit sans qu'on ait à renouveler les torches, ou si elle fait passer Ulysse d'un aspect misérable à un aspect très beau toutes les fois qu'il en a besoin, voilà un genre de miracles qui n'a plus rien de commun avec l'expérience humaine; et ce merveilleux-là, qui est tellement rare dans l'*Iliade*, est la substance même de l'*Odyssée* : presque toujours, si vous supprimez les miracles dans l'*Iliade*, l'action demeure possible; dans l'*Odyssée*, non. Beaucoup moins profondément significative que dans l'*Iliade*, l'intervention des dieux dans l'*Odyssée* est beaucoup plus couramment un artifice de récit. L'action divine et l'action humaine sont plus intimement fondues dans l'*Iliade* en une même réalité où la liberté et le mérite humains disparaissent presque totalement, alors qu'elles deviennent bien plus distinctes et autonomes dans l'*Odyssée*, et, si l'effet de cette séparation est d'accroître chez l'homme le sentiment de sa responsabilité, par conséquent les préoccupations morales, elle apporte aussi chez les dieux une possibilité bien plus grande de bouleverser le cours naturel des événement humains. Mais ne pouvant pas ignorer la morale que les hommes commencent à inventer, ils vont en devenir les inspecteurs. En passant de l'*Iliade* à l'*Odyssée,* on s'éloigne un peu de la nature, et on pénètre dans la morale.

Il y a trente mille dieux inspecteurs, disait Hésiode : ils parcourent le monde sous l'aspect de simples mortels et peuvent observer, selon l'accueil qu'ils reçoivent, ce que valent les gens. Déjà les héros de l'*Iliade* commençaient à bien savoir qu'en tout être humain rencontré peut se cacher un dieu. Mais ils ne tiraient de là rien d'autre qu'une prudence élémentaire. Le public de l'*Odyssée* pense vraiment à une morale, dont ces visiteurs divins sanctionnent l'application ou la violation.

C'est presque uniquement une morale de l'hospitalité. Déjà au temps de l'*Iliade,* on voyait souvent arriver chez soi l'un de ces errants qui avaient eu, comme on disait, le malheur de tuer un homme. Au temps de l'*Odyssée,* certainement les errants de toute sorte pullulaient. Pour l'expliquer, il faudrait exposer la situation encore embryonnaire de la justice qui n'est pas alors une fonction de l'État, et discuter sur les théories relatives aux liens de l'individu avec le clan, mais il suffit de lire le poème pour voir que la vie économique était fertile en catastrophes par où l'on passait de la prospérité à la misère, car, s'il y a de grands négoces au loin, il y a des naufrages, des pirates (activité tellement normale que Nestor ne commet aucune incivilité envers ses hôtes en leur demandant s'ils s'adonnent au commerce ou à la piraterie), et des querelles de famille qui anéantissent des fortunes. Les raffinements d'hospitalité auxquels Homère porte tant d'attention ne sont pas forcément le signe d'une époque très agréable à vivre. Ce n'est pas une époque qui pratiquait l'hospitalité, c'est une époque qui avait besoin qu'on en répandît la pratique.

Revendication édifiante d'une évolution morale beaucoup plus sans doute que description des mœurs, l'apologie de l'hospitalité n'en est pas moins dans la poésie d'Homère un charme dont on ne connaît pas d'équivalent. Depuis l'hospitalité fastueuse de Ménélas ou d'Alkinoos jusqu'à celle du pauvre Eumée en sa porcherie, presque toutes les grandes scènes du poème illustrent les nuances délicates de la vertu fondamentale et, quand il n'en est pas ainsi, c'est pour nous montrer l'horreur des situations où l'on aboutit si elle est absente, qu'il s'agisse des Cyclopes ou des prétendants. Si Zeus joue un rôle dans l'*Odyssée,* ce n'est pas tellement en tant que maître de l'Olympe, c'est comme Zeus des Hôtes, rarement nommé mais dont on sent constamment la présence.

Il n'y a guère qu'une seule divinité agissant ouvertement sous nos yeux dans le poème : c'est la protectrice attitrée du héros, Athéna; ou plutôt, il y a deux divinités, mais si leur opposition constitue la trame même de l'action, Athéna seule est en scène, alors que l'action de Poseidon se fait sentir en général sans que le dieu se montre, par toutes les épreuves d'Ulysse et par l'impossibilité où Athéna se trouve jusqu'à un certain moment de secourir son protégé.

Le fait significatif est que malgré leur antagonisme les deux divinités ne s'affrontent jamais directement et que la matière de l'épopée a été visiblement arrangée de manière à éviter entre elles tout heurt. L'arrangement consiste à avoir fixé une escale, celle de Phéacie, jusqu'à laquelle Ulysse dépend entièrement de Poseidon et à partir de laquelle Poseidon ne peut plus rien contre Ulysse. On sait combien la juxtaposition des sanctuaires d'Athéna et de Poseidon a été fréquente, voire la possession indivise entre eux d'un même sanctuaire. L'un des exemples les plus connus est celui de l'Acropole d'Athènes et, selon l'*Odyssée* même, chez les Phéaciens Athéna avait un bois sacré et Poseidon un sanctuaire très beau. L'influence d'un ou deux sanctuaires est à l'origine de l'arrangement qui évite dans le poème l'affrontement des divinités. Cette influence se fait sentir pendant le voyage de Télémaque par l'éloignement de Poseidon, en vacances chez les Éthiopiens, et par le sacrifice célébré chez Nestor, qui décide de joindre un sacrifice en l'honneur d'Athéna à celui qu'il offrait pour Poseidon; dans l'épisode phéacien, le compromis est visible du seul fait que cette escale est choisie pour frontière entre les deux influences opposées; enfin, l'idée d'une compensation à Poseidon pour sa vengeance manquée contre Ulysse est exprimée aussi bien par Tirésias dans la consultation chez les morts que par Ulysse révélant à Pénélope ce qu'il sait de son avenir (glorifier le dieu de la mer en lui fondant un sanctuaire dans un pays tellement ignorant de la vie maritime qu'on y confond un aviron avec une pelle à grain). Ainsi l'effet de l'arrangement s'étend à toute la matière du poème.

L'idée de destin, telle qu'elle se rencontre dans l'*Odyssée,* subit elle-même cette influence. Les sanctuaires l'ont imaginée comme un moyen de régler les conflits de divinités. Elle n'est jamais la notion d'une puissance aveugle qui déterminerait jusque dans le détail le devenir de l'homme et de l'univers. Elle est la détermination d'un certain nombre de limites et conditions à respecter, de frontières entre volontés libres, souvent divines, mais parfois humaines aussi. Vous rentrerez dans votre patrie, toi et tes compagnons, à condition de ne faire aucun mal aux vaches du Soleil : oui, mais ils mangeront de cette viande, d'où leur mort, et les épreuves de leur chef. Si la faute n'était pas sanctionnée, le Soleil irait luire chez les morts, autrement dit ce serait le chaos. Voilà pourquoi les dieux y prennent garde. Athéna sait donc respecter le système de conventions. divines qu'on appelle le destin; et s'il fallait attribuer à un même poète l'*Iliade* et l'*Odyssée* en dépit d'une conception générale beaucoup moins sombre dans l'*Odyssée* que dans l'*Iliade,* on croirait volontiers que ce poète a peu à peu découvert la liberté chez les hommes à partir de la liberté chez les dieux. Aussi bien l'*Iliade* savait-elle déjà qu'Achille avait le choix entre la gloire avec une vie courte et une vie longue sans la gloire, et que Patrocle était mort pour avoir dépassé dans le combat une limite assignée par Achille.

Mais si tout l'arrangement de vieilles traditions qui constitue notre *Odyssée* a été réalisé avant Homère sous l'influence des sanctuaires, ce n'est pas dans un sanctuaire qu'Homère travaillait. Où et comment travaillait-il? Lui-même nous l'a dit.

GÉNIE DU POÈTE ET PREUVES D'INACHÈVEMENT

Homère parle avec insistance du métier de poète dans l'*Odyssée*, sur un ton de revendication professionnelle : il faut donner les parts de choix à l'*aède,* au poète, dans les banquets, parce qu'il est digne de respect entre tous. Sous les traits de Démodocos chez les Phéaciens, de Phémios à Ithaque, c'est lui-même qu'il nous montre, exerçant son métier. Il l'exerce dans les banquets de l'aristocratie. Il a une cithare dont il se sert pour préluder. Son public connaît son œuvre par audition et non par lecture. Le texte psalmodié de mémoire raconte un épisode. Un épisode occupe une séance, à moins que l'aède ne soit invité à changer de sujet. Est-il aveugle? Phémios ne l'est certainement pas, mais Démodocos l'est presque certainement, car il a besoin d'un héraut pour suspendre sa cithare et pour le conduire quand il arrive ou quand il s'en va. S'il est aveugle, ce n'est sans doute pas de naissance, car il doit avoir vu lui-même à Délos le palmier auquel Ulysse compare Nausicaa. Il vit en Asie Mineure ou dans une île proche de la côte asiatique : un texte à vrai dire assez énigmatique et discuté situe pour lui « au-delà d'Ortygie » (c'est-à-dire de Dèlos) l'île de Syra. Son répertoire concerne essentiellement la guerre de Troie, mais peut-être aussi des sujets mythologiques comme les amours d'Arès et d'Aphrodite. Homère, que nous assimilons à Démodocos et Phémios, apparaît dans l'*Odyssée* très préoccupé d'actualité littéraire et notamment d'une épopée qui racontait le tragique retour d'Agamemnon, donnant en Clytemnestre l'antithèse de Pénélope et en Oreste un exemple de fils vengeur de son père. Il utilisait à l'occasion une version de la légende d'Ulysse (présenté comme Crétois), qui avait été chantée avant lui et où il puisait les mensonges dont Ulysse se sert pour raconter son histoire avant d'être reconnu. Dans cette version Ulysse chez le roi

des Thesprotes était accueilli comme il l'est dans
notre *Odyssée* par le roi des Phéaciens, et le rôle qui
dans notre *Odyssée* est tenu par Nausicaa était dans
cette autre version tenu par le fils du roi. Cela équi-
vaut presque à nous dire que le mérite d'avoir confié
ce rôle à une jeune fille revient à notre poète lui-
même, et, s'il est le créateur de Nausicaa, il a inventé
ce qu'il y a de plus beau dans l'*Odyssée*.

Nausicaa n'avait presque sûrement pas de légende
avant Homère. Inventée par lui, elle ne pénétrait pas
dans l'épopée avec cette profusion d'adjectifs traditionnels qui constituent normalement pour un personnage épique les éléments d'un caractère tout fait
et immuable auquel les poètes ne changent rien.
Homère a eu loisir ainsi de tout inventer, et non seulement le nom, mais tout ce ravissant éveil de l'amour
et ce rêve de mariage dans une âme de jeune fille. Un
modèle de conte populaire existait certainement, où
l'hôte inconnu épousait la fille du roi, mais ici il ne
l'épouse pas, et la merveille est dans ce renversement
du dénouement normal et dans la délicatesse avec
laquelle c'est traité. Nausicaa est assurément l'élément le plus neuf que nous trouvions dans toute
cette escale de Phéacie où Ulysse raconte les épisodes
les plus anciens de sa légende; si elle est aussi l'élément le plus admirable, voilà tranché le grand problème : dans l'évolution du poème, l'intervention
géniale se situe à la fin.

Dès le temps de l'*Iliade,* Ulysse se définit lui-même
comme « le père de Télémaque », et il faut bien
admettre que Télémaque a un certain passé épique
un peu plus ancien que celui de Nausicaa, mais pas
assez ancien pour avoir imposé un caractère figé. Le

poète a donc pu, comme pour Nausicaa, concevoir le personnage non pas à la façon épique, c'est-à-dire immuable, mais de façon dramatique, c'est-à-dire en cours de transformation et en pleine crise. Parallèlement à l'éveil de l'amour chez Nausicaa, il nous peint chez Télémaque le passage de l'adolescence à l'âge viril et la naissance de l'autorité masculine. « Je ne suis plus un enfant », c'est le mot clé de ce rôle, dont les prétendants sont aussi stupéfaits que Pénélope. Dans sa rudesse envers sa mère, dans l'âpreté réaliste avec laquelle il parle un moment de la marier pour se débarrasser des prétendants, et dans la coquetterie avec laquelle il se promène en ville accompagné de deux lévriers ou porteur d'une lance qui servira si peu, ou encore dans le ton décisionnaire des modifications qu'il apportera aux ordres paternels, ne retrouve-t-on pas l'art du poète qui dans l'*Iliade* excellait à montrer les outrances ou faiblesses d'un jeune homme sympathique en la personne du fils de Nestor, Antiloque? Toujours est-il que cette maturité toute neuve est le principal élément par où s'introduit dans la demeure d'Ulysse, au moment même où le héros va rentrer, une tension tellement critique que la situation ne peut plus durer.

Aux caractères les plus connus, figés depuis très longtemps par les épithètes de l'épopée, Homère va aussi appliquer une technique dramatique qui, ne pouvant modifier les traits essentiels d'un personnage, montrera ces traits poussés à un paroxysme, d'où renforcement de tension et de crise. Ulysse est l'homme aux mille ruses : on lui prêtera des ruses hors de propos dont s'amuseront Calypso et Athéna, mais surtout, puisque sa grande ruse est ici de rentrer chez lui dégui-

sé en mendiant et de mettre en œuvre son autre qualité
essentielle, l'endurance, pour supporter les affronts
dont il se vengera ensuite, on nous présentera un paroxysme d'endurance sous un paroxysme d'affronts, et
on obtiendra un paroxysme de tension dramatique.
La maxime clé du caractère restera toujours, comme
tout au long des aventures lointaines : « Patience,
mon cœur : tu as subi déjà bien pire chiennerie chez le
Cyclope. »

Pénélope, malgré l'existence de légendes rivales qui
lui prêtaient de nombreux amants, est depuis quelque
temps déjà chantée comme l'épouse fidèle d'un
héros qui partit pour Troie, même si sa légende n'a
rien à voir primitivement avec la guerre de Troie et est
beaucoup plus ancienne. Une fois de plus, le renou-
vellement du sujet va se faire par la tension dramatique. La Pénélope de l'*Odyssée* n'est pas simplement
la femme fidèle, c'est la femme arrivée à l'extrême
limite où la fidélité va cesser d'être possible et qui est
absolument obligée de choisir un nouvel époux. Or,
dans le moment même où la situation lui commande
de prendre cette décision (sa ruse de la toile perpé-
tuellement défaite et refaite a été déjouée et Télémaque
ne peut plus supporter maintenant les prétendants qui
pillent ses biens), Ulysse est là. Le mendiant Ulysse
jure qu'Ulysse va revenir, Théoclyménos assure qu'il
est déjà dans l'île; à ce mendiant lui-même, qu'elle a
reconnu très sensé, elle explique la nécessité où elle est
acculée; il lui commente un songe qu'elle a eu et lui
annonce la prochaine défaite des prétendants. La présence de ce mendiant plus persuasif que les autres a
pour effet d'aviver chez Pénélope, au moment de suivre un nouvel époux, le désir de retrouver Ulysse. Tout

comme le poète de l'*Iliade*, celui de l'*Odyssée* (et peut-être est-ce le même) est attentif à ce que nous appelons la psychologie des profondeurs, notamment pour peindre les effets de cette situation tendue et trouble, et, dans la nuit qui précède la journée des nouvelles noces, Pénélope rêve qu'Ulysse est avec elle dans le lit. Mais quand elle apprend que le mendiant n'était autre que son mari, elle fait montre d'une méfiance et d'une ruse qui surpassent les siennes en exigeant une preuve plus secrète et plus décisive encore que celle de la cicatrice qui a suffi à d'autres : paroxysme de prudence, selon le principe systématiquement suivi.

Hérodote a aimablement conté les noces d'Agaristè, fille du tyran Clisthène de Sicyone, dont les prétendants séjournèrent toute une année chez le père de leur prétendue sans avoir rien d'autre à faire qu'à se laisser vivre. Mais malgré cet exemple exceptionnel, il ne faudrait pas s'imaginer une institution sociale permettant ainsi de passer plusieurs années (pour les prétendants de Pénélope c'est la quatrième) sur les terres d'un grand propriétaire foncier sans autre occupation que de courtiser sa fille ou, en cas de guerre, sa femme, quitte à recommencer ailleurs en cas d'échec et à continuer très longtemps cette douce carrière. Cette situation étrange n'est possible dans l'*Odyssée* que par survivance de personnages traditionnels remontant à une époque où la légende d'Ulysse et de Pénélope n'était pas encore rattachée à la légende de Troie. Lors de ce rattachement, on a inventé pour eux ce long séjour chez Ulysse; auparavant, ils étaient avec Ulysse les concurrents du tir à l'arc dont Pénélope devait être le prix et leur rassemblement ne durait que le temps du concours : Ulysse conquérait sa femme, il ne s'agissait pas de la reconquérir. Mais s'il n'a sans doute jamais existé d'usage qui rende possible pendant des années l'insouciance et les délices que goûte au manoir d'Ithaque cette troupe pétulante, il a de tout temps existé dans les guerres longues une jeunesse qui arrive à la maturité dans la tranquille sécurité de la vie civile pendant que la génération précédente vieillit dans les combats. Du moins y a-t-il dans toutes les guerres des hommes jeunes qui trouvent le moyen de s'occuper des femmes pendant que les maris vont se faire tuer, et il y a toujours une littérature vengeresse pour attaquer au nom des combattants cette jeunesse de l'arrière. Il n'est pas douteux que l'*Odyssée* a été composée dans une période de guerre et qu'elle traduit l'état d'esprit d'une génération combattante contre les hommes qui d'une manière ou d'une autre, Égisthe ou prétendants, échappent aux dangers et mettent galamment à profit l'absence des autres. On ne s'expliquerait guère autrement que le public ait partagé la joie sauvage avec laquelle est dépeint le massacre. Une fois admis le principe surprenant en vertu duquel ils sont là, leurs façons, incontestablement, montrent du sans-gêne mais ne sont point pendables. A une femme qu'ils croient veuve ils demandent de choisir l'un d'eux, après quoi tous les autres s'en iront. Ce n'est pas tellement incorrect. Leur pétulance n'est pas tellement plus scandaleuse que celle de n'importe quels jeunes fêtards. Pour les rendre odieux, il faut surtout nous montrer leurs brutalités envers un mendiant qui est un hôte, qui a insisté pour qu'on le laissât exposé à leurs insultes afin de rendre sa haine tout à fait implacable. Nous les voyons devenir criminels, toujours selon le même engrenage dramatique : ils sont affolés quand

ils découvrent que l'enfant Télémaque se met à parler
en maître. « Il faut le tuer, sinon nous n'avons plus
qu'à retourner chez nous. » On ne naît pas criminel,
on le devient, et, la veille, tous ces étourdis étaient en
somme des jeunes gens assez normaux. Eurymaque,
le préféré de Pénélope, eût fait pour elle un mari
acceptable. Elle trouve Antinoos odieux et c'est constamment l'avis du poète sur ce prince de la jeunesse
insulaire. Mais l'un d'entre eux au moins a refusé de
participer au complot contre Télémaque. Ulysse a
voulu sauver cet Amphinomos plus sensé que les
autres : hélas! c'est déjà le thème tragique du juste
associé aux méchants, et Amphinomos sera tué par
Télémaque qu'il voulait épargner.

Ce ne serait pas ici le lieu de poursuivre jusque chez
les autres personnages, aux interventions plus épiso-
diques, l'étude des caractères, chez Eumée ·et chez
Euryclée, pour ne citer que les plus admirables. Ce
qu'a déjà fait apparaître l'examen des rôles principaux, c'est que le très grand art est presque toujours
lié à la conception de l'ensemble et à la construction
dramatique. Si nous passons maintenant en revue les
morceaux les plus connus et dont la beauté n'a besoin
d'aucun commentaire pour être immédiatement sen-
tie, nous découvrirons toujours qu'ils supposent un
plan d'ensemble qui est celui de l'*Odyssée* telle que
nous l'avons. Le plus beau chant est le chant VI, celui
de Nausicaa, mais il n'est pas séparable du chant V, du
départ de chez Calypso; Zeus au chant V connaît le
voyage de Télémaque; Télémaque et Nausicaa passent
l'un et l'autre par une crise qui rend très difficile
d'attribuer l'invention de leurs rôles à deux poètes
différents. On peut ne pas aimer l'évocation des

morts, mais qui n'admire au moins, parmi ses différents tableaux, outre Achille marchant à grands pas
parmi les ombres, tout fier de son fils, cette mère qui
est morte de ne plus revoir le sien? Or, il y a une cor-
respondance voulue entre Anticléia qui dans cette
entrevue d'outre-tombe avec Ulysse vivant lui fournit
les seules nouvelles qu'il aura reçues d'Ithaque avant
son retour, et Protée qui par l'intermédiaire de Ménélas
procure à Télémaque le seul renseignement possible
sur son père : sans Protée, certainement Télémaque
marierait sa mère, et, sans Anticléia, Ulysse persiste-
rait-il à vouloir retrouver Ithaque? Tout le monde
admire la scène de la tempête, mais tout le monde
admire aussi la porcherie d'Eumée : le très grand
poète de la mer et le très grand poète de la vie aux
champs, hésite-t-on, à simple lecture, à penser que
c'est le même? Et l'arrivée d'Eumée et d'Ulysse devant
le palais d'Ulysse, et le mendiant qu'émerveille l'architecture de son propre palais, et surtout l'épisode du
chien Argos, qui, juste avant de mourir, reconnaît
après vingt ans son maître encore méconnaissable
pour tous, est-ce que ce n'est pas du très grand art, et
est-ce qu'on peut raisonnablement dissocier dans
l'admiration cet épisode et celui de Nausicaa?

Télémaque guette l'instant où son père donnera le
signal du massacre; Pénélope dans l'embrasure
écoute; Athéna et Ulysse s'apprêtent à servir aux prétendants un festin sans charme. Tel est le paroxysme
de tension vers lequel le poète a voulu nous conduire
et qui fait la beauté du chant XX. Il suppose toute la
construction artistique qui est l'œuvre d'Homère pour
associer Télémachie, aventures lointaines et vengeance.
Le ton qui est normalement celui de l'épopée, celui de

la narration qui se déroule tout simplement et qui n'est jamais pressée, qui suit l'ordre du temps et a vraiment tout son temps devant elle, c'est le ton que prend Ulysse dans ses récits chez Alkinoos. Ce serait exactement celui de l'*Iliade* si chez Alkinoos le sujet n'exigeait par lui-même le mouvement et les caractères du conte folklorique qui est tout différent. Qu'Homère auteur de toute l'*Odyssée* ait su admirablement se montrer conteur dans les récits chez Alkinoos, c'est indiscutable ; mais là, il avait assurément des prédécesseurs nombreux et sur le même sujet. Qu'il ait pris plaisir à retrouver ce même ton du folklore fantastique dans un épisode de tout autre nature qui est le séjour de Télémaque chez Ménélas en y introduisant les métamorphoses et les révélations de Protée, c'est certain aussi. Qu'il ait excellé de façon toute personnelle à réaliser plusieurs fois ce côtoiement ou cette fusion du naturel et de la féerie, qui ne voit que c'est pour une part la définition même de son art ? Mais pardessus tout il est l'artiste qui a orienté l'ensemble de la matière épique par rapport à un drame qui se joue à Ithaque ; et pour faire cela, il a eu l'idée géniale, qui n'était encore venue à personne, d'une épopée qui ne suivrait plus l'ordre du temps. Dans cette innovation extraordinaire, a-t-il pleinement réussi ?

Presque toutes les prétendues difficultés qu'allègue la critique quand elle entreprend de disloquer notre *Odyssée* et de la refaire à sa façon se résolvent d'elles-mêmes. Ni à propos du râtelier d'armes et de sa place dans le manoir d'Ulysse, ni pour le chant de Démodocos sur Arès et Aphrodite, ni sur la durée du séjour chez Alkinoos ou du séjour chez Eumée, ni sur le poids des bagages d'Ulysse au départ de Schériè, ni sur le temps mis par Athéna pour aller d'Ithaque jusqu'à Sparte, ni sur la cicatrice d'Ulysse visible ou invisible, ni sur Théoclyménos, les objections faites au texte traditionnel ne sont restées sans réponse; et une fois exclues quelques interpolations indéfendables comme le catalogue des dames du temps jadis ou le catalogue des suppliciés dans les Enfers, il ne reste vraiment plus qu'une seule difficulté, mais elle est énorme.

Impossible d'admettre que Télémaque, tout naturellement impatient de rentrer chez lui dès qu'il sait que son père est vivant, reste un mois chez Ménélas à ne rien faire alors qu'il a dit lui-même l'impossibilité de rester fût-ce seulement douze jours, comme son hôte le proposait. C'est tellement énorme qu'on peut se demander si même un raccommodeur médiocre aurait pu commettre une telle négligence. Mais est-ce bien de négligence qu'il s'agit?

Représentons-nous Homère au travail d'après Démodocos et Phémios. Son texte est sûrement rédigé, l'écriture est en usage de son temps quoi qu'en disent certains, mais ce qui n'est sûrement pas en usage, c'est le livre, tout simplement parce que le papyrus ne parvient pas encore commodément en Grèce. Or, jamais un public d'auditeurs écoutant un récitant ne pourra s'apercevoir que Télémaque reste un mois chez Ménélas. Pour s'en apercevoir, il faudrait entendre dans la même séance la matière de deux épisodes au moins. Le public d'Homère n'a donc pu être choqué de ce qui nous choque, nous, parce que nous sommes des lecteurs. Mais Homère sans aucun doute travaillait sans cesse à perfectionner cette œuvre gardée à l'état de répertoire et, tout comme a disparu de l'*Iliade* toute contradiction vraiment choquante, peut-être aurait-il finalement trouvé la toute petite phrase qui manque pour lever la difficulté qui arrête un lecteur. C'est qu'en s'imposant de ne pas suivre l'ordre du temps, il ne s'était pas seulement mis dans la nécessité de placer les aventures lointaines après le départ de chez Calypso, difficulté dont il a trouvé la solution, qui nous paraît aisée, mais qui était sans exemple, par les récits à Alkinoos. Mais il rencontrait forcément une difficulté beaucoup plus grande : comment dire que le voyage de Télémaque et les derniers jours du voyage d'Ulysse sont simultanés ? Jamais, dans aucun texte de l'*Iliade,* vous ne trouverez rien de pareil : le temps va toujours droit devant lui, et si l'action change de lieu, le temps continue, la scène nouvelle commence au moment où finissait la scène précédente. Que de sculpteurs archaïques, bien après Homère, ont représenté une tête entièrement à l'envers avant de savoir faire un personnage qui regarde derrière lui ! Combien d'autres ont mis une tête de face sur un corps de profil avant de savoir faire une tête de trois quarts ! La petite phrase qui manque dans l'*Odyssée* pour qu'on ne puisse pas croire que Télémaque prend un mois de vacances et pour que son retour soit exactement synchronisé avec celui de son père, essayez donc de l'écrire, vous verrez si c'est facile ! Homère est mort avant d'y avoir réussi.

Il sentait bien aussi qu'après les retrouvailles d'Ulysse et de Pénélope il restait une scène à faire : la rencontre d'Ulysse et de Laerte. La scène à faire, il l'a faite et elle est bonne. Mais il est mort avant d'avoir composé l'épisode où elle devait se trouver, et, cette fois, un raccommodeur est intervenu, à qui nous devons, dans la fin du chant XXIII et dans le chant XXIV, les absurdités maintes fois dénoncées.

L'*Odyssée* est l'œuvre d'un très grand poète en fin de carrière : et c'est peut-être la principale raison d'accepter, ce qui ne se heurte en somme à aucune impossibilité matérielle, chronologique ou esthétique absolue, que cet Homère soit celui-là même qui, dans l'*Iliade,* avait eu le temps de mettre avec amour la dernière main à son répertoire, d'avance traité comme un livre. Aucune des différences entre les deux épopées n'excède la marge d'évolution admissible chez un grand homme au cours d'une vie.

F. Robert.

PRÉFACE

par

Victor Bérard

I – LES ORIGINES GRECQUES

Les Hellènes d'autrefois donnaient le nom d'*épos*, qui signifie en grec parole, diction, au genre de poésie que notre Moyen Age appela « *chanson de geste* » et que la Renaissance nous a dressés à dénommer « *épopée* ». Les mêmes Hellènes disaient aussi « *Poésies homériques* », pour désigner l'Iliade et l'Odyssée, et le « *Poète* », tout court, signifiait Homère, aussi bien dans leurs conversations les plus usuelles que dans leurs livres les plus savants.

Ils pensaient que le Poète était né et avait vécu sur la côte asiatique de la mer Égée, dans quelqu'une des villes ou îles de l'Ionie, vers le début ou le milieu du IXe siècle avant notre ère. La chronologie officielle d'Athènes comptait six siècles environ entre les débuts de la civilisation proprement hellénique et l'apparition des Poésies. L'histoire commençait pour les Athéniens avec Kékrops, aux alentours de 1600 avant notre ère. La civilisation complète était implantée un

*siècle plus tard, entre 1520 et 1500, par le Phénicien Cad-
mos et l'Egyptien Danaos, importateurs de l'écriture, des
céréales, du vaisseau de mer et du char de guerre. Le siège
de Troie par les héros achéens prenait place vers 1200. L'invasion dorienne, un siècle plus tard, chassait du Péloponnèse
ces « fils d'Achéens », qui s'en allaient vers 1080-1050 fonder sur la côte d'Asie Mineure les villes royales d'Ionie, où
Homère naissait vers 900.*

*Ces dates semblaient fabuleuses aux homérisants du
XIXe siècle, qui ne voyaient dans les traditions les plus certaines que matière à « critique », c'est-à-dire : à chicane.
Ces dates concordent aujourd'hui avec les données historiques dont l'archéologie a recueilli les preuves dans les
fouilles égyptiennes, syriennes, crétoises et mycéniennes.*

*Les Achéens apparaissent pour la première fois dans les
inscriptions où le Pharaon Minephtah (1234-1224) triomphe
des « Peuples de la Mer » qui, durant deux siècles, descendent de l'Asie Mineure, au long des côtes syriennes, et, par
mer et par terre, essaient d'envahir le Delta.*

*Venus de quelque fond septentrional ou nord-oriental du
continent européen, ces Achéens étaient descendus en Grèce à
travers la Macédoine et la Thessalie : les siècles plus récents
ont connu les descentes successives que l'Hellade ancienne et
moderne vit s'abattre sur elle pour la piller, l'asservir, la
dépeupler, en changer momentanément la race et en ruiner
ou en abâtardir la civilisation; tels, avant notre ère, les
Doriens du XIe siècle, les Perses du Ve, les Macédoniens,
Épirotes, Gaulois et Romains des IV-IIe siècles, et tels,
après J.-C., les Vandales et Goths des IVe-Ve siècles, les
Slaves et Valaques des VIII-IXe, les Français du XIIIe, les*

Turcs des XVe-XVIe et les Albanais des XVIIe-XVIIIe.

La tradition reportait la descente des Achéens à plusieurs générations avant la guerre de Troie : les héros homériques, établis au pays des Pélasges (c'est le nom que les Anciens donnaient à la population de la Grèce préhellénique), ont une généalogie déjà longue ; ce sont des « fils d'Achéens », très fiers de ce titre qu'ils revendiquent et qui semble leur conférer une noblesse de sang divin et des privilèges de classe. Ces seigneurs blonds, aux longs cheveux, ces « nourrissons de Zeus », « égaux aux dieux », et leurs femmes « divines » constituent en pays conquis, sur un peuple d'esclaves ou de tenanciers, une sorte de féodalité ou de chevalerie, si l'on prend le mot cheval dans le sens que lui donne l'épos — non pas bête de selle et de cavalerie, mais coursier de trait et de charrerie, le char étant la plus noble acquisition qu'aient faite l'Égypte des Pharaons, par l'entremise du monde syro-arabe, et la Grèce des Égéens ou Pélasges, par l'intermédiaire de l'Égypte ou de la Phénicie.

Établis depuis plusieurs générations en pays civilisé, ces « fils d'Achéens » ont été pris par leur conquête ; ils en continuent les usages et les arts ; ils ont adapté à leurs goûts et à leurs besoins l'héritage des civilisations antérieures.

L'étude de leurs mœurs publiques et privées nous montre en eux, non plus une horde de barbares, mais une hiérarchie de gentilshommes, vassaux et suzerains, qui, liés par des intérêts solidaires et des traditions de famille, le sont aussi quelque peu par le sentiment d'un devoir commun envers la race et la terre achéennes ; la bonne et douce Argos (c'est le nom qu'ils donnent à tout notre Péloponnèse) leur est deve-

nue une patrie : sous Ilion, ils ne vont plus seulement au
pillage, à la rafle du butin et des captives ; ils sont au service de la nation, si l'on peut dire, et presque à la croisade.

Égyptiens, Phéniciens et Hittites ont été les éducateurs de
l'Achaïe, mais Égyptiens et Phéniciens surtout. Les héros de
l'épos conservent les relations les plus étroites avec cette
Thèbes d'Égypte, « la ville où les maisons regorgent de
richesse » et d'où le couple royal de Sparte a rapporté un
si riche mobilier et de si beaux présents.

Grâce aux trouvailles mycéniennes, nous savons à n'en
pas douter, nous voyons de nos yeux que cette civilisation
achéenne a réellement existé, telle que les vers de l'Iliade et
de l'Odyssée la font revivre, avec ses armes aux clous d'or,
sa vaisselle en or, en argent et en vermeil, sa Mycènes
« toute en or » et ses châteaux royaux où la sécurité et le
confort le plus raffiné le disputaient au luxe le plus riche et
à l'art le plus adroit ; sur les ruines de Tirynthe, nous pourrions restaurer le manoir odysséen de Ménélas ou la rési-
dence d'Alkinoos.

Les Atrides et leurs alliés ou vassaux étaient bien plus
loin de la pauvreté rustique que ne purent l'être nos Dago-
bert et même nos Charlemagne ; pour être des tard-venus
dans les terres et les eaux de l'Archipel, ils n'en étaient pas
moins les héritiers des quinze ou vingt siècles, durant lesquels les civilisations de l'Égypte ou de l'Asie avaient exercé
leur influence continue et profonde sur les « Iles de la Très-
Verte », comme il est dit dans les inscriptions pharaoniques.
Rome n'a pas agi plus fortement sur notre Europe occidentale. Toutes les œuvres de l'art et de l'industrie, que nous ont
rendues les fouilles crétoises et mycéniennes, portent la

*marque de cette intimité, soit qu'elles témoignent de la domi-
nation du Levant sur la vie des insulaires, soit qu'elles
montrent le choc en retour de la production égéenne sur les
marchés et les goûts des Levantins.*

*Est-il vraisemblable que cette influence du Levant n'ait
pas eu une pareille emprise sur la pensée achéenne et sur la
littérature homérique ?*

*
* *

*Il est un premier point où le témoignage des fouilles a été
décisif : il n'est plus permis de se demander aujourd'hui si
les vers homériques ont été composés par un écrivain et, dès
l'origine, confiés à l'écriture.*

*Quand les premiers Achéens descendirent en Grèce vers
le XVe siècle avant notre ère, les Mycéniens et les Égéens,
leurs prédécesseurs en ce pays, usaient déjà d'une écriture,
qui n'était pas notre alphabet et dont les fouilles de Crète,
des Iles, de Troie et du Péloponnèse nous ont rendu des
documents antérieurs au second millénaire avant J.-C. Mais
faute de pouvoir les déchiffrer, il nous est encore impossible
de savoir au juste à quels usages ou restreints cette
antique écriture avait été adaptée.*

*Les Hellènes classiques savaient que leur alphabet, — qui
est resté le nôtre, — était venu de Phénicie et que leurs prédécesseurs ou leurs ancêtres l'avaient reçu de Cadmos. Cette
affirmation, répétée par toute l'antiquité, a été confirmée par
les fouilles syriennes, qui attestent l'existence en Phénicie
d'une écriture alphabétique déjà évoluée au XIVe siècle, et*

sans doute même dès le XVe ou le XVIe siècle avant notre ère.

Ces dates sont celles que les Anciens donnaient pour l'arrivée en Grèce de Cadmos et de cette écriture. Désormais, se demander si l'Ionie homérique a su lire et écrire quatre siècles après le temps où l'alphabet avait cours dans les villes de Phénicie, six ou sept siècles après les premiers essais de cette écriture nouvelle, c'est demander si, deux siècles après Gutenberg, Corneille et Racine ont imprimé leurs pièces.

A la lumière de ces découvertes, se sont évanouies les affirmations et négations de Fr.-Aug. Wolf et de ses disciples. Elles avaient pour origine et pierre d'angle les fictions ossianiques et la tromperie de Macpherson, qui disait avoir retrouvé sur les lèvres du peuple d'Écosse et transcrit, après des siècles et des siècles de transmission orale, la sombre épopée du vieux barde.

On s'est plu, pendant un temps, à imaginer que l'Iliade et l'Odyssée étaient des créations spontanées du génie populaire, et que c'était le peuple achéen et ionien qui, par ses mille voix, les avait composées.

Mais nous savons aujourd'hui ce que peut donner en poésie le travail de la foule anonyme : il n'en est jamais sorti que des ouvrages faciles à reconnaître et qui ont pour caractères communs une extrême brièveté, la répétition des mots et des thèmes, un langage heurté, haletant, bégayant, sans ampleur et sans clarté, sans descriptions soutenues, sans longs discours, tout en dialogues, presque jamais en récits, tout en images soudaines, presque jamais en visions détaillées, tout en exclamations et en cris parfois émouvants, jamais en analyses de sentiments mélangés. Une marche régulière et patiente vers un but commun est ce qui leur manque le plus.

Et nous savons, d'autre part, ce que vaut la versification populaire, avec ses fantaisies et ses caprices, ses allongements et abréviations de mots, ses redoublements et suppressions de syllabes, ses approximations et mutilations du rythme.

Tout dans les poésies homériques répugne a une assimilation avec une « voix du peuple » : style et ton, fond et forme, mais surtout langue et prosodie.

Leur langue est d'un auteur, d'un homme de métier, d'un écrivain qui a eu nombre de devanciers habiles et qui a profité de leur héritage et de leurs exemples. « Des poètes qui ont précédé Homère, disait Aristote, il ne nous reste rien ; mais on ne saurait douter qu'il y en eut et en nombre. » Durant des générations, ils ont préparé et perfectionné pour lui cet instrument de précision et de beauté qu'est la langue homérique.

Et que dire de la perfection régulière, ininterrompue, constante des 15 693 vers de l'Iliade et des 12 110 vers de l'Odyssée ? Homère représente, à n'en pas douter, non pas les débuts ni même la jeunesse, mais la pleine maturité d'une longue tradition poétique ; l'hexamètre de l'épos est au même point d'avance et de perfection que l'alexandrin de nos Corneille et de nos Racine, plus proche même de ce dernier que de l'autre, par l'aisance, la souplesse et la grâce.

*
* *

Quand la Grèce des XVᵉ-XIIᵉ siècles avant J.-C. reçut
l'alphabet des Phéniciens, il y avait plus de mille ans déjà
que l'Égypte et l'Asie avaient des poètes et des prosateurs,
dont les archéologues viennent de nous rendre les ouvrages
littéraires, historiques, géographiques et religieux. Certains
de ces ouvrages, dont, aux IIᵉ et IIIᵉ millénaires, les scribes
du Levant confiaient le texte à leurs papyri où à leurs
tablettes de terre cuite, présentent d'étranges ressemblances
avec les poèmes homériques.

Tel est le cas de ces contes égyptiens qui nous sont parvenus
sur des transcriptions des XIIᵉ et XIIIᵉ siècles, du temps où
les pirates et commerçants odysséens fréquentaient les marchés
et les capitales de l'Égyptos, mais peuvent remonter au troisième millénaire avant J.-C. Or, s'il est un emprunt que les
marins font volontiers aux contrées et aux flottes étrangères, ce sont les contes et romans d'aventures. L'Égypte fut
une mine de contes pour les marines de tous les temps : nos
corsaires « francs » du XVIIᵉ siècle nous en ont rapporté
les Mille et Une Nuits; au début de l'histoire classique, les
Hellènes déclaraient en avoir rapporté de même leurs fables
ésopiques et les animaux merveilleux qui parlent, agissent et
raisonnent en hommes.

Ce sont les contes égyptiens, à n'en pas douter, qui ont
inspiré l'épisode odysséen de Protée, au chant IV du poème;
et, si l'on en juge d'après certains termes sémitiques, sans
doute est-ce la Phénicie qui servit d'intermédiaire entre
l'Égypte et le Poète.

Mais si la Phénicie avait emprunté à l'Égypte la mode littéraire des contes magiques, elle avait dû à plus forte raison lui emprunter un autre genre de récits beaucoup plus utiles à son peuple de navigateurs.

Durant les vingt-cinq siècles que nous connaissons de l'histoire méditerranéenne, les marines successives se sont toujours emprunté les unes aux autres, non seulement leurs routes et leurs recettes de navigation, mais aussi leurs livres de métier tant pour la construction que pour la manœuvre et le pilotage des vaisseaux. Elles se sont volé ou copié de l'une à l'autre ces « routiers » de la mer que les Français appellent aujourd'hui Instructions nautiques et les Anglais Pilots, que d'autres ont appelés jadis Portulans ou Miroirs de la Mer : les Anciens disaient le plus habituellement Périples.

Les aventures d'Ulysse ont pour théâtre les côtes et détroits des mers italiennes et espagnoles, dont le Poète nous donne les descriptions les plus exactes. Mais il nous dit lui-même que l'île d'Ulysse, Ithaque, était alors la dernière terre connue des Achéens : au-delà, s'ouvrait cette Méditerranée du Couchant, peuplée de monstres, d'anthropophages et de déesses jalouses, que ni le Poète ni ses contemporains n'avaient vue de leurs yeux : les seuls périples phéniciens avaient pu leur en fournir la vision précise.

Les Égyptiens des XIVᵉ-XIIIᵉ siècles avaient déjà tiré de leurs périples des contes et romans maritimes, dont plusieurs nous ont été conservés. Leurs disciples de Phénicie avaient reçu les leçons et les modèles d'autres maîtres : les Chaldéens avaient, depuis un plus grand nombre de siècles encore, de longues épopées, les unes militaires, comme l'Iliade, les autres géographiques, comme l'Odyssée, toutes, religieuses *et pleines de l'intervention des dieux et déesses dans l'existence des rois et des héros. Deux de ces épopées, au moins, toutes deux plus sombres encore et plus lugubres que les aventures d'Ulysse, s'étaient, durant des siècles et des siècles, transmises de peuples à peuples et de langues en langues, à travers tous les changements des empires et des races qui occupèrent les plaines et les plateaux de l'Asie antérieure.*

L'épopée de Gilgamesh nous est parvenue dans la traduction qu'en firent les Assyriens, sur les douze tablettes de la bibliothèque d'Assourbanipal (669-626). Mais des tablettes sumériennes nous en ont sauvé des fragments qui sont antérieurs de quelque mille années, et les fouilles de Boghaz-Keui nous ont apporté les fragments d'une recension hittite qu'avaient fait faire pour leur bibliothèque royale les empereurs de ce peuple d'Asie Mineure, voisins, suzerains peut-être des ancêtres de Pélops ou de Pélops lui-même : vers les XIIe-XIe siècles avant notre ère, tout le « Proche-Orient », de la mer Noire aux frontières de l'Égypte et du Bosphore au golfe Persique, connaissait, lisait les aventures du héros d'Erech, auquel la faveur, puis la colère des dieux avaient imposé de terribles voyages dans le monde des vivants et des morts.

Nous ne les connaissons aujourd'hui que très imparfaitement encore. Le joug ottoman s'est maintenu sur le Pays des Fleuves jusqu'en 1918, entravant ou ralentissant les assyriologues dans leurs reconquêtes de l'histoire et des littératures mésopotamiennes ; l'exploration systématique commence ; elle portera rapidement ses fruits ; les ressemblances s'accuseront et se multiplieront alors entre Gilgamesh et Ulysse ; voyages sur terre et sur mer, luttes contre les monstres, expéditions et séjours chez des divinités amoureuses ou terribles, consultation de nymphes expertes, évocation des morts, la parenté de forme et de fond entre cette épopée chaldéenne et la Poésie homérique semble évidente déjà à quelques-uns.

Certaines tablettes chaldéennes nous donnent les fragments d'une autre épopée non moins fameuse et non moins terrible ; les Voyages de la déesse Istar à travers les Sept Portes de l'Occident, vers le Pays des Morts ; Ulysse ne fait pas un autre voyage pour « explorer, nous dit-il lui-même, les passes du Couchant ».

Le périple merveilleux d'Héraklès dans la mer occidentale nous est connu par les mythes et légendes helléniques ; mais les Anciens savaient que cet Héraklès voyageur, cet explorateur des côtes et ce dompteur des monstres dans la Mer du Couchant, était l'Héraklès de Tyr : avant Ulysse, cet Héraklès-Melkart avait fréquenté les mêmes parages et usé parfois des mêmes instruments de navigation ; la tradition voulait qu'il eût, comme Ulysse, fabriqué des radeaux, dans les mêmes eaux de l'Extrême-Couchant, au pied de ces Colonnes du Ciel, dont l'Odyssée confie la garde au père de Calypso, Atlas, mais qui, pour l'antiquité classique, devinrent les Colonnes d'Hercule.

*
* *

Il faut donc remettre les poèmes homériques à leur vraie place dans l'histoire des littératures humaines. On peut définir, je crois, les temps modernes « la période des âges où l'humanité a cherché l'aliment de sa vie religieuse dans les

*livres sacrés des Hébreux et les modèles de son activité intel-
lectuelle et artistique dans les œuvres des Hellènes ».* Il faudrait alors voir l'aube des temps modernes en ces Xᵉ-VIIIᵉ
siècles avant notre ère, où les plus anciens livres de la Bible
et des Poésies homériques furent notés en cet alphabet, qui
nous les a transmis à travers quatre-vingts générations.

L'erreur de nos devanciers fut seulement de croire que
cette aube des temps modernes était aussi l'éveil de l'humanité pensante et créatrice et qu'Homère et la Bible étaient
les premières et soudaines explosions du génie littéraire. Les
récentes découvertes des archéologues en Égypte et en Chal-
dée nous ont pleinement révélé que, durant une longue
« antiquité » levantine, des savants, des artistes et des
poètes avaient déjà créé des chefs-d'œuvre, qui servirent, eux
aussi, de modèles à une centaine de générations et dont
Hébreux et Hellènes, loin de les ignorer, furent les admira-
teurs et les imitateurs, parfois même les copistes. La Chal-
dée, l'Égypte et la Phénicie, Babylone, Thèbes et Sidon
furent pour les Hébreux et les Hellènes la même sainte,
belle, docte et vénérable antiquité que furent pour les Occi-
dentaux Jérusalem, Athènes et Rome.

Les poèmes homériques sont l'œuvre d'écrivains,
d'« hommes de lettres », travaillant sur des modèles antérieurs et construisant artistement, savamment, des chefs-
d'œuvre, non pas de toutes pièces, — il n'est pas de création
humaine qui soit de toutes pièces, — mais en prenant leur
bien partout où ils le rencontraient. Avant eux, un long travail presque inconscient de la foule, puis un travail très
conscient des précurseurs avaient préparé les moyens d'ex-

pression (langue, vers, rythme, péripéties et scènes), les thèmes, les types et les conventions du genre : on ne voit pas qu'un chef-d'œuvre ait jamais paru sans ce travail et ces tâtonnements des précurseurs.

Avant les Récits chez Alkinoos, *qui sont le plus beau poème de l'Odyssée, il existait peut-être d'autres* Récits d'Ulysse, *comme avant Michel-Ange il existait dans l'art italien d'autres* Jugements, *d'autres* Prophètes *et d'autres* Sibylles. *Mais après le Poète odysséen comme après Michel-Ange, un modèle définitif était créé, fixé : personne n'essaya plus de recommencer l'Odysseia; personne n'essaie plus de recommencer le* Moïse.

L'œuvre propre du Poète fut donc ce portrait définitif du héros : le genre littéraire existait avant Lui ; mais, grâce à Lui, ayant porté son chef-d'œuvre, il n'eut plus ensuite qu'à disparaître.

Ce chef-d'œuvre apparut au « recoupement », si je puis dire, de la tradition achéenne et de l'influence sémitique; il en fut ainsi dans presque tous les pays et presque tous les temps : les grandes œuvres d'art sont le double produit d'une tradition indigène et d'une influence étrangère. L'influence triomphante de la Grèce sur la tradition italiote qui, depuis trois siècles, s'essayait à la poésie et aux autres arts littéraires, a donné aux Romains le siècle d'Auguste. A la rencontre de notre tradition moyenâgeuse et de la même influence grecque, la France classique eut ses deux siècles de la Renaissance et de Louis XIV. La France romantique reçut ensuite cet héritage, que fécondèrent en une nouvelle rencontre l'exemple et les prestiges des « Nordiques », Celtes et Germains.

Les Hellènes préhomériques avaient leur épos; les Levantins avaient leurs périples et leurs contes, leurs romans et leurs poèmes de navigation : les Récits chez Alkinoos *furent le résultat d'un habile croisement. Je les définirais volontiers « l'intégration dans l'épos des ouvrages égyptiens ou asiatiques, que les Phéniciens apportèrent dans les villes d'Ionie ».*

II. — ÉPOS ET ÉPOPÉE

« *En bref, on peut dire que poèmes d'Homère ne sont que drames.* » *Ainsi parlait encore, vers le* IIe *siècle après J.-C., l'auteur d'une* Vie d'Homère, *qui semble avoir été de l'entourage de Plutarque; il ne faisait que formuler en quatre mots l'idée commune qu'avaient eue tous les homérisants de l'antiquité hellénique et que se transmirent ensuite leurs plus lointains disciples des temps gréco-romains. Tous se souvenaient que les deux « Poésies homériques » ne s'étaient pas toujours présentées au public sous la forme que les âges plus récents leur connaissaient et que, nous-mêmes, nous leur conservons aujourd'hui. Depuis quelque vingt siècles, tout l'Occident, puis toute l'Europe, enfin tout le monde blanc ont adopté, révéré le texte homérique dans la structure et la teneur que nous avons héritées des Romains. Mais ce texte, Rome ne l'avait pas reçu des grands et vrais Hellènes d'Athènes, de Sparte, de Chios ou de Milet; elle le* tenait des « petits Grecs » de l'Asie Mineure et de l'Égypte, héritiers des conquêtes d'Alexandre et membres de communautés ou de nations métisses, que nos savants appellent « hellénistiques », par opposition aux vieilles cités et aux nobles peuples de l'histoire proprement « hellénique ».

Nous lisons encore aujourd'hui l'Homère que lisait et qu'imitait Virgile, disciple d'Alexandrie et de Pergame : ce n'est pas celui qu'ont connu et admiré les Athéniens de Solon, les Doriens de Lycurgue, les Ioniens de Thalès et les Éoliens de Sapho. Notre Homère en deux poèmes massifs et continus de XXIV « chants » chacun, ne date que des éditeurs d'Alexandrie, du IIIe siècle avant notre ère.

Ce sont les « Critiques » d'Alexandrie — Zénodote (mort vers 260), Aristophane de Byzance (vivant vers 250) et le fameux Aristarque (né vers 215) —, puis les « Grammairiens » de Pergame (Cratès, leur coryphée, vint à Rome vers 156) qui ont définitivement aménagé et constitué les deux blocs unitaires des Poésies homériques : « Geste » d'Achille ou d'Ilion, sous le nom d'Iliade, et « Geste » d'Ulysse, sous le nom d'Odyssée. Ce sont les Alexandrins qui ont tranché dans chacun de ces recueils les XXIV chapitres qu'à grand tort, nous appelons « chants ». Et ce sont eux encore qui ont admis dans leur texte officiel les 15 ou 16 000 vers de notre Iliade et les 12 000 vers de notre Odyssée, alors que plusieurs milliers de ces vers leur semblaient à eux-mêmes ou de « bâtardise » certaine ou d'authenticité douteuse.

A l'école des Alexandrins, Virgile crut faire de l'Homère, quand, mêlant aux combats de l'Iliade les aventures de l'Odyssée, il fit gémir son pieux Énée au long de 10 000

LVIII *Préface*

vers, puis trancha cette belle histoire en une simple douzaine, non plus en deux douzaines de « livres ».

Or, depuis un siècle, les archéologues et les historiens ont appris à nos sculpteurs et à nos architectes qu'il ne fallait en rien confondre l'art grec avec l'industrie gréco-romaine, ni, surtout, se fier aux formules et aux imitations de celle-ci pour connaître les originaux et théories de celui-là.

L'épopée de Virgile est à l'épos d'Homère ce qu'un temple du Forum est au Parthénon de Phidias. Personne aujourd'hui ne risquerait de mettre en parallèle, ni surtout en parenté, le Colisée géant et le théâtre athénien de Dionysos. Pourtant, c'est par le Colisée de l'Énéide, par cette énorme « fabrique » romaine, que, trop souvent, on nous apprend encore à juger de l'Iliade et de l'Odyssée.

Il faut chercher et reconstituer l'Homère primitif à travers et par-delà l'Homère des Alexandrins. Ces éditeurs des IIIe et IIe siècles ont dressé et servi l'épos suivant leurs propres goûts et besoins, suivant aussi la demande de leurs contemporains. C'étaient, avant tout, des érudits : leur charge principale était de conserver, compléter et administrer la Bibliothèque royale, dont les Ptolémées avaient doté leur capitale ; ils furent préoccupés d'organiser les œuvres d'Homère pour en rendre le rangement et la garde plus commodes dans leur Bibliothèque, pour faciliter aussi les renvois aux Mémoires et aux Commentaires, dont ils accompagnaient leurs éditions savantes, et pour donner enfin aux copistes et libraires du monde nouveau le modèle canonique et complet du livre d'étude, dont la Méditerranée tout entière et toute l'Asie antérieure faisaient usage désormais.

Dès les Ve et IVe siècles, les Athéniens avaient fait des

« *Poésies* » le manuel scolaire, l'encyclopédie de toute science et de toute sagesse, la Bible cultuelle, scientifique et philosophique, où l'Hellène digne de ce nom avait à chercher ses règles de conduite, ses idées sur les dieux, ses connaissances du monde et de l'homme, sa morale et sa foi, en même temps que ses modèles de bien penser et de bien dire.

Mais avant d'être un auteur de classe et un livre de lecture, que se transmirent pour l'étudier et l'admirer les soixante-dix générations de l'humanité gréco-romaine, byzantine et moderne (200 avant J.-C.-1900 après notre ère), avant d'être la collection de récitatifs et le manuel d'instruction et d'éducation, édité et commenté par les dix générations de la société hellénique et hellénistique (550-200 avant J.-C.), Homère fut pour les huit ou neuf générations de la première antiquité grecque (850-550 avant J.-C.) un auteur de scène, chanté et joué par des gens de théâtre, les aèdes d'abord, qui étaient des compositeurs et des acteurs tout ensemble, puis les rhapsodes, qui n'étaient plus que de simples acteurs.

Poème représenté ; poème récité ; poème édité : de ces trois périodes de l'histoire homérique à travers les âges, il arrive par trop souvent que l'on ne considère que les deux dernières, alors que la première doit attirer toute l'attention : si l'on veut connaître les « *Poésies* » authentiques, il faut essayer de rendre au jour et même de remettre en scène ce premier Homère de Smyrne, de Chios et de Milet ; l'Iliade et l'Odyssée doivent reprendre leur place en tête de cette littérature parlée, récitée ou chantée et mimée, que furent en vérité toutes les œuvres des vrais Hellènes, depuis la guerre

*de Troie jusqu'aux conquêtes d'Alexandre, depuis l'épos des
Ioniens jusqu'à l'idylle de Théocrite, en passant par la
lyrique des Éoliens et des Doriens, le drame tragique et
comique des Athéniens, leurs* logoi *(discours) oratoires ou
historiques et leurs* dialogoi *(dialogues) philosophiques.*

De l'épos homérique à la tragédie athénienne, il y eut
continuité de développement et identité de nature : l'épos
est une suite théâtrale de dialogues, de monologues et de récitatifs, comportant les mêmes répartitions et alternances de
rôles que la tragédie ou la comédie ; l'épos est un drame en
vers de « six pieds doubles », — hexamètres, disaient les
Anciens ; nous disons : vers de douze pieds, — que débitait
un seul récitant ; la tragédie est un drame en vers mélangés,
qui, à l'origine, n'avait, lui aussi, qu'un seul acteur et
qu'Eschyle pourvut d'un second, puis d'un troisième récitant,
et qui finit par avoir, avec Sophocle et Euripide, autant
d'acteurs que de personnages.

Ces différences extérieures ou foncières n'empêchent pas
qu'épos et tragédie soient semblables par les nécessités qui,
en tous temps et en tous pays, s'imposent à une œuvre représentée devant un auditoire humain et qui se traduisent par
des usages, puis des conventions et des règles.

Aristote et les rhéteurs anciens avaient raison de signaler
à leurs élèves cette étroite parenté entre l'épos et la tragédie :
Homère était, à les entendre, le prédécesseur et le maître des
Eschyle, des Sophocle et des Euripide. Non seulement la tragédie a emprunté les thèmes et sujets de l'épos ; mais tous
ses personnages en sont venus, y compris le chœur : déjà le
Poète exprime par la bouche d'un anonyme le sentiment de
l'assistance. Eschyle n'était que trop modeste ; mais il n'avait

pas tort de dire « qu'il vivait des miettes tombées de la table homérique ».

L'Égypte grecque des Ptolémées vient de nous rendre, dans les ruines ou les déchets de ses bourgs désertiques, des manuscrits d'Homère sur papyrus, qui ont remis en lumière ce caractère le plus important peut-être, de l'épos, avec la marque certaine que le texte des Poésies fut composé pour la diction scénique et non pour la lecture solitaire ni la récitation privée.

Nos prédécesseurs les plus récents ne connaissaient les vers du Poète que par les manuscrits sur parchemin de Byzance, dont le plus ancien n'était pas antérieur au Xe siècle de notre ère, au temps de notre Charles le Simple. Nous avons aujourd'hui des manuscrits alexandrins sur papyrus qui datent du IIIe siècle avant J.-C., — onze cents ans plus tôt.

Les manuscrits de Byzance s'adressaient aux gens d'étude et au public scolaire : ils étaient disposés, pour la plupart, comme ceux de l'Énéide et des épopées gréco-romaines. Les plus vieux papyri sont d'un temps où l'épos se récitait encore à haute voix dans les festins, se jouait encore, soit devant la foule, soit devant quelques amateurs attardés aux conceptions et plaisirs d'autrefois. L'épos de ces papyri est disposé à la mode archaïque, comme une suite théâtrale de dialogues, de monologues et de récitatifs, comportant les mêmes répartitions et alternances de rôles que la tragédie et la comédie. Les papyri portent les marques de ces alternances dans leurs « interlocutions », comme disent les paléographes.

Une édition et une traduction d'Homère, conformes aux dernières découvertes de la science philologique, doivent donc se présenter aux yeux comme un livre de poème dramatique, avec les noms des personnages indiquant en marge les alternances du dialogue. On ne saurait objecter que pareille disposition du texte n'est pas conforme aux intentions du premier auteur et qu'elle ne fut imaginée qu'ensuite, soit par les éditeurs et libraires, soit par les récitants de métier et pour la commodité de leur métier. Une simple comparaison entre l'Énéide et les *Poésies homériques* ferait tomber aussitôt l'objection.

Dans l'*Énéide*, composée pour être lue et non pour être représentée, le dialogue s'annonce de diverses façons. C'est, quelquefois, par un vers entier. Le plus souvent, ce n'est que par une moitié ou un fragment de vers. Ces formules d'annonce sont d'ordinaire séparées du discours; mais elles peuvent y être mêlées. Il arrive même que la formule d'annonce soit rejetée à la fin du discours. Les discours de l'*Énéide* commencent et se terminent souvent avec le vers. Mais souvent aussi ils empiètent sur le début du vers précédent ou suivant. Ici encore, Virgile est un fidèle disciple, un imitateur très docile, non pas d'Homère, mais des poètes alexandrins : il n'a fait que suivre les exemples d'Apollonios de Rhodes en ses **Argonautiques**.

Dans les *Poésies homériques*, un discours ne commence et ne finit jamais autrement qu'avec le vers : en tête et en queue, tout discours est toujours nettement séparé et de son annonce et de la reprise du récit; il ne se mêle jamais ni à l'une ni à l'autre, même quand il n'est composé que de deux vers, même quand il tient en un seul.

Les mêmes formules un peu monotones d'annonce, de conclusion et de reprise se retrouvent, en des vers pareillement disposés, même quand l'un des personnages homériques rapporte le dialogue qu'il eut en telle ou telle rencontre.

Comparez le récit qu'Énée fait à Didon ; on louera sans doute le soin avec lequel Virgile a voulu éviter la monotonie des formules homériques : grand gain littéraire à coup sûr ! Mais, devant un auditoire, quel avantage reprend tout aussitôt le texte du Poète !

Le récitant a ses changements de voix et de ton indiqués d'avance par ce texte même, bien visibles à ses yeux, à son esprit, à sa mémoire : de même que le Poète encadre ses discours de deux vers formulaires, le récitant pourra — c'est assurément ce qui se passait dans la récitation antique — les annoncer et les conclure, les encadrer par un changement de ton, un abaissement, un ralentissement ou une accélération de la voix, les mettre ainsi en relief, en mieux marquer le mouvement et le caractère.

L'auditoire, de son côté, regagnait en clarté et en sécurité ce qu'il perdait en variété de métrique et de vocabulaire. Certains rappels étaient là pour l'empêcher de s'égarer ou pour le remettre en bonne voie, s'il avait eu un moment de distraction ou d'incompréhension. La monotonie même de certaines formules l'avertissait fermement, sans que jamais son oreille pût s'y tromper.

Le Poète, en effet, donne à chaque personnage comme un leitmotiv d'entrée, où les noms, qualités et origine de chacun sont énumérés et parfois répétés. Jamais un auditoire même lointain, même houleux, même distrait, ne pouvait prendre pour un discours de Mentor ou de Laerte les paroles d'Ulysse ou de Télémaque.

Que l'on compare tels passages de l'Énéide où non pas

même l'auditeur, mais le lecteur le plus attentif a grand'peine à discerner les noms et qualités du personnage qui prend la parole... Par vingt exemples, on montrerait cette différence essentielle entre l'épopée, « page d'écriture », s'adressant à l'esprit et aux yeux d'un lecteur, et l'épos, « œuvre de scène », s'adressant aux oreilles d'un auditoire. On méconnaît donc la vraie nature du texte homérique si, dans une traduction, on néglige ou l'on transforme ces formules du dialogue. Il faut les traduire tant aux yeux qu'à l'esprit du lecteur et leur garder la même place indépendante entre les couplets du récit ou des discours.

*
* *

« Nous avons d'Homère — disaient les Commentateurs antiques — deux Poésies, l'Iliade et l'Odyssée, qui comprennent, chacune, plusieurs poèmes, nommés aussi Rhapsodies ou Lettres : ce dernier nom leur est venu de leur numérotation alphabétique. Cette division n'est pas du Poète (notons bien ces mots). Elle est des grammairiens de l'école alexandrine. Elle leur parut nécessaire à cause de la longueur de ces Poésies d'où ce découpage en vingt-quatre tranches. Les gens d'Alexandrie ne jugèrent pas utile de donner à ces tranches le nom de premier, second, troisième Discours, etc., comme a fait Quintus de Smyrne. Mais, vu le nombre de ces XXIV tranches, ils jugèrent préférable de leur donner le nom des XXIV Lettres ».

Les Latins ne gardèrent pas ce nom : ils disaient « livres » ; nous disons plus volontiers « chants », comme si le Poète *avait produit successivement ces différentes porties de son ouvrage.*

Mais cette distribution en tranches *ou* lettres — *on devrait dire plus exactement en* tomes — *n'a rien à voir avec la constitution intime des deux Poésies, ni avec les intentions du Poète, ni avec les besoins de ses premiers auditoires, ni même avec les habitudes des contemporains de Périclès et de Socrate, lesquels n'avaient pas encore vingt-quatre lettres dans leur alphabet officiel.*

Personne parmi les Hellènes n'attribua jamais au Poète le découpage de l'épos en deux douzaines de « lettres ». Personne dans l'antiquité n'ignora que l'alphabet de XXIV lettres n'était passé dans l'usage courant que trois ou quatre siècles après l'apparition des Poésies.

Quelque surprenante que soit souvent cette division, aussi arbitraire dans le fond que dans la forme, il n'est pas impossible d'en retrouver, d'en apercevoir tout au moins, l'intention directrice. Antérieurement aux Alexandrins, les Hellènes connaissaient dans l'Iliade et dans l'Odyssée des épisodes dont chacun avait son titre particulier.

Nous avons une preuve certaine que ces titres d'épisodes, dont certains manuscrits nous donnent la liste, sont antérieurs à la division en « lettres » ou chants et qu'en cette division, les Alexandrins n'ont respecté ni la teneur ni l'unité des anciens épisodes : Hérodote lisait, dans les Exploits de Diomède, *des vers que nous lisons, non pas au chant V de l'Iliade qui porte ce titre, mais au chant VI, qui s'appelle aujourd'hui* Conversation d'Hector et d'Andromaque.

Il est visible, d'autre part, que les titres d'épisodes, en plusieurs cas, correspondent aux premiers mots des chants qui les portent aujourd'hui : la division en tranches semble avoir été faite pour répondre littéralement à ces titres antérieurs.

Comparés entre eux, ces titres ne semblent pas tous de même espèce. La plupart désignent des épisodes séparés, mais dépendants, qui font partie d'une série et se continuent les uns les autres, soit dans les aventures de Télémaque, soit dans celles d'Ulysse, soit dans la lutte du père et du fils contre les prétendants : L'Assemblée d'Ithaque, l'Arrivée à Pylos *et* l'Arrivée à Lacédémone *sont trois épisodes autonomes, mais du même voyage de Télémaque, tout pareillement,* l'Antre de Calypso, le Radeau d'Ulysse, l'Arrivée en Phéacie, *etc., etc., se suivent dans les aventures d'Ulysse, et tout pareillement aussi,* la Montée chez le Porcher, le Bain de Pieds, l'Offre de l'Arc, *etc., etc., dans la lutte contre les prétendants. Par contre, il est deux de ces titres, qui ne peuvent pas convenir à un seul épisode, mais en englobent plusieurs :* le Voyage de Télémaque *et* les Récits d'Ulysse chez Alkinoos.

Nous avons ici deux appellations de « pièces » et le lecteur, aussitôt qu'il est averti, découvre sans peine que les XII ou XIII premiers chants, au moins, appartiennent à ces deux pièces, tandis que les XI ou XII derniers ne sauraient en faire partie. Cette fin de la Poésie odysséenne et une troisième pièce dont le titre ne nous a pas été conservé dans les inscriptions actuelles de nos chants ; mais un mot sans cesse répété dans le texte même nous dit et redit que le sujet commun de cette dernière série d'épisodes est la Vengeance d'Ulysse.

Voyage de Télémaque; Récits chez Alkinoos; Vengeance d'Ulysse : *en ces trois pièces, si l'on cherche la structure organique en scènes sous la coupure artificielle en « lettres », un indice apparaît qui peut servir de guide à plusieurs reprises. Chacune des scènes primitives semble avoir contenu tous les événements d'une journée, en commençant à l'aurore pour aller jusqu'à l'aube suivante. D'aurore en aurore, on arrive à reconstituer le* Voyage *d'une part, et les* Récits *de l'autre, et voici qu'entre les deux pièces, s'affirme une différence notable : les scènes, une fois débarrassées de leurs vers apocryphes (nous allons revenir longuement sur ce point), sont de même longueur dans chacune des deux pièces, mais non pas dans l'une et l'autre.*

Le Voyage *se composait à l'origine de quatre grandes scènes, dont chacune avait de 390 à 410 vers authentiques, — au total, quelque 1 500 vers :*

L'Assemblée d'Ithaque.	406	vers
A Pylos.	388	»
A Lacédémone.	356	(?)
Le Retour de Télémaque.	380	(?)

Les Récits *se composaient de onze scènes beaucoup plus courtes, dont chacune n'avait que 250 à 280 vers authentiques, — au total, quelque 2 900 vers :*

L'Antre de Calypso.	276	vers
Le Radeau d'Ulysse.	250	»
L'Arrivée chez les Phéaciens.	269	»
L'Entrée chez Alkinoos.	264	»

A ces épisodes originaux, deux autres scènes furent ajoutées dans la suite des temps; elles figuraient déjà dans les récitations athéniennes des Récits :

La Fête Phéacienne ou Les Jeux,
La Descente aux Enfers.

De même longueur ou à peu près (il est difficile de donner des précisions certaines pour ces épisodes « bâtards ») que les scènes authentiques, ces deux grosses interpolations semblent avoir été composées sur le même patron.

Les onze épisodes originaux sont, pris à part ou juxtaposés, les ouvrages les plus parfaits peut-être, du génie grec. On peut les examiner point à point, fil à fil, sans trouver jamais dans la chaîne ou la trame la moindre malfaçon ni la moindre faiblesse : c'est partout la même qualité de la matière et la même maîtrise du métier, au service de l'art le plus vigoureux et le plus fin.

La longueur des scènes différencie le Voyage de Télémaque des Récits chez Alkinoos, mais, plus encore, la qualité des deux textes et des deux compositions. A lire et surtout à traduire le texte du Voyage, on ne rencontre *pas toujours la claire simplicité, la légère et souveraine aisance de l'autre drame : les* Récits *sont l'œuvre d'un grand poète ; l'auteur du* Voyage *est un ingénieux ouvrier de bons vers faciles, coulants et pleins.*

L'imitation, la copie même des Récits *est sensible aussi bien dans le texte du* Voyage *que dans le choix et la matière du sujet. C'est par dizaines que l'on pourrait y montrer les vers non pas seulement imités, mais décalqués ou à peine modifiés, tout juste accommodés au service qu'ils doivent remplir en leur nouvelle place.*

Le Voyage *est donc postérieur aux* Récits *: il fut composé pour une récitation séparée ; il a sa chronologie distincte ; quand on l'introduisit dans la* Poésie *actuelle, il fallut en juxtaposer les dates aux dates des* Récits *et de la* Vengeance, *sans pouvoir les concilier entre elles ; il n'est pas de commentateur ancien ou moderne qui n'ait signalé cette discordance, et les Anciens s'étonnaient déjà de ce* Voyage, *doublement et triplement inutile à la marche de la présente* Odyssée *:* Télémaque *s'en va courir tous les risques, il abandonne son manoir et sa mère aux prétendants, juste à l'heure où son père va rentrer et où le départ du fils ne peut en rien servir à ce retour !...*

La Vengeance d'Ulysse *est, à n'en pas douter, la continuation et suite immédiate des* Récits *chez* Alkinoos *: au vers 185 de notre chant XIII, où s'arrêtent ceux-ci, commence celle-là et elle se poursuit jusqu'à ce vers 296 du chant XXIII où les Alexandrins notaient : «fin de l'Odyssée». De ce début du chant XIII à ce milieu du chant XXIII, on peut suivre la* Vengeance *au fil du texte actuel : débarrassés des vers et passages étrangers au texte primitif, neuf épisodes se* *succèdent de même taille, de 370 à 390 vers, — au total, quelque 3 400 vers :*

L'ARRIVÉE D'ULYSSE EN ITHAQUE.	370 vers
LA CONVERSATION CHEZ EUMÉE.	387 »
AUX CHAMPS... *(mutilé)*.	??? »
FILS ET PÈRE.	369 »
A LA VILLE.	381 »
LE BAIN DE PIEDS.	369 »
LE JEU DE L'ARC.	385 »
LE MASSACRE DES PRÉTENDANTS.	372 »
MARI ET FEMME.	378 »

Ajoutez un épisode interpolé, « bâtard », le Pugilat *de même longueur : 391 vers.*

Continuation immédiate des Récits, *la* Vengeance *n'est pourtant pas du même auteur, ni de la même époque. Il serait déjà surprenant qu'ayant fait une première suite d'épisodes de 250 à 280 vers, le même auteur eût continué par une série d'épisodes de 370 à 390 vers. Et cette diffé-rence de taille n'est rien, si l'on considère les différences de structure, de travail et de matière. D'un bout à l'autre de la* Vengeance, *le traducteur vient chopper sur des termes impropres, des répétitions, des délayages, du verbiage, des rythmes ou monotones ou trop heurtés.*

Mais le Voyage de Télémaque, *les* Récits chez Alki-noos *et la* Vengeance d'Ulysse *ne remplissent pas toute notre* Odyssée *traditionnelle. Le* Voyage *ne commence qu'au chant II, lequel a pour double « inscription » le titre du premier épisode,* Assemblée d'Ithaque, *et celui de toute la pièce,* Voyage de Télémaque. *La* Vengeance *ne va pas jusqu'à la fin du chant XXIV : elle s'arrête à ce vers 296 du chant XXIII, auquel les Alexandrins mettaient le point final de la véritable* Poésie *; au-delà, ils pensaient être sortis de l'*Odyssée *proprement dite.*

Un « Finale », en effet, fut ajouté à la Vengeance, *le jour où les trois drames originaux furent cousus bout à bout. Entre eux et ce Finale, les commentateurs de tous les temps ont signalé les multiples différences de langue et de versification, les anachronismes, les fantaisies géographiques et les invraisemblances logiques ou sentimentales.*

Les Anciens excusaient toutes ces « faiblesses », en considération de l'utilité, de la nécessité, — disaient-ils, — de ce dernier chant, sans lequel la rentrée d'Ulysse en Ithaque n'aurait pas été complète : nous ne saurions pas comment le héros avait retrouvé son père, comment il avait été reconnu par lui, après l'avoir été par Télémaque, la nourrice, les serviteurs et Pénélope, et comment il avait obtenu, après le massacre des prétendants, le pardon de son peuple.

C'est une conclusion postiche, en effet, qui fut ajoutée le jour où les trois pièces séparées du Voyage, *des* Récits *et de la* Vengeance, *furent mises bout à bout en une histoire unitaire : elles avaient besoin, après tant de péripéties, d'un dénouement complet et définitif.*

Au devant des trois drames, pour en annoncer et en légitimer la réunion un peu artificielle, une « Ouverture » fut symétriquement ajoutée : c'est le chant I de la Poésie *actuelle. Comme le chant XXIV, il porte la marque de sa rédaction plus tardive. Certains vers sont contraires à tout ce que nous savons des « réalités » odysséennes : il est visible que l'auteur ne connaissait plus rien des résidences et mœurs achéennes.*

*
* *

Au total, l'Odyssée actuelle est le résultat d'une synthèse où sont entrés trois ou quatre sortes d'éléments assez différents de nature, de sources et d'époques :

1º trois drames épiques, qui, par ordre de valeur et d'ancienneté, seraient les Récits chez Alkinoos, le Voyage de Télémaque, et la Vengeance d'Ulysse;

2º un Prologue ou Ouverture adventice, en tête, et un Épilogue ou Finale postiche, en queue de ces trois drames, emboutis ou raccordés plus ou moins habilement, le Voyage étant mis au début et la Vengeance à la fin;

3º des vers « superflus » et des vers et épisodes « bâtards », comme disaient les Alexandrins; car le texte du Poète a subi d'étranges vicissitudes durant les dix ou douze siècles qu'il fut la victime des aèdes et rhapsodes de la Grèce archaïque, puis des éditeurs et commentateurs de toute l'antiquité hellénique et gréco-romaine.

III. — LE TEXTE HOMÉRIQUE

Quand, au long des IIIe et IIe siècles avant notre ère, les éditeurs d'Alexandrie, Zénodote, Aristophane de Byzance et Aristarque, entreprirent d'établir le texte définitif des deux Poésies, leur érudition curieuse disposa de tous les moyens de comparaison, de vérification et de choix entre les divers manuscrits, que pouvait leur fournir le monde panhellénique.

Les Ptolémées avaient réuni, dans leurs deux Bibliothèques royales, soit les originaux, soit les copies de toutes les éditions du Poète : exemplaires du commerce et des particuliers, collations des homérisants antérieurs, textes officiels que les villes et peuples avaient adoptés pour leurs écoles ou leurs représentations publiques, Athénienne, Argolique, Chypriote, Crétoise, Marseillaise, etc., car Marseille, à l'exemple d'Athènes, possédait son Homère, dont les Anciens nous ont conservé quelques variantes ou particularités.

Les Alexandrins constatèrent aussitôt entre ces Homères les divergences les plus grandes. Les éditions de toutes qualités, mais surtout les copies commerciales, — « communes », « vulgaires » ou « démocratiques », disaient-ils, — différaient entre elles moins par le texte que par le nombre des vers et des épisodes : si nous en jugeons par les manuscrits

sur papyrus récemment retrouvés dans les ruines ptolé-
maïques, la longueur des *Poésies* pouvait, au IVe et
IIIe siècles, varier du simple au double, dans l'ensemble,
et au quadruple, dans certaines parties.

Une comparaison soigneuse persuada les Alexandrins
qu'au texte authentique, deux sortes d'additions avaient
été faites : des vers, qu'ils appelaient « surnuméraires »
ou « superflus », et des vers ou des épisodes « bâtards ».

Les « superflus » étaient des vers authentiquement homériques, mais inutilement ou même sottement répétés en des
places où ils n'avaient que faire, quand ils n'y faisaient pas
tache ou scandale.

Les « bâtards » étaient des inventions créées de toute
pièce ou faites de pièces et de morceaux : en ces œuvres de
faussaires, apparaissait la marque et parfois la date de
l'ouvrier, irrégularités orthographiques, verbales et gram-
maticales, inexactitudes historiques, chronologiques ou légendaires, incompatibilité et contradictions avec le reste des
Poésies, etc.

Les Alexandrins n'expulsaient de leur texte homérique
que ceux des « superflus » et des « bâtards », dont la sottise
ou la maladresse était trop choquante et dont l'intrusion ne
pouvait pas être niée. Ils conservaient la plupart des autres
intrus, même ceux qu'ils jugeaient des plus douteux, des plus
indésirables, même ceux que les meilleures des éditions
antérieures ne portaient pas.

Ils les condamnaient, néanmoins, et les notaient, en marge,
de signes d'infamie : la « broche » simple, obel, dénonçait
des bâtards ; la « broche à l'étoile », obel astérisqué, dénonçait les superflus.

Il est probable que ce choix critique des Alexandrins se serait imposé à tous les lecteurs anciens et modernes, si les homérisants de Pergame n'étaient pas survenus. Rivaux des Ptolémées, les Attales fondent au milieu du IIIe siècle leur bibliothèque de Pergame, et leur université, si l'on peut dire, fournit bientôt de professeurs l'Asie Mineure, Rome et tout l'Occident. Ses homérisants (j'ai dit que leur coryphée, Cratès, vint à Rome en 156 avant notre ère) prennent le contre-pied des Alexandrins : ils admettent dans leur Homère et font admirer à leurs élèves la plupart des vers bâtards ou superflus qu'il a plu aux générations antérieures ou qu'il plaît au générations nouvelles d'y introduire.

L'Homère, que les Romains reçoivent de Pergame, est donc encombré de vers douteux ou étrangers, qui figurent encore dans nos éditions scolaires d'aujourd'hui, et, jusqu'à nous, les Commentateurs anciens et les érudits modernes se sont transmis les raisonnements par lesquels les « Grammairiens » de Pergame s'efforçaient de légitimer tous les vers et épisodes qu'avaient mis en suspicion les « Critiques » alexandrins.

A qui devons-nous entendre, des Critiques ou des Grammairiens, pour reconstituer le texte primitif?... Depuis la découverte des papyri homériques, nous comprenons bien mieux les justes entreprises des Alexandrins, et nous sommes peut-être mieux outillés que les Anciens pour le contrôle des surcharges qui dénaturent le texte du Poète. Nous sommes de meilleurs astronomes que les Chaldéens qui, pourtant, avaient de meilleurs yeux et un ciel plus pur que les nôtres, mais n'avaient pas le télescope. L'archéologie et la philologie nous ont munis d'instruments dont ne pouvaient pas disposer les Alexandrins, malgré leurs admirables Bibliothèques.

Pour la commodité de l'exposition, on peut donner le nom d' « insertions » aux vers « superflus », aux répétitions inutiles, et celui d' « interpolations » aux vers et épisodes « bâtards », aux falsifications proprement dites.

*
* *

Personne n'a jamais nié que la répétition, non seulement de formules plus ou moins longues, mais de vers entiers fût l'un des procédés habituels de la poésie homérique et que, pour exprimer les mêmes idées et servir aux mêmes besoins, les mêmes vers, mot pour mot, lettre pour lettre, revinssent à plusieurs reprises dans les passages les plus authentiques : les hexamètres, qui annoncent et concluent les discours, ceux qui décrivent soit les repas et sacrifices, soit les arrivées, départs et armements de bateaux, etc., en fournissent le type le plus commun.

Mais, dans les 27 803 vers du texte actuel (15 693 pour l'Iliade, 12 110 pour l'Odyssée), 1 804 reviennent 4 730 fois et, si l'on compte ceux qui, sans être tout à fait identiques, sont fabriqués de formules semblables, on arrive au total de 9 253 : 5 605 pour l'Iliade, 3 648 pour l'Odyssée. Plus d'un tiers des deux Poésies actuelles est fait de répétitions.

Personne ne songe plus à contester qu'il en est d'abusives : depuis un siècle, les éditeurs ont dû, bon gre, mal gré, prendre parti pour ou contre certains vers que les uns déclarent inutiles et enferment simplement entre crochets, que les autres, avec de bonnes raisons, déclarent gènants et relèguent en bas des pages ou à la fin des épisodes ; c'est le dernier de ces systèmes qui a été adopté ici.

L'étude des passages suspects conduit aux conclusions suivantes :

1º Il paraît certain que, pour allonger ou embellir les Poésies, des vers authentiquement homériques furent inutilement « insérés » par les récitants ou les copistes, en des endroits où ils n'avaient que faire.

2º Il semble difficile de dater la plupart de ces insertions. En nombre de cas, elles figuraient dans les éditions antérieures aux Alexandrins, qui les déclaraient scandaleuses.

3º La plupart semblent être venues s'ajouter au texte de la même façon : la terminaison semblable de deux vers authentiques amena derrière l'un d'eux la suite de l'autre, en des endroits où cette suite n'était ni nécessaire, ni utile, ni même acceptable.

Les insertions semblent donc être, avant tout, un méfait de la mémoire. Elles sont imputables soit aux récitants, aux rhapsodes, qui devaient avoir en tête quelque vingt-cinq ou trente mille vers pour exercer la profession, soit aux copistes.

Elles s'expliquent aussi par le double désir, des éditeurs et des lecteurs anciens, de donner ou d'avoir un texte d'Homère aussi complet que possible, sans omissions ni coupures. Nombre d'insertions sont enfin venues, comme d'elles-mêmes, s'imposer aux yeux des copistes, plus encore qu'à leur mémoire. Certains de nos manuscrits nous montrent ce qu'était une édition d'Homère destinée aux études de l'école ou des érudits : en un mélange indiscernable parfois, le texte occupait le centre des pages et tout autour, en haut, en bas, à droite, à gauche, en lignes serrées, en phrases abrégées, se pressait le commentaire qui souvent envahissait jusqu'aux interlignes du texte. On trouvait en ce commentaire des citations de l'Iliade et de l'Odyssée, les unes servant à expliquer les mots ou les tournures du texte central, les autres venant illustrer ou compléter le morceau.

Le voisinage, puis l'invasion de ces notes marginales ou interlinéaires ont introduit dans le texte recopié des mots, des formes, des vers « surnuméraires », dont la présence devrait aujourd'hui nous scandaliser.

*
* *

Les « interpolations » sont d'une tout autre origine et d'une tout autre nature. Elles ne comportent pas seulement un vers ou quelques vers isolés; elles forment des blocs parfois imposants (il en est qui dépassent 4 et 500 vers suivis); elles sont l'ouvrage conscient et trompeur de faussaires. Ces adjonctions, dont l'intention et la date, sinon l'auteur, sont souvent faciles à déceler ne datent pas d'une seule époque; elles sont venues, durant les dix ou douze siècles de l'antiquité hellénique et gréco-romaine, s'introduire successivement dans le texte des deux Poésies.

Nos manuscrits sur papyrus sont tous postérieurs au IVe siècle avant notre ère; ils ne nous ont rien appris de certain sur les plus vieux Homères de la Grèce ionienne ou de la Grèce classique. Mais ils nous fournissent un document de comparaison, qui, pour être emprunté à une époque toute différente — à la fin du second ou au début du troisième

siècle après Jésus-Christ — n'en est pas moins d'une importance décisive.

L'un de ces papyri, *postérieur à l'an 221 après J.-C.*,
contient un épisode odysséen que personne parmi nos devanciers n'avait connu : c'est une Invocation aux Morts, que le
grammairien Julius Africanus dit avoir lue complète dans
deux exemplaires homériques, l'un à Nysa de Carie, l'autre
en sa vieille patrie d'Élia Capitolina (Jérusalem).

Cette Invocation s'intercalait au chant XI ; en trente vers,
Ulysse y faisait appel à divers dieux et démons de l'Égypte
dont les noms mêmes sont d'une époque déterminée. Cet
exemple nous éclaire sur les traitements que les Poésies
ont pu, ont dû subir à travers l'hellénisme d'Asie, des Iles,
de Grèce, de Grande-Grèce, du Levant et de l'Occident,
durant les quatre ou cinq siècles antérieurs aux Critiques
d'Alexandrie.

Platon lisait une Odyssée où figurait cet épisode de la
Chasse sur le Parnasse, *que comporte notre chant XIX.* Par
contre, la Chasse ne figurait pas dans l'Odyssée d'Aristote,
dont le propre témoignage est formel là-dessus.

Et dès l'antiquité, l'épisode des Amours d'Arès et
d'Aphrodite *ou chant VIII* ne passait pour authentique
qu'auprès des ignorants et de la foule grossière.

Tandis que les insertions ont été reléguées au bas des
pages, les interpolations ont été simplement mises entre
crochets. Ces interpolations pourront paraître nombreuses,
trop nombreuses, au lecteur non prévenu. Seules pourtant les
plus massives ont été ainsi traitées dans cette édition, bien des
vers isolés, dont la « bâtardise » n'est pas moins certaine,
ayant été laissés dans le fil du texte.

*
* *

Restent deux ou trois points sur lesquels quelques expli-cations sont nécessaires.

Les Anciens avaient nettement défini les qualités fonda-mentales qu'exigeaient de la diction épique les goûts, plaisirs et commodités de l'auditoire : avant tout, l'oreille de ce public devait être prise par le jeu des sons et des mots ; puis son esprit voulait comprendre à première rencontre, sans la moindre peine ; son urbanité — les Hellènes disaient « astéisme » (astu, ville) — sans être toujours très déli-cate, ne réclamait ni violence ni grossièretés ; enfin, son ironie ou sa subtilité l'inclinant au sourire, son sens de la mesure et de la réalité répugnait à toute exagération. La réunion de ces qualités, au dire des anciens Commentateurs, faisait le ton et le style vraiment homériques : ceux-là seuls ne les goûtaient pas ou en supportaient l'absence, qui ne pensaient pas homériquement.

Une clarté soutenue, rarement fulgurante, plus rarement encore estompée, une grande et vive lumière se joue, disaient-ils, sur toutes les façades de l'œuvre où mots, phrases, descriptions, discours, récits, tout est calculé, « bâti », pour en recevoir et en répercuter l'éclat. Cette atmosphère lumineuse pénètre dans les moindres recoins, sans jamais rien laisser ni dans une pénombre douteuse ni dans une ombre ensommeillée : l'obscurité et l'amphibologie sont comme les signes du parler « non homérique » ; l'art de la bâtisse, l'ordonnance, « l'économie », est la marque du Poète.

Quant à l'urbanité du Poète, les Anciens comprenaient sous ce chef toutes les qualités civiles et courtoises, qui font la culture et la sagesse, l'élégance et la finesse, le mouvement et la variété, l'aisance et le sourire, la richesse et le luxe de la société urbaine, par opposition à l'ignorance, à la lourdeur, à la rudesse, à la grossièreté, à la pauvreté, au ridicule et à la monotonie de la vie campagnarde, à la rusticité. Car les Anciens n'ont jamais connu dans le Poète cette naïveté de la parole et cette simplicité de l'esprit, cette énergie enchaînée ou déchaînée de l'âme que, depuis cent cinquante ans, on veut nous faire admirer en ses vers.

*Le Poète est, avant tout, un « citadin » de l'opulente Milet ou de Smyrne la bourgeoise; et les épisodes les plus « champêtres » de l'*Odyssée *ne sentent pas plus le village ou la ferme que l'exclamation virgilienne :*

> O fortunatos nimium sua si bona norint
> agricolas!

*Il est pourtant une particularité du langage homérique qui peut sembler des plus contraires à la simplicité et à la précision du style, à la netteté de la phrase, à l'intelligence même du texte : à première lecture, le Poète semble abuser des épithètes que nous appelons poétiques, et nos traducteurs ont dressé le public à reconnaître une marque d'origine en ces « adjectifs de majesté » dont l'*épos, *nous dit-on, avait un insatiable besoin.*

*Chaque siècle et même chaque génération a sa façon d'utiliser les divers éléments du langage. Dans le langage de l'*épos, *l'épithète est souveraine : non seulement, elle rem-*

place l'adverbe ; mais elle sert à des fins où le substantif nous paraît aujourd'hui de rigueur.

Il est possible, probable, qu'aux temps des premiers aèdes, le langage des contemporains usait ainsi de l'épithète. Il est certain que cet usage fournissait à la prosodie de l'hexamètre les commodités les plus grandes : les différents cas de la couple adjectif-substantif offraient en nombre les dactyles. L'alexandrin français des XVIIe et XVIIIe siècles avait un pareil recours à l'adjectif pour « attraper » la rime : notre alexandrin du XXe a un peu perdu ce besoin, bien qu'il apprécie toujours la commodité de l'adjectif à la fin de nos vers. L'hexamètre homérique, quoi qu'il en paraisse d'abord, est plus semblable à notre alexandrin du XXe siècle qu'à celui des XVIIe et XVIIIe : il garde de sa vie antérieure tout un bagage d'épithètes dactyliques ; mais beaucoup d'entre elles constituent avec les substantifs des formules qui sont devenues clauses de style, phrases protocolaires, et doivent être traitées en conséquence.

Un grand nombre d'autres — pour ne pas dire le plus grand nombre d'entre elles — sont tout le contraire de chevilles poétiques ; car ce sont des épithètes, non de qualité, mais de désignation et de nature, qui ne traduisent, liées au substantif, qu'une seule idée simple ; un seul terme français peut et doit rendre cette couple. Ainsi le navire que l'épos appelle un « prompt vaisseau », nèus thoè, est dans les flottes du temps l'unité de combat ou de transport, destinée aux opérations rapides, — aux croisières, disaient déjà nos marins des XVIIe et XVIIIe siècles ; — c'est le navire que nos marins du XVIe siècle désignaient sous le nom de « galère subtile » et qui de nos jours s'appelle croiseur.

*C'est une « verge en or », et non une « verge dorée »,
dont le Poète gratifie Hermès, le messager de Zeus. C'est
« l'Homme aux Mille Tours », et non pas seulement « un
homme astucieux » qu'il désigne dans le premier vers de
l'Odyssée et qu'il glorifie tout au long de la geste. Dans
la maison d'Ithaque, servantes et servants raniment, nous
disent les traducteurs, le « feu infatigable » : le Poète avait
devant les yeux ou l'esprit la flamme agile, montante,
descendante, dansante, qui sort brusquement de la braise « où
l'on conserve la semence du feu ». Le « feu infatigable » ne
dit rien à nos oreilles ni à notre imagination, rien même à
notre entendement. La « danse de la flamme » peut évoquer
de façon plus exacte la vision du Poète.*

*Homère ne peut revivre parmi nous que si nous le délions
d'abord des bandelettes mortuaires, dont l'enserrent depuis la
Renaissance les « épithètes homériques ».*

*Mais les Anciens admiraient avant tout, dans les Poésies,
la musicale adaptation du langage aux nécessités de la récitation et aux jouissances de l'ouïe, le « beau parler »; euphonie, calliphonie, l'harmonie et l'habile mélange non seulement des sons, mais des lettres même. Pour les Hellènes,
l'art était une source de jouissances sensuelles autant qu'in-
tellectuelles, une joie de l'œil ou de l'oreille autant que de
l'esprit, et c'est aux oreilles les plus sensibles que les Poésies
avaient eu à plaire. Comment rendre cette « euphonie »
homérique?*

*Les Anciens saluaient dans Homère le plus grand de leurs
poètes, mais aussi de leurs artistes de la voix : il était le chef
du chœur oratoire, le modèle, le maître de toute rhétorique.
Mais, source de « belles paroles », la rhétorique des Hellènes*

était la science moins de la composition que de la diction :
art de l'élocution plus que de la pensée ou du style, elle
apprenait à jouer de la voix, comme le maître de musique à
jouer de la flûte ou de la lyre ; elle en découvrait et détail-
lait toutes les ressources et toutes les combinaisons. Homère
était le plus habile de ces musiciens.

Quelle que soit l'impuissance de nos oreilles les plus érudites à saisir les beautés sonores de l'ancienne prosodie, il
n'est pourtant pas un lecteur de l'Odyssée qui ne sente l'agi-
lité, l'harmonie, le port élégant, en même temps que la tenue
et la force de cette parole rythmée.

Pour rendre ce rythme épique, il est nécessaire de recourir au rythme alexandrin de nos tragédies et de nos comédies
françaises. Hexamètre grec et alexandrin français, les deux
vers s'équivalent en longueur et en capacité. On peut calquer
le second sur le premier.

L'alexandrin classique, strictement limité par la rime, ne
comportait pas, d'ordinaire, d'extensions ni de compressions
de « grandeur métrique », suivant le mot des Anciens ;
l'enjambement n'était pour lui qu'une figure de rhétorique et
presque une licence de prosodie ; l'alexandrin régulier n'avait
que ses douze syllabes propres, non comptée la muette des
rimes féminines. Notre alexandrin du XXᵉ siècle est tout
autre : enjambant sur la rime pour s'annexer dans les vers
suivants tout ce qu'il lui plaît, il varie, en vérité, de douze à
dix-huit, à vingt-quatre, à trente et trente-six syllabes.

Que l'on supprime la rime qui jalonne de douze en douze
syllabes cette « diction alexandrine », et l'on aura le modèle
de prose que j'ai conçu pour obtenir en français un rythme
analogue à celui du texte homérique. Début de l'Odyssée :

C'est l'Homme aux Mille Tours, Muse, qu'il faut me
    dire,
Celui qui tant erra quand, de Troade, il eut pillé la
    ville sainte,
Celui qui visita les cités de tant d'hommes et connut
    leur esprit,
Celui qui, sur les mers, passa par tant d'angoisses,
En luttant pour survivre et ramener ses gens.
Hélas! même à ce prix, tout son désir ne put sauver
    son équipage!
Ils ne durent la mort qu'à leur propre sottise,
Ces fous, qui, du Soleil, avaient mangé les bœufs.
C'est lui, le Fils d'En Haut, qui raya de leur vie la
    journée du retour.
Viens, ô fille de Zeus, nous dire, à nous aussi, quel-
    qu'un de ces exploits. »

*Quelque imparfait que soit cet exemple de « diction
alexandrine », encore peut-il avertir le lecteur français de
certaine des beautés sonores de la* dictio epica... *Et semblable
rythme est indispensable pour donner l'écho du texte homérique aux oreilles françaises d'aujourd'hui.*

VICTOR BÉRARD
Avril-mai 1931.

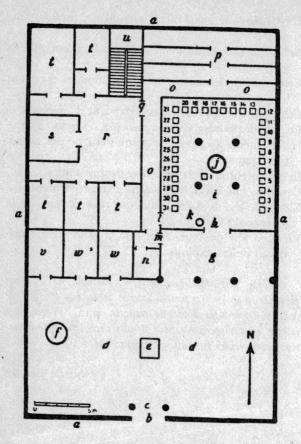

I. PLAN DU PALAIS D'ULYSSE

NOTICE EXPLICATIVE
DE LA FIGURE CI-CONTRE

a : enceinte (ἕρκος). — *b :* chemin conduisant au palais. — *c :* entrée de la cour avec portique à colonnes (αἴθουσα αὐλῆς, πρόθυρον, πρόθυρα, pl. n.). — *d :* grande cour d'honneur (αὐλή). — *e :* autel de Zeus. — *f :* pavillon rond (θόλος). — *g :* vestibule du mégaron (πρόδομος, αἴθουσα, exceptionnellement πρόθυρον). — *h :* grande porte d'entrée du mégaron. — *i :* mégaron (μέγαρον). — *j :* foyer central entre quatre colonnes (ἐσχάρη). — *k :* cratère servant au mélange du vin et de l'eau (κρητήρ). — *l :* petite porte du mégaron (ὀρσοθύρη). — *m :* porte donnant accès au couloir (ὁδὸς ἐς λαύρην, στόμα λαύρης). — *n :* salle de bain. — *o :* couloir (λαύρη). — *p :* trésor (θάλαμος). — *q :* porte donnant accès aux appartements privés. — *r :* petite cour des appartements privés. — *s :* chambre conjugale d'Ulysse. — *t :* logement des servantes et dépendances. — *u :* escalier conduisant à la chambre de Pénélope. — *v :* chambre de Télémaque. — *w :* dépendances.

Place des convives dans le mégaron. — 1 : Télémaque. — 2 : Antinoos. — 3 : Eurymaque. — 4 : Amphinomos. — 31 : Liodès.

ODYSSÉE

AVERTISSEMENT

Victor Bérard a tenté de rétablir dans l'*Odyssée* une division en épisodes et en groupes d'épisodes plus ancienne que la division en vingt-quatre chants. Nous publions ici sa traduction telle que lui-même l'a présentée, en ne donnant l'indication des chants qu'au début du paragraphe où chacun d'eux commence.

Les passages considérés par Victor Bérard comme des interpolations sont mis entre crochets carrés [ ]; et les passages tenus par lui pour des insertions sont relégués au bas des pages.

L'astérisque (*) renvoie à l'Index mythologique, à la fin du volume. La plupart des noms expliqués revenant très fréquemment dans le poème, nous avons pris le parti de ne les signaler qu'à leur première apparition dans chaque chant.

Les appels *a*, *b*, *c*... sont de Victor Bérard;
Les appels ¹, ², ³... sont de Luc Duret.

OUVERTURE

CHANT I

Les Anciens nous donnent pour le premier chant de l'*Odyssée* le triple titre subsidiaire :

Assemblée des Dieux,
Conseils d'Athéna à Télémaque,
Festin des Prétendants.

Ce triple titre correspond à une division, qu'il est facile de rétablir. Mais les Anciens ne nous fournissent pas le titre général de *Prooemion*, « Ouverture ». Ce mot est employé à deux reprises par Thucydide, pour désigner le petit poème homérique que nous appelons aujourd'hui *Hymne à Apollon*.

Un grand nombre d'homérisants du xixᵉ siècle ont reconnu que ce chant I n'était qu'un centon d'époque récente, qui fut composé de morceaux, de vers ou d'hémistiches homériques, le jour où, voulant réunir en une seule « Poésie » les trois drames odysséens du *Voyage de Télémaque*, des *Récits chez Alkinoos* et de la *Vengeance d'Ulysse*, on rattacha ces trois poèmes l'un à l'autre par des transpositions et des sutures, puis par cette *Ouverture*, où se coudoient, comme dans les *Ouvertures* de tels de nos opéras et opérettes, quelques-uns des grands airs de l'ouvrage *(Athéna près de Télémaque, Pénélope devant les Prétendants).*

Dans ce centon, les 87 premiers vers proviennent des *Récits* dont, à l'origine, ils faisaient le début ; le reste a été emprunté, de droite et de gauche ; entre ces deux parties du chant I, la langue, la versification et le ton, tout trahit la différence d'auteur et de date ; dans la seconde, l'ignorance des réalités homériques n'est pas moins flagrante.

INVOCATION

(CHANT I) C'est l'Homme aux mille tours[1], Muse*, qu'il faut me dire, Celui qui tant erra quand, de Troade, il eut pillé la ville sainte, Celui qui visita les cités de tant d'hommes et connut leur esprit, Celui qui, sur les mers, passa par tant d'angoisses, en luttant pour survivre et ramener ses gens. Hélas! même à ce prix, tout son désir ne put sauver son équipage : ils ne durent la mort qu'à leur propre sottise, ces fous qui, du Soleil*, avaient mangé les bœufs[2], c'est lui, le Fils d'En Haut, qui raya de leur vie la journée du retour.

Viens, ô fille de Zeus*, nous dire, à nous aussi quelqu'un de ces exploits.

L'ASSEMBLÉE DES DIEUX

Ils étaient au logis, tous les autres héros, tous ceux qui, de la mort, avaient sauvé leurs têtes : ils avaient réchappé de la guerre et des flots. Il ne restait que lui à toujours désirer le retour et sa femme, car une

---

1. Ulysse : le héros n'est nommé que plus bas.
2. Voir l'épisode des « Vaches du Soleil » (chant XII).

nymphe auguste le retenait captif au creux de ses
cavernes, Calypso, qui brûlait, cette toute divine de
l'avoir pour époux.

Même quand vint l'année du cycle révolu, où les
dieux lui filaient le retour au logis, même dans son
Ithaque et dans les bras des siens, il n'allait pas trouver la fin de ses épreuves. Tous les dieux le plaignaient,
sauf un seul, Posidon*, dont la haine traquait cet
Ulysse divin jusqu'à son arrivée à la terre natale.

Or le dieu s'en alla chez les Nègres[1] lointains, les
Nègres répartis au bout du genre humain, dans leur
double domaine, les uns vers le couchant, les autres
vers l'aurore : devant leur hécatombe de taureaux et
d'agneaux, il vivait dans la joie, installé au festin.
Mais tous les autres dieux tenaient leur assemblée
dans le manoir de Zeus[2] : devant eux, le seigneur de
l'Olympe venait de prendre la parole. Or le Père des
dieux et des hommes pensait à l'éminent Egisthe,
immolé par Oreste, ce fils d'Agamemnon dont tous
chantaient la gloire.

Plein de ce souvenir, Zeus dit aux Immortels :

ZEUS. — Ah! misère!... Écoutez les mortels mettre en
cause les dieux! C'est de nous, disent-ils, que leur
viennent les maux, quand eux, en vérité, par leur
propre sottise, aggravent les malheurs assignés par le
sort. Tel encore cet Egisthe! pour aggraver le sort, il
voulut épouser la femme de l'Atride* et tuer le héros
sitôt qu'il rentrerait. La mort était sur lui : il le savait;
nous-même, nous l'avions averti et, par l'envoi d'Hermès*, le guetteur rayonnant, nous l'avions détourné

1. Il s'agit des Éthiopiens (ou « Visages brûlés »). Traditionnel-
lement les dieux vont banqueter parmi eux.
2. Sur l'Olympe.

de courtiser l'épouse et de tuer le roi, ou l'Atride en
son fils trouverait un vengeur, quand Oreste grandi
regretterait sa terre. Hermès, bon conseiller, parla
suivant nos ordres. Mais rien ne put fléchir les sentiments d'Egisthe. Maintenant, d'un seul coup, il vient
de tout payer.

Athéna*, la déesse aux yeux pers, répliqua :

ATHÉNA. — Fils de Cronos*, mon père, suprême
Majesté, celui-là n'est tombé que d'une mort trop
juste, et meure comme lui qui voudrait l'imiter! Mais
moi, si j'ai le cœur brisé, c'est pour Ulysse, pour ce
sage, accablé du sort, qui, loin des siens, continue de
souffrir dans une île aux deux rives. Sur ce nombril
des mers[1], en cette terre aux arbres, habite une déesse,
une fille d'Atlas*, cet esprit malfaisant, qui connaît,
de la mer entière, les abîmes et qui veille, à lui seul,
sur les hautes colonnes qui gardent, écarté de la terre,
le ciel[2]. Sa fille tient captif le malheureux qui pleure.
Sans cesse, en litanies de douceurs amoureuses, elle
veut lui verser l'oubli de son Ithaque. Mais lui, qui ne
voudrait que voir monter un jour les fumées de sa
terre, il appelle la mort!... Ton cœur, roi de l'Olympe,
est-il donc insensible? Ne fut-il pas un temps
qu'Ulysse et ses offrandes, dans la plaine de Troie, près
des vaisseaux d'Argos, trouvaient grâce à tes yeux?
Aujourd'hui, pourquoi donc ce même Ulysse, ô dieu,
t'est-il tant odieux?

Zeus, l'assembleur des nues, lui fit cette réponse :

ZEUS. — Quel mot s'est échappé de l'enclos de tes

1. L'île fait saillie sur la mer, comme fait saillie la bosse (ou
nombril) d'un bouclier.
2. Les Anciens croyaient le ciel supporté par des colonnes
immenses, dont Atlas avait la garde.

dents, ma fille? Et! comment donc oublierais-je jamais
cet Ulysse divin qui, sur tous les mortels, l'emporte et
par l'esprit et par les sacrifices qu'il fit toujours aux
dieux, maîtres des champs du ciel? Mais non! c'est
Posidon, le maître de la terre[1]! Sa colère s'acharne à
venger le Cyclope, le divin Polyphème, dont la force
régnait sur les autres Cyclopes et qu'Ulysse aveugla :
pour mère, il avait eu la nymphe Thoossa, la fille de
Phorkys*, un des dieux-conseillers de la mer inféconde, et c'est à Posidon qu'au creux de ses cavernes,
elle s'était donnée. De ce jour, Posidon, l'ébranleur
de la terre, sans mettre Ulysse à mort, l'éloigne de son
île... Mais allons! tous ici, décrétons son retour! cher-
chons-en les moyens! Posidon n'aura plus qu'à brider
sa colère, ne pouvant tenir tête à tous les Immortels,
ni lutter, à lui seul, contre leur volonté.

Athéna, la déesse aux yeux pers, répliqua :

ATHÉNA. — Fils de Cronos, mon père, suprême
Majesté, si, des dieux bienheureux, c'est maintenant
l'avis que le tant sage Ulysse en sa maison revienne,
envoyons, sans tarder, jusqu'à l'île océane[2], Hermès,
le rayonnant porteur de tes messages, et qu'en toute
vitesse, il aille révéler à la Nymphe bouclée le décret
sans appel sur le retour d'Ulysse et lui dise comment
ce grand cœur doit rentrer. Moi-même, dans Ithaque,
allant trouver son fils et l'animant encor, je veux lui
mettre au cœur l'envie de convoquer à l'agora[3] les

1. Posidon est bien le souverain des mers. Mais il commande
aussi aux mouvements du sol. D'où l'épithète.
2. L'île d'Ogygie, où Calypso retient Ulysse.
3. C'est-à-dire à l'Assemblée. — A l'époque classique, l'agora,
ou place publique, est le centre de la vie de la cité, où se tiennent
notamment les assemblées populaires.

Achéens aux longs cheveux[1] et de signifier un mot aux prétendants qui lui tuent, chaque jour, ses troupes de moutons et ses vaches cornues à la démarche torse. Puis je l'emmène à Sparte, à la Pylos des Sables, s'informer, s'il se peut, du retour de son père et s'acquérir aussi bon renom chez les hommes.

A ces mots, la déesse attacha sous ses pieds ses plus belles sandales[a] et s'en vint, en plongeant des cimes de l'Olympe, prendre terre en Ithaque, sous le porche d'Ulysse. Sur le seuil de la cour, lance de bronze en main, elle semblait un hôte : on aurait dit Mentès, le doge de Taphos[2].

C'est là qu'elle trouva les fougueux prétendants. Ils jouaient aux jetons, assis, devant les portes, sur les cuirs des taureaux abattus de leurs mains, tandis que des hérauts et des servants-coureurs leur mélangeaient le vin et l'eau dans les cratères[3], ou lavaient, de l'éponge aux mille trous, les tables, qu'ils dressaient pour chacun, ou tranchaient force viandes.

Bien avant tous les autres, quelqu'un vit la déesse, et ce fut Télémaque au visage de dieu; car il était assis parmi les prétendants, mais l'âme désolée : il voyait en son cœur son père, le héros!... s'il pouvait revenir[b],

---

a Vers 97-101 : divines et dorées, qui la portent sur l'onde et la terre sans bornes, vite comme le vent, saisit sa forte lance à la pointe de bronze, cette solide lance, et de taille et de poids, qui couche les héros par rangées quand se fâche la Fille du Dieu-Fort.

b Vers 116 : de tous ces prétendants quelle chasse il ferait à travers le manoir!

1. Les longs cheveux distinguent la noblesse achéenne.

2. L'île de Taphos, proche d'Ithaque, a pour souverain Mentès, dont Athéna prend ici les traits.

3. Grands vases à mélanger l'eau et les vins, ceux-ci étant trop épais pour être consommés purs.

reprendre en mains sa charge, régner sur sa maison!
Télémaque rêvait, mêlé aux prétendants. Mais il vit
Athéna et s'en fut droit au porche : il avait de l'hu-
meur qu'un hôte fût resté debout devant sa porte[1].

Près d'elle, il s'arrêta, lui saisit la main droite, prit
la lance de bronze et lui dit, élevant la voix, ces mots
ailés :

TÉLÉMAQUE. — Salut! Chez nous, mon hôte, on
saura t'accueillir; tu dîneras d'abord, après, tu nous
diras le besoin qui t'amène.

Il dit et la guidait. Athéna le suivait. Quand ils
furent entrés dans la haute demeure, il s'en alla dresser la lance qu'il portait au râtelier luisant de la
grande colonne, où déjà se dressaient en nombre
d'autres lances du valeureux Ulysse; puis, toujours
conduisant la déesse, il la fit asseoir en un fauteuil
qu'il couvrit d'un linon[a]; pour lui-même, il ne prit
qu'un siège de couleur, loin de ces prétendants, dont
l'abord insolent et l'ennuyeux vacarme auraient pu
dégoûter son hôte du festin[b].

Vint une chambrière, qui, portant une aiguière en
or et du plus beau, leur donnait à laver sur un bassin
d'argent et dressait devant eux une table polie. Vint
la digne intendante : elle apportait le pain et le mit
devant eux[c]. Puis le maître-tranchant, portant haut
ses plateaux de viandes assorties, les présenta et leur
donna des coupes d'or. Un héraut s'empressait pour
leur verser à boire.

  a Vers 131 : un beau meuble ouvragé, avec un marchepied.
  b Vers 135 : il voulait lui parler de l'absent, de son père.
  c Vers 140 : et leur fit les honneurs de toutes ses réserves.
  1. Tout au long du poème, l'hospitalité apparaît comme la
vertu essentielle du monde homérique. Ses devoirs sont sacrés;
Zeus punit ceux qui les négligent.

On vit alors entrer les fougueux prétendants : en ligne, ils prenaient place aux sièges et fauteuils; les hérauts leur donnaient à laver sur les mains; les femmes entassaient le pain dans les corbeilles[a]; puis vers les parts de choix préparées et servies, chacun tendit les mains.

LES CONSEILS D'ATHÉNA

Quand on eut satisfait la soif et l'appétit, le cœur des prétendants n'eut plus d'autre désir que le chant et la danse, ces atours du festin. Un héraut avait mis la plus belle cithare aux mains de Phémios, qui chantait devant eux, mais bien à contrecœur.

Comme, après un prélude, l'aède, débutant, chantait à belle voix, Télémaque, pour n'être entendu d'aucun autre, dit en penchant le front vers la Vierge aux yeux pers :

Télémaque. — Mon cher hôte, m'en voudras-tu de mes paroles? Regarde-moi ces gens : voilà tout leur souci, le chant et la cithare! Ce leur est si commode! ils vivent chez autrui; mangeant impunément les vivres d'un héros, dont les os blanchissant, pourrissant à la pluie, jonchent quelque rivage ou roulent sous le flot. Ah! si, dans son Ithaque, ils le voyaient rentrer, comme ils donneraient, tous, pour des pieds plus légers, les trésors les plus lourds et d'étoffes et d'or! Mais voilà qu'il est mort, et mort misérable! et je

_a_ Vers 148 : La jeunesse remplit jusqu'au bord les cratères.

n'ai plus d'espoir quel que soit en ce monde l'homme qui me viendrait annoncer son retour!... La journée du retour!... non! pour lui, c'en est fait! Mais voyons, réponds-moi sans feinte, point par point : quel est ton nom, ton peuple, et ta ville, et ta race*a*? arrives-tu chez nous pour la première fois? ou plutôt n'es-tu pas un hôte de mon père? tant d'autres ont jadis fréquenté la maison, et lui-même, il était si grand coureur de gens!

Athéna, la déesse aux yeux pers, répliqua :

ATHÉNA. — Oui! je vais là-dessus te répondre sans feinte. Je me nomme Mentès; j'ai l'honneur d'être fils du sage Anchialos, et je commande à nos bons rameurs de Taphos. Je viens de débarquer, tu vois : j'ai mon navire, et j'ai mon équipage; sur les vagues vineuses, je vais à Témésa[1], chez les gens d'autre langue, troquer mon fret de fer luisant contre du bronze : mon navire est mouillé loin de la ville, aux champs, sous les bois du Neion, au port de la Ravine. Du temps le plus lointain, nous sommes l'un pour l'autre, et nous nous en vantons, des hôtes de famille. Interroge plutôt le vieux héros Laerte[2] à ton premier voyage; car on me dit qu'en ville, il ne vient plus jamais, qu'il vit aux champs, dans la retraite et le chagrin, qu'une vieille lui sert le manger et le boire, quand ses membres sont las d'avoir traîné longtemps

---

a Vers 171-174 : quel est donc le vaisseau qui chez nous t'apporta? comment les gens de mer t'ont-ils mis en Ithaque? avaient-ils un pays de qui se réclamer? car ce n'est pas à pied que tu nous viens, je pense... Dis-moi tout net encor; j'ai besoin de savoir.

1. En Calabre, Témésa possédait des mines de cuivre.
2. Père d'Ulysse.

sur son coteau de vignes... Moi, si je suis ici, c'est que
l'on m'avait dit ton père revenu.

« Mais je vois que les dieux lui barrent le chemin.
Ce n'est pas qu'il soit mort, notre divin Ulysse! Il est
encore au monde et vivant, mais captif, au bout des
mers, qui sait? dans une île aux deux rives, aux mains
de quelque peuple intraitable et sauvage qui le retient
de force. Veux-tu la prophétie qu'un dieu me jette
au cœur et qui s'accomplira? Je ne suis ni devin ni
savant en présages; mais avant qu'il soit peu, Ulysse
reverra le pays de ses pères; quand il serait lié d'une
chaîne de fer, il saura revenir : il a tant de ressources!...
Mais, à ton tour, dis-moi sans feinte, point par point :
c'est d'Ulysse, de Lui, que vraiment tu naquis?...
Quoi! déjà ce grand fils!... C'est frappant en effet :
sa tête, ses beaux yeux! comme tu lui ressembles!...
Car nous allions ainsi, bien souvent, l'un chez l'autre,
avant qu'il s'embarquât vers le pays de Troie, avec les
chefs d'Argos, au creux de leurs vaisseaux. Mais depuis
ce jour-là, je ne vis plus Ulysse; il ne m'a plus revu.

Posément, Télémaque la regarda et dit :

TÉLÉMAQUE. — Oui, mon hôte, je vais te répondre
sans feinte. Que je sois bien son fils?... ma mère me
le dit : moi, je n'en sais pas plus; à quel signe un
enfant reconnaît-il son père?... Ah! que ne suis-je
né de quelque heureux mortel qui, sur ses biens,
aurait attendu la vieillesse! Mais le plus malheureux
des humains, des mortels, voilà, dit-on, mon père,
puisque tu veux savoir.

Athéna, la déesse aux yeux pers, répliqua :

ATHÉNA. — Ne crois pas que les dieux aient refusé
leur signe à cette descendance, quand c'est un pareil
fils qu'enfanta Pénélope... Mais à ton tour, dis-moi

sans feinte, point par point : pourquoi donc ce festin?
et pourquoi cette foule? qu'en avais-tu besoin? dîner
rendu par toi? banquet de mariage? Il est clair qu'il
ne peut s'agir ici d'écot. Mais je dis qu'attablés sous
ton toit, ces gens-là passent toute insolence : devant
pareil scandale, à première rencontre, est-il homme
de tact qui ne fût indigné?

Posément, Télémaque la regarda et dit :

TÉLÉMAQUE. — Puisque tu veux savoir, mon hôte,
et m'interroges, il se peut qu'autrefois, ce logis ait
connu l'opulence et la règle... au temps où le héros
vivait en son pays!... Aujourd'hui, quel revers, par
le décret des dieux qui nous veulent du mal, puisqu'ils l'ont fait le plus invisible des hommes! Ah!
sa mort, oui! sa mort me serait moins cruelle, si je
savais qu'il eût péri avec ses gens, au pays des Troyens[a];
car, des Panachéens, il aurait eu sa tombe, et quelle
grande gloire il léguait à son fils! Mais, tu vois, les
Harpyies* l'ont enlevé sans gloire; il est parti dans
l'invisible et l'inconnu, ne me laissant que la douleur
et les sanglots. Et, quand je me lamente, ce n'est plus
seulement son destin que je pleure : les dieux m'ont préparé d'autres soucis funestes. Tous les chefs, tant qu'ils
sont, qui règnent sur nos Iles, Doulichion, Samé, Zante
la forestière, et tous les tyranneaux des monts de notre
Ithaque, tous courtisent ma mère et mangent ma maison. Elle, sans repousser un hymen qu'elle abhorre,
n'ose pas en finir. Vois-les, à belles dents, dévorer mon
avoir; on les verra bientôt me déchirer moi-même.

Athéna répondit d'un ton plein de colère :

ATHÉNA. — Oh! misère!... combien cette absence

---

a Vers 238 : ou, la guerre finie, dans les bras de ses proches.

d'Ulysse te met dans la détresse! comme ses mains
sauraient mater leur impudence! Je le vois aujour-
d'hui rentrer en ce logis, debout au premier seuil,
casque au front, bouclier et deux piques en mains,
tel qu'en notre maison, buvant, plein de gaieté, il
m'apparut jadis pour la première fois, à son retour
d'Ephyre[1]. Là-bas aussi, un jour, à bord de son
croiseur, Ulysse était allé demander à Ilos, le fils de
Merméros, l'homicide poison, dont il voulait tremper
le bronze de ses flèches. L'autre avait refusé, allé-
guant le respect des dieux toujours vivants. Mon père
aimait si fort le tien qu'il l'en munit... Tel qu'alors
je le vis, qu'il rentre, cet Ulysse, parler aux prétendants! tous auront la vie courte et des noces amères.
Mais laissons tout cela sur les genoux des dieux[2] : ce
manoir verra-t-il son retour, sa vengeance, ou leur
impunité?... Je t'engage à chercher comment tu
renverras d'ici les prétendants. Il faut me bien comprendre et peser mes paroles : convoque dès demain
l'assemblée achéenne; dis-leur ton mot à tous, en
attestant les dieux; somme-les de rentrer, chacun
sur son domaine!... Ta mère, si son cœur la pousse
au mariage, s'en ira chez son père[3] : il a dans son
logis de quoi la recevoir[a]... Toi, j'ai bien réfléchi;
écoute mon conseil : équipe le meilleur des bateaux
à vingt rames et va-t'en aux nouvelles; sur ton père,

a Vers 277-278 : je vois ici des gens pour défrayer la noce et
fournir tous cadeaux qu'au père on doit mener pour obtenir sa
fille.

1. Ville d'une localisation incertaine.
2. Laissons aux dieux le soin d'en décider.
3. Icare (à ne pas confondre avec le fils de Dédale) eut pour filles
Pénélope et Iphthimé, dont il sera question à la fin du chant IV.

depuis si longtemps disparu, interroge les gens ou recueille de Zeus l'une de ces rumeurs qui remplissent le monde. Va d'abord t'enquérir chez le divin Nestor, à Pylos[1] puis à Sparte, chez le blond Ménélas : c'est le dernier rentré de tous les Achéens à la cotte de bronze... Si là-bas on t'apprend que ton père survit et qu'il va revenir, attends encor l'année, bien que tu sois à bout. Mais si c'était sa mort, sa disparition, tu reviendrais tout droit à la terre natale, pour lui dresser sa tombe avec tous les honneurs funèbres qu'on lui doit, et puis tu donnerais ta mère à un époux. Ces devoirs accomplis, achevés, tu verras en ton cœur et ton âme comment dans ton manoir tuer les prétendants par la ruse ou la force. Laisse les jeux d'enfants : ce n'est plus de ton âge. Écoute le renom que, chez tous les humains, eut le divin Oreste, du jour que, filial vengeur, il eut tué ce cauteleux Egisthe qui lui avait tué le plus noble des pères ! Toi, mon cher, bel et grand comme je te vois là, sois vaillant pour qu'un jour quelque arrière-neveu parle aussi bien de toi... Mais je dois m'en aller, redescendre au croiseur ; mon équipage attend et sans doute maugrée : à part toi, réfléchis et pèse mes paroles.

Posément, Télémaque la regarda et dit :

TÉLÉMAQUE. — Je reconnais, mon hôte, en toutes tes paroles, les pensers d'un ami, d'un père pour son fils : je n'en oublierai rien. Mais voyons, reste encor, si pressé que tu sois ! Je t'offrirai le bain, des divertissements et, pour rentrer à bord l'âme toute joyeuse, quelque cadeau de prix, quelque beau souvenir qui te

1. La Pylos homérique (Pylos des Sables), dont il ne reste pas de trace visible, devait se situer aux confins de l'Elide, à proximité du fleuve Alphée.

reste de moi, comme on doit s'en donner entre hôtes quand on s'aime.

Athéna, la déesse aux yeux pers, répliqua :

ATHÉNA. — Non! ne me garde pas! je brûle de partir. Le cadeau, que ton cœur t'incite à me donner, je reviendrai le prendre et l'emporter chez moi, et ce beau souvenir, que tu m'auras choisi, te revaudra de moi quelque digne réponse.

S'éloignant à ces mots, l'Athéna aux yeux pers, comme un oiseau de mer, disparut dans l'espace. Au cœur de Télémaque, elle avait éveillé l'énergie et l'audace, en ravivant encor la pensée de son père... En son âme, il comprit et, le cœur étonné, il reconnut le dieu.

LE FESTIN DES PRÉTENDANTS

Cet émule des dieux s'en revenait en hâte auprès des prétendants. Devant eux, le plus grand des aèdes chantait : en silence, ils étaient assis à l'écouter; il chantait le retour de Troie et les misères que, sur les Achéens, Pallas* avait versées[1]. Or, la fille d'Icare, la plus sage des femmes, Pénélope, du haut de l'étage, entendait le récit inspiré.

Descendant de sa chambre par le haut escalier et, pour n'être pas seule, ayant pris avec elle deux de ses chambrières, voici qu'elle arriva devant les prétendants, cette femme divine, et, debout au montant de l'épaisse embrasure, ramenant sur ses joues ses voiles éclatants, tandis qu'à ses côtés, veillaient les chambrières, elle dit, en pleurant, à l'aède divin :

1. Pour châtier Ajax qui, lors du pillage de Troie, avait violenté Cassandre* dans le sanctuaire de cette déesse.

PÉNÉLOPE. — Phémios, tu connais, pour charmer les humains, bien d'autres aventures dans la geste des dieux et des héros que vont célébrant les aèdes... Chante-leur-en quelqu'une et qu'on boive en silence! Mais ne continue pas ce récit de malheur, dont toujours, en mon sein, mon cœur est torturé. Sur moi, il est si lourd, le deuil intolérable! quelle tête je pleure, sans pouvoir oublier le héros dont la gloire court à travers l'Hellade et plane sur Argos!

Posément, Télémaque la regarda et dit :

TÉLÉMAQUE. — Tu refuses, ma mère, à l'aède fidèle le droit de nous charmer au gré de son esprit? Qu'y peuvent les aèdes? C'est Zeus qui, pouvant tout, donne aux pauvres humains ce qu'il veut pour chacun. N'en veuillons pas à Phémios de nous chanter la triste destinée des héros danaens[1] : le succès va toujours, devant un auditoire, au chant le plus nouveau. Prends donc sur tes pensées et ton cœur de l'entendre. Ulysse, tu le sais, ne fut pas seul à prendre la journée du retour; en Troade, combien d'autres ont succombé[a]!

Pénélope, étonnée, rentra dans la maison, le cœur rempli des mots si sages de son fils, et lorsqu'à son étage, elle fut remontée avec ses chambrières, elle pleurait encore Ulysse, son époux, à l'heure où la déesse aux yeux pers, Athéna, lui jeta sur les yeux le plus doux des sommeils.

Les prétendants criaient dans l'ombre de la salle et

a Vers 356-359 : va! rentre à la maison et reprends tes travaux, ta toile, ta quenouille; ordonne à tes servantes de se remettre à l'œuvre; le discours, c'est à nous, les hommes, qu'il revient, mais à moi tout d'abord, qui suis maître céans.

1. Les Grecs sont indifféremment appelés Danaens, Achéens ou Argiens dans les poèmes homériques.

n'avaient tous qu'un vœu : être couchés près d'elle.

Télémaque reprit posément la parole :

TÉLÉMAQUE. — Prétendants de ma mère, à l'audace effrénée, ne songeons maintenant qu'aux plaisirs du festin; trêve de cris! mieux vaut écouter cet aède; il est tel que sa voix l'égale aux Immortels! Mais dès l'aube, demain, je veux qu'à l'agora nous allions tous siéger; je vous signifierai tout franchement un mot : c'est de vider ma salle; arrangez-vous ensemble pour banqueter ailleurs et, tour à tour, chez vous ne manger que vos biens! ou si vous estimez meilleur et plus commode de venir tous, sans risques, ruiner un seul homme, pillez ses vivres! moi, j'élèverai mon cri aux dieux toujours vivants et nous verrons si Zeus vous paiera de vos œuvres : puissiez-vous sans vengeurs tomber en ce manoir!

Il dit. Tous s'étonnaient, les dents plantées aux lèvres[1] que Télémaque osât leur parler de si haut!

Alors Antinoos, un des fils d'Eupithès :

ANTINOOS. — Ah! ces dieux, Télémaque! ils t'enseignent déjà les prêches d'agora et l'audace en paroles! Mais toi! régner sur cette Ithaque entre-deux-mers!... que le fils de Cronos t'épargne ce pouvoir que s'est transmis ta race!

Posément, Télémaque le regarda et dit :

TÉLÉMAQUE. — Écoute, Antinoos! tu peux trouver mauvais ce que je vais te dire; mais cette royauté, si Zeus me la donnait, je suis prêt à la prendre!... Tu penses que régner est le pire des sorts?... Régner n'est pas un mal, crois-moi; tout aussitôt, c'est la maison fournie et l'homme mieux prisé. Mais de rois, notre

---

1. En se mordant les lèvres.

Ithaque entre-deux-mers foisonne : parmi nos Achéens, jeunes gens et vieillards, qu'un autre soit élu, si vraiment il est mort notre divin Ulysse ; du moins sur ma maison, c'est moi qui régnerai et sur les serviteurs que le divin Ulysse m'acquit en ses croisières.

Eurymaque, un des fils de Polybe, intervint :

EURYMAQUE. — Télémaque, laissons sur les genoux des dieux le choix de l'Achéen qui doit régner en cette Ithaque entre-deux-mers. Mais pour tes biens, prends-les et règne en ton manoir : qui viendrait t'expulser, usurper tes domaines, tant qu'il subsistera dans l'île un habitant? Moi, je voudrais, mon bon, te parler de ton hôte : d'où te venait cet homme? a-t-il quelque pays de qui se réclamer?... a-t-il ici ou là famille et héritage?... venait-il annoncer le retour de ton père? venait-il seulement pour ses propres affaires?... Comme il s'est envolé, comme il a disparu, sans nous avoir laissé le temps de le connaître! Pourtant il n'avait pas figure de vilain.

Posément, Télémaque le regarda et dit :

TÉLÉMAQUE. — Eurymaque, je sais que c'en est bien fini du retour de mon père ; quel qu'en soit le porteur, j'écarte la nouvelle, pas plus qu'on ne me voit le souci des oracles, quand ma mère au manoir fait venir un devin et veut l'interroger. Cet homme est de Taphos, il se nomme Mentès ; hôte de ma famille, il est fils, et s'en vante, du sage Anchialos ; il règne sur Taphos et sur ses bons rameurs.

Télémaque parlait ainsi, bien que son cœur eût déjà reconnu la déesse immortelle...

Les autres s'étaient mis, pour attendre le soir, aux plaisirs de la danse et des chansons joyeuses. Sous les ombres du soir, ils s'ébattaient encor ;

enfin chacun rentra chez soi pour se coucher.

C'est dans la cour d'honneur qu'était bâtie la chambre où dormait Télémaque, une très haute pièce en place dégagée. C'est là qu'il fut au lit, l'esprit plein de projets, et, devant lui, marchait pour lui porter les torches, la vieille aux soins aimants, Euryclée, fille d'Ops le fils de Pisénor. Toute jeune autrefois, Laerte, de ses biens, l'avait payée vingt bœufs; il l'avait, au manoir, honorée à l'égal de sa fidèle épouse, mais s'était refusé les plaisirs de son lit, pour ne pas s'attirer les scènes conjugales. C'est elle qui, devant Télémaque, portait les torches allumées : aucune des servantes ne l'aimait autant qu'elle; tout petit, il avait été son nourrisson. Quand il eut, de la chambre aux solides murailles, ouvert les deux battants, il s'assit sur le lit, tira sa fine robe, la jeta sur les bras de cette vieille femme aux solides conseils, et la vieille, pliant avec grand soin la robe, la pendit au crochet, près du lit ajouré; puis, sortant de la chambre, elle tira la porte par le corbeau d'argent[1] et fit jouer la barre, en tendant la courroie.

C'est là qu'enveloppé de la plus fine laine, Télémaque rêva pendant toute la nuit au voyage que lui conseillait Athéna.

---

1. Il s'agit de la poignée, à laquelle on attache la courroie qui, de l'extérieur, permet de faire jouer la barre (ou verrou).

LE VOYAGE DE TELEMAQUE

CHANTS II III IV

Les Anciens nous disent en tête du second chant : « Le titre de cette rhapsodie est l'*Assemblée d'Ithaque* et le *Voyage de Télémaque* ». La plupart des éditeurs modernes ont donc appliqué ce double titre au second chant et l'ont coupé en deux épisodes : v. 1-257 *Assemblée* ; v. 258-434 *Départ*.

Car c'est par *départ* qu'il faut traduire le mot du titre grec *apodémia*, si l'on veut pouvoir l'appliquer à cette fin seule du second chant, où Télémaque prépare, puis exécute sa fuite. Mais jamais le mot grec n'a signifié pareille chose : il veut dire *voyage* ou *séjour loin du pays natal*. C'est le sens précis qu'il a dans les Commentaires alexandrins de ce second chant. Ainsi traduit, ce titre ne peut s'appliquer qu'à l'ensemble des vers où nous sont contés le départ, les aventures et le retour du fils d'Ulysse :

Départ d'Ithaque = ch. II 1-433,
Étape à Pylos = ch. II 434-III 403.
Séjour à Sparte = ch. III 404-497 IV 1-305 XV 1-43,
Retour à Ithaque = ch. XV 44-67 IV 312-619 XV 75-300.

Le *Voyage* formait à l'origine un drame indépendant et complet, que l'on dut découper et répartir à travers la « Poésie » actuelle, le jour où l'on sutura en une suite continue les trois drames odysséens.

Le *Voyage* a son caractère propre de ton, de style, de composition et même de langue, qui le différencie grandement des *Récits chez Alkinoos* et de la *Vengeance d'Ulysse* : que l'on compare seulement la longueur des discours et la place de l'art oratoire dans ceux-ci et dans celui-là.

Le *Voyage* a cet autre caractère de présenter, en assez grand nombre, des imitations ou même des copies de vers empruntés aux *Récits*. Telle de ces copies, un peu détournée de son sens primitif et inclinée vers le pastiche ou vers la parodie, fait penser à tel vers que le Racine des *Plaideurs* emprunta au *Cid* de Corneille :

> Ses rides sur son front gravaient tous ses exploits...

Les *Plaideurs* sont postérieurs au *Cid* et ils sont d'un autre auteur : le *Voyage* est d'une date plus récente que les *Récits* et d'une autre main.

L'ASSEMBLÉE D'ITHAQUE

(CHANT II) Dans son berceau de brume, à peine avait paru l'Aurore* aux doigts de roses, que le cher fils d'Ulysse passait ses vêtements et s'élançant du lit, mettait son glaive à pointe autour de[1] son épaule, chaussait ses pieds luisants de ses belles sandales et sortait de sa chambre : on l'eût pris, à le voir, pour un des Immortels.

Aussitôt il donna aux crieurs, ses hérauts, l'ordre de convoquer à l'agora les Achéens aux longs cheveux. Hérauts de convoquer et guerriers d'accourir. Quand, le peuple accouru, l'assemblée fut complète, Télémaque vers l'agora se mit en route. Il avait à la main une lance de bronze et pour n'être pas seul, avait pris avec lui deux de ses lévriers. Athéna* le parait d'une grâce céleste. Vers lui, quand il entra, tous les yeux se tournèrent et, pour le faire asseoir au siège de son père, les doyens firent place.

Ce fut Égyptios qui, le premier, parla, un héros chargé d'ans, qui savait mille choses. Or, le divin Ulysse, au creux de ses vaisseaux, lui avait emmené vers Troie la poulinière[2] un fils, cet Antiphos à la vaillante lance, qu'au fond de sa caverne, le Cyclope sauvage tua le dernier soir pour s'en faire un souper. Trois

1. Télémaque passe « autour de son épaule » le baudrier auquel est suspendu son glaive.
2. Troie était renommée pour la beauté de ses chevaux.

garçons lui restaient dont l'un passait ses jours avec les
prétendants; c'était Eurynomos; les deux derniers
géraient les biens de la famille; mais rien ne pouvait
faire oublier l'autre fils à ce père affligé et toujours
gémissant.

C'est en pleurant sur lui qu'il prenait la parole :

Égyptios. — Gens d'Ithaque, écoutez! j'ai deux mots
à vous dire. Jamais nous n'avons eu assemblée ni
conseil, du jour que s'embarqua notre divin Ulysse au
creux de ses vaisseaux. Nous voici convoqués : par
qui?... en quelle urgence!... de l'armée qui revient, un
de nos jeunes gens ou l'un de nos doyens a-t-il à nous
donner quelque sûre nouvelle, dont il ait la primeur?
est-ce un autre intérêt du peuple dont il veut discourir
et débattre?... Je dis qu'il eut raison : il a fait œuvre
bonne; que Zeus* à ses desseins donne l'heureux
succès!

Il dit et son souhait ravit le fils d'Ulysse : sans plus
rester assis, résolu de parler, il s'avança dans le milieu
de l'agora; debout, il prit le sceptre[1], que lui mettait
en main le héraut Pisénor, l'homme aux sages conseils,
et, dès les premiers mots, s'adressant au vieillard :

Télémaque. — Vieillard, il n'est pas loin, celui que tu
demandes, et tu vas le connaître. Je vous ai convoqués,
tant je suis dans la peine. De l'armée qui revient, je
n'ai pas de nouvelle[a], et ce n'est pas non plus un intérêt du peuple dont ici je voudrais discourir et débattre : c'est ma propre détresse et le double malheur
tombé sur ma maison. Je n'ai pas seulement perdu
mon noble père, votre roi jadis, qui fut, pour tous ici,

---

a Vers 43 : certaine à vous donner et dont j'aie la primeur.

1. Simple bâton terminé par un ornement, le sceptre est ici
remis à Télémaque parce qu'il prend la parole.

le père le plus doux. Voici bien pire encor pour la
prompte ruine de toute ma maison et de mes derniers
vivres.

« Je vois ici des gens, de nos gens les plus nobles,
dont les chers fils s'acharnent à poursuivre ma mère,
malgré tous ses refus. Quelle peur ils lui font de
rentrer chez son père Icare, en ce manoir, où, fixant
les cadeaux, il donnerait sa fille, selon son choix, à lui,
selon ses vœux, à elle! C'est chez mon père, à moi,
qu'ils passent leurs journées à m'immoler bœufs et
moutons et chèvres grasses, à boire, en leurs festins,
mon vin aux sombres feux, et l'on gâche, et c'est fait du
meilleur de mon bien, et pas un homme ici de la valeur d'Ulysse pour défendre mon toit! Je ne suis pas
encore en âge de lutter : serai-je, par la suite, à jamais
incapable et novice en courage?... Pourtant, je lutte-
rais, si j'avais les moyens; car il est survenu des faits
intolérables qui, dans le déshonneur, font crouler ma
maison. Fâchez-vous donc, vous autres! ne rougirez-
vous pas devant tous nos voisins, les peuples d'alentour? Ah! des dieux indignés, craignez que le courroux
ne fasse retomber sur vos têtes ces crimes!... Mais, je
vous en conjure par le Zeus de l'Olympe et par cette
Thémis* qui convoque ou dissout les assemblées du
peuple, c'est assez, mes amis! et qu'on me laisse seul à
ronger mon chagrin! A moins que, par hasard, mon
noble père Ulysse ait haï, maltraité les Achéens guêtrés[1] et que, pour me payer en sévices, vos haines
lâchent sur moi ces gens... Comme il me vaudrait
mieux que ce fût vous, du moins, vous tous, qui me
mangiez richesses et troupeaux. Car de vos mangeries,

---

1. Épithète traditionnelle.

j'aurais tôt le paiement : par la ville, j'irais vous
harceler de plaintes, vous réclamer mes biens, tant et
tant qu'il faudrait que tout me fût rendu. Mais qui me
revaudra les maux dont aujourd'hui vous m'emplissez
le cœur?

Il dit et, de courroux, jeta le sceptre à terre. Ses
pleurs avaient jailli. Pris de pitié, le peuple entier
restait muet. Des autres prétendants, personne n'eût
osé répondre à Télémaque en paroles amères.

Le seul Antinoos lui vint dire en réponse :

ANTINOOS. — Quel discours, Télémaque! ah! prêcheur d'agora à la tête emportée!... tu viens nous
insulter!... tu veux nous attacher un infâme renom!...
La cause de tes maux, est-ce les prétendants?... ou ta
mère qui, pour la fourbe, est sans rivale?... Voilà déjà
trois ans, en voici bientôt quatre, qu'elle va, se jouant
du cœur des Achéens, donnant à tous l'espoir, envoyant à chacun promesses et messages, quand elle a
dans l'esprit de tout autres projets! Tu sais l'une des
ruses qu'avait ourdies son cœur. Elle avait au manoir
dressé son grand métier et, feignant d'y tisser un immense linon, nous disait au passage : « Mes jeunes prétendants, je sais bien qu'il n'est plus, cet Ulysse divin!
mais, malgré vos désirs de hâter cet hymen, permettez
que j'achève : tout ce fil resterait inutile et perdu.
C'est pour ensevelir notre seigneur Laerte : quand la
Parque* de mort viendra tout de son long le coucher
au trépas, quel serait contre moi le cri des Achéennes,
si cet homme opulent gisait là sans suaire! » Elle
disait et nous, à son gré, faisions taire la fougue de
nos cœurs. Sur cette immense toile, elle passait les
jours. La nuit, elle venait aux torches la défaire. Trois
années, son secret dupa les Achéens. Quand vint la

quatrième, à ce printemps dernier, nous fûmes avertis par l'une de ses femmes, l'une de ses complices. Alors on la surprit juste en train d'effiler la toile sous l'apprêt et si, bon gré, mal gré, elle dut en finir, c'est que nous l'y forçâmes. Mais toi, des prétendants écoute une réponse qui renseigne ton cœur et qui renseigne aussi tout le peuple achéen. Renvoie d'ici ta mère et dis-lui d'épouser celui qui lui plaira et que voudra son père. Mais à toujours traîner les fils des Achéens, à se fier aux dons qu'Athéna lui prodigue[1], à sa fourbe dont rien n'a jamais approché dans nos récits d'antan d'Achéennes bouclées, ces Alcmène*, Tyro*, Mycènes* couronnée, dont pas une n'avait l'esprit de Pénélope, il est pourtant un point qu'elle a mal calculé : c'est qu'on te mangera ton avoir et tes vivres tant qu'elle gardera les pensées qu'en son cœur, les dieux mettent encore. Pour elle, grand renom! pour toi, grande ruine!... Non! jamais nous n'irons sur nos biens ni ailleurs, avant que, d'un époux, elle-même ait fait choix parmi nos Achéens.

Posément, Télémaque le regarda et dit :

TÉLÉMAQUE. — Antinoos, comment chasser de ma maison, contre sa volonté, celle qui me donna le jour et me nourrit? Si mon père est absent, est-il vivant ou mort?... et quelle perte encor de rembourser Icare[2], si c'est moi, de mon chef, qui lui renvoie ma mère!... Car, de son père aussi, me viendraient bien des maux, et, de la part des dieux, combien de

1. L'intelligence, qui lui permet de ruser. Athéna était déesse de la raison et du savoir.
2. Entendez : de restituer au père de Pénélope les biens dont il l'avait dotée. La mort, même naturelle, d'un des époux rendait obligatoire une telle restitution.

maux encore, quand **ma mère chassée**, au seuil de la
maison, appellerait sur moi les tristes Erinnyes*.
Non! le courroux du ciel est trop lourd à porter[a]!...
Mais vous, si votre cœur redoute encor les dieux,
allons! videz ma salle; ensemble arrangez-vous pour
banqueter ailleurs et chez vous, tour à tour, manger
vos propres biens! ou si vous estimez meilleur et plus
commode de venir tous, sans risque, ruiner un seul
homme, piller ses vivres, moi, j'élèverai mon cri aux
dieux toujours vivants, et nous verrons si Zeus vous
paiera de vos œuvres : puissiez-vous, sans vengeurs,
tomber en ce manoir!

Télémaque parlait. Deux aigles, qu'envoyait le Zeus
à la grand-voix, arrivaient en plongeant du haut de la
montagne. D'abord, au fil du vent, ils allaient devant
eux et, volant côte à côte, planaient à grandes ailes.
Mais bientôt, dominant les cris de l'agora, ils tournèrent sur place, à coups d'aile pressés, et leurs
regards, pointés sur les têtes de tous, semblaient
darder la mort; puis, se griffant la face et le col de
leurs serres, ils filèrent à droite, au-dessus des maisons et de la ville haute. Les yeux de tous suivaient le
terrible présage.

Les cœurs se demandaient quelle en serait la suite.
Alors pour leur parler, un héros se leva, le vieil
Halithersès, un des fils de Mastor. Des hommes de
son temps, nul n'était plus habile à savoir les oiseaux
et prédire le sort.

C'est pour le bien de tous qu'il prenait la parole :

HALITHERSÈS. — Gens d'Ithaque, écoutez! j'ai deux

---

a Vers 136-137 : au seuil de la maison : j'aurais à redouter le
châtiment des hommes; jamais je ne dirai cette parole-là!

mots à vous dire. Mais c'est aux prétendants surtout
que je m'adresse : sur eux, je vois venir la houle du
désastre. Ce n'est plus pour longtemps, sachez-le
bien, qu'Ulysse est séparé des siens; il est tout près
déjà, plantant à cette bande et le meurtre et la mort,
et bien d'autres encor pâtiront parmi nous, qui vivons
aujourd'hui en cette aire d'Ithaque... Pendant qu'il
en est temps, songeons à les brider! qu'ils se brident
eux-même! dans leur propre intérêt, c'est le meilleur
parti. Car je ne prédis pas en novice : voilà si longtemps que je sais!... C'est moi qui vous le dis : voici
que tout arrive suivant ce que jadis je lui prédis, à
lui, lorsque, les Argiens partant pour Ilion, il partit
avec eux, cet Ulysse avisé! Je lui prédis alors tous les
maux à souffrir et tous ses gens à perdre, pour ne
rentrer chez lui que la vingtième année et méconnu
de tous. Aujourd'hui tout s'achève.

Eurymaque, un des fils de Polybe, intervint :

EURYMAQUE. — Vieillard, rentre chez toi!... Va prédire en famille! et tâche de songer aux risques de tes
proches! Mes prophéties, à moi, valent cent fois les
tiennes. Des oiseaux?... que de vols sous les feux du
soleil! sont-ce tous des présages?... Tu nous parles
d'Ulysse : il est mort loin d'ici!... et que n'as-tu som-
bré en cette compagnie! tu te tairais enfin, l'interprète des dieux; tu n'exciterais plus Télémaque en
sa rage. Va voir à la maison s'il t'a fait son cadeau!
Mais, moi, je te préviens et tu verras la chose : si ta
vieille sagesse, ta docte fausseté excitent le jeune
homme et le font intraitable, c'est à lui tout d'abord
qu'il en cuira le plus : pour réussir, il peut compter
sur ces oiseaux! Et toi aussi, vieillard, par une bonne
amende, nous briserons ton cœur : payer, cruel cha-

grin!... A mon tour, devant tous, je veux donner un
bon conseil à Télémaque : c'est qu'il renvoie sa mère
au manoir paternel. Je vois ici des gens pour défrayer
la noce et fournir tous cadeaux qu'au père on doit
mener pour obtenir sa fille... C'est alors seulement
que nos fils d'Achaïe quitteront, croyez-m'en, l'irri-
tante poursuite. Nous ne craignons personne, et pas
plus Télémaque avec tous ses discours que toi-même,
bon vieux, avec tes prophéties, dont nul de nous n'a
cure... Tu parles dans le vide et ne fais que le rendre
encor plus odieux. Ses biens seront toujours mangés
à la malheure, et de paiement, jamais! tant qu'elle
traînera les vœux des Achéens à ce jeu de l'hymen,
où, déçus chaque jour, nous luttons pour sa gloire,
négligeant de chercher ailleurs le beau parti.

Posément, Télémaque le regarda et dit :

TÉLÉMAQUE. — Eurymaque et vous tous, illustres
prétendants, sur ce premier sujet n'attendez plus de
moi prières ni harangues; c'est fini maintenant : les
dieux sont informés, et le peuple achéen! Mais,
voyons, donnez-moi un croiseur et vingt hommes
pour m'emmener en un voyage au long des côtes :
mon projet est d'aller à la Pylos des Sables, à Sparte,
m'enquérir du retour de mon père et, sur sa longue
absence, interroger les gens ou recueillir de Zeus l'une
de ces rumeurs qui remplissent le monde. Si là-bas
j'apprenais que mon père survit et qu'il va revenir,
j'attendrais une année, bien que je sois à bout; mais
si c'était sa mort, sa disparition, je reviendrais tout
droit à la terre natale lui dresser une tombe avec tous
les honneurs funèbres qu'on lui doit, et puis je
donnerais ma mère à un époux.

A ces mots, il s'assit, et Mentor se leva, Mentor le

compagnon que l'éminent Ulysse, au jour de son départ, avait chargé du soin de toute sa maison[a].

C'est pour le bien de tous qu'il prenait la parole :

MENTOR. — Gens d'Ithaque, écoutez! j'ai deux mots à vous dire. A quoi sert d'être sage, accommodant et doux, lorsque l'on tient le sceptre, et de n'avoir jamais l'injustice en son cœur? Vivent les mauvais rois et leurs actes impies! Car est-il souvenir de ce divin Ulysse chez ceux qu'il gouvernait en père des plus doux?... Oh! je ne m'en prends pas aux fougueux prétendants, ni à leurs coups de force, à leurs trames mauvaises : car eux, ils jouent leurs têtes, quand, forçant et pillant la demeure d'Ulysse, ils pensent que jamais il ne doit revenir. C'est pour l'heure au restant du peuple que j'en ai, à vous tous que je vois rester silencieux, sans un mot pour brider ces quelques prétendants, quand vous êtes le nombre.

Un des fils d'Événor, Léocrite, intervint :

LÉOCRITE. — Mentor, mauvaise langue et tête sans raison! Voilà un bel appel au peuple contre nous! Tu voudrais nous brider! Même en étant le nombre, on trouve dur de guerroyer pour un repas. Tu sais bien que si même, en personne, il rentrait, ton Ulysse d'Ithaque, et si, trouvant à table, en son propre manoir, ces braves prétendants, il lui prenait envie de faire maison nette, ce pourrait n'être pas toute joie pour sa femme, qui se languit si fort de le voir revenir : ce qu'il trouverait là, c'est une mort piteuse, quand encore il aurait tout le nombre à sa suite... Tes discours sont folies!... Mais allons! Achéens, dispersez-vous! rentrez, chacun, sur vos domaines! Pour

---

a Vers 227 : pour aider le Vieillard et tout garder en place.

le mettre en chemin, Télémaque a Mentor, ou bien
Halithersès, ou quelque autre des vieux compagnons
de son père. Mais c'est ici, je crois, que, sans bouger
d'Ithaque, il aura les nouvelles... Non! ce voyage-là
jamais, au grand jamais, il ne doit l'accomplir!

A ces mots, brusquement il leva la séance et le
peuple s'en fut, chacun en son logis.

Les prétendants rentraient chez le divin Ulysse,
Télémaque, à l'écart, s'en allait sur la grève et, se
lavant les mains dans la frange d'écume, il priait
Athéna :

TÉLÉMAQUE. — Écoute, ô toi, le dieu, qui vins hier chez
nous! Tu m'as dit de voguer dans la brume des mers
pour aller m'enquérir du retour de mon père et de sa
longue absence. Mais tout cela, les Achéens me l'interdisent, les prétendants surtout, ces tyrans de malheur.

Comme il priait, il vit s'avancer Athéna. De Mentor, elle avait et l'allure et la voix.

Elle prit la parole et dit ces mots ailés :

ATHÉNA. — Télémaque, en ta vie tu seras brave et
sage, si la belle énergie de ton père est en toi! Ah!
quel homme c'était pour aller jusqu'au bout et de
l'œuvre et des dires!... Il faut que ce voyage ait ses
fruits et s'achève. Ni Lui ni Pénélope ne seraient tes
parents, si je doutais que tu remplisses tes desseins :
il est si peu d'enfants à égaler leurs pères; pour tant
qui peuvent moins, combien peu peuvent plus! Mais
je vois qu'en ta vie, tu seras brave et sage : la prudence d'Ulysse est tout entière en toi; espérons que tu
vas accomplir cette tâche. Laisse les prétendants
comploter, combiner : ils n'écoutent, ces fous, ni raison ni justice; ils ne voient pas la mort, la Parque
ténébreuse, qui, tous en un seul jour, vient les ense-

velir! Va donc! que rien n'entrave ton projet de
voyage. Tu sais le compagnon que ton père eut en
moi : je t'équipe un croiseur et te suis en personne.
Retourne te montrer chez toi aux prétendants; fais
préparer les vivres : que tout soit enfermé, le vin en
des amphores, en des sacs de gros cuir la farine qui
rend le nerf à l'équipage. Quant aux rameurs, c'est
moi qui te vais, dans le peuple, lever des volontaires;
j'aurai tôt fait et notre Ithaque entre-deux-mers a des
vaisseaux en nombre : quand, des neufs et des vieux,
j'aurai fait la revue, nous armons le meilleur et nous
prenons le large!

Quand la fille de Zeus eut parlé, Télémaque obéit,
sans tarder, à cette voix divine. Il revint au manoir,
l'âme toute troublée, et trouva dans la cour les fougueux prétendants, qui flambaient les cochons et dé-
pouillaient les chèvres.

Antinoos riant vint droit à Télémaque, et, lui prenant la main, lui dit et déclara :

ANTINOOS. — Quel prêcheur d'agora à la tête
emportée!... Télémaque, voyons! laisse là tes projets
et tes propos méchants! Comme aux jours d'autrefois, reviens manger et boire; les Achéens feront tout
ce que tu désires : on te donne un navire et des
rameurs de choix; tu vas pouvoir voler vers la bonne
Pylos pour entendre parler de ton illustre père.

Posément, Télémaque le regarda et dit :

TÉLÉMAQUE. — Antinoos, merci! subir vos inso-
lences, me taire en vos festins, jouir et paresser! Ne
vous suffit-il pas d'avoir, ô prétendants, pillé dans
mon domaine et le gros et le choix, tant que j'étais
enfant?... Maintenant, j'ai grandi!... J'entends autour
de moi des mots qui me renseignent!... et j'ai grandi

de cœur!... Je veux tout essayer pour déchaîner sur
vous les déesses mauvaises, soit que j'aille à Pylos, soit
que je reste ici, en ce pays d'Ithaque. Je ferai ce voyage,
et non sans résultat; c'est moi qui vous l'annonce.
Je trouverai passeur, faute d'avoir à moi le navire et
les hommes que votre bon plaisir vient de me refuser.

Il dit et s'arracha des mains d'Antinoos[a]. Les autres
le raillaient, l'insultaient en paroles.

L'un de ces jeunes fats s'en allait répétant :

LE CHŒUR. — Gare au meurtre que nous médite
Télémaque! Il va chercher une aide à la Pylos des
Sables, peut-être même à Sparte : il en brûle d'envie.
Il pourrait bien pousser jusqu'à la grasse Ephyre et
nous en rapporter quelques poisons rongeurs : une
dose au cratère, et nous voilà tous morts!

Un autre jeune fat s'en allait répétant :

LE CHŒUR. — Peut-on savoir jamais? s'il partait,
lui aussi, au creux de son vaisseau; si loin des siens
aussi, il allait, comme Ulysse, se perdre à l'aventure :
il nous vaudrait encore un surcroît de besogne; c'est
alors tous ces biens qui viendraient au partage, quand
on aurait donné les maisons à sa mère pour habiter
avec celui qui l'aurait prise.

C'est ainsi qu'ils parlaient; mais déjà Télémaque
descendait l'escalier du trésor paternel. En ce vaste
cellier, sous sa haute charpente, l'or et le bronze en
tas, et les tissus en coffres, et les réserves d'huile, dont
l'odeur embaumait, reposaient près des jarres alignées et dressées au long de la muraille : un vieux
vin de liqueur, un breuvage de dieu sans une goutte

_a_ Vers 322 : prestement et pendant qu'à travers le manoir, les
prétendants couraient préparer le festin.

d'eau, était là pour le jour qu'Ulysse rentrerait après tant de souffrances; les portes de bois plein aux solides jointures étaient sous double barre, et, les nuits et les jours, une dame intendante, Euryclée, fille d'Ops le fils de Pisénor, veillait, l'esprit au guet.

Quand il l'eut fait entrer, Télémaque lui dit :

TÉLÉMAQUE. — Allons, nourrice, il faut me mettre en des amphores de ton vin le plus doux, du plus fameux après celui que tu conserves pour Lui, le malheureux, si jamais il rentrait[a]. Emplis-moi douze amphores et les coiffe bien toutes. En de bons sacs de cuir, verse-moi vingt mesures de farine moulue; je ne veux que la fleur. Garde-moi le secret; que tout se trouve en tas quand, ce soir, je viendrai moi-même l'enlever, à l'heure où, regagnant son étage, ma mère songe enfin au sommeil... Je veux aller à Sparte, à la Pylos des Sables, m'enquérir, s'il se peut, du retour de mon père.

Il dit; mais la nourrice Euryclée fit un cri et, parmi les sanglots, lui dit ces mots ailés :

EURYCLÉE. — Pourquoi, mon cher enfant, pourquoi te mettre en tête une pareille idée? Tu veux courir le monde alors que nous n'avons plus que toi, mon chéri! Car notre Ulysse est mort, ce rejeton des dieux!... loin du pays natal, en terres inconnues!... Aussitôt qu'ils sauront ton départ, ils te vont dresser pour le retour quelque embûche mortelle, et voilà tous ces biens qui seront leur partage. Reste sur ton avoir : il n'en faut pas bouger. Tu n'as rien à gagner sur les mers inféconde que souffrance et naufrages.

---

a Vers 352 : ce rejeton des dieux, Ulysse, réchappé de la mort et des Parques.

Posément, Télémaque la regarda et dit :

TÉLÉMAQUE. — Nourrice, ne crains rien! sans un dieu, cette idée ne me fût pas venue. Mais jure de n'en pas souffler mot à ma mère, avant que soient passés quelque onze ou douze jours…, à moins que me cherchant et qu'apprenant ma fuite, elle n'aille en pleurant lacérer ses beaux traits.

Sitôt qu'il eut parlé, la vieille lui prêta le grand serment des dieux et, quand elle eut juré et scellé le serment, elle fut transvaser le vin en des amphores et verser la farine en de bons sacs de cuir, tandis que Télémaque avait, en la grand-salle, rejoint les prétendants. Cependant Athéna, la déesse aux yeux pers, poursuivait ses desseins : sous les traits de Mentor, elle courait la ville, arrêtait ses rameurs et leur donnait le mot pour que, le soir, on s'assemblât près du croiseur; un fils de Phronios, l'illustre Noémon, lui prêta de grand cœur le vaisseau demandé.

Le soleil se couchait, et c'était l'heure où l'ombre emplit toutes les rues : Athéna vint tirer le croiseur à la mer, mit à bord les agrès, que doivent emporter sur leurs bancs les navires, et s'en fut le mouiller à la bouche du port. Là, s'était réuni tout le brave équipage : la déesse eut un mot pour animer chacun[a]. Chez le divin Ulysse, elle revint alors verser aux prétendants le plus doux des sommeils; la main de ces buveurs trompés lâcha les coupes; sans plus rester assis, pour s'en aller dormir en ville, ils se levèrent, car déjà le sommeil tombait sur leurs paupières. La

a Vers 393 : cependant Athéna, la déesse aux yeux pers, poursuivait ses desseins.

déesse aux yeux pers appela Télémaque et, le faisant
sortit du grand corps de logis :

ATHÉNA[a]. — Télémaque, il est temps! l'équipage guê-
tré est aux bancs et n'attend pour pousser que ton
ordre. En route! il ne faut plus différer le départ.

En parlant, Athéna le menait au plus court : il
suivait la déesse et marchait sur ses traces[b]. A la grève,
on trouva les gars aux longs cheveux.

Sa Force et Sainteté Télémaque leur dit :

TÉLÉMAQUE. — Par ici, mes amis! allons chercher
les vivres! Tout est prêt; au manoir, ils sont mis en
un tas. Ma mère ne sait rien, ni les autres servantes;
une seule a le mot.

Il dit, montrant la route, et ses gens le suivirent.
Ils revinrent, portant leurs charges qu'ils posèrent
sous les bancs du navire, aux endroits que leur indi-
quait le fils d'Ulysse. Télémaque embarqua. Toujours
le conduisant, Athéna fut s'asseoir sur le gaillard de
poupe. Il prit place auprès d'elle. Les amarres larguées, les hommes embarqués, quand chacun à son
banc fut assis, Athéna, la déesse aux yeux pers, leur
envoya la brise, un droit Zéphir chantant sur les
vagues vineuses. Télémaque empressé commanda la
manœuvre; les hommes, de répondre à son empressement. On dressa le sapin du mât qui fut planté au
trou de la coursie. On raidit les étais, et la drisse de
cuir hissa les voiles blanches. La brise alors s'en vint
taper en pleine toile, et le vaisseau partit dans les
bouillons du flot qui sifflait sous l'étrave[c]...

a Vers 401 : elle reprit l'allure et la voix de Mentor.
b Vers 407 : descendus au croiseur, ils atteignent la mer.
c Vers 429 : et le vaisseau, courant sur le flot, faisait route

Au long du noir croiseur, quand on eut, pour la mer, saisi tous les agrès, on dressa, pleins de vin jusqu'aux bords, les cratères, pour boire aux Immortels, aux dieux d'éternité, et, plus qu'à tous les autres, à la fille de Zeus, à la Vierge aux yeux pers.

A PYLOS

Pendant toute la nuit, et même après l'aurore, le navire fit route.

(CHANT III) Quand le soleil levant monta du lac splendide pour éclairer les dieux au firmament de bronze, ainsi que les mortels sur notre terre aux blés, Pylos leur apparut, la ville de Nélée aux solides murailles. Sur la plage, on offrait de noirs taureaux sans tache, en l'honneur de Celui qui ébranle le sol, du dieu coiffé d'azur[1]. Sur neuf rangées de banc siégeaient les Pyliens, cinq cents hommes par rang, neuf taureaux devant chaque. Ils avaient mis la dent aux premières grillades[2] et faisaient, pour le dieu, brûler les os des cuisses, lorsque le fin croiseur accosta droit du large. L'équipage envoya et releva les voiles, puis, en ramant, poussa vers la cale et prit terre.

Télémaque à son tour débarqua du vaisseau. Athéna* lui montrait la route et, la première, Athéna, la déesse aux yeux pers, lui disait :

ATHÉNA. — Télémaque, à présent, tu ne dois plus

1. Posidon*. L'épithète « coiffé d'azur » rappelle la couleur de la mer.
2. La chair des victimes était consommée par les assistants. Une faible part, grillée sur l'autel, en était réservée au dieu.

avoir la moindre fausse honte. Il s'agit de ton père.
Tu n'as franchi la mer qu'afin de t'enquérir du sort
qu'il a subi, du pays qui le cache. Donc, va droit à
Nestor, le dresseur de chevaux, et sachons la pensée
qu'il enferme en son cœur[a]!

Posément, Télémaque la regarda et dit :

TÉLÉMAQUE. — Mentor, tu veux que j'aille et que,
moi, je l'aborde? L'habileté des mots, tu sais, n'est
pas mon fait! et c'est le rouge au front qu'un homme
de mon âge interroge un ancien.

Athéna, la déesse aux yeux pers, répliqua :

ATHÉNA. — Mais des mots, Télémaque, il t'en
viendra du cœur, et quelque bon génie te soufflera
le reste; car les dieux, que je sache, ne t'ont pas
empêché de naître et de grandir.

En parlant, Athéna le menait au plus court; il
suivait la déesse et marchait sur ses traces, vers la
sainte assemblée des guerriers de Pylos, jusqu'aux
bancs où Nestor siégeait avec ses fils : ses hommes,
tout autour, préparaient le festin, qui rôtissant des
viandes, qui en embrochant d'autres.

Sitôt qu'on aperçut les étrangers, la foule s'en vint
de toutes parts et, mains tendues, les invitait à
prendre place.

Mais ce fut Pisistrate, un des fils de Nestor, qui,
devançant les autres, vint leur prendre la main. Dans
les douces toisons, sur les sables de mer, il leur fit à
tous deux une place au festin, entre son père et Thrasymède, un de ses frères, puis, leur servant leurs parts
des premières grillades et leur versant du vin dans

---

a Vers 19-20 : il faut lui demander de te parler sans feinte; ne
crains pas de mensonge; il est toute sagesse.

une coupe d'or, il vint en faire hommage à la fille du Zeus à l'égide*, Athéna :

PISISTRATE. — Étranger, prie d'abord Posidon notre roi; car c'est à son festin qu'ici vous arrivez. Fais les libations; prie comme il est d'usage; tu donneras ensuite à ton ami la coupe, pour qu'il offre à son tour de ce doux vin de miel; il doit prier aussi les Immortels, je pense : tout homme n'a-t-il pas même besoin des dieux? Mais il est ton cadet; il semble de mon âge; à toi donc, en premier, je tends la coupe d'or.

Il dit et lui remit en main la double coupe[1]. La déesse, agréant l'hommage de ce juste[a] se hâta d'adresser une longue prière à leur roi Posidon :

ATHÉNA. — Écoute, ô Posidon, le maître de la terre, et ne refuse pas, lorsque nous t'en prions, d'accomplir nos projets! A Nestor, à ses fils, donne avant tout la gloire! Accorde ensuite à tout ce peuple de Pylos quelque grâce en retour de sa noble hécatombe[2]. Accorde-nous enfin, à Télémaque et moi, de remplir le dessein qui nous a fait venir sur notre noir croiseur!

Après cette prière, qu'elle-même exauçait, la déesse remit, aux mains du fils d'Ulysse, la belle double coupe et, comme elle, à son tour, Télémaque pria; puis, on tira du feu les grosses viandes cuites; on y trancha les parts, et l'on fut à la joie de ce festin superbe.

Quand on eut satisfait la soif et l'appétit, le vieux maître des chars, Nestor, prit la parole :

---

a Vers 53 : qu'il lui eût en premier tendu la coupe d'or.

1. Coupe au pied creux, qu'on peut donc utiliser retournée.

2. A proprement parler, l'hécatombe consiste dans le sacrifice de cent bœufs.

NESTOR. — S'il est bien un moment d'interroger des hôtes pour en savoir les noms, c'est quand ils ont joui des plaisirs de la table. Mes hôtes, votre nom? d'où nous arrivez-vous sur les routes des ondes?... faites-vous le commerce?... n'êtes-vous que pirates qui, follement, courez et croisez sur les flots, et, risquant votre vie, vous en allez piller les côtes étrangères?

Posément, Télémaque le regarda et dit, plein d'un nouveau courage (Athéna lui mettait au cœur la hardiesse d'interroger Nestor sur l'absent, sur son père[a]) :

TÉLÉMAQUE. — Nestor, fils de Nélée, l'honneur de l'Achaïe, puisque tu veux savoir d'où nous sommes, je vais tout au long vous le dire. Nous arrivons d'Ithaque, au pied du mont Neion; c'est d'une affaire à moi que je viens te parler, ce n'est pas de mon peuple. Je vais de par le monde, cherchant quelques échos du renom de mon père, de ce divin Ulysse, le héros d'endurance, qu'au pays des Troyens, tu pus voir, me dit-on, combattre à tes côtés et renverser leur ville. De tous ceux qui sont morts là-bas en combattant, nous savons où chacun trouva la mort funeste. Mais lui! Zeus a caché jusqu'au bruit de sa mort : nul ne peut préciser comment il succomba, si ce fut au rivage, accablé d'ennemis, ou si ce fut en mer, sous les flots d'Amphitrite*. C'est pourquoi tu me vois ici à tes genoux; voudrais-tu me parler de cette mort funeste?... l'as-tu vue de tes yeux?... en sais-tu quelque chose de l'un de nos errants? c'est le plus

a Vers 78 : et d'acquérir aussi bon renom chez les hommes.

malheureux qui soit né d'une femme... Ne mets ni
tes égards, ni ta compassion à m'adoucir les choses.
Mais dis-moi point par point ce que tes yeux ont vu[a].

Le vieux maître des chars, Nestor, lui répondit :

NESTOR. — Ah! mon ami, tu viens d'évoquer la misère qu'au pays de là-bas, nous avons endurée, et
l'obstination de nos fils d'Achaïe, et tant d'embar-
quements dans la brume des mers pour croiser et
piller au premier mot d'Achille, et tant de longs
combats pour assaillir la grand-ville du roi Priam!
Là-bas ont succombé les meilleurs de nos gens. Oui!
c'est là-bas que gît Ajax, cet autre Arès*! là-bas que
gît Achille! là-bas que gît Patrocle, un dieu par la sagesse à l'heure du conseil!... et là-bas gît aussi mon fils,
mon intrépide et robuste Antiloque, le roi de nos coureurs et de nos combattants!... Car nous avons connu
ces maux et combien d'autres! Quel homme, avant sa
mort, aurait jamais le temps de les raconter tous?

« Tu pourrais demeurer chez moi cinq ans, six ans,
à me faire conter ce qu'ont souffert là-bas nos divins
Achéens : avant de tout savoir, tu rentrerais, lassé,
au pays de tes pères. Neuf ans, sans desserrer notre
cercle d'embûches, nous leur avons cousu pièce à
pièce les maux : neuf ans, avant que Zeus nous quit-
tât le succès!... Devant ton père, alors, le plus ingénieux se déclarait vaincu; il l'emportait sur tous, en
ruses infinies, cet Ulysse divin... Ton père!... Tu serais
vraiment son fils?... à Lui?... Mais ta vue me confond!...

---

a Vers 98-101 : aussi je t'en conjure par tout ce que mon père,
cet Ulysse vaillant, a pu dire, entreprendre et, suivant sa promesse,
réussir pour ta cause, au pays des Troyens, au temps de vos
épreuves, à vous, gens d'Achaïe! L'heure est enfin venue pour moi
qu'il t'en souvienne; dis-moi la vérité!

Mêmes mots..., même tact! comment peut-on, si jeune, à ce point refléter le langage d'un père?... Moi, tout ce temps là-bas, jamais je n'eus avec cet Ulysse divin le moindre différend. Assemblée ou conseil, quand nous tenions séance avec les Argiens, nous avions, même cœur, même esprit, mêmes vœux : le plein succès de tous.

« Quand sur sa butte, enfin, nous eûmes saccagé la ville de Priam[a], c'est Zeus qui, dans son cœur, nous médita pour lors un funeste retour : parmi nos gens d'Argos, il en était si peu de sensés et de justes! combien allaient trouver le malheur et la mort sous le courroux fatal de la Vierge aux yeux pers[1]! Voulant mettre la brouille entre les deux Atrides, la Fille du Dieu fort leur fit en coup de tête, au coucher du soleil, convoquer l'assemblée de tous les Achéens et l'on vit arriver, à cette heure insolite, nos fils de l'Achaïe titubants sous le vin. Les deux frères, alors, de dire et de redire les raisons qu'ils avaient de convoquer le peuple. Ménélas soutenait que tous les Achéens ne devaient plus songer qu'au retour sur le dos de la plaine marine. Agamemnon était d'un avis tout contraire : il voulait retenir le peuple et célébrer de saintes hécatombes pour fléchir d'Athéna le terrible courroux. L'enfant! il se flattait d'apaiser la déesse! fait-on virer au doigt l'esprit des Éternels?... Les deux rois, échangeant des ripostes pénibles, s'affrontent et, debout, avec des cris d'enfer, nos Achéens guêtrés en deux camps se partagent; quand on va se coucher, c'est pour rêver la nuit aux haines réci-

---

a Vers 131 : et que, montés à bord, un dieu nous dispersa.
1. Voir la note au début du « Festin des prétendants » (chant I).

proques : Zeus nous mettait déjà sous le faix du malheur !

« Aussi, quand dès l'aurore nous tirons nos vais- seaux à la vague divine pour y charger nos biens et nos sveltes captives, la moitié de nos gens s'obstine à demeurer près du pasteur du peuple, l'Atride* Agamemnon. Nous, de l'autre parti, nous embar- quons, poussons, et notre flotte court à travers le grand gouffre, sur la mer dont un dieu avait couché les flots. Nous gagnons Ténédos. Là, dans un sacrifice, nous demandons au ciel de rentrer au pays. Mais Zeus ne voulait pas encor de ce retour. Sa colère à nouveau déchaîne le fléau d'une seconde brouille. Les uns virent de bord sur leurs doubles gaillards : leur chef, le sage Ulysse aux fertiles pensées, les ramène apaiser l'Atride Agamemnon. Mais, ayant rallié mon escadre complète, je fuis, voyant les maux qu'un dieu nous préparait, et le fils de Tydée[1], cet autre Arès, entraîne aussi ses équipages, et le blond Ménélas vient plus tard nous rejoindre.

« Il nous trouve à Lesbos, hésitant à passer, sinon par le grand tour : irions-nous, par le haut des roches de Chios, en les tenant à gauche, doubler l'île Psara?... sous Chios, irions-nous côtoyer le Mimas avec ses coups de vent?... Nous demandions aux dieux de nous montrer un signe. Il nous vient, et fort clair, nous disant de couper vers l'Eubée par le large, si nous voulons sortir au plus tôt du danger. Et comme un bon vent frais se lève et s'établit, notre flotte s'élance aux chemins des poissons si vite, que, la nuit, nous touchons au Géreste. Là, c'est à Posidon

1. Diomède.

que, pour avoir franchi ce long ruban de mer, nous
offrons sans compter les cuisses de taureaux. Le quatrième jour nous met aux bords d'Argos, où le fils
de Tydée, le dresseur de chevaux Diomède et ses gens
halent leurs fins croiseurs; moi, je rentre à Pylos, sans
voir tomber la brise que, depuis le départ, un dieu
faisait souffler. C'est ainsi, cher enfant, que je revins
chez moi. Je n'ai rien vu de plus : des autres Achéens,
lesquels ont échappé et lesquels ont péri ? je n'en sais
pas grand-chose. Les nouvelles, pourtant, que j'ai pu
recueillir en ce manoir tranquille, je veux te les donner, et sans rien t'en cacher : car ce n'est que justice.

« C'est un retour heureux qu'eurent les Myrmidons : ces furieux lanciers revinrent, m'a-t-on dit,
avec le noble fils[1] du magnanime Achille... Philoctète,
le fils illustre de Pœas, eut autant de bonheur. De
même, Idoménée a reconduit en Crète tous ceux
de son armée que la guerre épargna : la mer n'en
prit aucun. Pour l'Atride! si loin que vous viviez du
monde, vous savez comme nous qu'il revint et
qu'Egisthe lui avait préparé une mort lamentable.
Mais le jour du paiement douloureux est venu : qu'il
est bon de laisser après sa mort un fils! Car, filial
vengeur[2], celui-là sut punir ce cauteleux Egisthe qui
lui avait tué le plus noble des pères. Toi, mon cher, bel
et grand comme je te vois là, sois vaillant pour qu'un
jour quelque arrière-neveu parle aussi bien de toi!

Posément, Télémaque le regarda et dit :

TÉLÉMAQUE. — Nestor, fils de Nélée, l'honneur de
l'Achaïe, oui, celui-là, vraiment, eut sa pleine ven-

1. Néoptolème.
2. Oreste.

geance, et le monde achéen **ira** chantant sa gloire
jusqu'aux âges futurs. Ah! si, de tels moyens, les
dieux m'avaient armé, comme ils paieraient leur violence et mes chagrins, ces prétendants sans frein qui
conspirent ma perte! Les dieux ne nous ont pas filé
pareil bonheur, à moi ni à mon père; pour l'heure,
il me faut tout supporter jusqu'au bout.

Le vieux maître des chars, Nestor, lui répondit :

NESTOR. — Ami, puisque tu viens d'évoquer cette
affaire, on dit que les nombreux prétendants de ta
mère usurpent ton manoir et conspirent ta perte;
c'est de plein gré, dis-moi, que tu portes le joug? ou
dans ton peuple, as-tu la haine d'un parti, qui suit
la voix d'un dieu?... pour punir leurs excès, qui sait
le jour qu'enfin ton père rentrera, seul ou par le
secours de tous les Achéens?... Si la Vierge aux yeux
pers te pouvait donc aimer comme elle aimait Ulysse
et veillait sur sa gloire, au pays des Troyens, aux
temps de nos épreuves, à nous, gens d'Achaïe!...
Non! jamais je ne vis aux côtés d'un mortel veiller
l'amour des dieux autant qu'à ses côtés la visible
assistance de Pallas Athéna!... Ah! si, d'un pareil
cœur, elle prenait ta cause, combien parmi ces gens
quitteraient la poursuite!

Posément, Télémaque le regarda et dit :

TÉLÉMAQUE. — Vieillard, je ne crois pas que ton
vœu s'accomplisse : quels grands mots tu dis là! j'en
ai comme un vertige! Oh! non! pareil bonheur pas-
serait mon espoir, quand les dieux le voudraient.

Athéna, la déesse aux yeux pers, intervint :

ATHÉNA. — Quel mot s'est échappé de l'enclos de
tes dents? Oh! Télémaque! un dieu sauve aisément
son homme, aussitôt qu'il le veut, et même du plus

loin! Pour moi, le choix est fait : tous les maux à
souffrir avant d'être rentré et de voir au logis la journée du retour, plutôt qu'aller tout droit tomber à
mon foyer, comme tomba l'Atride dans le piège tendu
par Egisthe et sa femme!... Il est vrai que la mort est
notre lot commun et que même les dieux ne peuvent
l'écarter de l'homme qu'ils chérissent, quand la
Parque* de mort s'en vient tout de son long le coucher au trépas.

Posément, Télémaque la regarda et dit :

TÉLÉMAQUE. — Mentor, n'en parlons plus, malgré
notre chagrin. Pour lui, c'en est fini du retour, et le
lot, qu'il eut des Immortels, c'est la mort, désormais,
la Parque ténébreuse. Mais d'un autre sujet je voudrais m'enquérir : interrogeons Nestor; personne des
humains n'est plus juste ni sage, il a régné déjà sur
trois âges, dit-on, si bien qu'il m'apparaît plutôt
comme un des dieux.

« Nestor, fils de Nélée, dis-moi la vérité : comment donc est tombé ce puissant de la terre, l'Atride
Agamemnon? où était Ménélas? quelle ruse de mort
avait imaginée le cauteleux Egisthe, pour tuer un
héros qui le valait cent fois?... Ménélas n'était pas en
Argos d'Achaïe?... il courait par le monde?... et c'est
pourquoi l'autre eut l'audace de son crime?

Le vieux maître des chars, Nestor, lui répondit :

NESTOR. — Oui, mon fils, tu sauras toute la vérité;
mais je vois que, déjà, toi-même, tu devines ce qui
fût advenu si ce blond Ménélas, quand il revint de
Troie, avait encor trouvé au manoir de l'Atride
Egisthe survivant; à son cadavre même, il n'aurait
pas donné la terre pour tombeau; dans les champs,
hors des murs, les chiens et les oiseaux l'eussent

déchiqueté, et pas une Achéenne n'eût osé le pleurer ;
son crime était trop grand !... Donc, nous étions là-
bas, entassant les exploits, tandis que, bien tranquille au fond de son Argos, en ses prés d'élevage,
cet Egisthe enjôlait la femme de l'Atride. Elle, au
commencement, repoussait l'œuvre infâme : divine
Clytemnestre ! elle n'avait au cœur qu'honnêtes sentiments et, près d'elle, restait l'aède que l'Atride, à
son départ vers Troie, avait tant adjuré de veiller sur
sa femme ! Mais vint l'heure où le sort lui jeta le
lacet et la mit sous le joug : Egisthe prit l'aède ; sur
un îlot désert, il le laissa en proie et pâture aux
oiseaux. Ce qu'il voulait, alors, elle aussi le voulut :
il l'emmena chez lui. Que de cuisseaux brûlés aux
saints autels des dieux ! que d'ors, de broderies
suspendus en offrandes, pour célébrer l'exploit dont
jamais, en son cœur, il n'avait eu l'espoir !... Nous
revenions de Troie, en voguant de conserve, l'Atride
Ménélas et moi, toujours intimes. Nous touchions au
Sounion, au cap sacré d'Athènes, quand Phoebos
Apollon*, de ses plus douces flèches[1], vint frapper
le pilote de Ménélas, Phrontis, et ce fils d'Onétor
mourut en pleine vogue, la barre entre les mains :
il n'avait pas d'égal dans tout le genre humain pour
mener un navire à travers les bourrasques.

« Ménélas, en dépit de sa hâte, voulut ensevelir
son homme : il fit relâche et lui rendit tous les
honneurs. Puis il se rembarqua sur les vagues vineuses et s'en vint d'une course, au creux de ses vaisseaux, jusque sous la falaise abrupte du Malée[2].

1. Apollon, dieu archer (comme Artémis*, chasseresse divine) se
voyait imputer les morts subites.
2. Le cap Malée, au sud du Péloponnèse.

C'est alors que le Zeus à la grand-voix les mit en
funeste chemin. Il lâcha sur leur dos les rafales
sifflantes; le flot géant dressa ses montagnes gonflées;
de la flotte coupée, le gros fut entraîné chez les
Cydoniens, qui vivent sur les bords du Jardanos
crétois. Dans la brume des mers, aux confins de
Gortyne, il est un rocher nu, qui tombe sur le flot;
le Notos contre lui jette ses grandes houles, qui le
prennent en flanc du côté de Phaestos, et ce caillou
tient tête à cette vague énorme : c'est là qu'atterris-
sant, les hommes à grand-peine évitèrent la mort;
mais le ressac sur les écueils brisa les coques.

« Il restait cinq vaisseaux à la proue azurée qu'en
Egypte, le vent et la vague poussèrent. Pendant que
Ménélas, pour faire son plein d'or et de provisions,
croisait et cabotait chez ces gens d'autre langue,
Egisthe à son foyer lui préparait le deuil : l'Atride
fut tué; le peuple, mis au joug; l'autre régna sept
ans sur tout l'or de Mycènes. Mais la huitième année,
survint pour son malheur notre Oreste divin[a], et
comme, après le meurtre, ayant enseveli cette mère
odieuse et ce poltron d'Egisthe, il offrait le repas
funèbre aux Argiens, le même jour, ce bon crieur[1] de
Ménélas ramena ses vaisseaux bondés à pleine
charge[b]... Mais toi, suis mon conseil : jusque chez
Ménélas, je t'invite à te rendre. C'est lui qui, le
dernier, est rentré du dehors, d'un monde où l'on

a Vers 307-308 : il revenait d'Athènes et, filial vengeur, il surprit
et tua ce cauteleux Egisthe, qui lui avait tué le plus noble des pères.

b Vers 313-316 : aussi, vois-tu, mon cher, il ne faut pas quitter
trop longtemps ta demeure en laissant ton avoir et ton propre manoir aux mains de tels bandits; ils vont tout te manger, se partager
tes biens, tandis que tu perdras ton temps à ce voyage...

1. Allusion au cri de guerre qui précède le combat.

n'a pas grand espoir du retour, quand une fois les
vents vous y ont égaré; c'est si loin dans la mer qu'on
ne sait pas d'oiseaux qui, dans la même année,
refassent le voyage : ah! le gouffre terrible!... Va
donc chez Ménélas : prends ton vaisseau, tes gens...
Préfères-tu la route? j'ai mon char, mes chevaux, et
n'ai-je pas des fils qui sauront te conduire chez le
blond Ménélas, à Sparte la divine. En personne,
prie-le de te parler sans feinte; ne crains pas de
mensonge; il est toute sagesse!

Comme Nestor parlait, le soleil se coucha; le crépuscule vint. Athéna, la déesse aux yeux pers, dit
alors :

ATHÉNA. — Vieillard, de point en point, nous
voilà renseignés. Maintenant, détachez les langues des
victimes; mélangez-nous du vin pour prier Posidon
et tous les Immortels; puis songeons au sommeil;
c'est l'heure : la lumière au noroît disparaît; même
aux festins des dieux, il faut savoir quitter la table
et s'en aller.

A peine avait parlé cette fille de Zeus que tous
obéissaient. Les hérauts leur donnaient, sur les mains,
à laver. La jeunesse emplissait, jusqu'aux bords, les
cratères. La coupe de chacun fut remplie pour l'offrande; on jeta dans le feu les langues des victimes;
pour les libations aux dieux, on se leva et, l'offrande
achevée, on but tout son content.

Comme alors Athéna, ainsi que Télémaque au
visage de dieu, parlait de retourner au creux de leur
vaisseau, Nestor avec des mots pressants les arrêta :

NESTOR. — Que Zeus et tous les dieux m'épargnent
cet affront! Vous voulez me quitter et rentrer au
croiseur? Me croyez-vous alors si démuni, si pauvre,

que je n'aie au logis ni draps ni couvertures pour
me coucher moi-même et pour coucher mes hôtes
autrement qu'à la dure?... Non! non! j'ai de bons
draps, et j'ai des couvertures, et ce n'est pas le fils de
ce héros d'Ulysse qui s'en ira coucher à bord, sur
son gaillard, tant que je vivrai, moi, ou qu'après
moi, des fils garderont mon manoir pour héberger
les hôtes qui viennent sous mon toit.

Athéna, la déesse aux yeux pers, répliqua :

ATHÉNA. — Tu dis bien, vieil ami! Télémaque
aurait tort de ne pas t'obéir : c'est de beaucoup le
mieux qu'il aille, sur tes pas, dormir en ton manoir,
tandis qu'au noir vaisseau, j'irai calmer nos gens et
leur donner les ordres : j'ai l'honneur d'être à bord
l'homme d'âge, et le seul, et c'est pure amitié si ce
jeune équipage a suivi jusqu'ici le vaillant Télémaque;
ils sont tous de son âge. Permets donc que ce soir,
je retourne dormir au flanc du noir vaisseau. Dès
l'aurore, demain, je voudrais m'en aller chez les
vaillants Kaukones[1], toucher une créance, qui n'est
pas d'aujourd'hui et qui n'est pas de peu. Mais toi,
prends cet ami; quand il sera chez toi, envoie-le sur
ton char avec l'un de tes fils, auquel tu donneras les
plus vites et les plus forts de tes trotteurs.

A ces mots, l'Athéna aux yeux pers disparut, changée en une orfraie. Le trouble s'empara de tous les
Achéens. Etonné d'avoir vu de ses yeux le prodige,
Nestor avait saisi la main de Télémaque et lui disait
tout droit :

NESTOR. — J'ai confiance, ami : tu seras brave et

---

1. Peuple d'Asie Mineure, d'après l'Iliade. Mais les Kaukones
passaient aussi pour avoir habité au sud du royaume de Nestor.

fort, puisque, si jeune encor, les dieux à tes côtés viennent pour te conduire. Car c'est un habitant des manoirs de l'Olympe, et nul autre sans doute que la fille de Zeus, la déesse de gloire, cette Tritogénie[1] qui, pour ton noble père, montrait sa préférence sur tous les Argiens... Reine, sois-nous propice! donne-nous beau renom, à moi, à mes enfants, à ma digne compagne! je te sacrifierai une vache d'un an, une bête indomptée, dont nul n'ait encor mis au joug le large front, et je te l'offrirai, les cornes plaquées d'or.

C'est ainsi qu'il priait; Athéna l'exauça. Mais, montrant le chemin à ses fils et ses gendres, le vieux maître des chars, Nestor, les ramenait vers sa belle demeure.

Quand ils eurent atteint les grands appartements de ce royal manoir, en ligne ils prirent place aux sièges et fauteuils. Le Vieillard, pour fêter leur venue, ordonna de mêler au cratère le plus doux de ses vins de garde, un vin d'onze ans, et lorsque, déliant la coiffe, l'intendante eut débouché la jarre et qu'il eut achevé le mélange au cratère, il fit l'offrande avec une longue prière à la fille du Zeus à l'égide, Athéna.

L'offrande terminée, on but tout son content, puis chacun s'en alla dormir en son logis. Mais, pour coucher le fils de son divin Ulysse, c'est dans l'entrée sonore[2] que sans aller plus loin, le vieux maître des chars avait fait préparer deux cadres ajourés : auprès de Télémaque, il laissait Pisistrate,

1. Épithète d'Athéna, mal élucidée.
2. L'Odyssée nous montre, à plusieurs reprises, qu'on logeait les voyageurs dans la pièce qui précède immédiatement la grand-salle (ou Mégarôn).

le meneur des guerriers à la vaillante lance, le
dernier de ses fils qui restât au manoir sans être
marié. Lui-même alla dormir au fond du haut logis,
où sa femme et régente lui tenait préparés le lit et le
coucher.

A LACÉDÉMONE

Dans son berceau de brume, à peine avait paru
l'Aurore* aux doigts de roses que, s'élançant du lit, le
vieux maître des chars, Nestor, vint prendre place au
banc de pierres lisses qui flanquait la grand-porte.
Sur ces pierres blanchies, à l'enduit toujours frais,
Nélée siégeait jadis pour donner ses avis qui l'égalaient aux dieux. Mais depuis que la Parque* l'avait
mis à son joug et plongé dans l'Hadès*, c'est l'antique Nestor, rempart de l'Achaïe, qui, le sceptre à la
main, y trônait désormais.

La troupe de ses fils l'entoura ; Echéphron, Stratios
et Perseus arrivaient de leurs chambres, puis avec
Arétos le divin Thrasymède ; vint enfin le héros Pisistrate, en sixième ; avec lui, Télémaque au visage de
dieu, que l'on mena siéger à côté du Vieillard.

Le vieux maître des chars, Nestor, prit la parole :

NESTOR. — Sans retard, chers enfants, accomplissez
mon vœu : parmi les Immortels, invoquons Athéna*
qui vint, de sa personne, honorer l'opulent festin de
notre dieu !... Allons ! que l'un de vous descende dans
la plaine me chercher une vache et la ramène en hâte,
poussée par un bouvier ! Qu'un autre, au noir vais-

seau, aille querir les gens du vaillant Télémaque et,
les amenant tous, n'en laisse à bord que deux!
Qu'un troisième aille dire au docteur Laerkès qu'il
vienne plaquer l'or aux cornes de la bête!... Restez ici,
vous autres, ne vous dispersez pas; mais, dans les
grands appartements, qu'on dise aux femmes de nous
faire là-bas les apprêts du festin et qu'on nous donne
ici des sièges et du bois et de l'eau sans souillure.

Il eut à peine dit que chacun s'empressait. On vit
venir, montant de la plaine, la vache, venir aussi du
fin croiseur les compagnons du vaillant Télémaque,
venir le ferronnier, qui tenait dans ses mains les
outils de son art, les instruments de bronze servant
à battre l'or, l'enclume, le marteau, les tenailles bien
faites. Athéna vint aussi jouir du sacrifice.

Nestor, le vieux meneur de chevaux, fournit l'or.
L'ouvrier en plaqua les cornes de la vache, à petits
coups soigneux, pour que ce bel ouvrage trouvât
grâce devant les yeux de la déesse. Stratios et le divin
Echéphron amenèrent la bête par les cornes. Dans un
bassin à fleurs, Arétos apporta du cellier l'eau lustrale; son autre main tenait la corbeille des orges.
Debout près de la vache et prêt à la frapper, Thrasymède, à l'ardeur batailleuse, tenait une hache affilée,
et Perseus avait pris le vase pour le sang.

Nestor, le vieux meneur de chevaux, répandit l'eau
lustrale et les orges, puis il fit à Pallas* une longue
prière et, comme il prélevait quelques poils de la
tête qu'il lançait dans le feu l'assistance en priant jeta
des pincées d'orge.

Déjà, faisant un pas, le bouillant Nestoride Trasy-
mède a frappé, et la hache a tranché les tendons cervi-
caux : la bête tombe inerte, sous les clameurs sacrées

des filles et des brus et de la vieille reine, Eurydice,
l'aînée des filles de Clymène. Fils et gendres alors,
saisissant la victime, la lèvent au-dessus du sol aux
larges voies; le meneur des guerriers, Pisistrate,
l'égorge : dans le flot du sang noir, l'âme quitte les
os. On dépèce à la hâte; selon le rite, on détache les
quatre membres; on les couvre de graisse sur l'une et
l'autre face; on empile, dessus, d'autres morceaux
saignants. Nestor, les ayant mis à brûler sur les
bûches, fait sa libation d'un vin aux sombres feux.
La jeunesse l'entoure en tenant à la main les quintu-
ples brochettes. Puis, les cuisseaux brûlés, on goûte
des grillades et, découpant menu le reste de la bête,
on le met à rôtir au bout des longues broches que
l'on tient à deux mains.

Cependant Télémaque était allé au bain. La jolie
Polycaste, une des Néléides, — c'était la moins âgée
des filles de Nestor, — après l'avoir baigné et frotté
d'huile fine, le vêtit d'une robe et d'une belle écharpe;
en quittant la baignoire, il avait l'apparence et
l'allure d'un dieu. Il revint prendre siège à côté de
Nestor, le pasteur de ce peuple. On retira du feu
les grosses viandes cuites : on s'assit au festin et
de nobles servants veillèrent à remplir de vin les
coupes d'or.

Quand on eut satisfait la soif et l'appétit, le vieux
maître des chars, Nestor, prit la parole :

NESTOR. — Allons! amenez-nous, mes fils, pour
Télémaque nos chevaux aux longs crins; liez-les sous
le char, et qu'il se mette en route!

A peine avait-il dit; dociles à sa voix, ses fils au
joug du char liaient les deux trotteurs, et la dame
intendante chargeait le pain, le vin, les mets, tout un

repas de nourrissons de Zeus[1]. Télémaque monta
dans le char magnifique. A ses côtés, le Nestoride
Pisistrate, le meneur des guerriers, monta et prit en
mains les rênes et le fouet : un coup pour démarrer;
les chevaux, s'envolant de grand cœur vers la plaine,
laissèrent sur sa butte la ville de Pylos...

Le joug, sur leurs deux cous, tressauta tout le jour.
Le soleil se couchait, et c'était l'heure où l'ombre
emplit toutes les rues, comme on entrait à Phères[2],
où le roi Dioclès, un des fils d'Orsiloque, un petit-
fils d'Alphée, leur offrit pour la nuit son hospitalité.

Mais sitôt que parut, dans son berceau de brume,
l'Aurore aux doigts de roses, attelant les chevaux et
montant sur le char aux brillantes couleurs, ils
poussaient hors du porche et de l'entrée sonore[a], vers
les blés de la plaine : là, d'une seule traite, on acheva
la route, tant les bêtes avaient de vitesse et de fond.

(CHANT IV) Le soleil se couchait, et c'était l'heure
où l'ombre emplit toutes les rues quand, au creux des
ravins, parut Lacédémone : poussant droit au manoir
du noble Ménélas, ils trouvèrent le roi et nombre de
ses proches qui, de ses deux enfants, fêtaient le double hymen en sa riche demeure. Ménélas envoyait sa
fille au fils d'Achille, ce broyeur des guerriers, car les
dieux maintenant achevaient cet hymen dont jadis, en
Troade, Ménélas avait fait la promesse et l'accord; les
chevaux et les chars allaient donc la conduire au roi
des Myrmidons en sa fameuse ville. A Sparte, pour
son fils, Ménélas avait pris la fille d'Alector. Il aimait

_a_ Vers 494 : un coup pour démarrer : ils volaient de grand cœur.
1. Épithète homérique qui caractérise les rois et les nobles.
2. Phères, ville d'Arcadie.

de tout cœur, quoique né d'une esclave, ce fort Mégapenthès; car, d'Hélène, les dieux lui avaient refusé
toute autre descendance après qu'elle avait eu d'abord
son Hermione, aussi belle et charmante que l'Aphrodite* d'or.

Donc, sous les hauts plafonds de la grande demeure,
ils étaient au festin, voisins et familiers du noble
Ménélas[a]; mais les deux arrivants attendaient au portail, eux et leurs deux chevaux[b]. Or maître Etéoneus
les vit, comme il sortait : c'était l'un des coureurs du
noble Ménélas; dans la salle, il rentra pour donner la
nouvelle et, se tenant debout près du pasteur du peuple, il dit ces mots ailés :

ETÉONEUS. — Ménélas, nourrisson de Zeus*, nous
avons là deux héros étrangers, en qui se reconnaît la
race du grand Zeus; or, dis-moi, devons-nous dételer
leurs trotteurs?... ou les conduire ailleurs chercher
qui les accueille?

Mais le blond Ménélas, d'un ton fort indigné :

MÉNÉLAS. — Oh! fils de Boéthos, Etéoneus, jadis tu
n'étais pas un sot; voilà, comme un enfant, que tu dis
des sornettes! Combien de fois, avant de rentrer au
logis, n'avons-nous pas, tous deux, mangé le pain
des autres? et plaise encore à Zeus que nous soyons
toujours à l'abri de ces maux! Dételle leurs chevaux et
cours nous amener ces hôtes au festin!

A peine avait-il dit qu'Etéoneus courant sortait de
la grand-salle, appelait, emmenait d'autres servants-
coureurs, détellait les chevaux qui suaient sous le joug,

a Vers 17-19 : ne songeant qu'aux plaisirs, ils avaient pour
chanter et jouer de la lyre un aède divin, tandis que deux jongleurs,
qui dansaient à la voix, sautaient au milieu d'eux.

b Vers 21 : le héros Télémaque et le fin Nestoride.

les attachait aux crèches de la cavalerie, leur donnait
du froment mélangé d'orge blanche et, redressant le
char, l'accotait sur le mur du fond tout reluisant, puis
au manoir divin faisait entrer les hôtes. Leurs regards
étonnés parcouraient la demeure du nourrisson de
Zeus; car, sous les hauts plafonds du noble Ménélas,
c'était comme un éclat de soleil et de lune.

Lorsqu'ils eurent empli leurs yeux de ces merveilles,
ils s'en furent au bain dans les cuves polies; puis, baignés et frottés d'huile par les servantes, revêtus de la
robe et du manteau de laine, ils revinrent auprès de
Ménélas l'Atride* s'asseoir en des fauteuils. Vint une
chambrière qui, portant une aiguière en or et du plus
beau, leur donnait à laver sur un bassin d'argent et
dressait devant eux une table polie. Vint la digne
intendante : elle apportait le pain et le mit devant
eux*a*, et le blond Ménélas les invita du geste :

MÉNÉLAS. — Voici le pain : prenez, tous deux; bon
appétit! une fois restaurés, vous direz qui vous êtes!
On voit bien qu'en vous deux, se poursuit une race
de nourrissons de Zeus, de rois portant le sceptre;
jamais vilain n'eût engendré de pareils fils!

Il dit et leur offrit les morceaux rissolés d'un gras
filet de bœuf qu'il prit à pleines mains : c'était la part
d'honneur réservée pour sa table; vers ces morceaux
de choix préparés et servis, ils tendirent les mains.

Quand on eut satisfait la soif et l'appétit, Télémaque, pour n'être entendu d'aucun autre, dit en
penchant le front vers le fils de Nestor :

TÉLÉMAQUE. — Vois donc, fils de Nestor, cher ami

a Vers 56-58 : et leur fit les honneurs de toutes ses réserves; puis
le maître-tranchant, portant haut ses plateaux de viandes assorties,
les présenta et leur donna des coupes d'or.

de mon cœur! sous ces plafonds sonores, vois les éclairs de l'or, de l'électron, du bronze, de l'argent, de l'ivoire!... Zeus a-t-il plus d'éclat au fond de son Olympe[a]?

Il disait; mais le blond Ménélas entendit et, se tournant vers eux, leur dit ces mots ailés :

MÉNÉLAS. — Chers enfants, Zeus n'a pas de rival ici-bas!... Chez lui, rien n'est mortel, ni maisons ni richesses. Quant aux humains, comment savoir s'il en est un qui m'égale en richesses?... Mais qu'il m'en a coûté de maux et d'aventures, pour ramener mes vaisseaux pleins, après sept ans! aventures en Chypre, en Phénicie, dans l'Égyptos et chez les Nègres! et dans cette Libye où les agneaux ont des cornes dès leur naissance, où, du prince au berger, tout homme a son content de fromage, de viande et de laitage frais; les bêtes tous les jours accourent à la traite, car trois fois dans l'année les brebis mettent bas... C'est pendant qu'en ces mers, j'allais à l'aventure, faisant mon plein de vivres, que l'autre surgissait de l'ombre et me tuait mon frère, ah! trahison d'une femme perdue!... Non! je n'ai plus de joie à régner sur ces biens! vos pères, quels qu'ils soient, ont dû vous le conter : que de maux j'ai soufferts, quel foyer j'ai perdu, peuplé d'êtres si chers, avec une si belle et si grande opulence... Plût au ciel que, n'ayant qu'un tiers de ces richesses, j'eusse vécu chez moi et qu'ils fussent en vie, tous les héros tombés dans la plaine de Troie, si loin de notre Argos, de nos prés d'élevage! Ah! sur eux, sur eux tous, je pleure et me

[a] Vers 75 : quelle réunion d'indicibles merveilles! cette vue me confond!

lamente[a]! Je sanglote parfois pour soulager mon
cœur, et parfois je m'arrête : du frisson des sanglots,
l'homme est si tôt lassé! Oui, sur eux tous, je pleure;
mais en cette tristesse, il est une mémoire qui
m'obsède partout, au lit comme au festin, car nul des
Achéens ne sut peiner pour moi comme peinait
Ulysse, et d'un si bel élan! Dire qu'il n'a trouvé que
souffrances au bout! Pour moi, c'est un chagrin qui
jamais ne me quitte de le savoir toujours absent et
d'ignorer son salut ou sa mort!... Et sur lui, comme
moi, pleurent le vieux Laerte, la sage Pénélope et son
fils Télémaque, qu'il dut, à peine né, laisser en sa
maison.

Il disait. Télémaque, à ce nom de son père, sentait
monter en lui un besoin de sanglots; les pleurs, lui
jaillissant des yeux, roulaient au sol : on parlait de
son père! De son manteau de pourpre, qu'il saisit à
deux mains, il se cacha les yeux. Ménélas devina,
mais attendit, l'esprit et le cœur hésitants : laisserait-il
ce fils se réclamer d'un père? prendrait-il les devants
pour tâcher de savoir? Son esprit et son cœur ne
savaient que résoudre. Or, voici que, sortant des
parfums de sa chambre et de ses hauts lambris,
Hélène survenait : on eût dit l'Artémis* à la quenouille d'or. Adrasté avança une chaise ouvragée
qu'Alkippé recouvrit d'un doux carreau de laine, puis
Phylo[1] déposa la corbeille d'argent, un cadeau d'Alcandra, la femme de Polybe. C'était un habitant de la
Thèbes d'Égypte, la ville où les maisons regorgent de
richesses. Tandis qu'à Ménélas, Polybe avait donné

deux baignoires d'argent et deux trépieds en or, avec
dix talents d'or, Hélène avait reçu d'Alcandra, son
épouse, des présents merveilleux : une quenouille
d'or et, montée sur roulettes la corbeille d'argent aux
lèvres de vermeil, que venait d'apporter Phylo, la
chambrière, et qu'emplissait le fil dévidé du fuseau;
dessus, était couchée la quenouille, chargée de laine
purpurine.

Hélène prit le siège avec le marchepied et, sans tarder, pressa son mari de demandes.

Hélène. — Ménélas, nourrisson de Zeus, peut-on
savoir le nom de ces amis et de qui, pour venir chez
nous, ils se réclament?... Est-ce erreur de ma part?...
est-ce la vérité?... J'obéis à mon cœur et je dis que
mes yeux n'ont jamais rencontré pareille ressemblance ni d'homme ni de femme : cette vue me confond... C'est sûrement le fils de ce grand cœur
d'Ulysse!... C'est lui!... c'est Télémaque, qu'à peine
il a vu naître et qu'il dût, le héros, laisser en sa maison, quand vous tous, Achéens, pour moi, face de
chienne, poussiez vers Ilion la plus hardie des guerres.

En réponse, le blond Ménélas répliqua :

Ménélas. — Je pense comme toi, ma femme : moi
aussi, j'ai vu la ressemblance. Ulysse! le voilà! ce sont
ses pieds, ses mains, l'éclair de son regard, sa tête et,
sur le front, la même chevelure! Justement je venais
d'évoquer sa mémoire, rappelant tous les maux que
ce héros avait endurés pour ma cause, quand notre
hôte, les cils chargés de grosses larmes, prit son manteau de pourpre et se cacha les yeux.

Pisistrate, le fils de Nestor, intervint :

Pisistrate. — Ménélas, fils d'Atrée, le nourrisson de
Zeus, le meneur·des guerriers, c'est bien, comme tu

dis, le fils de ce héros; mais il est réservé; admis en ta présence pour la première fois, il se fût reproché toute vaine parole, quand ta voix nous tenait sous un charme divin. Quant à moi, c'est Nestor, le vieux maître des chars, qui m'a mis en chemin pour lui servir de guide, car Télémaque avait le désir de te voir, espérant tes conseils et peut-être ton aide : quand le père est absent, tu sais combien le fils peut avoir à souffrir dans un manoir resté sans autres défenseurs!... C'est maintenant son lot en l'absence d'Ulysse et, contre le malheur, il n'a plus dans son peuple à qui se confier.

En réponse, le blond Ménélas répliqua :

MÉNÉLAS. — Oh! ciel! j'ai sous mon toit le fils de cet ami qui jadis, pour ma cause, affronta tant de luttes! Je m'étais bien promis, quand il viendrait chez moi, que nul des Achéens n'aurait meilleur accueil. Si le dieu de l'Olympe, le Zeus à la grand-voix, nous avait accordé de repasser, tous deux, la mer sur nos croiseurs, je voulais en Argos lui céder une ville, lui bâtir un manoir, le transplanter d'Ithaque avec ses biens, son fils, son peuple tout entier[1]; j'aurais vidé pour eux quelqu'une des cités qui, dans le voisinage, ont reconnu ma loi, et nous aurions ici fréquenté l'un chez l'autre, sans que rien vînt troubler notre accord et nos joies, jusqu'au jour où la mort nous eût enveloppés dans son nuage d'ombre... Il a fallu qu'un dieu, m'enviant ce bonheur, ne privât du retour que lui, le malheureux!

C'est ainsi qu'il parlait et tous sentaient monter un besoin de sanglots. On vit alors pleurer Hélène l'Ar-

---

1. Ithaque était pauvre, l'Argolide riche. Ainsi s'explique le projet de Ménélas.

gienne, cette fille de Zeus, et pleurer Télémaque, et
Ménélas l'Atride! et le fils de Nestor n'eut pas les
yeux sans larmes : son cœur se rappelait l'éminent
Antiloque, ce frère qui tomba sous le fils glorieux de
l'Aurore[1] éclatante.

Plein de ce souvenir, il dit ces mots ailés :

PISISTRATE. — Fils d'Atrée, notre vieux Nestor te pro-
clamait le plus sage des hommes, chaque fois que ton
nom revenait sur nos lèvres et que, dans son manoir,
nous nous interrogions. Mais, ce soir, si tu veux,
écoute mon conseil : je ne trouve aucun charme à ces
pleurs après boire; laissons venir l'Aurore; dès qu'elle
sortira de son berceau de brume, ce n'est certes pas
moi qui trouverai mauvais que l'on pleure les morts,
victimes du destin... C'est encore un hommage, et le
dernier à rendre à ces infortunés, que les cheveux cou-
pés et les larmes aux joues : j'ai perdu, moi aussi, un
frère; il n'était pas le moins brave en Argos. Tu dois
bien le savoir : si je ne l'ai jamais ni rencontré, ni vu,
on m'a dit qu'entre tous, cet Antiloque était le roi de
vos coureurs et de vos combattants!

En réponse, le blond Ménélas répliqua :

MÉNÉLAS. — Mon ami, tous tes mots et toute ta
conduite sont d'un homme sensé : on te croirait
plus vieux. Mais le fils d'un tel père ne peut parler
qu'en sage!... Comme on retrouve en toi la race du
héros à qui Zeus n'a jamais filé que le bonheur! Heureux en son épouse, heureux en ses enfants, le ciel
donne à Nestor, pour la fin de ses jours, de vieillir sous
son toit, dans le luxe, entouré des fils les plus prudents
et maîtres à la lance... Mais laissons les sanglots : ce fut

1. Memnon*.

une surprise! Revenons au festin!... qu'on nous
donne à laver!... dès l'aurore, demain, nous verrons
les affaires que, Télémaque et moi, nous avons à
traiter!

Il dit. Asphalion, — c'était l'un des coureurs du
noble Ménélas, — vint donner à laver[a].

Mais la fille de Zeus, Hélène, eut son dessein. Soudain, elle jeta une drogue au cratère où l'on puisait à
boire : cette drogue, calmant la douleur, la colère,
dissolvait tous les maux; une dose au cratère empêchait tout le jour quiconque en avait bu de verser une
larme, quand bien même il aurait perdu ses père et
mère, quand, de ses propres yeux, il aurait devant lui
vu tomber sous le bronze un frère, un fils aimé!...
remède ingénieux, dont la fille de Zeus avait eu le
cadeau de la femme de Thon, Polydamna d'Égypte :
la glèbe en ce pays produit avec le blé mille simples
divers; les uns sont des poisons, les autres, des
remèdes; pays de médecins, les plus savants du monde,
tous du sang de Paeon[1].

Dès qu'Hélène eut jeté sa drogue dans le vin et fait
emplir les coupes, elle prit à nouveau la parole et leur
dit :

HÉLÈNE. — Mélénas, fils d'Atrée, le nourrisson de
Zeus, et vous aussi, les fils de pères glorieux, c'est Zeus
qui, pouvant tout, nous donne tour à tour le bonheur
et les maux. Mais ce soir, laissez-vous aller en cette
salle au plaisir des discours comme aux joies du festin. Écoutez mon récit : il est de circonstance.

« Je ne saurais vous dire et vous énumérer tous les

---

a Vers 218 : puis, vers les parts de choix préparées et servies, ils
tendirent les mains.

1. Dieu guérisseur, tôt confondu avec Apollon*.

exploits de cet Ulysse au cœur vaillant. Mais voici le
haut fait que cet homme énergique risqua et réussit, au
pays des Troyens, au temps de vos épreuves, à vous,
gens d'Achaïe! Il s'était tout meurtri de coups défigu-
rants; il avait, sur son dos, jeté de vieilles loques; on
eût dit un valet dans la foule ennemie. Le voilà dans
la [ville et dans ses larges rues : il se contrefaisait,
jouait le mendiant; ce n'était pas son rôle au camp des
Achéens! En cet accoutrement, le voilà dans la] ville.
Tout Troie s'y laissa prendre; moi seule, en cet état,
je l'avais reconnu et vins l'interroger. Il rusa, esquiva;
mais, quand je l'eus baigné, frotté d'huile, habillé, je
lui promis avec le plus fort des serments de ne pas
révéler la présence d'Ulysse, avant qu'il eût rejoint les
croiseurs et les tentes; alors il m'expliqua le plan des
Achéens; puis, de son long poignard, il fit un grand
massacre en ville et retourna porter aux Argiens sa
charge de nouvelles. Alors Troie retentit du cri des
autres femmes. Mais, moi, c'était la joie que j'avais
dans le cœur! Déjà mes vœux changés me ramenaient
ici, et combien je pleurais la folie qu'Aphrodite avait
mise en mon cœur pour m'entraîner là-bas, loin du
pays natal, et me faire quitter ma fille, mes devoirs
d'épouse et un mari dont la mine ou l'esprit ne le cède
à personne!

En réponse, le blond Ménélas répliqua :

MÉNÉLAS. — Ah! comme en tout cela, ma femme,
tu dis juste! Je suis d'âge à connaître et l'esprit et le
sens de bon nombre de ceux qu'on appelle héros, et
j'ai couru le monde. Mais jamais de mes yeux encore
je n'ai vu un homme ayant au cœur la vaillance
d'Ulysse. Sachez ce qu'entreprit, ce que fit réussir
l'énergie de cet homme!... Dans le cheval de bois, je

nous revois assis, nous tous, les chefs d'Argos[a]. Mais alors tu survins, Hélène! en cet endroit, quelque dieu t'amenait pour fournir aux Troyens une chance de gloire; sur tes pas, Déiphobe[1] allait, beau comme un dieu, et, par trois fois, tu fis le tour de la machine; tu tapais sur le creux, appelant nom par nom les chefs des Danaens, imitant pour chacun la voix de son épouse.

« Près du fils de Tydée et du divin Ulysse, assis en cette foule, je t'entendais crier, et Diomède et moi n'y pouvions plus tenir; nous nous levions déjà; nous voulions ou sortir ou répondre au plus vite; Ulysse nous retint et mata notre envie. Tous les fils d'Achaïe restaient là sans souffler; un seul était encor d'humeur à te répondre, Anticlos; mais Ulysse lui plaqua sur la bouche ses deux robustes mains et, tenant bon, sauva ainsi toute la bande jusqu'à l'heure où Pallas Athéna* t'emmena.

Posément, Télémaque le regarda et dit :

TÉLÉMAQUE. — Ménélas, fils d'Atrée, le nourrisson de Zeus, le meneur des guerriers, ce n'en est que plus triste! n'a-t-il pas moins subi une mort lamentable? que lui servit un cœur de fer en sa poitrine?... Mais, allons! menez-nous dormir : il est grand temps d'aller goûter au lit la douceur du sommeil!

Il parlait, et déjà Hélène l'Argienne avait dit aux servantes d'aller dresser les lits dans l'entrée et d'y mettre ses plus beaux draps de pourpre, des tapis par-dessus et des feutres laineux pour les couvrir encore. Les servantes, sorties, torche en main, de la salle, avaient garni les cadres.

---

a Vers 273 : qui portions aux Troyens le meurtre et le trépas.
1. Un des fils de Priam.

Un héraut emmena les hôtes vers l'entrée. C'est là
qu'ils se couchèrent[a], cependant que l'Atride et sa
femme divine, Hélène en ses longs voiles, s'en allaient
reposer au fond du haut logis.

LE RETOUR DE TÉLÉMAQUE

Dans son berceau de brume, à peine avait paru l'Aurore aux doigts de roses que déjà ce vaillant crieur de
Ménélas passait ses vêtements et, s'élançant du lit,
mettait son glaive à pointe autour de son épaule,
chaussait ses pieds luisants de ses belles sandales et
sortait de sa chambre; on l'eût pris, à le voir, pour un
des Immortels.

Auprès de Télémaque, étant venu s'asseoir, il dit et
déclara :

MÉNÉLAS. — Quel est donc le besoin, ô seigneur
Télémaque! qui chez moi, dans ma divine Lacédémone
t'amena sur le dos de la plaine marine? C'est pour
toi?... pour ton peuple? dis-moi la vérité!

Posément, Télémaque le regarda et dit :

TÉLÉMAQUE. — Ménélas, fils d'Atrée, le nourrisson
de Zeus, le meneur des guerriers, je viens savoir de toi
s'il est quelque rumeur sur le sort de mon père. On
mange ma maison; on m'a perdu déjà le meilleur de
mon bien! oui! je vois ma demeure emplie de gens
hostiles, qui chaque jour me tuent mes troupeaux de
moutons et mes vaches cornues à la démarche torse;

_a_ Vers 303 : le héros Télémaque et le fin Nestoride

ils courtisent ma mère et leur morgue est sans frein*a*.
Aussi, je t'en conjure, par tout ce que mon père, cet
Ulysse vaillant, a pu dire, entreprendre et, suivant sa
promesse, réussir pour ta cause au pays des Troyens,
au temps de vos épreuves, à vous, gens d'Achaïe;
l'heure est enfin venue pour moi qu'il t'en souvienne :
dis-moi la vérité.

Mais le blond Ménélas, d'un ton fort indigné :

MÉNÉLAS. — Misère! ah! c'est au lit du héros de vaillance que voudraient se coucher ces hommes sans
vigueur!... Quand le lion vaillant a quitté sa tanière, il
se peut que la biche y vienne remiser les deux faons
nouveau-nés qui la tètent encore, puis s'en aille brouter, par les pentes boisées, les combes verdoyantes! il
rentre se coucher et leur donne à tous deux un destin
sans douceur. C'est un pareil destin et sans plus de
douceur qu'ils obtiendraient d'Ulysse, si, demain, Zeus
le Père!... Athéna!... Apollon!... il pouvait revenir tel
qu'aux murs de Lesbos, nous le vîmes un jour accepter le défi du fils de Philomèle* et lutter avec lui et, de
son bras robuste, le tomber pour la joie de tous nos
Achéens! Qu'il rentre, cet Ulysse, parler aux prétendants! tous auront la vie courte et des noces amères!
Mais je réponds à tes prières et demandes, sans un mot
qui t'égare ou te puisse abuser : oui! tout ce que m'a
dit un des Vieux de la Mer* au parler prophétique,
le voici sans omettre et sans changer un mot.

---

a Vers 322-327 : c'est pourquoi tu me vois ici à tes genoux :
voudrais-tu me parler de sa perte funeste? l'as-tu vue de tes yeux?
en sais-tu quelque chose de l'un de nos errants? c'est le plus malheureux qui soit né d'une femme... Ne mets ni tes égards, ni ta
compassion à m'adoucir les choses; mais dis-moi point par point ce
que tes yeux ont vu.

« C'était dans l'Egyptos[1] d'où je voulais rentrer : les dieux m'y retenaient pour n'avoir pas rempli le vœu d'une hécatombe : les dieux tiennent rigueur des oublis de leurs droits. Il est, en cette mer des houles, un îlot qu'on appelle Pharos : par-devant l'Egyptos, il est à la distance que franchit en un jour l'un de nos vaisseaux creux, quand il lui souffle en poupe une brise très fraîche. On trouve dans cette île un port avec des grèves d'où peuvent se remettre à flot les fins croiseurs, lorsqu'ils ont fait de l'eau au trou noir de l'aiguade. C'est là, depuis vingt jours, que les dieux m'arrêtaient sans que rien annonçât l'un de ces vents du large qui, prenant les vaisseaux, les mènent sur le dos de la plaine marine.

« Nos vivres s'épuisaient, et le cœur de mes hommes, quand la pitié d'un dieu s'émut et me sauva.

« Le robuste Protée*, un des Vieux de la Mer, a pour fille Idothée dont je touchai le cœur. Un jour que j'errais seul, elle vint m'aborder; j'étais loin de mes gens qui passaient leurs journées sur le pourtour de l'île à jeter aux poissons les hameçons crochus; la faim tordait les ventres.

« Debout à mes côtés, elle prend la parole :

IDOTHÉE. — C'en est trop, étranger! n'es-tu donc qu'un enfant ou qu'un faible d'esprit?... ou t'abandonnes-tu toi-même et trouves-tu plaisir à tes souffrances? Depuis combien de jours es-tu là dans cette île, captif, et sans trouver le moyen d'en sortir! ne vois-tu pas faiblir le cœur des équipages?

« A ces mots de la Nymphe*, aussitôt je réponds :

---

1. L'Égypte. Ailleurs, le mot peut désigner non la vallée du Nil, mais le fleuve lui-même.

MÉNÉLAS. — Je ne sais pas ton nom, déesse; mais écoute : c'est bien contre mon gré que je reste captif; j'ai dû manquer aux dieux, maîtres des champs du ciel... Ah! dis-moi, puisque les Immortels savent tout, lequel des dieux m'entrave et me ferme la route[a].

« Je dis. Elle reprend, cette toute divine :

IDOTHÉE. — Oui, je veux, étranger, te répondre sans feinte. En cette île, fréquente un des Vieux de la Mer : c'est l'immortel Protée, le prophète d'Égypte qui connaît, de la mer entière, les abîmes; vassal de Posidon*, il est, dit-on, mon père, celui qui m'engendra... Ah! lui, si tu pouvais le prendre en embuscade!... il te dirait la route, la longueur des trajets et comment revenir sur la mer aux poissons; si tu le désirais, il te dirait encore, ô nourrisson de Zeus, tout ce qu'en ton manoir, il a pu survenir de maux, et de bonheur[b].

« A ces mots de la Nymphe, aussitôt je réponds :

MÉNÉLAS. — Alors conseille-moi!... quelle embûche dresser à ce vieillard divin? il fuira, s'il me voit de loin ou me devine : mettre un dieu sous le joug, c'est assez malaisé pour un simple mortel.

« Je dis. Elle reprend, cette toute divine :

IDOTHÉE[c]. — Quand le soleil, tournant là-haut, touche au zénith, on voit sortir du flot ce prophète des mers : au souffle du Zéphyr, qui rabat les frisons de sa noire perruque, il monte et va s'étendre au creux de ses cavernes; en troupe, autour de lui, viennent dormir les phoques de la Belle des Mers[1] qui sortent de l'écume,

---

a Vers 381 : et comment revenir sur la mer aux poissons.

b Vers 393 : depuis que tu partis pour cet interminable et terrible voyage.

c Vers 399 : oui! je veux, étranger, te répondre sans feinte.

1. Épithète d'Amphitrite*.

pataugeant, exhalant l'âcre odeur des grands fonds. Je
t'emmène là-bas dès la pointe de l'aube; je vous poste
et vous range; à toi de bien choisir sur les bancs des
vaisseaux trois compagnons d'élite. Mais je dois t'en-
seigner tous les tours du Vieillard. En parcourant leurs
rangs, il va compter ses phoques; quand il en aura fait,
cinq par cinq, la revue, près d'eux il s'étendra; comme
dans son troupeau d'ouailles un berger. C'est ce premier sommeil que vous devez guetter. Alors ne songez
plus qu'à bien jouer des bras; tenez-le quoi qu'il
tente : il voudra s'échapper, prendra toutes les formes,
se changera en tout ce qui rampe sur terre, en eau, en
feu divin; tenez-le sans mollir! donnez un tour de
plus!... Mais, lorsqu'il en viendra à te vouloir parler,
il reprendra les traits que vous lui aurez vus en son
premier sommeil; c'est le moment, seigneur : laissez
la violence, déliez le Vieillard, demandez-lui quel dieu
vous crée des embarras[a].

« A ces mots, sous la mer écumante, elle plonge et je
rentre aux vaisseaux échoués dans les sables. J'allais :
que de pensées bouillonnaient en mon cœur! Je
reviens au croiseur, je descends à la plage; nous prenons le souper, puis, quand survient la nuit divine,
nous dormons sur la grève de mer. Mais sitôt que
paraît dans son berceau de brume l'Aurore aux doigts
de roses[b], je repars en disant mainte prière aux dieux;
j'emmenais avec moi trois de mes compagnons, en qui
je me fiais pour n'importe quel coup. La Nymphe,
ayant plongé au vaste sein des ondes, en avait rapporté, pour la ruse qu'elle ourdissait contre son père,

a Vers 424 : et comment revenir sur la mer aux poissons.
b Vers 432 : sur le rivage, au long de cette mer immense.

les peaux de quatre phoques, fraîchement écorchés,
puis elle avait creusé dans le sable nos lits. Assise, elle
attendait. Nous arrivons enfin, et nous voici près
d'elle. Elle nous fait coucher côte à côte et nous jette
une peau sur chacun. Ce fut le plus vilain moment de
l'embuscade : quelle terrible gêne! ces phoques, nourrissons de la mer, exhalaient une mortelle odeur...
Qui prendrait en son lit une bête marine?... Mais,
pour notre salut, elle avait apporté un cordial puissant : c'était de l'ambroisie[1], qu'à chacun, elle vint
nous mettre sous le nez; cette douce senteur tua
l'odeur des monstres...

« Tout le matin, nous attendons; rien ne nous lasse :
les phoques en troupeau sont sortis de la mer; en
ligne, ils sont venus se coucher sur la grève. Enfin, voici
midi : le Vieillard sort du flot. Quand il a retrouvé ses
phoques rebondis, il les passe en revue : cinq par cinq,
il les compte, et c'est nous qu'en premier, il dénombre,
sans rien soupçonner de la ruse... Il se couche à son
tour. Alors, avec des cris, nous nous précipitons;
toutes nos mains l'étreignent. Mais le Vieux n'oublie
rien des ruses de son art. Il se change d'abord en lion
à crinière, puis il devient dragon, panthère et porc
géant; il se fait eau courante et grand arbre à panache. Nous, sans mollir, nous le tenons; rien ne nous
lasse, et, quand il est au bout de toutes ses magies, le
voici qui me parle, à moi et m'interroge :

PROTÉE. — De quel dieu, fils d'Atrée, suivis-tu le
conseil pour me forcer ainsi et me prendre en ce
piège? Que veux-tu maintenant?

1. Cette liqueur mythologique est citée ici comme un parfum.
Elle est également, comme le Nectar, un aliment ou un breuvage divin.

« A ces mots, de Protée, aussitôt je réponds :

MÉNÉLAS. — Tu le sais bien, Vieillard! pourquoi tous
ces détours? Voilà combien de jours que je suis dans
cette île, captif et sans trouver le moyen d'en sortir;
déjà mon cœur faiblit... Ah! dis-moi, puisque les
Immortels savent tout, lequel des dieux m'entrave et
me ferme la route[a].

« Je disais, et Protée aussitôt me répond :

PROTÉE. — C'est Zeus! Car c'est à lui, ainsi qu'aux
autres dieux, que tu devais offrir, avant de t'embarquer, des victimes de choix si, pour rentrer chez toi, tu
voulais au plus court franchir la mer vineuse. Oui!
c'est ta destinée de ne revoir les tiens, de n'entrer sous
le toit de ta haute maison, au pays de tes pères,
qu'après avoir revu les eaux de l'Egyptos qui nous
viennent des dieux[1] : retourne dans le fleuve offrir
aux Immortels, maîtres des champs du ciel, une
sainte hécatombe; ils t'ouvriront alors la route que
tu cherches.

« Ainsi parlait le Vieux, et mon cœur éclata... Donc,
il me renvoyait dans la brume des mers, à cet interminable et dangereux voyage!... dans l'Egyptos!... que
faire?... Je repris la parole et lui dis en réponse :

MÉNÉLAS. — En tout cela, Vieillard, j'accomplirai tes
ordres. Mais, de nouveau, dis-moi sans feinte, point
par point : tous ceux des Achéens qu'au départ de
Troade, Nestor et moi avions laissés sur les vaisseaux,
ont-ils tous réchappé?... en est-il que la mort enleva
tristement, soit dans la traversée, soit la guerre finie,
dans les bras de leurs proches?

a Vers 470 : et comment revenir sur la mer aux poissons.
1. Les sources du Nil étaient inconnues des Anciens.

« Je disais, et Protée aussitôt me répond :

Protée. — Fils d'Atrée, à quoi bon m'interroger
ainsi? mieux vaudrait ignorer, me laisser mon secret.
Avant qu'il soit longtemps, tu vas pleurer, crois-moi,
quand je t'aurai tout dit, car beaucoup ont péri, si
beaucoup sont restés. Mais deux chefs seulement,
parmi les Achéens à la cotte de bronze, sont morts
dans le retour; — la guerre, tu l'as vue; je ne t'en parle
pas; — un troisième survit, captif au bout des mers...
Le premier, c'est Ajax; avec lui, disparut sa flotte aux
longues rames. Posidon fit d'abord échouer ses vaisseaux aux grands rocs des Gyrées[1], mais le sauva des
flots; il s'en tirait, malgré la haine d'Athéna, s'il n'eût
pas proféré une parole impie et fait un fol écart : c'est
en dépit des dieux qu'il échappait, dit-il, au grand
gouffre des mers! Posidon l'entendit, comme il criait
si fort. Aussitôt, saisissant, de ses puissantes mains,
son trident, il fendit l'une de ces Gyrées. Le bloc resta
debout; mais un pan dans la mer tomba, et c'était là
qu'Ajax s'était assis pour lancer son blasphème : la
vague, dans la mer immense, l'emporta[a]. Le second,
c'est ton frère. Déjà hors de péril, il avait fui la Parque
au creux de ses vaisseaux : il devait le salut à son auguste Héra. [Il approchait de la falaise abrupte du
Malée[2]; la bourrasque soudain le prit et l'emporta
vers la mer aux poissons : quels lourds gémissements!
Pourtant, même de là, il put sembler encore assuré du
retour. Les dieux changeaient le vent; il rentrait au
logis et, sur le premier cap, abordait dans les champs

a Vers 511 : et c'est là qu'il mourut, ayant bu l'onde amère...
1. Groupe de rochers en mer Égée.
2. Le cap Malée, au sud du Péloponnèse.

où Thyeste* jadis avait eu sa demeure, où maintenant son fils Égisthe demeurait.] Il foulait avec joie la terre des aïeux! il touchait, il baisait le sol de la patrie! quels flots de chaudes larmes! et quels regards d'amour donnés à son pays! Mais le veilleur, du haut de la guette, le vit. Le cauteleux Égisthe avait posté cet homme : deux talents d'or étaient le salaire promis. Cet homme était donc là, qui, guettant à l'année, voulait ne pas manquer l'Atride à son passage, ni lui laisser le temps d'un exploit vigoureux. Il courut au logis pour donner la nouvelle à celui que le peuple appelait son pasteur. Tout aussitôt, Egisthe imagina l'embûche : dans la ville, il choisit vingt braves qu'il cacha près de la salle où l'on préparait le festin, puis, il vint en personne, avec chevaux et chars, inviter le pasteur du peuple Agamemnon. Le traître! il l'amena : le roi ne savait pas qu'il allait à la mort; à table, il l'abattit comme un bœuf à la crèche, et, des gens que l'Atride avait pris avec lui, pas un ne réchappa, pas un non plus des gens d'Égisthe; dans la salle, ils furent tous tués.

« Il disait et mon cœur éclata : pour pleurer, je m'assis dans les sables; je ne voulais plus vivre; je ne voulais plus voir la clarté du soleil; je pleurais, me roulais; enfin j'usai ma peine, et le Vieux de la Mer, le prophète, reprit :

PROTÉE. — Tu n'as plus, fils d'Atrée, de temps à perdre ainsi; ce n'est pas en pleurant qu'on trouve le remède; il te faut au plus vite essayer de rentrer au pays de tes pères; tu pourras y trouver Egisthe encor vivant ou si, te prévenant, Oreste l'a tué, tu seras là, du moins, pour le festin funèbre.

« Il dit et, dans mon sein, la fougue de mon cœur

renaissait, et mon âme, malgré tout mon chagrin, en
eut un réconfort. Je repris la parole et dis ces mots
ailés :

MÉNÉLAS. — Pour ces deux-là, je suis fixé; mais le
troisième, celui qui vit encor, captif au bout des mers,
ou s'y meurt; je voudrais savoir, malgré ma peine.

« Je disais, et Protée aussitôt me répond :

PROTÉE. — C'est le fils de Laerte, oui, c'est l'homme
d'Ithaque. Je l'ai vu dans une île pleurer à chaudes
larmes; la nymphe Calypso, qui le tient prisonnier,
là-bas, dans son manoir, l'empêche de rentrer au pays
de ses pères*a*... Quant à toi, Ménélas, ô nourrisson de
Zeus, sache que le destin ne te réserve pas, d'après le
sort commun, de mourir en Argos, dans tes prés d'élevage; mais aux Champs Élysées*, tout au bout de la
terre, chez le blond Rhadamanthe*, où la plus douce
vie est offerte aux humains, où sans neige, sans grand
hiver, toujours sans pluie, on ne sent que zéphyrs, dont
les risées sifflantes montent de l'Océan* pour rafraî-
chir les hommes, les dieux t'emmèneront : pour eux,
l'époux d'Hélène est le gendre de Zeus.

« A ces mots, sous la mer écumante, il replonge. Je
ramène aux vaisseaux mes compagnons divins. J'allais :
que de pensées bouillonnaient en mon cœur! Nous
rentrons à la grève et, gagnant le croiseur, nous prenons le souper, puis, quand survient la nuit divine,
nous dormons sur la grève de mer. Mais sitôt que
paraît dans son berceau de brume l'Aurore aux doigts
de roses, je tire mes vaisseaux à la vague divine*b*; mes

---

a Vers 559-560 : n'ayant ni les vaisseaux à rames ni les hommes
pour voguer sur le dos de la plaine marine.

b Vers 578 : chargeant voiles et mâts dans nos coques légères.

gens montent à bord et vont s'asseoir aux bancs, puis, chacun en sa place, la rame bat le flot qui blanchit sous les coups. Je ramenai ma flotte aux eaux de l'Egyptos, qui nous viennent des dieux. J'y mouillai et j'y fis ma fête d'hécatombes pour calmer le courroux des dieux toujours vivants ; je fis dresser un tertre en l'honneur de mon frère, pour garder l'éternel souvenir de sa gloire ; puis, ces devoirs remplis, je partis et le vent que les dieux me donnèrent me ramena tout droit à la terre natale...

« Et maintenant tu vas rester en mon manoir onze jours, douze jours. Alors je prendrai soin de te remettre en route avec de beaux cadeaux : je t'offre trois chevaux, un char aux bois luisants, et je veux te donner ma coupe la plus belle, pour qu'en faisant aux dieux immortels ton offrande, le restant de tes jours, de moi tu te souviennes.

Posément, Télémaque le regarda et dit :

TÉLÉMAQUE. — Atride, il ne faut pas me garder si longtemps. A rester près de toi, l'année me serait brève, sans qu'il me prît regret de mon toit ni des miens : tes récits, tous tes mots me font à les entendre un terrible plaisir. Mais j'ai mes gens là-bas, dans la bonne Pylos : ils trouvent le temps long cependant que, chez toi, tu voudrais me garder. En cadeau, si tu veux, j'accepte le bijou, mais ne puis emmener des chevaux en Ithaque ; c'est un luxe qu'ici j'aime mieux te laisser ; car ton royaume, à toi, est une vaste plaine, qui porte en abondance le trèfle, le souchet, l'épeautre, le froment et la grande orge blanche. Ithaque est sans prairies, sans places où courir : ce n'est qu'une île à chèvres !... pourtant je l'aime mieux que vos prés d'élevage !... Dans nos îles, tu sais, nous n'avons ni

prairies ni pistes à chevaux : ce ne sont que talus de
mer, et mon Ithaque encor plus que les autres.

Il disait; mais le bon crieur de Ménélas, se prenant à
sourire, le flattait de la main et lui disait tout droit :

MÉNÉLAS. — Ton beau sang, mon cher fils, se montre
en tes paroles. Va! Je te changerai mes cadeaux; j'ai de
quoi. De tous les objets d'art, qui sont en mon manoir,
je m'en vais te donner le plus beau, le plus rare; oui! je
veux te donner un cratère forgé, dont la panse est d'argent, les lèvres de vermeil. C'est l'œuvre d'Héphaes-
tos* : il me vient de Sidon[1], du seigneur Phaedimos,
ce roi qui m'abrita dans sa propre demeure, quand
je rentrais ici; je veux qu'il t'appartienne...

L'EMBUSCADE DES PRÉTENDANTS

Pendant qu'ils échangeaient ces paroles entre eux,
les convives, rentrant chez le divin Atride, amenaient
des moutons, apportaient de ce vin, qui vous fait un
cœur d'homme, ou du pain qu'envoyaient leurs
femmes aux beaux voiles.

Or, comme ils préparaient au manoir le dîner, les
prétendants, devant la grand-salle d'Ulysse, se jouaient
à lancer disques et javelots sur la dure esplanade,
théâtre coutumier de leur morgue insolente. Antinoos
était assis près d'Eurymaque au visage de dieu; ils
étaient les deux chefs, que mettait hors de pair leur
valeur éminente.

1. En Phénicie.

Mais Noémon survint, le fils de Phronios, qui, s'approchant d'Antinoos, lui demanda :

NOÉMON. — Antinoos, a-t-on oui ou non quelque idée du jour où Télémaque doit revenir ici, de la Pylos des Sables?... Il a pris mon vaisseau, et j'en aurais besoin pour passer en Élide : j'ai là-bas dans la plaine douze mères-juments et leurs mulets sous elles, en âge de travail; mais il faut les dresser; je voudrais en aller prendre un pour le dressage.

Les autres, à ces mots, restèrent étonnés : jamais ils n'avaient cru Télémaque en voyage!... il serait à Pylos, la ville de Nélée!... Ils le croyaient dans l'île, aux champs, près des troupeaux, ou l'hôte du Porcher[1].

Antinoos, le fils d'Euphithès, s'écria :

ANTINOOS. — Dis-moi la vérité! quand donc est-il parti? avec quel équipage? est-ce des jeunes gens recrutés dans Ithaque? ou de ses gens, à lui, et de ses tenanciers?... il en aurait le nombre!... Dis-moi tout net encor; j'ai besoin de savoir : est-ce lui qui, de force, a pris ton noir vaisseau? ou, de bon gré, l'as-tu prêté sur sa demande?

Le fils de Phronios, Noémon, repartit :

NOÉMON. — C'est moi qui l'ai donné de moi-même : que faire, quand quelqu'un de son rang, en une telle angoisse, vient s'adresser à vous?... Il était malaisé de refuser le prêt... Quant à ses jeunes gens, c'est vraiment, après nous, l'élite de ce peuple. J'ai vu qu'il emmenait, pour commander à bord, Mentor, ou l'un des dieux qui lui ressemble en tout. Mais voici qui m'étonne : hier, au point du jour, j'ai revu

---

1. Le porcher Eumée, resté fidèle à Ulysse.

le divin Mentor en notre ville, alors que, vers Pylos,
il s'était embarqué.

Sur ces mots, Noémon retourna chez son père.
Mais, cédant à l'humeur de leurs cœurs emportés, les
deux autres faisaient asseoir les prétendants, tous jeux
interrompus.

Antinoos, le fils d'Eupithès, leur parla :

ANTINOOS[a]. — Nombreux comme nous sommes,
l'enfant, à lui tout seul, nous fausse compagnie, met
son navire à flot et lève le meilleur équipage en ce
peuple ! il va nous en venir du mal, et sans tarder ! ou
plaise à Zeus de lui rabattre, avant qu'il soit de taille,
sa vigueur ! Mais allons ! donnez-moi un croiseur et
vingt hommes : que j'aille me poster, pour guetter
son retour, dans la passe entre Ithaque et la Samé des
Roches. Puisqu'il veut naviguer pour l'amour de son
père, qu'il en paie le plaisir !

Il dit : tous d'applaudir et de ratifier, puis, se
levant en hâte, on rentra chez Ulysse.

Ce fut presque aussitôt que Pénélope apprit les
desseins qu'ils roulaient au gouffre de leurs cœurs.
Car le héraut Médon s'en vint la prévenir : il savait
leurs projets, se trouvant justement en dehors de la
cour, lorsque, à l'intérieur, ils ourdissaient l'affaire.
A travers le manoir, il s'en vint apporter la nouvelle
à la reine. Comme il passait le seuil, Pénélope lui dit :

PÉNÉLOPE. — Héraut, pourquoi viens-tu ? les nobles
prétendants t'envoient-ils dire aux femmes de mon
divin Ulysse de quitter leurs travaux, d'apprêter le fes-

---

a Vers 661-664 : le chagrin, la colère emplissaient jusqu'au bord
son esprit noyé d'ombre, et ses yeux ressemblaient à un feu pétillant. Ah ! misère ! il est donc accompli ce voyage ! quel exploit d'insolence ! nous l'avions défendu pourtant à Télémaque !

tin? Sans plus me courtiser ni tramer autre chose, que n'ont-ils en ce jour le dernier des derniers de leurs repas chez nous! Chaque jour assemblés, en mangez-vous assez de vivres, en pillant mon sage Télémaque! Vos pères autrefois, quand vous étiez petits, ne vous ont donc pas dit ce que, pour vos parents, Ulysse avait été, ne faisant jamais rien, ne disant jamais rien pour abuser du peuple, comme c'est la façon des rois de sang divin qui persécutent l'un et favorisent l'autre! Ce n'est pas lui, jamais, qui fit tort à personne!... Mais votre cœur paraît à ces actes indignes et la mode n'est plus de rendre les bienfaits!

Posément, le héraut Médon lui répondit :

MÉDON. — Reine, si c'était là le plus grand de nos maux! Mais voici bien plus grand et plus cruel encore : les prétendants méditent, — ah! que Zeus les arrête! — de tuer Télémaque à la pointe du bronze, avant qu'il rentre ici, car il s'en est allé s'informer de son père, vers la bonne Pylos et Sparte la divine.

Il disait. Et, genoux et cœur brisés la reine restait là sans pouvoir proférer un seul mot : ses yeux s'étaient emplis de larmes et sa voix si claire défaillait.

Retrouvant la parole, elle lui répondit :

PÉNÉLOPE. — Héraut, dis-moi : pourquoi mon fils est-il parti? quel besoin le poussait vers ces vaisseaux rapides, ces chevaux de la mer que prennent les guerriers pour courir sur les eaux? veut-il donc que de lui, tout, jusqu'au nom, périsse?

Posément, le héraut Médon lui répondit :

MÉDON. — Je ne sais; quelque dieu l'aura-t-il entraîné?... ou n'aura-t-il cédé qu'à l'élan de son cœur?... Mais il est à Pylos : il voulait s'enquérir du retour de son père, du sort qu'il a subi.

A ces mots, il revint à travers le manoir. Mais, le
cœur assombri et dévoré d'angoisse, la reine ne pouvait demeurer sur les sièges, dont la chambre était
pleine. Tandis que, sur le seuil, elle venait s'asseoir,
pour crier sa détresse au milieu de ce luxe, ses
femmes l'entouraient de leurs gémissements[a].

Pénélope à travers ses sanglots leur disait :

PÉNÉLOPE. — Mes filles, écoutez! le maître de
l'Olympe m'envoya plus de maux qu'à toutes les
mortelles que le sort a fait naître et grandir avec moi!
J'ai commencé par perdre un époux de vaillance, que
son cœur de lion et ses mille vertus avaient fait sans
rival parmi les Danaens[b]! Et voici maintenant le fils
de mon amour que, de chez moi, sans gloire, emportent les rafales. Quand il s'est échappé, vous ne
m'avez rien dit! Quoi! pas une de vous, — et vous
saviez pourtant, — pas une, malheureuses! pour prendre sur son cœur de me tirer du lit quand mon enfant
partait à bord du noir croiseur! Ah! si j'avais appris
qu'il rêvât ce voyage, contre tout son désir il serait
demeuré, ou c'est morte qu'il m'eût laissée en ce
manoir!...

« Mais qu'un servant-coureur aille querir le vieux
Dolios que mon père, lorsque je vins ici, a mis à mon
service; il soigne maintenant les arbres de mon clos.
Je veux qu'en toute hâte, il aille chez Laerte pour tout
lui raconter; peut-être le Vieillard verra-t-il un moyen
de quitter sa retraite et d'émouvoir ces gens, qui veulent supprimer sa race dans le fils de son divin Ulysse!

Mais la bonne nourrice Euryclée intervint :

---

a Vers 720 : les jeunes et les vieilles dans toute la maison.
b Vers 726 : le héros dont la gloire court à travers l'Hellade et
plane sur Argos.

Euryclée. — Sous l'airain sans pitié, tue-moi! ou chasse-moi du manoir, chère fille! Mais je dois l'avouer : j'ai su toute l'affaire; c'est moi qui, sur son ordre, ai fourni la farine et du vin le plus doux; il avait exigé de moi le grand serment de ne pas t'en parler avant les douze jours, à moins que, le cherchant, tu n'apprisses sa fuite et que, pour le pleurer, on ne te vît déjà lacérer ces beaux traits... Va! baigne ton visage, prends des habits sans taches et, regagnant l'étage avec tes chambrières, prie la fille du Zeus à l'égide, Athéna : c'est elle encor qui doit le sauver du trépas... Mais pourquoi redoubler les tourments du Vieillard? Crois-moi : les Bienheureux n'ont jamais eu en haine le sang d'Arkésios[1], et sa race vivra pour tenir à jamais cette haute maison et ses gras alentours.

Elle dit et calma les tourments de la reine. Ayant séché ses pleurs et baigné son visage, Pénélope, vêtue d'une robe sans tache, regagna son étage avec ses chambrières et remplit sa corbeille des orges de l'offrande, pour prier Athéna :

Pénélope. — Fille du Zeus qui tient l'égide, Atrytonée[2], exauce ma prière! ah! si dans ce manoir Ulysse l'avisé t'a jamais fait brûler la graisse et les cuisseaux d'un bœuf ou d'un mouton, l'heure est enfin venue pour moi, qu'il t'en souvienne!... ah! sauve-moi mon fils! déjoue, des prétendants, la criminelle audace!

Elle dit et poussa les clameurs rituelles; la déesse entendit son imprécation.

Les prétendants criaient dans l'ombre de la salle. Un de ces jeunes fats s'en allait répétant :

---

1. Arkésios était l'aïeul d'Ulysse.
2. Épithète d'Athéna (obscur).

Le Chœur. — Pour le coup, c'est l'hymen que la plus courtisée des reines nous apprête, sans savoir que la mort est déjà sur son fils!

Ainsi parlaient ces gens sans comprendre l'affaire. Alors Antinoos prit la parole et dit :

Antinoos. — Pauvres amis, voilà de folles vanteries, dont ici ne devrait user aucun de nous : craignez que, là-dedans, on n'aille les lui dire!... Silence! et levons-nous pour remplir le dessein que tous en votre cœur, vous avez approuvé.

A ces mots, il choisit vingt hommes des plus braves, descendit au croiseur, sur la grève de mer, et le fit tout d'abord tirer en eau profonde; puis, dans la coque noire, on chargea mât et voiles; aux estropes de cuir, on attacha les rames*a* et l'on s'en fut mouiller en rade et débarquer sous le cap de l'aval, pour prendre le repas en attendant le soir.

Mais Pénélope, à son étage, se couchait sans boire ni manger. Ne sentant plus la faim, la plus sage des femmes ne songeait qu'à son fils : fuirait-il le trépas, ce fils irréprochable? tomberait-il sous ces bandits de prétendants? Quand un gros de chasseurs accule le lion au cercle de la mort, la bête n'a pas plus d'angoisses et de craintes que n'en avait la reine, quand sur ses yeux tomba le plus doux des sommeils.

Les membres détendus, la tête renversée, Pénélope dormait. La déesse aux yeux pers eut alors son dessein : elle fit un fantôme et lui donna les traits d'Iphthimé, l'autre fille du magnanime Icare, la femme d'Eumélos qui résidait à Phères.

---

a Vers 783-784 : tout le long du bordage et, les voiles hissées, les servants empressés apportaient les agrès.

Athéna l'envoya chez le divin Ulysse, pour calmer les soupirs, les sanglots et les pleurs de cette triste et gémissante Pénélope; dans la chambre, il entra par la courroie de barre et, debout au chevet de la reine, lui dit :

Le Fantôme. — Pénélope, tu dors, mais le cœur ravagé. Sache bien que les dieux, dont la vie n'est que joie, ne veulent plus entendre tes pleurs et tes sanglots : ton fils doit revenir, car jamais envers eux, il n'a commis de faute.

Au plus doux du sommeil, à la porte des songes, la plus sage des femmes, Pénélope, reprit :

Pénélope. — Pourquoi viens-tu, ma sœur? tu n'as pas l'habitude de fréquenter ici : ta demeure est si loin!... Tu me dis d'oublier les maux et les alarmes qui viennent harceler mon esprit et mon cœur! J'ai commencé par perdre un époux de vaillance, que son cœur de lion et ses mille vertus avaient fait sans rival parmi les Danaens[a]! et maintenant voici qu'au creux de son vaisseau, le fils de mon amour s'en va, pauvre petit!... que sait-il des affaires? Pour lui, plus que pour l'autre encor, je me désole. Je tremble pour ses jours, je redoute un malheur, que ce soit au pays où il voulut se rendre, ou que ce soit en mer! Il a tant d'ennemis qui conspirent sa perte et veulent le tuer avant qu'il ait revu le pays de ses pères!

Mais le fantôme obscur prit la parole et dit :

Le Fantôme. — Du courage! ton cœur doit bannir toute crainte. Il a, pour le conduire, un guide que voudrait à leurs côtés bien d'autres, car ce guide est

a Vers 816 : le héros, dont la gloire court à travers l'Hellade et plane sur Argos.

puissant : c'est Pallas Athéna. Elle a pris en pitié ton
angoisse; c'est elle qui m'envoie t'avertir.

La plus sage des femmes, Pénélope, reprit :

Pénélope. — Si ton être est divin, et divin, ton
message, allons! de l'autre aussi, conte-moi les misères!... vit-il encor? voit-il la clarté du soleil?...
est-il mort et déjà aux maisons de l'Hadès*?

Mais le fantôme obscur, reprenant la parole :

Le Fantôme. — De lui, je ne saurais te parler clai-
rement. Est-il mort ou vivant : pourquoi parler à
vide?

Il dit et, se glissant tout le long de la barre, il traversa la porte, disparut dans les airs, et la fille d'Icare,
arrachée au sommeil, sentit son cœur renaître, si clair
était le songe qu'elle avait vu surgir au plafond de
la nuit!...

... Remontés à leur bord, les prétendants voguaient
sur la route des ondes et déjà, dans leurs cœurs, ils
voyaient Télémaque accablé de leurs coups. Il est en
pleine mer, dans la passe entre Ithaque et la Samé
des Roches[1], un îlot de rochers, la petite Astéris
devant les Ports Jumeaux avec leurs bons mouillages.
C'est là que, pour guetter leur homme, ils s'embus-
quèrent.

---

1. Cette « passe » serait le canal qui sépare l'île de l'Ithaque de
l'île de Céphallénie (appelée Samé par le poète). Les « Ports Jumeaux », selon V. Bérard, correspondent à la double baie de Porto
Viscardo, sur la côte de Céphallénie.

LES RÉCITS CHEZ ALKINOOS

CHANTS V VI VII VIII IX X XI XII XIII

Les Anciens nous donnent un titre *Récit* ou *Récits d'Alkinoos,* qui ne veut rien dire. C'est que, longtemps employée dans le langage quotidien, cette formule a perdu l'un de ses membres : nous avons en français un cas analogue; pour désigner la comédie de Molière où figure le commandeur, le convive de pierre, nous disons couramment *le Festin de Pierre.*

Il s'agit en vérité du *Récit* ou des *Récits (d'Ulysse dans le manoir) d'Alkinoos.* Certaines Scholies nous ont conservé l'indication exacte : *Préambule du Récit chez Alkinoos,* disent-elles en parlant du chant VIII; elles disent *Faits et Dires chez Alkinoos,* en parlant des chants suivants.

Les manuscrits anciens et la plupart des éditeurs modernes réservent ce titre de *Récits (chez) Alkinoos* au seul chant IX où le héros commence de raconter ses aventures.

Quelques-uns cependant l'étendent à la narration tout entière, mais à cette narration seulement, aux cinq chants VIII-XII. J'ai donné dans l'*Introduction à l'Odyssée* les motifs qui font attribuer ce titre à tout l'ancien drame où nous sont décrits l'arrivée et le séjour d'Ulysse chez Alkinoos, puis son départ de Phéacie : chants V-XII et 184 premiers vers du chant XIII.

Ce drame se compose de onze épisodes dont l'identité de ton et de son et l'égale longueur (260 à 280 vers chacun) prouvent l'identité d'origine; les épisodes du *Voyage de Télémaque* sont d'une autre longueur (380 à 410 vers) et d'une autre main. J'ai dit que de nombreuses similitudes peuvent être signalées entre le *Voyage* et les

Récits; une étude même rapide prouve qu'il faut attribuer ces imitations à l'auteur du *Voyage* : les *Récits* furent l'original; le *Voyage* en fut l'une des copies.

Quant à la *Vengeance d'Ulysse,* dont les scènes sont un peu moins longues que celles du *Voyage de Télémaque,* mais beaucoup plus longues que celles des *Récits,* tout en elle semble trahir une troisième époque et un troisième auteur, qui fut au bon poète du *Voyage* ce que celui-ci était déjà au grand poète des *Récits* : un imitateur de second ordre.

Les onze épisodes des *Récits* n'ont pas, en effet, beaucoup d'équivalents parmi les chefs-d'œuvre de la poésie, non seulement hellénique, mais humaine. S'il fallait choisir un terme de comparaison, c'est aux tragédies les plus achevées, les plus parfaites de notre Racine qu'il faudrait recourir.

Deux épisodes « bâtards » y ont été ajoutés. C'est, d'une part, *la Réception chez Alkinoos* ou les *Jeux* entre les vers 93-96 et 532-535 du chant VIII, lesquels vers se répétant mot pour mot, il est facile de supprimer cet ajouté sans valeur, au milieu duquel une main quasi sacrilège a encore ajouté une bouffonnerie impudique, *les Amours d'Arès et d'Aphrodite* (vers 266-369). C'est, d'autre part, une *Descente aux Enfers,* qui est venue doubler au chant XI (vers 225-626) l'*Évocation des Morts* : dans le drame original, Circé envoyait Ulysse à la Porte des Enfers « faire remonter » sur terre les âmes des défunts par le moyen de cérémonies magiques; Ulysse ne visitait pas le monde souterrain où sont enfermés les défunts.

L'ANTRE DE CALYPSO

(CHANT V) L'Aurore* se levait de sa couche, aux côtés du glorieux Tithon*, pour apporter le jour aux dieux et aux mortels. Les dieux prenaient séance autour du Haut-Tonnant, de Zeus*, qui, sur eux tous, l'emporte par la force. Athéna* leur contait les angoisses d'Ulysse, car, y pensant toujours, elle avait sur le cœur qu'il restât chez la Nymphe* :

ATHÉNA. — Zeus le Père! et vous tous, Éternels bienheureux! à quoi sert d'être sage, accommodant et doux, lorsque l'on tient le sceptre, et de n'avoir jamais l'injustice en son cœur? Vivent les mauvais rois et leurs actes impies! Car est-il souvenir de ce divin Ulysse chez ceux qu'il gouvernait en père des plus doux? Mais il gît dans une île, où les maux le torturent; là-bas, en son manoir, la nymphe Calypso, de force le retient : il ne peut revenir au pays de ses pères, n'ayant ni les vaisseaux à rames ni les hommes pour voguer sur le dos de la plaine marine... Et l'on veut lui tuer le fils de son amour, qui revient au logis, car il est allé s'enquérir de son père, vers la bonne Pylos et Sparte la divine.

Zeus, l'assembleur des nues, lui fit cette réponse :

ZEUS. — Quel mot s'est échappé de l'enclos de tes dents? N'est-ce pas toi qui viens de décider, ma fille, qu'Ulysse rentrerait pour châtier ces gens?... Et quant à Télémaque, à toi de le guider! n'es-tu pas assez

forte? fais donc que, sain et sauf, il rentre en son
Ithaque et que, sur leur vaisseau, les prétendants
reviennent sans l'avoir rencontré.

A ces mots, se tournant vers son cher fils Hermès* :

Zeus. — Hermès, puisque c'est toi qui portes nos
messages, pars! va-t'en révéler à la Nymphe bouclée
le décret sans appel sur le retour d'Ulysse et comment
ce grand cœur chez lui devra rentrer! Sans le concours
des dieux ni des hommes mortels, mais seul, sur un
radeau de poutres assemblées, il doit, vingt jours
encore, souffrir avant d'atteindre la fertile Schérie,
terre des Phéaciens qui sont parents des dieux : sur
un de leurs vaisseaux, c'est eux qui, l'honorant de
tout cœur, comme un dieu, doivent le ramener au
pays de ses pères, après l'avoir comblé d'or, de bronze
et d'étoffes*a*. Car son destin, à lui, est de revoir les
siens, de rentrer sous le toit de sa haute maison, au
pays de ses pères.

Comme il disait, le Messager aux rayons clairs se
hâta d'obéir : il noua sous ses pieds ses divines sandales, qui, brodées de bel or, le portent sur les ondes
et la terre sans bornes, vite comme le vent*b*, et, plongeant de l'azur, à travers la Périe[1], il tomba sur la
mer, puis courut sur les flots, pareil au goéland qui
chasse les poissons dans les terribles creux de la mer

---

a Vers 39-40 : en si grande abondance qu'Ulysse, revenu d'Ilion
sans encombre, n'eût jamais rapporté pareil lot de butin.

b Vers 47-49 : il saisit la baguette dont tour à tour il charme le
regard des humains ou les tire à son gré du plus profond sommeil
et, sa baguette en mains, l'alerte dieu aux rayons clairs prenait son
vol.

1. Contrée de Thessalie, au pied de l'Olympe où sont assemblés
les dieux.

inféconde et va mouillant dans les embruns son lourd
plumage. Pareil à cet oiseau, Hermès était porté sur
les vagues sans nombre.

Mais quand, au bout du monde, Hermès aborda
l'île, il sortit en marchant de la mer violette, prit
terre et s'en alla vers la grande caverne, dont la
Nymphe bouclée avait fait sa demeure.

Il la trouva chez elle, auprès de son foyer où flam-
bait un grand feu. On sentait du plus loin le cèdre
pétillant et le thuya, dont les fumées embaumaient
l'île. Elle était là-dedans, chantant à belle voix et
tissant au métier de sa navette d'or. Autour de la
caverne, un bois avait poussé sa futaie vigoureuse :
aunes et peupliers et cyprès odorants, où gîtaient les
oiseaux à la large envergure, chouettes, éperviers et
criardes corneilles, qui vivent dans la mer et travaillent
au large.

Au rebord de la voûte, une vigne en sa force
éployait ses rameaux, toute fleurie de grappes, et près
l'une de l'autre, en ligne, quatre sources versaient
leur onde claire, puis leurs eaux divergeaient à travers des prairies molles, où verdoyaient persil et vio-
lettes. Dès l'abord en ces lieux, il n'est pas d'Immortel qui n'aurait eu les yeux charmés, l'âme ravie. Le
dieu aux rayons clairs restait à contempler. Mais,
lorsque, dans son cœur, il eut tout admiré, il se hâta
d'entrer dans la vaste caverne et, dès qu'il apparut
aux yeux de Calypso, vite il fut reconnu par la
toute divine : jamais deux Immortels ne peuvent
s'ignorer, quelque loin que l'un d'eux puisse habiter
de l'autre.

Dans la caverne, Hermès ne trouva pas Ulysse : il
pleurait sur le cap, le héros magnanime, assis en cette

place où chaque jour les larmes, les sanglots, le chagrin lui secouaient le cœur[a].

Calypso fit asseoir Hermès en un fauteuil aux
glacis reluisants, et la toute divine interrogea le
dieu :

CALYPSO. — Tu viens chez nous, Hermès à la
baguette d'or?... et pour quelle raison? Je t'aime
et te respecte. Mais ce n'est pas souvent qu'on te
rencontre ici. Exprime ton désir : mon cœur veut
l'exaucer, si je puis le remplir, s'il n'est pas
impossible[b].

Ce disant, Calypso approchait une table, la chargeait d'ambroisie, puis d'un rouge nectar lui faisait le
mélange et, mangeant et buvant, le Messager de Zeus,
le dieu aux rayons clairs, se restaurait le cœur. Le
repas terminé, Hermès prit la parole et lui dit en
réponse :

HERMÈS. — Pourquoi je suis venu, moi, dieu, chez
toi, déesse? Je m'en vais franchement te le dire : à
tes ordres. C'est Zeus qui m'obligea de venir jusqu'ici, contre ma volonté : qui mettrait son plaisir
à courir cette immensité de l'onde amère? et dans
ton voisinage, il n'est pas une ville dont le peuple
offre aux dieux, en un beau sacrifice, l'hécatombe
de choix! Mais quand le Zeus qui tient l'égide* a
décidé, quel moyen pour un dieu de marcher à l'encontre ou de se dérober?... Zeus prétend qu'un héros
est ici, près de toi, et le plus lamentable de tous ceux
qui, sous la grand-ville de Priam, étaient allés com-

---

  a Vers 84 : promenant ses regards sur la mer inféconde et répandant des larmes.
  b Vers 91 : mais suis-moi tout d'abord que je t'offre les dons de
l'hospitalité!

battre*a*. Aujourd'hui, sans retard il faut le renvoyer : c'est Zeus qui te l'ordonne; car son destin n'est pas de mourir en cette île, éloigné de ses proches*b*.

A ces mots, un frisson secoua Calypso; mais élevant la voix, cette toute divine lui dit ces mots ailés :

CALYPSO. — Que vous faites pitié, dieux jaloux entre tous! ô vous qui refusez aux déesses le droit de prendre dans leur lit, au grand jour, le mortel que leur cœur a choisi pour compagnon de vie! C'est ainsi qu'autrefois, l'Aurore aux doigts de roses avait pris Orion* : quelle colère, ô dieux, dont la vie n'est que joie! il fallut qu'Artémis*, cette chaste déesse, vînt de son trône d'or le frapper à Délos de ses plus douces flèches!... Une seconde fois, quand Iasion* gagna le cœur de Démèter*, la déesse bouclée lui donna, dans le champ du troisième labour, son amour et son lit[1]; mais Zeus ne fut pas long à savoir la nouvelle! il le tua d'un coup de sa foudre livide. Aujourd'hui, c'est mon tour : vous m'enviez, ô dieux, la présence d'un homme, alors que ce mortel, c'est moi qui l'ai sauvé! Abandonné de tous, il flottait sur sa quille! de son éclair livide, Zeus avait foudroyé et fendu son croiseur en pleine mer vineuse!... son équipage entier de braves était mort. Quand la houle et le vent sur ces bords le jetèrent, c'est moi qui l'accueillis, le nourris, lui promis de le rendre immortel et jeune à tout

a Vers 107-111 : neuf ans et, le dixième, ayant pillé la ville, rentrèrent au logis; Athéna, qu'ils avaient offensée au départ, déchaîna la tempête et des vagues énormes; son équipage entier succomba; mais la houle et le vent sur ces bords, le jetèrent...

b Vers 114-115 : son sort, en vérité, est de revoir les siens, de rentrer sous le toit de sa haute maison, au pays de ses pères.

1. Selon la légende, Iasion s'unit à Démèter sur une jachère trois fois retournée.

jamais... Mais il n'est que trop vrai : lorsque le Zeus
qui tient l'égide a décidé, quel moyen pour un dieu
de marcher à l'encontre ou de se dérober?... Qu'il parte,
puisque Zeus l'incite à se jeter sur la mer inféconde!...
Quant à le ramener, comment ferais-je, moi? je n'ai
ni les vaisseaux à rames ni les hommes... Pour voguer
sur le dos de la plaine marine, je ne puis lui donner que
mes conseils d'amie, et lui dire, sans rien lui cacher,
les moyens de rentrer sain et sauf au pays de ses pères.

Le Messager aux rayons clairs lui répondit :

HERMÈS. — Renvoie-le même ainsi; crains le courroux de Zeus; car sa rancune, un jour, pourrait te
chercher noise.

Et, quand il eut parlé, alerte il disparut, le dieu aux
rayons clairs.

La Nymphe auguste allait vers son grand cœur
d'Ulysse, toute prête à céder au message de Zeus.
Quand elle le trouva, il était sur le cap, toujours
assis, les yeux toujours baignés de larmes, perdant
la douce vie à pleurer le retour. C'est qu'il ne goûtait
plus les charmes de la Nymphe! La nuit, il fallait bien
qu'il rentrât auprès d'elle, au creux de ses cavernes :
il n'aurait pas voulu; c'est elle qui voulait! Mais il
passait les jours, assis aux rocs des grèves[a], promenant ses regards sur la mer inféconde et répandant
des larmes. Debout à ses côtés, cette toute divine
avait pris la parole :

CALYPSO. — Je ne veux plus qu'ici, pauvre ami!
dans les larmes, tu consumes tes jours. Me voici toute
prête à te congédier. Prends les outils de bronze,
abats de longues poutres, unis-les pour bâtir le plan-

---

a Vers 157 : tout secoué de larmes, de sanglots, de chagrins.

cher d'un radeau!... dessus, tu planteras un gaillard en hauteur, qui puisse te porter sur la brume des mers. Moi, quand j'aurai chargé le pain, l'eau, le vin rouge et toutes les douceurs pour t'éviter la faim, et lorsque je t'aurai fourni de vêtements, je te ferai souffler une brise d'arrière, qui te ramènera, sain et sauf, au pays..., s'il plaît aux Immortels, maîtres des champs du ciel : ils peuvent mieux que moi décider et parfaire.

Elle parlait ainsi à ce divin Ulysse. Un frisson secoua le héros d'endurance; mais, élevant la voix, il dit ces mots ailés :

ULYSSE. — Ce n'est pas mon retour, ah! c'est tout autre chose que tu rêves, déesse! lorsque, sur un radeau, tu me dis de franchir le grand gouffre des mers, ses terreurs, ses dangers, que les plus fins de nos vaisseaux, les plus rapides, n'osent pas affronter, même en ayant de Zeus la brise favorable[a].

Il dit; mais Calypso se prenait à sourire, et la toute divine, le flattant de la main, lui déclarait tout droit :

CALYPSO. — Le brigand que tu fais! tu connais la prudence! quels mots tu sais trouver pour nous dire cela[b]. Mais rien dans mes pensées et rien dans mes conseils ne serait différent, si moi-même j'étais en si grave besoin. Mon esprit, tu le sais, n'est pas de per-

a Vers 177-179 : dussé-je te déplaire, non! je ne mettrai pas le pied sur un radeau, si tu ne consens pas à me jurer, déesse, le grand serment des dieux que tu n'as contre moi aucun autre dessein pour mon mal et ma perte.

b Vers 184-187 : soyez donc mes témoins, Terre, Voûte du Ciel, Eaux tombantes du Styx*; — pour les dieux bienheureux c'est le plus redouté, le plus grand des serments! — non! je n'ai contre toi aucun autre dessein pour ton mal et ta perte!

fidie; ce n'est pas en mon sein qu'habite un cœur de fer; le mien n'est que pitié.

Elle dit et déjà cette toute divine l'emmenait au plus court. Ulysse la suivait en marchant sur ses traces, et le couple, mortel et déesse, rentra sous la grotte voûtée.

Quand le héros se fut assis dans le fauteuil qu'Hermès avait quitté, la Nymphe lui servit toute la nourriture, les mets et la boisson, dont usent les humains destinés à la mort; en face du divin Ulysse, elle prit siège; ses femmes lui donnèrent ambroisie et nectar, puis, vers les parts de choix préparées et servies, ils tendirent les mains.

Mais, après les plaisirs du manger et du boire, c'est elle qui reprit, cette toute divine :

CALYPSO. — Fils de Laerte, écoute, ô rejeton des dieux, Ulysse aux mille ruses!... C'est donc vrai qu'au logis, au pays de tes pères, tu penses à présent t'en aller?... tout de suite?... Adieu donc malgré tout!... Mais si ton cœur pouvait savoir de quels chagrins le sort doit te combler avant ton arrivée à la terre natale, c'est ici, près de moi, que tu voudrais rester pour garder ce logis et devenir un dieu, quel que soit ton désir de revoir une épouse vers laquelle tes vœux chaque jour te ramènent... Je me flatte pourtant de n'être pas moins belle de taille ni d'allure, et je n'ai jamais vu que, de femme à déesse, on pût rivaliser de corps ou de visage.

Ulysse l'avisé lui fit cette réponse :

ULYSSE. — Déesse vénérée, écoute et me pardonne : je me dis tout cela!... Toute sage qu'elle est, je sais qu'auprès de toi, Pénélope serait sans grandeur ni beauté; ce n'est qu'une mortelle, et tu ne connaîtras

ni l'âge ni la mort... Et pourtant le seul vœu que
chaque jour je fasse est de rentrer là-bas, de voir en
mon logis la journée du retour! Si l'un des Immortels, sur les vagues vineuses, désire encor me tour-
menter, je tiendrai bon : j'ai toujours là ce cœur
endurant tous les maux; j'ai déjà tant souffert, j'ai
déjà tant peiné sur les flots, à la guerre!... s'il y faut
un surcroît de peines, qu'il m'advienne!

Comme Ulysse parlait, le soleil se coucha; le crépuscule vint : sous la voûte, au plafond de la grotte,
ils rentrèrent pour rester dans les bras l'un de l'autre
à s'aimer.

LE RADEAU D'ULYSSE

De son berceau de brume, à peine était sortie
l'Aurore aux doigts de roses, qu'Ulysse revêtait la
robe et le manteau. La Nymphe se drapa d'un grand
linon neigeux, à la grâce légère; elle ceignit ses reins
de l'orfroi le plus beau; d'un voile retombant, elle
couvrit sa tête, puis fut toute au départ de son grand
cœur d'Ulysse. Tout d'abord, elle vint lui donner une
hache aux deux joues affûtées, un gros outil de
bronze, que mettait bien en main un manche d'olivier
aussi ferme que beau; ensuite elle apporta une fine
doloire et montra le chemin vers la pointe de l'île,
où des arbres très hauts avaient poussé jadis, aunes
et peupliers, sapins touchant le ciel, tous morts
depuis longtemps, tous secs et, pour flotter, tous
légers à souhait. Calypso lui montra cette futaie d'an-

tan, et la toute divine regagna son logis. Mais lui,
coupant ses bois sans chômer à l'ouvrage, il jetait
bas vingt arbres, que sa hache équarrit et qu'en
maître il plana, puis dressa au cordeau. Calypso revenait : cette toute divine apportait les tarières.

Ulysse alors perça et chevilla ses poutres, les unit
l'une à l'autre au moyen de goujons et fit son bâtiment. Les longueur et largeur qu'aux plats vaisseaux
de charge, donne le constructeur qui connaît son
métier, Ulysse les donna au plancher du radeau; puis,
dressant le gaillard, il en fit le bordage de poutrelles
serrées, qu'il couvrit pour finir de voliges en long; il
y planta le mât emmanché de sa vergue; en poupe,
il adapta la barre à gouverner; alors de claies d'osier,
ayant contre la vague ceinturé le radeau, il lesta le
plancher d'une charge de bois. Calypso revenait; cette
toute divine apportait les tissus dont il ferait ses
voiles : en maître encore, il sut les tailler, y fixer les
drisses et ralingues; il amarra l'écoute; enfin, sur des
rouleaux, il mit le bâtiment à la vague divine.

Au bout de quatre jours, tout était terminé, Calypso
le cinquième, le renvoya de l'île : elle l'avait baigné
et revêtu d'habits à la douce senteur; elle avait mis
à bord une outre de vin noir, une plus grosse d'eau
et, dans un sac de cuir, les vivres pour la route, sans
compter d'autres mets et nombre de douceurs; elle
avait fait souffler la plus tiède des brises, un vent de
tout repos... Plein de joie, le divin Ulysse ouvrit ses
voiles.

Assis près de la barre, en maître il gouvernait : sans
qu'un somme jamais tombât sur ses paupières, son
œil fixait les Pléiades et le Bouvier, qui se couche si
tard, et l'Ourse, qu'on appelle aussi le Chariot, la

seule des étoiles, qui jamais ne se plonge aux bains de l'Océan*, mais tourne en même place, en guettant Orion*; l'avis de Calypso, cette toute divine, était de naviguer sur les routes du large, en gardant toujours l'Ourse à gauche de la main.

Dix-sept jours, il vogua sur les routes du large; le dix-huitième enfin, les monts de Phéacie et leurs bois apparurent : la terre était tout près, bombant son bouclier sur la brume des mers.

Or, du pays des Noirs, remontait le Seigneur qui ébranle le sol[1]. Du haut du mont Solyme[2], il découvrit le large : Ulysse apparaissait voguant sur son radeau. La colère du dieu redoubla dans son cœur, et, secouant la tête, il se dit à lui-même :

POSIDON*. — Ah! misère! voilà, quand j'étais chez les Noirs, que les dieux, pour Ulysse, ont changé leurs décrets. Il est près de toucher aux rives phéaciennes, où le destin l'enlève au comble des misères qui lui venaient dessus. Mais je dis qu'il me reste à lui jeter encor sa charge de malheurs!

A peine avait-il dit que, prenant son trident et rassemblant les nues, il démontait la mer et, des vents de toute aire, déchaînait les rafales; sous la brume, il noyait le rivage et les flots; la nuit tombait du ciel; ensemble s'abattaient l'Euros, et le Notos, et le Zéphyr hurlant, et le Borée qui naît dans l'azur et qui fait rouler la grande houle.

Ulysse alors, sentant ses genoux et son cœur se dérober, gémit en son âme vaillante :

ULYSSE. — Malheureux que je suis! quel est ce der-

---

1. Voir au début du chant I.
2. Au sud-ouest de l'Asie Mineure.

nier coup? J'ai peur que Calypso ne m'ait dit que
trop vrai!... Le comble de tourments que la mer,
disait-elle, me réservait avant d'atteindre la patrie,
le voici qui m'advient! Ah! de quelles nuées Zeus
tend les champs du ciel! il démonte la mer, où les
vents de toute aire s'écrasent en bourrasques! sur ma
tête, voici la mort bien assurée!... Trois fois et
quatre fois heureux les Danaens, qui jadis, en servant
les Atrides*, tombèrent dans la plaine de Troie! Que
j'aurais dû mourir, subir la destinée, le jour où, près
du corps d'Achille, les Troyens faisaient pleuvoir sur
moi le bronze de leurs piques! J'eusse alors obtenu
ma tombe; l'Achaïe aurait chanté ma gloire... Ah!
la mort pitoyable où me prend le destin!

A peine avait-il dit qu'en volute, un grand flot le
frappait : choc terrible! le radeau capota : Ulysse au
loin tomba hors du plancher; la barre échappa de
ses mains, et la fureur des vents, confondus en bourrasque, cassant le mât en deux, emporta voile et
vergue au loin, en pleine mer. Lui-même, il demeura
longtemps enseveli, sans pouvoir remonter sous
l'assaut du grand flot et le poids des habits que lui
avait donnés Calypso la divine. Enfin il émergea de
la vague; sa bouche rejetait l'âcre écume dont ruisselait sa tête. Mais, tout meurtri, il ne pensa qu'à son
radeau : d'un élan dans les flots, il alla le reprendre,
puis s'assit au milieu pour éviter la mort et laissa les
grands flots l'entraîner çà et là au gré de leurs courants... Le Borée de l'automne emporte dans la plaine
les chardons emmêlés en un dense paquet. C'est ainsi
que les vents poussaient à l'aventure le radeau sur
l'abîme, et tantôt le Notos le jetait au Borée, tantôt
c'était l'Euros qui le cédait à la poursuite du Zéphyr.

Mais Ino* l'aperçut, la fille de Cadmos* aux chevilles bien prises, qui, jadis simple femme et douée de la voix[1] devint au fond des mers Leucothéa et tient son rang parmi les dieux. Elle prit en pitié l'angoisse du héros, jeté à la dérive; sous forme de mouette, elle sortit de l'onde et, se posant au bord du radeau, vint lui dire :

Ino. — Contre toi, pauvre ami, pourquoi cette fureur de l'Ébranleur du sol et les maux qu'en sa haine, te plante Posidon? Sois tranquille pourtant; quel que soit son désir, il ne peut t'achever. Mais écoute-moi bien : tu parais plein de sens. Quitte ces vêtements; laisse aller ton radeau où l'emportent les vents, et te mets à la nage; tâche, à force de bras, de toucher au rivage de cette Phéacie, où t'attend le salut. Prends ce voile divin; tends-le sur ta poitrine; avec lui, ne crains plus la douleur ni la mort. Mais lorsque, de tes mains, tu toucheras la rive, défais-le, jette-le dans la vague vineuse, au plus loin vers le large, et détourne la tête!

A peine elle avait dit que, lui donnant le voile, elle se replongeait dans la vague écumante, pareille à la mouette, et le flot noir couvrait cette blanche déesse. Le héros d'endurance, Ulysse le divin, restait à méditer. Il gémissait tout bas en son âme vaillante :

Ulysse. — Malheureux que je suis! c'est un piège nouveau que me tend l'un des dieux, quand il vient m'ordonner de quitter ce radeau. Non! non! je ne veux pas lui obéir encore; mes yeux n'ont aperçu que de trop loin la terre où le sort, disait-il, me pro-

1. C'est-à-dire parlant la langue des hommes, qui s'oppose à celle des dieux. Circé (voir chant X), quoique déesse, est « douée de voix humaine ».

met le salut... Il vaut mieux faire ainsi; c'est, je crois,
le plus sage : tant que mes bois tiendront, unis par
les chevilles, je vais rester dessus, endurer et souffrir;
mais sitôt que la mer brisera le plancher, je me mets à
la nage; il ne me restera rien de mieux comme espoir.

Son esprit et son cœur ne savaient que résoudre,
quand l'Ébranleur du sol souleva contre lui une
vague terrible, dont la voûte de mort vint lui crouler
dessus... Sur la paille entassée, quand se rue la bourrasque, la meule s'éparpille aux quatre coins du
champ; c'est ainsi que la mer sema les longues
poutres. Ulysse alors monta sur l'une et l'enfourcha
comme un cheval de course, puis quitta les habits
que lui avait donnés Calypso la divine; sous sa poitrine, en hâte, il étendit le voile et, la tête en avant, se
jetant à la mer, il ouvrit les deux mains pour se mettre
à nager. Le puissant Ébranleur du sol le regardait
et, hochant de la tête, se disait en son cœur :

POSIDON. – Te voilà maintenant sous ta charge de
maux! va! flotte à l'aventure; avant qu'en Phéacie,
des nourrissons de Zeus t'accueillent, j'ai l'espoir de
te fournir encor ton content de malheur.

Il disait et, poussant ses chevaux aux longs crins,
il s'en fut vers Egées[1], et son temple fameux. Mais
Pallas Athéna eut alors son dessein : barrant la route
aux vents, cette fille de Zeus leur commanda à tous
la trêve et le sommeil; puis elle fit lever un alerte
Borée et rabattit le flot, afin que, chez les bons
rameurs de Phéacie, son Ulysse divin pût aborder
et fuir la Parque* et le trépas.

---

1. Sur la côte d'Achaïe, cette ville possédait un temple de Posidon.

Durant deux jours, deux nuits, Ulysse dériva sur la
vague gonflée : que de fois, en son cœur, il vit venir la
mort! Quand, du troisième jour, l'Aurore aux belles
boucles annonçait la venue, soudain le vent tomba; le
calme s'établit : pas un souffle; il put voir la terre toute
proche; son regard la fouillait, du sommet d'un grand
flot qui l'avait soulevé... Oh! la joie des enfants qui
voient revivre un père, qu'un long mal épuisant tortu-
rait sur son lit : la cruauté d'un dieu en avait fait sa
proie; bonheur! les autres dieux l'ont tiré du péril!...
C'était la même joie qu'Ulysse avait à voir la terre et la
forêt. Il nageait, s'élançait pour aller prendre pied... Il
n'était déjà plus qu'à portée de la voix : il perçut le
ressac qui tonnait sur les roches; la grosse mer grondait sur les sèches du bord : terrible ronflement! tout
était recouvert de l'embrun des écumes, et pas de ports
en vue, pas d'abri, de refuge!... rien que des caps pointant leurs rocs et leurs écueils!

Ulysse alors, sentant ses genoux et son cœur se
dérober, gémit en son âme vaillante :

ULYSSE. — Malheur à moi! quand Zeus rend la terre
à mes yeux, contre toute espérance, lorsque j'ai réussi
à franchir cet abîme, pas une cale en vue où je puisse
sortir de cette mer d'écumes! Ce n'est, au long du
bord, que pointes et rochers, autour desquels mugit
le flot tumultueux; par derrière, un à-pic de pierre
dénudée; devant, la mer sans fond; nulle part, un
endroit où planter mes deux pieds pour éviter la
mort!... Que j'essaie d'aborder : un coup de mer
m'enlève et va me projeter contre la roche nue; tout
élan sera vain!... Mais si je continue de longer à la
nage et cherche à découvrir la pente d'une grève
et des anses de mer, j'ai peur que, revenant me

prendre, la bourrasque ne me jette à nouveau dans
la mer aux poissons. Ah! j'aurais beau crier : heureux si l'un des dieux ne m'envoie pas du fond quelqu'un de ces grands monstres que nourrit en troupeaux la fameuse Amphitrite*!... Je sais combien me
hait le glorieux Seigneur qui ébranle la terre!

Son esprit et son cœur ne savaient que résoudre :
un coup de mer le jette à la roche d'un cap. Il aurait
eu la peau trouée, les os rompus, sans l'idée qu'Athéna,
la déesse aux yeux pers, lui mit alors en tête. En un
élan, de ses deux mains, il prit le roc : tout haletant,
il s'y colla, laissant passer sur lui l'énorme vague.
Il put tenir le coup; mais, au retour, le flot l'assaillit,
le frappa, le remporta au large... Aux suçoirs de la
pieuvre, arrachée de son gîte, en grappe les graviers
demeurent attachés. C'est tout pareillement qu'aux
pointes de la pierre, était restée la peau de ses vaillantes mains. Le flot l'ensevelit. Là, c'en était fini
du malheureux Ulysse; il devançait le sort, sans la
claire pensée que lui mit en l'esprit l'Athéna aux
yeux pers. Quand il en émergea, le bord grondait
toujours; à la nage, il longea la côte et, les regards
vers la terre, il chercha la pente d'une grève et des
anses de mer. Il vint ainsi, toujours nageant, devant
un fleuve aux belles eaux courantes, et c'est là que
l'endroit lui parut le meilleur : la plage était sans
roche, abritée de tout vent.

Il reconnut la bouche et pria dans son âme :

ULYSSE. — Écoute-moi, seigneur, dont j'ignore le
nom[1]! je viens à toi, que j'ai si longtemps appelé,
pour fuir hors de ces flots Posidon et sa rage! Les

_____
1. Ulysse invoque le dieu du fleuve.

Immortels aussi n'ont-ils pas le respect d'un pauvre naufragé, venant, comme aujourd'hui je viens à ton courant, je viens à tes genoux, après tant d'infortunes? Accueille en ta pitié, seigneur, le suppliant qui, de toi, se réclame!

Il dit : le dieu du fleuve suspendit son courant, laissa tomber sa barre et, rabattant la vague au devant du héros, lui offrit le salut sur sa grève avançante. Les deux genoux d'Ulysse et ses vaillantes mains retombèrent inertes : les assauts de la vague avaient rompu son cœur, la peau de tout son corps était tuméfiée; la mer lui ruisselait de la bouche et du nez; sans haleine et sans voix il était étendu, tout près de défaillir sous l'horrible fatigue. Mais il reprit haleine; son cœur se réveilla; alors de sa poitrine, il détacha le voile, qu'il lâcha dans le fleuve et la vague mêlés; un coup de mer vint l'emporter au fil de l'eau, et tout de suite Ino dans ses mains le reçut. Mais Ulysse, sorti du fleuve, avait baisé la terre nourricière et, couché dans les joncs, il gémissait tout bas en son âme vaillante :

ULYSSE. — Malheureux que je suis! que vais-je encor souffrir?... quel est ce dernier coup?... Si je reste à veiller sur le bord de ce fleuve, quelle nuit angoissée! et quand me saisiront le mauvais froid de l'aube et la rosée qui trempe, gare à la défaillance qui, me faisant pâmer, m'achèvera le cœur! il s'élève des eaux une si froide brise avec le petit jour!... Mais gravir le coteau vers les couverts du bois, pour me chercher un lit au profond des broussailles! une fois réchauffé, détendu, si je cède aux douceurs du sommeil, ah! je crains que, des fauves, je ne devienne alors la pâture et la proie!

Tout compté, le meilleur était d'aller au bois qui
dominait le fleuve. Au sommet de la crête, il alla se
glisser sous la double cépée d'un olivier greffé et
d'un olivier franc qui, nés du même tronc, ne laissaient pénétrer ni les vents les plus forts ni les brumes
humides[a]; jamais la pluie ne les perçait de part en
part, tant leurs branches serrées les mêlaient l'un à
l'autre.

Ulysse y pénétra; à pleines mains, il s'installa un
vaste lit, car les feuilles jonchaient le sol en telle
couche que deux ou trois dormeurs auraient pu
s'en couvrir, même au temps où l'hiver est le plus
rigoureux. A la vue de ce lit, quelle joie eut au cœur
le héros d'endurance! S'allongeant dans le tas, cet
Ulysse divin ramena sur son corps une brassée de
feuilles... Au fond de la campagne, où l'on est sans
voisins, on cache le tison sous la cendre et la braise,
afin de conserver la semence du feu, qu'on n'aura
plus à s'en aller chercher au loin. Sous ses feuilles
Ulysse était ainsi caché, et, versant sur ses yeux le
sommeil, Athéna, pour chasser au plus tôt l'épuisante fatigue lui fermait les paupières.

---

a Vers 479 : le clair soleil ne leur lançait pas ses rayons.

L'ARRIVÉE CHEZ LES PHÉACIENS

(CHANT VI) Or, tandis que, là-bas, le héros d'endurance, Ulysse le divin, dompté par la fatigue et le sommeil, dormait, Athéna* s'en allait vers le pays et ville* des gens de Phéacie[1]. Jadis, ils habitaient Hauteville en sa plaine; mais, près d'eux, ils avaient les Cyclopes altiers, dont ils devaient subir la force et les pillages. Aussi Nausithoos au visage de dieu les avait transplantés loin des pauvres humains et fixés en Schérie : il avait entouré la ville d'un rempart, élevé les maisons, créé les sanctuaires et partagé les champs. Mais depuis que la Parque* l'avait mis à son joug et plongé dans l'Hadès*, c'était Alkinoos, inspiré par les dieux, qui régnait sur ce peuple, et c'est en son manoir qu'Athéna s'en allait ménager le retour à son grand cœur d'Ulysse.

La déesse aux yeux pers s'en fut droit à la chambre si bellement ornée, où reposait la fille du fier Alkinoos, cette Nausicaa, dont l'air et la beauté semblaient d'une Immortelle : aux deux montants, dormaient deux de ses chambrières qu'embellissaient les Grâces* ; les portes, dont les bois reluisaient, étaient closes.

Comme un souffle de vent, la déesse glissa jusqu'au lit de la vierge[a]. Elle avait pris les traits d'une amie de son âge, tendrement aimée d'elle, la fille de Dymas,

a Vers 21 : et, debout au chevet, se mit à lui parler.
1. Dans la Corcyre antique (Corfou), V. Bérard a proposé de reconnaître la Schérie, la terre des Phéaciens, peuple d'origine non-grecque.

le célèbre armateur. Sous cette ressemblance, Athéna,
la déesse aux yeux pers, lui disait :

ATHÉNA. — Tu dors, Nausicaa!... la fille sans souci
que ta mère enfanta! Tu laisses là, sans soin, tant de
linge moiré! Ton mariage approche; il faut que tu
sois belle et que soient beaux aussi les gens de ton
cortège! Voilà qui fait courir les belles renommées,
pour le bonheur d'un père et d'une auguste mère!...
Vite! partons laver dès que l'aube poindra, car je
m'offre à te suivre pour finir au plus vite! Tu n'auras
plus longtemps, je crois, à rester fille : les plus nobles
d'ici, parmi nos Phéaciens dont ta race est parente,
se disputent ta main... Sans attendre l'aurore, presse
ton noble père de te faire apprêter la voiture et les
mules pour emporter les voiles, draps moirés et cein-
tures. Toi-même, il te.vaut mieux aller en char qu'à
pied : tu sais que les lavoirs sont très loin de la ville.

A ces mots, l'Athéna aux yeux pers disparut, regagnant cet Olympe où l'on dit que les dieux, loin de
toute secousse, ont leur siège éternel : ni les vents
ne le battent, ni les pluies ne l'inondent; là-haut,
jamais de neige; mais en tout temps l'éther, déployé
sans nuages, couronne le sommet d'une blanche
clarté; c'est là-haut que les dieux passent dans le bonheur et la joie tous leurs jours; c'est là que retournait
la déesse aux yeux pers, après avoir donné ses
conseils à la vierge.

Mais l'Aurore* montant sur son trône, éveillait
la vierge en ses beaux voiles : étonnée de son rêve,
Nausicaa s'en fut, à travers le manoir, le dire à ses
parents.

Elle trouva son père et sa mère au logis. Au rebord
du foyer, sa mère était assise avec les chambrières,

tournant sa quenouillée teinte en pourpre de mer.
Son père allait sortir quand elle le croisa; il allait
retrouver les autres rois de marque : les nobles
Phéaciens l'appelaient au conseil.

Debout à ses côtés, Nausicaa lui dit :

NAUSICAA. — Mon cher papa, ne veux-tu pas me
faire armer la voiture à roues hautes? Je voudrais
emporter notre linge là-bas, pour le laver au fleuve :
j'en ai tant de sali!... Toi d'abord, tu ne veux, pour
aller au conseil avec les autres rois, que vêtements
sans tache, et, près de toi, cinq fils vivent en ce manoir, deux qui sont mariés, et trois encor garçons,
mais de belle venue! sans linge frais lavé, jamais ils
ne voudraient s'en aller à la danse. C'est moi qui dois
avoir le soin de tout cela.

Elle ne parlait pas des fêtes de ses noces. Le seul
mot l'aurait fait rougir devant son père.

Mais, ayant deviné, le roi dit en réponse :

ALKINOOS. — Ce n'est pas moi qui veux te refuser,
ma fille, ni les mules, ni rien. Pars! nos gens vont
t'armer la voiture à roues hautes et mettre les ridelles.

A ces mots, il donna les ordres à ses gens, qui,
sitôt, s'empressèrent; on tira, on garnit la voiture
légère; les mules amenées, on les mit sous le joug
et tandis que la vierge, apportant du cellier le linge
aux clairs reflets, le déposait dans la voiture aux bois
polis, sa mère, en un panier, ayant chargé les vivres,
ajoutait d'autres mets et toutes les douceurs, puis
remplissait de vin une outre en peau de chèvre.

Alors Nausicaa monta sur la voiture. Sa mère lui
tendit, dans la fiole d'or, une huile bien fluide pour
se frotter après le bain, elle et ses femmes. La vierge
prit le fouet et les rênes luisantes. Un coup pour

démarrer, et mules, s'ébrouant, de s'allonger à plein
effort et d'emporter le linge et la princesse; à pied,
sans la quitter, ses femmes la suivaient.

On atteignit le fleuve aux belles eaux courantes.
Les lavoirs étaient là, pleins en toute saison. Une eau
claire sortait à flots de sous les roches, de quoi pouvoir blanchir le linge le plus noir. Les mules dételées,
on les tira du char et, les lâchant au long des cas-
cades du fleuve, on les mit paître l'herbe à la douceur
de miel. Les femmes avaient pris le linge sur le char
et, le portant à bras dans les trous de l'eau sombre,
rivalisaient à qui mieux mieux pour le fouler. On
lava, on rinça tout ce linge sali; on l'étendit en ligne
aux endroits de la grève où le flot quelquefois venait
battre le bord et lavait le gravier. On prit le bain et
l'on se frotta d'huile fine, puis, tandis que le linge
au clair soleil séchait, on se mit au repas sur les
berges du fleuve; une fois régalées, servantes et maîtresse dénouèrent leurs voiles pour jouer au ballon.

Nausicaa aux beaux bras blancs menait le chœur.
Quand la déesse à l'arc, Artémis*, court les monts,
tout le long du Taygète, ou joue sur l'Erymanthe[1]
parmi les sangliers et les biches légères, ses nymphes*,
nées du Zeus à l'égide*, autour d'elle bondissent par
les champs, et le cœur de Léto* s'épanouit à voir sa
fille dont la tête et le front les dominent : sans peine,
on la distingue entre tant de beautés[2]. Telle se détachait, du groupe de ses femmes, cette vierge sans
maître...

Pour rentrer au logis, l'heure approchait déjà de

1. Ces deux chaînes montagneuses du Péloponnèse étaient répu-
tées pour leur gros gibier.
2. Cette haute taille est signe de divinité.

plier le beau linge et d'atteler les mules. C'est alors qu'Athéna, la déesse aux yeux pers, voulut pour ses desseins qu'Ulysse réveillé vît la vierge charmante et fût conduit par elle au bourg des Phéaciens. Elle lançait la balle à l'une de ses femmes; mais la balle, manquant la servante, tomba au trou d'une cascade. Et filles aussitôt de pousser les hauts cris! et le divin Ulysse éveillé de s'asseoir! Son esprit et son cœur ne savaient que résoudre :

ULYSSE. — Hélas! en quel pays, auprès de quels mortels suis-je donc revenu*a*?... qu'entends-je autour de moi? des voix fraîches de filles*b*?... Mais allons! de mes yeux, il faut tâcher de voir!

Et le divin Ulysse émergea des broussailles. Sa forte main cassa dans la dense verdure un rameau bien feuillu qu'il donnerait pour voile à sa virilité. Puis il sortit du bois. Tel un lion des monts, qui compte sur sa force, s'en va, les yeux en feu, par la pluie et le vent, se jeter sur les bœufs et les moutons, ou court forcer les daims sauvages; c'est le ventre qui parle*c*. Tel, en sa nudité, Ulysse s'avançait vers ces filles bouclées : le besoin le poussait... Quand l'horreur de ce corps tout gâté par la mer leur apparut, ce fut une fuite éperdue jusqu'aux franges des grèves. Il ne resta que la fille d'Alkinoos : Athéna lui mettait dans le cœur cette audace et ne permettait pas à ses membres la peur. Debout, elle fit tête...

---

a Vers 120-121 : chez un peuple sauvage, des bandits sans justice, ou des gens accueillants qui respectent les dieux.

b Vers 123-125 : ou des nymphes, vivant à la cime des monts, à la source des fleuves, aux herbages des combes?... ou serais-je arrivé chez des hommes qui parlent?

c Vers 134 : jusqu'en la ferme close attaquer le troupeau.

Ulysse réfléchit : irait-il supplier cette fille charmante et la prendre aux genoux?... ou, sans plus
avancer, ne devait-il user que de douces prières afin
de demander le chemin de la ville et de quoi se vêtir?...
Il pensa, tout compté, que mieux valait rester à
l'écart et n'user que de douces prières : l'aller prendre
aux genoux pouvait la courroucer. L'habile homme
aussitôt trouva ces mots touchants :

ULYSSE. — Je suis à tes genoux, ô reine! que tu sois
ou déesse ou mortelle! Déesse, chez les dieux, maîtres
des champs du ciel, tu dois être Artémis, la fille du
grand Zeus : la taille, la beauté et l'allure, c'est elle!...
N'es-tu qu'une mortelle, habitant notre monde, trois
fois heureux ton père et ton auguste mère! trois fois
heureux tes frères!... comme, en leurs cœurs charmés,
tu dois verser la joie, chaque fois qu'à la danse, ils
voient entrer ce beau rejet de la famille!... et jusqu'au fond de l'âme, et plus que tous les autres,
bienheureux le mortel dont les présents vainqueurs
t'emmèneront chez lui! Mes yeux n'ont jamais vu ton
pareil, homme ou femme! ton aspect me confond!
A Délos autrefois, à l'autel d'Apollon*, j'ai vu même
beauté : le rejet d'un palmier qui montait vers le ciel.
Car je fus en cette île aussi, et quelle armée m'accompagnait alors sur cette route, où tant d'angoisses
m'attendaient! Tout comme, en le voyant, je restai
dans l'extase, car jamais fût pareil n'était monté
du sol, aujourd'hui, dans l'extase, ô femme, je
t'admire; mais je tremble : j'ai peur de prendre tes
genoux. Vois mon cruel chagrin! Hier, après vingt
jours sur les vagues vineuses, j'échappais à la mer :
vingt jours que sans arrêt, depuis l'île océane, les
flots me rapportaient sous les coups des rafales!...

Lorsque les dieux enfin m'ont jeté sur vos bords,
n'est-ce pour y trouver que nouvelles souffrances?
Je n'en vois plus la fin : combien de maux encor me
réserve le ciel!... Ah! reine, prends pitié! c'est toi
que, la première, après tant de malheurs, ici j'ai
rencontrée; je ne connais que toi parmi les habitants
de cette ville et terre... Indique-moi le bourg; donne-
moi un haillon à mettre sur mon dos; n'as-tu pas,
en venant, apporté quelque housse?... Que les
faveurs des dieux comblent tous tes désirs! qu'ils
te donnent l'époux, un foyer, l'union des cœurs, la
belle chose! Il n'est rien de meilleur, ni de plus précieux que l'accord, au foyer, de tous les sentiments
entre mari et femme : grand dépit des jaloux, grande
joie des amis, bonheur parfait du couple!

Mais la vierge aux bras blancs le regarda et dit :

NAUSICAA. — Tu sais bien, étranger, car tu n'as pas
la mine d'un sot ni d'un vilain, que Zeus, de son
Olympe, répartit le bonheur aux vilains comme aux
nobles, ce qu'il veut pour chacun : s'il t'a donné
ces maux, il faut bien les subir. Mais puisque te
voilà en notre ville et terre, ne crains pas de manquer
ni d'habits ni de rien que l'on doive accorder, en
pareille rencontre, au pauvre suppliant. Vers le bourg,
je serai ton guide et te dirai le nom de notre peuple...
C'est à nos Phéaciens qu'est la ville et sa terre, et
moi, du fier Alkinoos, je suis la fille, du roi qui
tient en main la force et la puissance de cette Phéacie.

Aux servantes bouclées, donnant alors ses ordres :

NAUSICAA. — Mes filles, revenez : jusqu'où vous met
en fuite la seule vue d'un homme! Avez-vous donc
cru voir l'un de nos ennemis?... Il n'est pas encor né,
jamais il ne naîtra, le foudre qui viendrait apporter

le désastre en pays phéacien : les dieux nous aiment
tant! Nous vivons à l'écart et les derniers des peuples,
en cette mer des houles, si loin que nul mortel n'a
commerce avec nous... Vous n'avez devant vous qu'un
pauvre naufragé. Puisqu'il nous est venu, il doit avoir
nos soins : étrangers, mendiants, tous nous viennent
de Zeus. Allons, femmes! petite aumône, grande
joie*a*! de nos linges lavés, donnez à l'étranger une
écharpe, une robe, puis, à l'abri du vent, baignez-le
dans le fleuve.

Elle dit : aussitôt, s'engageant l'une l'autre, ses
femmes revenaient et l'ordre fut rempli*b*. Quand
Ulysse à l'abri du vent fut installé, on posa près de lui
une robe, une écharpe, pour qu'il pût se vêtir, et la
fiole d'or contenant l'huile claire. On l'invita au bain
dans les courants du fleuve.

Mais le divin Ulysse alors dit aux servantes :

ULYSSE. — Éloignez-vous, servantes! je saurai, sans
votre aide, me laver de l'écume qui couvre mes
épaules et m'oindre de cette huile que, depuis si
longtemps, ma peau n'a pas connue. Mais devant
vous, me mettre au bain! je rougirais de me montrer
tout nu à des filles bouclées.

Il dit et, s'écartant, les femmes s'en allaient informer la princesse. Quand le divin Ulysse, puisant aux
eaux du fleuve, eut lavé les écumes, qui lui pla-
quaient les reins et le plat des épaules, quand il eut,
de sa tête, essoré les humeurs de la mer inféconde
et qu'il se fut plongé tout entier, frotté d'huile, il
mit les vêtements que lui avait donnés cette vierge

---

a Vers 209 : donnez à l'étranger de quoi manger et boire.
b Vers 213 : (comme avait ordonné) Nausicaa, la fille du fier
Alkinoos.

sans maître, et voici qu'Athéna, la fille du grand
Zeus, le faisant apparaître et plus grand et plus fort,
déroulait de son front des boucles de cheveux aux
reflets d'hyacinthe[a], lorsqu'il revint s'asseoir à
l'écart, sur la grève, il était rayonnant de charme
et de beauté. Aussi, le contemplant, Nausicaa disait
à ses filles bouclées :

NAUSICAA. — Servantes aux bras blancs, laissez-moi
vous le dire! Ce n'est pas sans l'accord unanime
des dieux, des maîtres de l'Olympe, que, chez nos
Phéaciens divins, cet homme arrive : je l'avoue, tout
à l'heure, il me semblait vulgaire; maintenant il ressemble aux dieux des champs du ciel[b]! Mes filles,
portez-lui de quoi manger et boire.

Elle dit : à sa voix, les femmes empressées posaient
auprès d'Ulysse de quoi manger et boire. Avidement
alors, il but, puis il mangea, cet Ulysse divin : tant
de jours, il était resté sans nourriture, le héros d'endurance!

Mais la vierge aux bras blancs, poursuivant son
dessein, ordonnait de charger dans la belle voiture
tout le linge plié, puis d'atteler les mules aux pieds
de corne dure, et, montée sur le char, elle invitait
Ulysse, en lui disant tout droit :

NAUSICAA. — Allons, debout, notre hôte! il faut
rentrer en ville! Je m'en vais te conduire au manoir
de mon père : c'est un sage et chez lui tu pourras

---

a Vers 232-235 : tel un artiste habile, instruit par Héphaestos* et
Pallas Athéna de toutes leurs recettes, coule en or sur argent un
chef-d'œuvre de grâce : telle Athéna versait la grâce sur la tête et
le buste d'Ulysse.

b Vers 244-245 : puissé-je à son pareil donner le nom d'époux;
s'il habitait ici! qu'il lui plût d'y rester...

voir, crois-moi, la fleur des Phéaciens. Mais écoute-
moi bien : tu parais plein de sens. Tant que nous
longerons les champs et les cultures, suis, avec mes
servantes, les mules et le char : vous presserez le pas;
je montrerai la route. Quand nous dominerons la
ville, tu verras la hauteur de son mur, et la beauté
des ports ouverts à ses deux flancs, et leurs passes
étroites, et les doubles gaillards des vaisseaux remisés
sur le bord du chemin, chacun sous son abri, et,
dans ce même endroit, le beau Posidion¹ qu'entoure
l'agora avec son carrelage de blocs tirés du mont,
et, près des noirs vaisseaux, les fabricants d'agrès,
de voiles, de cordages, les polisseurs de rames... Ne
parle aux Phéaciens ni de carquois, ni d'arc, mais
de mâts, d'avirons et de ces fins navires qui les
portent, joyeux, sur la mer écumante!... [Il me faut
éviter leurs propos sans douceur, car il ne manque
pas d'insolents dans ce peuple pour blâmer par-
derrière; il suffirait qu'un plus méchant nous ren-
contrât! ah! je l'entends d'ici : « Avec Nausicaa,
quel est ce grand bel hôte?... où l'a-t-elle trouvé?
est-ce un mari pour elle? est-ce un errant qu'elle a
recueilli du naufrage? d'où peut-il bien venir? nous
sommes sans voisins!... Le dieu de son attente est-il,
à sa prière, venu du haut du ciel pour la prendre
à jamais?... Tant mieux qu'en ses tournées, elle ait
enfin trouvé au-dehors un mari! elle allait méprisant
tous ceux de Phéacie qui demandaient sa main; et
pourtant elle avait et le choix et le nombre! » Voilà
ce qu'on dirait : j'en porterais la honte. Moi-même, je
n'aurais que blâme pour la fille ayant cette conduite :

---

1. Le Posidion est le sanctuaire du dieu Posidon*.

quand on a père et mère, aller à leur insu courir avec
les hommes, sans attendre le jour des noces célé-
brées!... N'hésite pas, mon hôte; entre dans mes
raisons, si tu veux obtenir que mon père au plus
tôt te fasse reconduire...].

« Sur le bord du chemin, nous trouverons un bois
de nobles peupliers : c'est le bois d'Athéna; une
source est dedans, une prairie l'entoure; mon père
a là son clos de vigne en plein rapport; c'est tout
près de la ville, à portée de la voix... Fais halte en
cet endroit; tu t'assiéras, le temps que, traversant la
ville, nous puissions arriver au manoir de mon père.
Puis, lorsque tu pourras nous croire à la maison,
viens alors à la ville! demande aux Phéaciens le logis
de mon père, du fier Alkinoos; c'est facile à trouver;
le plus petit enfant te servira de guide [; dans notre
Phéacie, il n'est rien qui ressemble à ce logis d'Alkinoos, notre seigneur]; et, sitôt à couvert en ses murs
et sa cour, ne perds pas un instant : traverse la grand-
salle et va droit à ma mère; dans la lueur du feu, tu
la verras assise au rebord du foyer, le dos à la colonne, tournant sa quenouillée teinte en pourpre de
mer, — enchantement des yeux! Ses servantes sont
là, assises derrière elle, tandis qu'en son fauteuil,
le dos à la lueur, mon père à petits coups boit son
vin comme un dieu. Passe sans t'arrêter et va jeter
les bras aux genoux de ma mère, si tes yeux veulent
voir la journée du retour[a].

Elle dit et, du fouet luisant, poussa les mules. En

---

a Vers 312-315 : pour ton bonheur rapide, de si loin que tu sois;
si ma mère, en son cœur, te veut jamais du bien, tu peux avoir
l'espoir de retrouver les tiens, de rentrer sous le toit de ta haute
maison, au pays de tes pères.

vitesse, on quitta la ravine du fleuve. Au trot parfois, parfois au grand pas relevé, Nausicaa menait sans abuser du fouet, pour que les gens à pied, Ulysse et les servantes, pussent suivre le char. Au coucher du soleil, ils longeaient le fameux bois sacré d'Athéna. C'est là que le divin Ulysse, ayant fait halte, implora sans tarder la fille du grand Zeus :

ULYSSE. — Fille du Zeus qui tient l'égide Atrytonée, exauce ma prière! C'est l'heure de m'entendre, ô toi qui restas sourde aux cris de ma détresse, quand j'étais sous les coups du glorieux Seigneur qui ébranle la terre! Fais que les Phéaciens m'accueillent en ami et me soient pitoyables!

C'est ainsi qu'il priait : Athéna l'exauça[a].

L'ENTRÉE CHEZ ALKINOOS

(*CHANT VII*) Mais tandis que là-bas, le héros d'endurance, Ulysse le divin, faisait cette prière, la vaillance des mules avait jusqu'à la ville emporté la princesse. Arrivée au manoir splendide de son père, elle avait arrêté le char devant le porche; pareils aux Immortels, ses frères, l'entourant et dételant les mules, avaient pris et porté le linge à la maison. Elle gagna sa chambre, où sa vieille Épirote, Euryméduse, vint rallumer son feu : c'était sa chambrière; sur leurs doubles gaillards, les vaisseaux autrefois

---

a Vers 329-331 : mais sans paraître encor devant lui, face à face, par respect pour son oncle, dont la fureur traquait cet Ulysse divin jusqu'à son arrivée à la terre natale.

l'avaient prise en Epire; Alkinoos, hors part, l'avait eue en cadeau, étant le souverain de cette Phéacie où, comme l'un des dieux, le peuple l'écoutait; elle était au manoir devenue la nourrice de la vierge aux bras blancs.

Elle alluma le feu et, dans la chambre même, vint servir le souper.

Ulysse se levait et prenait à son tour le chemin de la ville : en son tendre souci, Athéna* le couvrait d'une épaisse nuée, craignant qu'il ne croisât quelque fier Phéacien qui, l'insulte à la bouche, voudrait savoir son nom. Comme il allait entrer en cette ville aimable, voici qu'à sa rencontre, Athéna s'avançait : la déesse aux yeux pers avait pris la figure d'une petite fille; une cruche à la main, elle était devant lui, debout, et le divin Ulysse demanda :

ULYSSE. — Mon enfant, voudrais-tu me conduire au logis du seigneur qui régit ce peuple, Alkinoos? Je suis un étranger : après bien des épreuves, j'arrive de très loin, des pays d'outre-mer et ne connais personne de tous les habitants de cette ville et terre.

Athéna, la déesse aux yeux pers, répliqua :

ATHÉNA. — Étranger, notre père! je m'en vais t'indiquer la maison que tu veux : mon honorable père habite tout auprès. Mais suis-moi sans parler; je te montre la route; ne regarde personne et ne demande rien. Les étrangers ici reçoivent peu d'accueil; à qui vient du dehors, on ne fait pas grand-fête ni même d'amitiés; nous mettons nos espoirs en nos croiseurs rapides; car l'Ébranleur du sol a concédé le grand abîme à nos passeurs : nos vaisseaux sont plus prompts que l'aile ou la pensée.

En parlant, Athéna le menait au plus court. Il sui-

vait la déesse et marchait sur ses traces. Invisible à
ces armateurs de Phéacie, il allait, admirant les
ports, les fins navires et, dans les agoras, la foule des
héros, et, merveilleuse à voir, la ligne des hauts murs,
garnis de palissades[1].

Quand on fut au manoir magnifique du roi, c'est
Pallas Athéna, la déesse aux yeux pers, qui reprit la
parole :

ATHÉNA. — Voici, pour t'obéir, étranger, notre père !
la maison que tu veux : tu vas trouver nos rois, les
nourrissons de Zeus*, en train de banqueter. Entre
donc ; que ton cœur soit sans crainte ; l'audace vaut
mieux en toute affaire quand on veut réussir, surtout
à l'étranger.

« Va droit à la maîtresse ; elle est en la grand-salle.
Son nom est Arété ; elle a reçu le jour des mêmes
père et mère, qui furent les parents du roi Alkinoos[2].
[C'était Nausithoos, que l'ébranleur du sol, Posidon*,
avait engendré de Péribée, la plus belle des femmes,
la plus jeune des filles du fier Eurymédon*, qui jadis
était roi des farouches Géants*, mais qui causa la
perte de son peuple féroce et se perdit lui-même.
Aimée de Posidon, Péribée mit au jour un fils, Nausithoos, qui de nos Phéaciens, fut le roi magnanime,
et, de Nausithoos, deux fils sont nés, Alkinoos et
Rhéxénor. Mais, sitôt marié, Rhéxénor succombait
sous les traits d'Apollon*, le dieu à l'arc d'argent[3],

---

1. Les remparts, dont le haut est garni de pieux.
2. Il s'agit donc d'un mariage entre frère et sœur. Mais le
passage suivant contredit cette affirmation : est-il à rejeter ? Si l'on
veut le conserver, on doit donner un sens large à l'expression « père
et mère ».
3. Voir, au chant III, la note relative au pilote de Ménélas.

il n'avait pas encore de fils; il ne laissait qu'une fille,
Arété. Son frère Alkinoos, ayant pris Arété pour
femme, l'honora comme pas une au monde ne peut
l'être aujourd'hui, parmi toutes les femmes qui
tiennent la maison sous la loi d'un époux. Elle eut,
elle a toujours le cœur et les hommages de ses enfants,
du roi Alkinoos lui-même ainsi que de ses peuples.
Les yeux tournés vers elle, autant que vers un dieu,
on la salue d'un mot quand elle passe au bourg : elle
a tant de raison, elle aussi, de noblesse! Sa bonté,
même entre hommes, arrange les querelles.] Si jamais,
en son cœur, elle te veut du bien, tu peux avoir
l'espoir de retrouver les tiens, de rentrer sous le toit
de ta haute maison, au pays de tes pères.

A ces mots, l'Athéna aux yeux pers disparut vers la
mer inféconde et s'en fut, en quittant cette aimable
Schérie, retrouver Marathon, les larges rues d'Athènes
et, dans ses murs épais, le foyer d'Erechthée*.

Ulysse allait entrer dans la noble demeure du roi
Alkinoos; il fit halte un instant. Que de trouble en
son cœur, devant le seuil de bronze! car, sous les
hauts plafonds du fier Alkinoos, c'était comme un
éclat de soleil et de lune! Du seuil jusques au fond,
deux murailles de bronze s'en allaient, déroulant leur
frise d'émail bleu. Des portes d'or s'ouvraient dans
l'épaisse muraille : les montants, sur le seuil de bronze
étaient d'argent; sous le linteau d'argent, le corbeau
était d'or, et les deux chiens du bas, que l'art le plus
adroit d'Héphaestos* avait faits pour garder la maison du fier Alkinoos[a], étaient d'or et d'argent.

Aux murs, des deux côtés, s'adossaient les fauteuils

---

[a] Vers 94 : et rester immortels, jeunes à tout jamais.

en ligne continue, du seuil jusques au fond; sur eux,
étaient jetés de fins voiles tissés par la main des servantes. C'était là que siégeaient les doges phéaciens[a].

[Des éphèbes en or, sur leurs socles de pierre, se
dressaient, torche en mains pour éclairer, de nuit, la
salle et les convives. Des cinquante servantes qui
vivent au manoir, les unes sous la meule écrasent le
blé d'or, d'autres tissent la toile ou tournent la quenouille, comme tourne la feuille au haut du peuplier;
des tissus en travail, l'huile en gouttant s'écoule[1];
autant les Phéaciens sur le reste des hommes l'emportent à pousser dans les flots un croiseur, sur les
femmes autant l'emportent leurs tisseuses, Athéna
leur ayant accordé entre toutes la droiture du cœur
et l'adresse des mains. Aux côtés de la cour, on voit
un grand jardin, avec ses quatre arpents enclos dans
une enceinte. C'est d'abord un verger dont les hautes
ramures, poiriers et grenadiers et pommiers aux
fruits d'or et puissants oliviers et figuiers domestiques,
portent, sans se lasser ni s'arrêter, leurs fruits; l'hiver
comme l'été, toute l'année, ils donnent; l'haleine du
Zéphyr, qui souffle sans relâche, fait bourgeonner les
uns, et les autres donner la jeune poire auprès de la
poire vieillie, la pomme sur la pomme, la grappe
sur la grappe, la figue sur la figue. Plus loin, chargé
de fruits, c'est un carré de vignes, dont la moitié,
sans ombre, au soleil se rôtit, et déjà l'on vendange
et l'on foule les grappes; mais dans l'autre moitié,
les grappes encor vertes laissent tomber la fleur ou ne
font que rougir. Enfin, les derniers ceps bordent les

---

a Vers 99 : mangeant, buvant, ayant toute l'année de quoi.
1. On employait l'huile pour rendre les fils glissants et brillants.

plates-bandes du plus soigné, du plus complet des potagers; vert en toute saison, il y coule deux sources; l'une est pour le jardin, qu'elle arrose en entier, et l'autre, sous le seuil de la cour, se détourne vers la haute maison, où s'en viennent à l'eau tous les gens de la ville. Tels étaient les présents magnifiques des dieux au roi Alkinoos.]

Or, le divin Ulysse restait à contempler. Mais lorsque, dans son cœur, le héros d'endurance eut fini d'admirer, vite il franchit le seuil, entra dans la grand-salle et trouva, coupe en mains, les rois de Phéacie : doges et conseillers étaient en train de boire au Guetteur rayonnant[1]; c'est à lui qu'en dernier, avant d'aller dormir, ils faisaient leur offrande. Sous l'épaisse nuée versée par Athéna, le héros d'endurance alla par la grand-salle, vers Arété et vers le roi Alkinoos. Comme il jetait les bras aux genoux d'Arété, cet Ulysse divin, la céleste nuée soudain se dissipa et tous, en la demeure, étonnés à la vue de cet homme, se turent. Ulysse suppliait :

ULYSSE. — Arété, qu'engendra le noble Rhéxénor! je viens à ton mari, je viens à tes genoux après bien des traverses!... je viens à tes convives!... Que le ciel vous accorde à tous de vivre heureux et de laisser un jour, chacun à vos enfants, les biens de vos manoirs et les présents d'honneur que le peuple vous offre!... Mais pour me ramener au pays de mes pères, ne tardez pas un jour : si longtemps, loin des miens, j'ai souffert tant de maux!

Il dit et, près du feu, au rebord du foyer, il s'assit dans la cendre, et tous restaient muets. Enfin, dans le

---

1. Hermès*, dont la baguette endort ou réveille les humains.

silence, on entendit la voix du vieil Echénéos : c'était
le plus âgé des héros phéaciens, le plus disert aussi;
il savait tant et tant des choses d'autrefois! C'est pour
le bien de tous qu'il prenait la parole :

Echénéos. — Il n'est, Alkinoos, ni bon ni conve-
nable qu'un hôte reste assis dans la cendre, par terre,
au rebord du foyer. Si, tous, nous nous taisons, c'est
pour te laisser dire... Relève l'étranger, fais-le s'asseoir
en un fauteuil aux clous d'argent, puis ordonne aux
hérauts de mélanger du vin : que nous buvions
encore au brandisseur de foudre, à Zeus qui nous
amène et recommande à nos respects les suppliants!
et dis à l'intendant de prendre en sa réserve le souper
de notre hôte!

Il dit : Sa Sainteté et Force Alkinoos eut à peine
entendu, qu'il prit la main d'Ulysse, releva du foyer
le rusé compagnon et, pour le faire asseoir, fit lever
d'un fauteuil luisant l'un de ses fils qui siégeait près
de lui; c'était Laodamas, ce fils au grand courage
qu'il aimait entre tous. Vint une chambrière, qui,
portant une aiguière en or, et du plus beau, lui
donnait à laver sur un bassin d'argent et dressait
devant lui une table polie. Vint la digne intendante;
elle apportait le pain et le mit devant lui, puis lui fit
les honneurs de toutes ses réserves; le héros d'endurance, Ulysse le divin, but alors et mangea.

Sa Force Alkinoos dit ensuite au héraut :

Alkinoos. — Pontonoos, fais-nous le mélange au
cratère et donne-nous du vin à tous en cette salle;
je veux que nous buvions au brandisseur de foudre,
à Zeus qui nous envoie et recommande à nos respects les suppliants!

Il dit : Pontonoos mêla dans le cratère d'un vin

fleurant le miel et s'en fut à la ronde en verser dans les coupes. Chacun fit son offrande et l'on but son content.

Alkinoos reprit la parole et leur dit :

ALKINOOS. — Doges et conseillers de Phéacie, deux mots : voici ce que mon cœur me dicte en ma poitrine. Le repas est fini : qu'on rentre se coucher! Mais dès l'aube demain, invitant nos doyens en plus grand nombre encore, je veux qu'en ce manoir, on fête l'étranger : nous offrirons aux dieux quelques belles victimes, et nous aviserons ensuite à son retour! je voudrais que nos soins épargnent à cet hôte et chagrins et fatigues, et qu'il rentre chez lui, d'une traite, joyeux; de si loin qu'il puisse être, il faut, dans le trajet, qu'il n'ait à endurer ni malheur ni souffrances, jusqu'au débarquement à la terre natale. Là, nous le laisserons subir la destinée qu'ont mise à leur fuseau les tristes Filandières*, à l'heure où, de sa mère, il a reçu le jour... Mais peut-être est-ce un dieu, qui nous descend du ciel pour un nouveau dessein que les dieux ont sur nous · ne les vîmes-nous pas, cent fois dans le passé, à nos yeux apparaître? Quand nous faisons pour eux nos fêtes d'hécatombes, ils viennent au festin s'asseoir à nos côtés, aux mêmes bancs que nous; sur le chemin désert, s'ils croisent l'un des nôtres, ils ne se cachent point : nous sommes de leur sang, tout comme les Cyclopes ou comme les tribus sauvages des Géants.

Ulysse l'avisé lui fit cette réponse :

ULYSSE. — Ne garde pas, Alkinoos, cette pensée. Je n'ai rien de commun, ni l'être ni la forme, avec les Immortels, maîtres des champs du ciel; je ne suis qu'un mortel et, s'il est un humain que vous voyez

traîner la pire des misères, c'est à lui que pourraient
m'égaler mes souffrances, et c'est encor de moi que
vous pourriez entendre les malheurs les plus grands,
car j'ai pâti de tout sous le courroux des dieux! [Mais
laissez que je soupe, en dépit de ma peine!... Est-il
rien de plus chien que ce ventre odieux? toujours il
nous excite et toujours nous oblige à ne pas l'oublier,
même au plus fort de nos chagrins, de nos angoisses!
Quand j'ai le deuil au cœur, il veut manger et boire;
il commande et je dois oublier tous mes maux : il
réclame son plein!...] Mais vous, sans plus tarder, dès
que poindra l'aurore, rendez un malheureux à sa
terre natale! Que je pâtisse encor, que je perde le
jour; mais que je la revoie[a]!

Il dit : tous d'applaudir et d'émettre le vœu qu'on
ramenât cet hôte qui savait si bien dire!

Quand on eut fait l'offrande et bu tout son content, chacun, pour se coucher, regagna son logis.

Près du divin Ulysse, assis dans la grand-salle,
restaient Alkinoos au visage de dieu et la reine Arété;
les servantes rangeaient les couverts du repas... C'est
la reine aux bras blancs qui rouvrit l'entretien; car en
voyant l'écharpe et la robe d'Ulysse, elle avait reconnu
les fins habits tissés par elle et par ses femmes.

Elle éleva la voix et dit ces mots ailés :

Arété. — Ce que je veux d'abord te demander,
mon hôte, c'est ton nom et ton peuple?.... et qui
donc t'a donné les habits que voilà?... ne nous disais-
tu pas que tu nous arrivais après naufrage en mer?

Ulysse l'avisé lui fit cette réponse :

---

a Vers 225 : mes serviteurs, mes biens, mon manoir aux grands
toits.

ULYSSE. — Comment pourrais-je, ô reine, exposer tout au long les maux dont m'ont comblé les dieux, maîtres du ciel? Pourtant, puisque tu veux savoir et m'interroges, je m'en vais te répondre : loin d'ici, dans la mer, gît une île océane, qu'habite Calypso, la déesse bouclée à la terrible ruse! [Personne des mortels ni des dieux ne fréquente cette fille d'Atlas*; pour mon malheur, un dieu me mit à son foyer. J'étais seul, puisque Zeus, de sa foudre livide, en pleine mer vineuse, avait frappé et mis en pièces mon croiseur. Mon équipage entier de braves était mort; j'avais noué mes bras à la quille de mon navire aux deux gaillards; j'avais flotté neuf jours; le dixième, les dieux m'avaient, à la nuit noire, jeté chez Calypso, la terrible déesse, en son île océane.] Cette fille d'Atlas m'accueillit, m'entoura de soins et d'amitié, me nourrit, me promit de me rendre immortel et jeune à tout jamais; mais, au fond de mon cœur, je refusai toujours. Je restai là sept ans, sans bouger, sans cesser de tremper de mes larmes les vêtements divins qu'elle m'avait donnés. Lorsque s'ouvrit le cours de la huitième année, c'est elle qui, soudain, soit par l'ordre de Zeus, soit qu'eût changé son cœur, me pressa de partir. Alors, sur un radeau de poutres assemblées, elle me mit en mer, après m'avoir comblé de pain et de vin doux et m'avoir revêtu de divines étoffes. Elle me fit souffler la plus tiède des brises, un vent de tout repos. Je voguai dix-sept jours sur les routes du large : le dix-huitième enfin, j'aperçus votre terre, ses monts et ses forêts; j'avais la joie au cœur!... Mais, dans mon triste sort, je devais rencontrer encor tant de misères que l'Ébranleur du sol allait me susciter! jetant sur moi les vents pour me fermer la route,

Posidon souleva une mer infernale. J'eus beau gémir,
crier! la vague m'enleva du radeau; la rafale en dispersa les poutres; je me mis à la nage et, sur le grand
abîme, je m'ouvris le chemin, tant qu'enfin, à vos
bords, le vent qui me portait et les flots me jetèrent...
J'allais y prendre pied quand, de toute sa force, en un
lieu sans douceur, la vague me lança contre la grande
roche... Puis la mer me reprit; je dus nager encor
jusqu'à l'entrée du fleuve, et c'est là que l'endroit me
parut le meilleur, car sous l'abri du vent, la grève
était sans roches. J'y tombai, défaillant. Mais, voyant
arriver la nuit, l'heure divine, je sortis de ces eaux
que vous donnent les dieux, et je m'en fus dormir en
haut, sous les broussailles, dans un lit de feuillée, où
le ciel me plongea en un sommeil sans fin. Durant
toute la nuit, en dépit de l'angoisse, et le soleil levé,
et jusqu'au plein midi, je dormis sous mes feuilles; ce
doux sommeil ne me quitta qu'au jour penchant;
c'est alors que je vis ta fille et ses servantes qui
jouaient sur la grève; elle semblait une déesse au
milieu d'elles. Je l'implorai : qu'elle eut de raison,
de noblesse, je n'osais, de son âge, espérer cet accueil :
trop souvent, la jeunesse a la tête si folle!... Mais elle
me donna tout ce qu'il me fallait, du vin aux sombres
feux, du pain, un bain au fleuve, les habits que voilà...
Telle est la vérité que, malgré ma tristesse, je tenais
à te dire.

Ce fut Alkinoos qui lui dit en réponse :

ALKINOOS. — Mon hôte! notre enfant n'oublia
qu'un devoir : ses femmes étaient là; pourquoi ne
pas t'avoir conduit jusque chez nous?... C'est elle
qu'en premier, tu avais implorée.

Ulysse l'avisé lui fit cette réponse :

ULYSSE. — En tout cela, seigneur, ta fille est sans
reproche; ne va pas la blâmer. Elle m'avait offert
d'accompagner ses femmes; c'est moi qui refusai.
J'avais peur, j'avais honte : à ma vue, si ton cœur
allait se courroucer!... en ce monde, la jalousie est
chose humaine.

Ce fut Alkinoos qui lui dit en réponse :

ALKINOOS. — Non, mon hôte! mon cœur n'a
jamais accueilli de si vaines colères! En tout, je fais
passer la justice d'abord... Quand je te vois si beau
et pensant comme moi, je voudrais, Zeus le père!
Athéna! Apollon!... je voudrais te donner ma fille et
te garder avec le nom de gendre... Si tu voulais rester,
tu recevrais de moi et maison et richesses... Mais si tu
veux partir, nous garde Zeus le père que nul des
Phéaciens, malgré toi, te retienne! Je fixe dès ce soir
le jour de ton départ; sache-le : c'est demain. Sous le
joug du sommeil quand tu seras couché, nos rameurs
s'en iront par le calme te mettre en ta patrie, chez toi,
plus loin si tu préfères, [même beaucoup plus loin
que cette île d'Eubée que nos gens qui l'ont vue disent
au bout des mers; quand le blond Rhadamanthe*
fut emmené par eux visiter Tityos*, l'un des fils de la
Terre*, ils allèrent là-bas et revinrent chez nous, faisant du même jour ce trajet sans fatigue... Toi-même
jugeras s'il est meilleurs navires ou rameurs plus
adroits à soulever l'écume].

Il dit et, plein de joie, le héros d'endurance se
mettait à prier. Il parlait et disait, cet Ulysse divin :

ULYSSE. — Permets, ô Zeus le père! qu'Alkinoos
achève tout ce qu'il vient de dire[1]! que son renom,

---

1. Comprendre : que s'accomplissent toutes les paroles d'Alkinoos!

à lui, vole éternellement sur la terre au froment! et que je rentre, moi, au pays de mes pères!

Pendant qu'ils échangeaient ces paroles entre eux, Arété aux bras blancs avait dit aux servantes d'aller dresser un lit dans l'entrée et d'y mettre ses plus beaux draps de pourpre, des tapis par-dessus et des feutres laineux pour les couvrir encore. Les servantes, sorties, torche en main, de la salle, avaient diligemment garni les bois du cadre.

Voici qu'elles rentraient pour inviter Ulysse :

LE CHŒUR. — Notre hôte, lève-toi!... et viens! le lit est prêt.

A ces mots, combien douce au héros d'endurance fut la pensée du lit! Il s'en fut, ce divin Ulysse, reposer sur le cadre ajouré, dans l'entrée résonnante, tandis qu'Alkinoos était allé dormir au fond du grand logis, où sa femme et régente lui tenait préparés le lit et le coucher.

[RÉCEPTION PHÉACIENNE]
KIKONES ET LOTOPHAGES

(CHANT VIII) Dans son berceau de brume, aussitôt qu'apparut l'Aurore* aux doigts de roses, Sa Force et Sainteté le roi Alkinoos s'élança de son lit, et le pilleur de Troie, le rejeton des dieux, Ulysse se leva. Sa Force et Sainteté leur montra le chemin pour gagner l'agora voisine des vaisseaux. Une fois arrivés, ils prirent siège ensemble sur les pierres polies. Mais

Pallas Athéna* s'en allait par la ville, sous les traits
d'un héraut du sage Alkinoos[a]. Elle arrêtait chacun et
lui donnait l'avis :

ATHÉNA. — Par ici, conseillers et doges phéaciens!
allez à l'agora! vous verrez l'étranger que vient de
recevoir le sage Alkinoos : il a roulé les mers! il est
beau comme un dieu!

Ce discours excitant le zèle en tous les cœurs, la
foule en un instant avait empli les sièges; dans les
deux agoras, on se pressait pour admirer le sage
Ulysse : Athéna lui versait sur la tête et le buste une
grâce céleste et le faisait paraître et plus grand et plus
fort, pour conquérir le cœur de tous les Phéaciens
et gagner leur respect, leur crainte et la victoire aux
différents concours, lorsque ces Phéaciens provo-
queraient Ulysse.

Quand, le peuple accouru, l'assemblée fut complète, Alkinoos, prenant la parole, leur dit :

ALKINOOS. — Doges et conseillers de Phéacie, deux
mots[b]! J'ai là cet étranger dont j'ignore le nom; en
ma demeure, après naufrage il est venu; mais nous
arrive-t-il des peuples de l'aurore ou de ceux du
couchant?... Il prie qu'on le ramène et veut être fixé.
Nous, comme à l'ordinaire, hâtons sa reconduite!
Jamais, au grand jamais, on ne vint sous mon toit
pour vivre dans l'angoisse, en attendant sans fin la
journée du retour : allons! vite! tirons à la vague
divine un vaisseau préparé pour son premier voyage;
dans le peuple, levons cinquante-deux rameurs de
vaillance éprouvée; chacun d'eux à son banc ira lier

---

a Vers 9 : ménager le retour de son grand cœur d'Ulysse.
b Vers 27 : voici ce que mon cœur me dicte en ma poitrine!

sa rame, puis ils débarqueront et reviendront chez
moi nous préparer tout aussitôt un prompt festin;
je fournirai pour tous... Jeunes gens, j'ai parlé... Mais
vous, les rois à sceptre, il faut venir aussi en ma belle
demeure : je veux que nous fêtions notre hôte en ma
grand-salle. Allons! pas de refus! et qu'on aille chercher notre aède divin, notre Démodocos que la
déesse a fait le charmeur sans rival, quel que soit le
sujet où l'engage son cœur.

Il dit et, leur montrant la route, il s'en alla devant
les rois à sceptre. Un héraut se rendit chez l'aède
divin. Cinquante-deux rameurs, que l'on avait levés
suivant l'ordre du roi, descendirent au bord de la
mer inféconde. Quand ils eurent atteint le navire et la
mer, le noir croiseur fut amené en eau profonde,
puis, dans ce noir vaisseau, on chargea mât et voiles;
aux estropes de cuir, on attacha les rames*a*; en rade,
on fut mouiller sous le cap de l'aval, et l'on revint
ensuite à la grande maison du sage Alkinoos, où tout
était rempli, enceinte, entrées et salles*b*. Pour ses
hôtes, le roi avait fait immoler huit cochons aux
dents blanches, douze brebis, deux bœufs à la démarche torse, qu'on avait écorchés et qu'on parait
déjà pour apprêter le plus aimable des festins. Le
héraut reparut, menant le brave aède à qui la Muse*
aimante avait donné sa part et de biens et de maux,
car, privé de la vue, il avait reçu d'elle le chant mélodieux. Pour lui faire une place au centre du festin,
Pontonoos prit un fauteuil aux clous d'argent, qu'il
s'en vint adosser à la haute colonne, et, pendant au

---

a Vers 54 : tout le long du bordage; on déploya la voile.
b Vers 58 : la foule se pressait, jeunes, vieux, mélangés.

crochet, au-dessus de sa tête, la cithare au chant clair,
il lui montrait à la reprendre de ses mains, puis
approchait de lui, sur une belle table, la corbeille du
pain et la coupe de vin pour boire à son envie. Alors,
aux parts de choix préparées et servies, ils tendirent
les mains.

Quand on eut satisfait la soif et l'appétit, l'aède,
que la Muse inspirait, se leva. Il choisit, dans la geste
humaine, un épisode dont le renom montait alors
jusques aux cieux : la querelle d'Ulysse et du fils de
Pélée[1], leur dispute en un opulent festin des dieux,
leurs terribles discours et la joie qu'en son cœur, en
ressentait le chef suprême Agamemnon; car, voyant
les deux rois achéens en querelle, l'Atride* repensait
aux dires prophétiques de Phoebos Apollon* dans
la bonne Pytho[2], un jour qu'il en avait franchi le
seuil de pierre pour consulter l'oracle, au temps où le
grand Zeus* décidait de rouler Danaens et Troyens
dans le flot du malheur.

Or, tandis que chantait le glorieux aède, Ulysse
avait saisi son écharpe de pourpre et, de ses mains
vaillantes, la tirait sur son front. De cette grande
écharpe, il voila ses beaux traits : devant les Phéaciens, il eût rougi des pleurs qui gonflaient ses paupières; mais, à chaque repos de l'aède divin, il
essuyait ses pleurs, rejetait son écharpe et, de sa
double coupe, faisait l'offrande aux dieux, puis, à
chaque reprise, quand, charmés de ses vers, les chefs
des Phéaciens redemandaient l'aède, Ulysse, ramenant
l'écharpe, sanglotait...

1. Achille.
2. Autre nom pour Delphes.

[A toute l'assistance, il sut cacher ses larmes : le seul Alkinoos s'en douta, puis les vit, — ils siégeaient côte à côte, — et l'entendit enfin lourdement sangloter. Vite il dit à ses bons rameurs de Phéacie :

ALKINOOS. — Doges et conseillers de Phéacie, deux mots ! Voici que de la table, où chacun eut sa part, nos cœurs ont bien joui, comme aussi de la lyre, dont la place est marquée au plus beau des festins. Il est temps de sortir et de nous mettre aux jeux*a*!

Il dit, montrant la route, et les autres suivirent. Le héraut, raccrochant la cithare au chant clair, prit par la main Démodocos et l'emmena. Au sortir du manoir, il lui servit de guide dans la rue que prenaient les chefs des Phéaciens pour aller voir les jeux. On gagna l'agora : la foule, par milliers, accourait sur leurs pas. Bientôt se présenta la plus noble jeunesse, et l'on vit se lever Dugaillard, Vitenmer, Laviron, Lenocher, Delapoupe, Du Bord, Delarame, Dularge, Delaproue, Lecoureur, le fils de Montabord, et Doublemer, le fils de Flotte-Carpentier, puis Euryale, égal à ce fléau d'Arès*; pour la taille et les traits, ce fils de Naubolos n'avait pas un rival; le seul Laodamas parmi les Phéaciens était encor plus beau. Enfin Laodamas, Klytoneus et leur frère, le divin Halios, se levèrent aussi : c'étaient trois fils de l'éminent Alkinoos.

Pour disputer d'abord l'épreuve de la course, on se mit à la borne où la piste s'ouvrait : tous ensemble, d'un vol, ils filèrent dans un nuage de poussière; l'éminent Klytoneus fut vainqueur sans conteste;

---

a Vers 101-103 : rentré en son logis, je voudrais que notre hôte pût dire à tous les siens qu'à la boxe, à la lutte, au saut comme à la course, nous sommes sans rivaux.

d'une bonne tirée de mulets au labour[1], il tenait les
devants quand il revint au peuple, ayant semé les
autres. Puis ce fut la main plate et ses halètements :
Euryale vainquit tout le choix des lutteurs. Mais,
au saut, Doublemer en dernier l'emporta. Au disque,
Laviron l'emporta mieux encore. À la boxe, ce fut
le brave fils d'Alkinoos, Laodamas.

Quand le plaisir des jeux eut charmé tous les
cœurs, le fils d'Alkinoos, Laodamas, leur dit :

LAODAMAS. — Maintenant, chers amis, demandons
à notre hôte s'il n'est pas quelque sport qu'il
connaisse et pratique. Voyez comme il est fait! ces
cuisses, ces mollets; cette paire de bras, les muscles de
ce col et cette ample poitrine! Non! il n'a rien encor
perdu de sa jeunesse; mais il a tant souffert qu'il en
reste brisé!... Il n'est rien, croyez-moi, de pire que la
mer pour vous abattre un homme, et le plus vigoureux.

Euryale, prenant la parole, intervint :

EURYALE. — Très bien, Laodamas! tu parles comme
un sage. C'est à toi maintenant d'aller faire l'invite et
de lui dire un mot.

Sitôt qu'il entendit, le bon Laodamas s'avança dans
l'arène pour inviter Ulysse :

LAODAMAS. — A ton tour, maintenant, l'étranger,
notre père! viens t'essayer aux jeux auxquels tu
t'entraînas : tu dois bien en connaître! Est-il en cette
vie une gloire plus grande que de savoir jouer des
jambes et des bras? Allons, viens essayer et balaie les
chagrins! Le départ viendra vite : le navire est à flot
et l'équipage, prêt.

---

1. Klytoneus, à la course, devance ses rivaux comme, au labour, un attelage de mulets devancerait des attelages de bœufs,
réputés moins rapides.

Ulysse l'avisé lui fit cette réponse :

ULYSSE. — Pourquoi, Laodamas, ces railleries d'invite? Si mon cœur s'abandonne aux chagrins plus qu'aux jeux, c'est que j'ai tant souffert naguère et tant peiné! Ah! dans votre assemblée, où tu me vois assis, je n'ai qu'une pensée : le retour que, du roi et du peuple, j'implore.

En réponse, Euryale se mit à le railler :

EURYALE. — Ah! non! je ne vois rien, mais rien en toi, notre hôte, d'un connaisseur des jeux, même en prenant tous ceux dont usent les humains!... Si jamais, sur les bancs d'un vaisseau, tu montas, ce fut pour commander des marins au commerce, noter la cargaison ou surveiller le fret et vos gains de voleurs[1]... Mais un athlète, toi!

Ulysse l'avisé le toisa et lui dit :

ULYSSE. — C'est bien mal dit, mon hôte! Un maître fou, c'est toi! Beauté, raison, bien dire, on voit qu'en un même homme, les dieux presque jamais ne mettent tous les charmes. L'un n'a reçu du ciel que médiocre figure; mais ses discours sont pleins d'une telle beauté qu'il charme tous les yeux : sa parole assurée, sa réserve polie le marquent dans la foule; quand il va par les rues, c'est un dieu qu'on admire... J'en sais d'autres qui sont d'une beauté divine, mais qui, dans leurs discours, manquent toujours de grâce... C'est ainsi que, sur toi, brille tant de beauté qu'un dieu même n'aurait pas fait plus bel ouvrage. Mais ton esprit, du vent!... Tu m'as levé le cœur au plus profond de moi, avec tes mots de

---

1. Commerce et piraterie se distinguaient mal. Hermès* était à la fois le dieu du commerce et du vol.

rustre!... Je ne suis pas, aux jeux, l'apprenti que tu crois. J'étais dans les premiers, tant que j'avais pour moi mes bras et ma jeunesse. Maintenant la misère et les chagrins me tiennent : j'ai trop longtemps pâti à batailler sur terre, à peiner sur les flots... Mais n'importe! je vais, après tant de souffrances, m'essayer à vos jeux. Tes discours m'ont mordu le cœur : c'est un défi pour moi que tes paroles.

A ces mots, il s'élance et, sans même quitter son écharpe, il va prendre un disque bien plus large et beaucoup plus pesant que tous ceux dont avaient joué les Phéaciens. Il le tourne une fois, et le disque en ronflant quitte sa main vaillante, et tous ces armateurs, ces gens aux longues rames saluent jusques au sol, sous le vent de la pierre, et le disque, passant toutes les autres marques, continue de courir. Lui, restait, main levée.

Prenant les traits d'un homme, Athéna vint marquer l'arrêt et lui cria :

ATHÉNA. — Un aveugle, notre hôte, un aveugle à tâtons distinguerait ta marque; elle n'est pas mêlée à la foule des autres. Bravo pour ce coup-là! personne en Phéacie n'est capable d'aller jusqu'ici ni plus loin.

A ces mots, le divin Ulysse s'applaudit d'avoir en cette arène un témoin favorable.

C'est d'un cœur plus léger qu'il dit aux Phéaciens, le héros d'endurance :

ULYSSE. — Et d'un qu'il vous faudrait atteindre, jeunes gens! Je m'en vais tout à l'heure en placer un second au même endroit, je pense, et peut-être plus loin. Maintenant, si le cœur vous en dit, bon courage! à tous les autres jeux, qu'on vienne me tâter! On m'a

trop irrité : boxe, course ou main plate, je ne refuse
rien et ne veux récuser de tous les Phéaciens qu'un
seul, Laodamas. C'est mon hôte : comment lutter
contre un ami ? Il faudrait être fou ou de cœur misérable pour provoquer aux jeux celui qui vous
accueille en pays étranger : c'est s'amputer soi-
même !... Mais à part celui-là, je dis ne refuser ni
dédaigner personne. Me voici prêt à vous regarder
dans les yeux. Qu'on vienne me tâter ! Je puis tenir
ma place à tous les jeux des braves ; mais c'est l'arc
en bois fin que je sais manier. Du premier coup, ma
flèche, en la cohue des ennemis, atteint son homme,
quand même, autour de lui, cent compagnons voudraient le couvrir en tirant. [De tous les Achéens,
Philoctète était seul à l'emporter sur moi quand, au
pays de Troie, nous concourions à l'arc[1]. Mais, au
monde, il n'est plus autre mangeur de pain qu'on
puisse, et de fort loin, me comparer, je crois. Oh ! il
fut des héros devant qui je m'incline : tel Héraclès*
et tel Eurytos* d'Oechalie[2] ; car ceux-là, c'est les
dieux qu'à l'arc ils égalaient. Il en coûta la vie à ce
grand Eurytos ! Si l'âge, en son palais, ne vint pas le
surprendre, ce fut qu'en sa colère, Apollon* le tua,
quand à l'arc Eurytos eut provoqué le dieu...] Et je
plante ma pique aussi loin, et plus loin que les autres
leur flèche... Je n'excepte qu'un jeu : je craindrais vos
coureurs. J'ai, sous les coups de mer, trop durement
pâti : faute d'avoir à bord les soins de chaque jour,
j'ai les jambes rompues.

1. Philoctète avait reçu d'Héraklès son arc et ses flèches, qui
jamais ne manquaient la cible.
2. La localisation d'Œchalie est incertaine. Sur Eurytos, voir le
chant XXI et l'Index.

Il dit; tous se taisaient. Alors, dans le silence, le
seul Alkinoos, en réponse, lui dit :

ALKINOOS. — Mon hôte, tes discours ne sauraient
nous déplaire : tu désires montrer que ta valeur
subsiste, irrité que cet homme ait osé dans l'arène
insulter ta vaillance en des mots dont jamais un sage
n'eût usé. Mais comprends mes raisons : quand,
ayant retrouvé tes enfants et ta femme, tu auras à ta
table un héros qui voudra connaître nos mérites, il
faut que tu lui dises en quels travaux Zeus nous main-
tient de père en fils. Non! la boxe n'est pas notre
fort, ni la lutte : nous sommes bons coureurs et
marins excellents; mais pour nous, en tout temps,
rien ne vaut le festin, la cithare et la danse, le linge
toujours frais, les bains chauds et l'amour... Allons!
entrez au jeu, toute la fleur de nos danseurs de
Phéacie! de retour au logis, je voudrais que notre
hôte pût dire à tous les siens qu'à la rame, à la
course, au chant et à la danse, nous sommes sans
rivaux. Vite! à Démodocos qu'on s'en aille chercher
la cithare au chant clair : elle est restée chez moi.

Ainsi parlait Alkinoos, semblable aux dieux. Le
héraut se leva et s'en alla chercher à la maison du roi
la cithare bombée. Dans le peuple, on choisit neuf
juges de l'arène, qui, pour tout apprêter se levant de
leur place, aplanirent le sol. Comme ils en avaient
fait un beau terrain de lutte, le héraut reparut, rap-
portant à l'aède la cithare au chant clair. Alors
Démodocos s'avança dans le cercle; la fleur des
jeunes gens, champions de la danse, debout autour
de lui, voltaient et, de leurs pieds, frappaient le plan
de l'aire. Ulysse était tout yeux devant ces passe-pied
dont son cœur s'étonnait...

LES AMOURS D'ARÈS ET D'APHRODITE

Démodocos alors préluda, puis se mit à bellement chanter. Il disait les amours d'Arès et de son Aphrodite* au diadème, leur premier rendez-vous secret chez Héphaestos* et tous les dons d'Arès, et la couche souillée du seigneur Héphaestos, et le Soleil* allant raconter au mari qu'il les avait trouvés en pleine œuvre d'amour. Héphaestos accueillit sans plaisir la nouvelle; mais, courant à sa forge, il roulait la vengeance au gouffre de son cœur. Quand il eut au billot dressé sa grande enclume, il forgea des réseaux de chaînes infrangibles pour prendre nos amants. Puis, le piège achevé, furieux contre Arès, il revint à la chambre où se trouvait son lit : aux pieds, il attacha des chaînes en réseau; au plafond, il pendit tout un autre réseau, vraie toile d'araignée, — un piège sans pareil, imperceptible à tous, même aux dieux bienheureux! et quand, autour du lit, il eut tendu la trappe, il feignit un départ vers les murs de Lemnos, la ville de son cœur entre toutes les terres. Arès, qui le guettait, n'avait pas l'œil fermé : dès qu'il vit en chemin le glorieux artiste, il prit ses rênes d'or, et le voilà courant chez le noble Héphaestos, tout de feu pour sa Kythérée* au diadème!

La fille du Cronide* à la force invincible rentrait tout justement du manoir de son père et venait de s'asseoir. Arès entra chez elle et, lui prenant la main, lui dit et déclara :

ARÈS. — Vite au lit, ma chérie! quel plaisir de s'aimer!... Héphaestos est en route; il doit être à Lemnos, parmi ses Sintiens[1] au parler de sauvages.

Il dit, et le désir du lit prit la déesse. Mais, à peine montés sur le cadre et couchés, l'ingénieux réseau de l'habile Héphaestos leur retombait dessus : plus moyen de bouger, de lever bras ni jambe; ils voyaient maintenant qu'on ne pouvait plus fuir. Et voici que rentrait la gloire des boiteux! avant d'être à Lemnos, il avait tourné bride, sur un mot du Soleil qui lui faisait la guette[a].

Debout au premier seuil, affolé de colère, avec des cris de fauve, il appelait les dieux :

HÉPHAESTOS. — Zeus le père et vous tous, éternels Bienheureux! arrivez! vous verrez de quoi rire! un scandale! C'est vrai : je suis boiteux; mais la fille de Zeus, Aphrodite, ne vit que pour mon déshonneur; elle aime cet Arès, pour la seule raison qu'il est beau, l'insolent! qu'il a les jambes droites! Si je naquis infirme, à qui la faute? à moi?... ou à mes père et mère?... Ah! comme ils auraient dû ne pas me mettre au monde! Mais venez! vous verrez où nos gens font l'amour : c'est dans mon propre lit! J'enrage de les voir. Oh! je crois qu'ils n'ont plus grande envie d'y rester : quelque amour qui les tienne, ils vont bientôt ne plus vouloir dormir à deux. Mais la trappe tiendra le couple sous les chaînes, tant que notre beau-père ne m'aura pas rendu jusqu'au moindre cadeau que je lui consignai pour sa chienne de fille!... La fille était jolie, mais trop dévergondée!

Ainsi parlait l'époux, et vers le seuil de bronze,

a Vers 303 : il revenait chez lui, la rage dans le cœur.
1. Peuple de Lemnos.

accouraient tous les dieux, et d'abord Posidon*, le
maître de la terre, puis l'obligeant Hermès, puis
Apollon, le roi à la longue portée; les déesses, avec
la pudeur de leur sexe, demeuraient au logis...

Sur le seuil, ils étaient debout, ces Immortels qui
nous donnent les biens, et, du groupe de ces Bienheureux, il montait un rire inextinguible : ah! la belle
œuvre d'art de l'habile Héphaestos!

Se regardant l'un l'autre, ils se disaient entre eux :

LE CHŒUR. — Le bonheur ne suit pas la mauvaise conduite... Boiteux contre coureur! Voilà que
ce bancal d'Héphaestos prend Arès! Le plus vite des
dieux, des maîtres de l'Olympe, est dupe du boiteux... Il va falloir payer le prix de l'adultère.

Tels étaient les discours qu'ils échangeaient entre
eux. Alors le fils de Zeus, le seigneur Apollon, prit
Hermès à partie :

APOLLON. — Hermès, le fils de Zeus, le porteur
de messages, le semeur de richesses, je crois que,
volontiers, tu te laisserais prendre sous de pesants
réseaux, pour dormir en ce lit de l'Aphrodite d'or!

Hermès, le messager rayonnant, de répondre :

HERMÈS. — Ah! plût au ciel, seigneur à la longue
portée!... Qu'on me charge, Apollon! et trois fois
plus encore, de chaînes infinies et venez tous me
voir, vous tous, dieux et déesses; mais que je dorme
aux bras de l'Aphrodite d'or!

Il disait et le rire éclata chez les dieux. Seul Posidon, sans rire, implorant d'Héphaestos la liberté
d'Arès, disait ces mots ailés au glorieux artiste :

POSIDON. — Lâche-le! sur ton ordre, il paiera tous
les frais : je m'en porte garant devant les Immortels.

La gloire des boiteux alors lui répondit :

HÉPHAESTOS. — Pas d'ordres! Posidon, ô maître de la terre! car à mauvais payeur, mauvaises garanties! Devant les Immortels, quel moyen de contrainte aurai-je contre toi, quand Arès envolé oubliera dette et chaînes?

Mais l'ébranleur du sol, Posidon, répliqua :

POSIDON. — Héphaestos, si jamais Arès vient à s'enfuir et à nier sa dette, c'est moi qui te paierai.

La gloire des boiteux alors lui répondit :

HÉPHAESTOS. — Je ne puis ni ne veux douter de ta parole.

Il dit et mit sa force à lever le filet. Le couple, délivré de ces chaînes pesantes, prenait son vol, lui vers la Thrace, elle vers Chypre. Elle allait à Paphos, l'Aphrodite aux sourires! retrouver son enclos, l'encens de son autel, et, l'ayant mise au bain, les Grâces* la frottaient de cette huile divine qui reluit sur la peau des dieux toujours vivants, puis elles lui passaient une robe charmante, enchantement des yeux!

Voilà ce que chantait le glorieux aède. Ulysse à l'écouter trouvait autant de charme que tous ces amateurs et gens aux longues rames du peuple phéacien.

Alkinoos alors fit danser seul à seul deux de ses fils, Laodamas et Halios : ils étaient hors concours. Ils prirent à deux mains un beau ballon de pourpre que, pour eux, avait fait Polybe, un habile homme : échine renversée, quand l'un d'eux l'envoyait jusqu'aux sombres nuées, l'autre, sautant en l'air, le recevait au vol, avant de retoucher le sol de ses deux pieds. Puis, ayant terminé ces jeux de haute balle, ils

dansèrent au ras de la terre nourrice, en rapides croi-
sés, et, debout dans l'arène, les autres jeunes gens
leur battaient la cadence : quel bruit il en montait!

Ulysse le divin dit à Alkinoos :

ULYSSE. — Seigneur Alkinoos, l'honneur de tout ce
peuple, tu m'avais dit combien excellent vos danseurs; mais la preuve en est faite et leur vue me
confond.

Cet éloge remplit de joie Sa Sainte Force. Aussitôt,
à ses bons rameurs de Phéacie, Alkinoos de dire :

ALKINOOS. — Doges et conseillers de Phéacie, deux
mots. Notre hôte m'apparaît tout rempli de sagesse.
Allons! comme d'usage, offrons-lui les présents de
l'hospitalité! Nous avons douze rois de marque dans
ce peuple, douze chefs souverains, et je suis le treizième : que chacun fasse donc apporter une écharpe
tout fraîchement lavée, une robe, un talent de son or
le plus fin; sans retard, à notre hôte offrons le tout
ensemble; c'est d'un cœur plus joyeux qu'ayant nos
dons en mains, il rentrera souper. Mais Euryale aussi,
pour ses mots malsonnants, devra lui présenter un
don et des excuses!

Il dit; tous d'applaudir et de donner les ordres, et
chacun au logis envoya son héraut pour chercher
son présent. Euryale, à son tour, lui fit cette réponse :

EURYALE. — Seigneur Alkinoos, l'honneur de tout
ce peuple, j'obéis à ton ordre et vais, pour apaiser
notre hôte, lui donner ce glaive tout en bronze; la
poignée est d'argent; la gaine est d'un ivoire qui vient
d'être scié : il saura l'estimer à sa valeur, je pense.

Il dit et déposa entre les mains d'Ulysse le glaive
aux clous d'argent, puis reprit la parole et dit ces
mots ailés :

EURYALE. — Avec tous mes souhaits, l'étranger, notre père! S'il te fut adressé quelque mot violent, que le prenne et l'emporte aussitôt la bourrasque! et que les Immortels t'accordent la faveur de rentrer au pays, de revoir ton épouse, après avoir souffert si longtemps loin des tiens!

Ulysse l'avisé lui fit cette réponse :

ULYSSE. — Accepte aussi mes vœux : que les dieux, mon ami, te comblent de bonheur, et, puisque avec des mots qui nous réconcilient, tu me donnes ce glaive, puisses-tu n'en avoir jamais aucun regret!

Il disait et passait autour de son épaule le glaive aux clous d'argent.

Au coucher du soleil, les présents étaient là et les nobles hérauts les portaient chez le roi. Les fils de l'éminent Alkinoos prenaient ces cadeaux magnifiques, pour les poser auprès de leur auguste mère. Sa Force et Sainteté leur montrait le chemin. On rentra : dans les hauts fauteuils, on fut s'asseoir.

Sa Force Alkinoos, appelant Arété :

ALKINOOS. — Femme, prends le meilleur de nos coffres de luxe et mets-y pour ton compte une robe, une écharpe tout fraîchement lavée; puis, sur le feu, posez à chauffer la bassine, et, quand l'eau sera chaude, que notre hôte aille au bain! Je veux qu'à son retour, voyant en sûreté les présents qu'il reçut de nos rois phéaciens, il goûte mieux encor le festin et les chants que nous dira l'aède. Pour mon cadeau, voici ma belle coupe en or, afin qu'à tout jamais, il garde ma mémoire lorsque, dans sa grand-salle, il boira soit à Zeus, soit à quelque autre dieu.

Il disait : Arété donna l'ordre à ses femmes de mettre au feu le grand trépied tout à l'instant. Sur la

flamme avivée, les servantes plantèrent le trépied
chauffe-bain et, l'ayant rempli d'eau, entassèrent
dessous les bûches à flamber, et bientôt l'eau chauffa
dans la panse du vase, que la flamme léchait.
Mais la reine Arété apportait du trésor son coffre
le plus beau, qu'elle offrit à son hôte, puis déposait
au fond les cadeaux magnifiques, les vêtements et
l'or, présents des Phéaciens, ajoutait pour son
compte une écharpe avec la plus belle de ses robes,
et disait, élevant la voix, ces mots ailés à l'adresse
d'Ulysse :

Arété. — Vite! à toi maintenant de veiller au couvercle et d'y mettre le nœud : il ne faut pas qu'en
route, à bord du noir vaisseau, on te trompe à nouveau[1] lorsque tu dormiras du plus doux des sommeils.

Le héros d'endurance, Ulysse le divin, eut à peine
entendu qu'ajustant le couvercle, il y mettait un
nœud dont l'auguste Circé lui avait autrefois enseigné le secret. L'intendante aussitôt vint l'inviter au
bain. Il fut à la baignoire : en voyant ce bain chaud,
quelle joie dans son cœur! il n'avait pas donné grand
temps à sa toilette, depuis qu'il n'était plus là-bas
chez Calypso, la nymphe aux beaux cheveux : ah!
là-bas! il avait tout le confort d'un dieu!...

Les femmes, l'ayant mis au bain et frotté d'huile,
le vêtirent d'un beau manteau et d'une robe. Sorti
de la baignoire, il allait retrouver les héros qui
buvaient lorsque Nausicaa, que les dieux faisaient
belle, se dressa au montant de l'épaisse embrasure,

---

1. Voir le début du chant X, où Ulysse racontera sa mésaventure.
Comment, en cette place, Arété peut-elle en être instruite? Il est
très probable qu'une grande part du chant VIII constitue une
interpolation tardive.

et ses yeux étonnés fixant les yeux d'Ulysse, elle éleva
la voix et dit ces mots ailés :

NAUSICAA. — Bon voyage, notre hôte! au pays de tes
pères, quand tu seras rentré, garde mon souvenir!
car c'est à moi d'abord que devrait revenir le prix
de ton salut.

Ulysse l'avisé lui fit cette réponse :

ULYSSE[a]. — Fasse l'époux d'Héra*, le Zeus retentissant, qu'en mon logis, je voie la journée du retour,
aussi vrai que mes vœux, quand je serai là-bas, te
resteront fidèles : tu me seras un dieu, tous les jours
d'une vie que je te dois, ô vierge!

Il dit et s'en alla reprendre son fauteuil auprès
d'Alkinoos.

Comme on tranchait les parts et qu'on mêlait le
vin, le héraut reparut, menant le brave aède, Démodocos, que tout ce peuple révérait; il s'en vint l'ins-
taller au centre du festin, le fauteuil adossé à la haute
colonne.

Ulysse l'avisé appela le héraut, puis, taillant au filet
d'un porc aux blanches dents un morceau que bar-
dait une abondante graisse, — le plus gros y restait :

ULYSSE. — Héraut, prends cette part et la porte à
l'aède! qu'il mange! et dis-lui bien que, malgré mon
chagrin, je veux le saluer! Il n'est homme ici-bas
qui ne doive aux aèdes l'estime et le respect : car
n'apprennent-ils pas de la Muse* leurs pièces? La
Muse qui chérit la race des chanteurs!

Il dit : prenant la viande en ses mains, le héraut
s'en fut l'offrir à son seigneur Démodocos, et ce don
mit la joie dans le cœur de l'aède. Alors, aux parts

---

a Vers 464 : Nausicaa, la fille du fier Alkinoos!

de choix préparées et servies, ils tendirent les mains.

Quand on eut satisfait la soif et l'appétit, Ulysse l'avisé dit à Démodocos :

ULYSSE. — C'est toi, Démodocos, que, parmi les mortels, je révère entre tous, car la fille de Zeus, la Muse, fut ton maître, ou peut-être Apollon! Quand tu chantes si bien le sort des Achéens, leurs maux et leurs exploits et toutes leurs traverses, l'as-tu vu de tes yeux ou par les yeux d'un autre?... Mais poursuis! et dis-nous l'histoire du cheval de bois, que fit avec Epeios Athéna, et comment le divin Ulysse introduisit ce piège dans la ville, avec son chargement des pilleurs d'Ilion! Si tu peux tout au long nous conter cette histoire, j'irai dire partout qu'un dieu, qui te protège, dicte ton chant divin.

Il eut à peine dit que, sous l'élan du dieu, l'aède préludait, puis leur tissait son hymne. Il avait pris la scène au point où ceux d'Argos, ayant incendié leurs tentes, s'éloignaient sur les bancs de leur flotte; mais déjà, aux côtés du glorieux Ulysse, les chefs étaient à Troie, cachés dans le cheval que les Troyens avaient tiré sur l'acropole. Le cheval était là, debout, sur l'agora; assis autour de lui, les Troyens discouraient pêle-mêle, sans fin, sans pouvoir entre trois avis se décider : les uns auraient voulu, d'un bronze sans pitié, éventrer ce bois creux, et d'autres le tirer jusqu'au bord de la roche pour le précipiter, et d'autres le garder comme une grande offrande qui charmerait les dieux. C'est par là qu'après tout, ils devaient en finir : leur perte était fatale, du jour que leur muraille avait emprisonné ce grand cheval de bois, où tous les chefs d'Argos apportaient aux Troyens le meurtre et le trépas... Et l'aède chanta la ville ravagée, et jaillis du cheval, les Achéens quittant le creux de l'embuscade, et chacun d'eux pillant son coin de ville haute, et, brave comme Arès, Ulysse accompagnant le divin Ménélas jusque chez Déiphobe, et tous deux affrontant la plus dure des luttes et devant leur victoire au grand cœur d'Athéna. Mais, tandis que chantait le glorieux aède, Ulysse faiblissait : les larmes inondaient ses joues sous ses paupières. La femme pleure ainsi, jetée sur son époux, quand il tombe au-devant des murs et de son peuple, pour écarter de sa cité, de ses enfants, la journée sans merci; elle le voit qui meurt, qui déjà se convulse; elle s'attache à lui, et crie, et se lamente, et voici, dans son dos, les lances ennemies qui viennent lui tailler la nuque et les épaules et voici l'esclavage et ses dures misères! et les affres du deuil lui ravagent les joues. Tels, les pleurs de pitié tombaient des yeux d'Ulysse.

A toute l'assistance, il put cacher ses larmes. Le seul Alkinoos s'en douta, puis les vit, — ils siégeaient côte à côte, — et l'entendit enfin lourdement sangloter. Vite, il dit à ses bons rameurs de Phéacie :

ALKINOOS. — Doges et conseillers de Phéacie, deux mots. C'est assez pour l'aède! laisse, ô Démodocos, la cithare au chant clair! Car peut-être ces chants ne plaisent pas à tous. Je vois qu'en ce repas, les sanglots de douleur n'ont pas quitté notre hôte, depuis que s'est levé notre aède divin : il faut qu'un grand chagrin ait envahi son âme! Donc, assez pour l'aède! inviteur, invités, je veux la joie de tous : n'est-ce pas mieux ainsi?

« Si nous sommes ici, c'est pour fêter notre hôte.

[Tout est prêt maintenant, le départ, les cadeaux
qu'à l'ami nous offrons : l'hôte et le suppliant ne
sont-ils pas des frères, pour peu que l'on conserve
au cœur quelque sagesse?]

« Mais à ton tour, mon hôte, il faut ne rien
cacher : sans feinte, réponds-moi; rien ne vaut la fran-
chise. Dis-nous quel est le nom que là-bas te donnaient et ton père et ta mère et tous ceux de ta ville
et de vos alentours; car jamais on ne vit qu'un
homme fût sans nom; qu'on soit noble ou vilain,
chacun en reçoit un le jour de sa naissance; aux
enfants sitôt nés, c'est le don des parents. Dis-nous
quelle est ta terre et ton peuple et la ville, où devront
te porter nos vaisseaux phéaciens qui, doués de raison, voguent sans le pilote et sans le gouvernail
qu'ont les autres navires; ils savent deviner, d'eux-
mêmes, les désirs et les pensées des hommes; connaissant les cités et les grasses campagnes du monde
tout entier, ils font leurs traversées sur le gouffre
des mers, sans craindre ni la moindre avarie ni la
perte dans les brumes et les nuées qui les recouvrent...
Mais voici quel avis autrefois me donna Nausithoos
mon père : Posidon, disait-il, nous en voudrait
un jour de notre renommée d'infaillibles passeurs
et, lorsque rentrerait de quelque reconduite un solide
croiseur du peuple phéacien, le dieu le briserait dans
la brume des mers, puis couvrirait le bourg du grand
mont qui l'encercle. Ces discours du vieillard, en
verrons-nous l'effet? resteront-ils sans suite? C'est le
secret des dieux. Mais, voyons, point par point, sans
feinte, conte-moi les lieux où tu erras, les contrées
que tu vis, les mœurs des habitants, la beauté de
leurs villes! étaient-ce des sauvages, des bandits sans

justice, ou des gens accueillants, qui respectent les
dieux? dis-moi pourquoi ces pleurs? et pourquoi
ce chagrin, qui remplissait ton âme en entendant le
sort des héros danaens et des gens d'Ilion?... C'est
l'ouvrage des dieux : s'ils ont filé la mort à tant de ces
humains, c'est pour fournir des chants aux gens de
l'avenir. Sous les murs d'Ilion, aurais-tu donc perdu
quelque noble allié, un beau-frère, un beau-père?
quelqu'un de ces amis que l'on aime le mieux après
son propre sang et sa propre famille? un brave
compagnon, loyal et dévoué? car avoir un ami toujours plein de sagesse, c'est avoir mieux qu'un frère!

(CHANT IX) Ulysse l'avisé lui fit cette réponse :

ULYSSE. — Seigneur Alkinoos, l'honneur de tout ce
peuple, j'apprécie le bonheur d'écouter un aède,
quand il vaut celui-ci : il est tel que sa voix l'égale
aux Immortels! et le plus cher objet de mes vœux,
je te jure est cette vie de tout un peuple en bon
accord, lorsque dans les manoirs, on voit en longues
files les convives siéger pour écouter l'aède, quand,
aux tables, le pain et les viandes abondent et qu'allant au cratère, l'échanson vient offrir et verser dans
les coupes. Voilà, selon mon gré, la plus belle des
vies!... Mais, touché par mes pleurs, tu veux savoir
ma peine : tu veux donc redoubler ma tristesse et
mes larmes? Ah! par où débuter? par où continuer?
et comment jusqu'au bout te conter les souffrances,
dont m'ont comblé les dieux, les habitants du ciel?
Mais je veux commencer en vous disant mon nom :
que vous le sachiez tous! et, si le jour cruel m'épargne,
que, pour vous, je sois toujours un hôte, si loin que
je demeure!

C'est moi qui suis Ulysse, oui, ce fils de Laerte, de
qui le monde entier chante toutes les ruses et porte
aux nues la gloire. Ma demeure d'Ithaque est perchée
comme une aire, sous le Nérite[1] aux bois tremblants,
au beau profil. Des îles habitées se pressent tout
autour, Doulichion, Samé, Zante la forestière; mais,
au fond du noroît, sur la mer, mon Ithaque apparaît
la plus basse, laissant à l'est et au midi les autres
îles. Elle n'est que rochers, mais nourrit de beaux
gars : cette terre! il n'est rien à mes yeux de plus
doux.

[Oui! là-bas, Calypso, au creux de ses cavernes,
m'enfermait et brûlait, cette toute divine, de m'avoir
pour époux; au manoir d'Aiaié, la perfide Circé voulait pareillement me garder pour époux[2]! Jamais,
au fond de moi, mon cœur ne consentit. Oh! non,
rien n'est plus doux que patrie et parents; dans l'exil,
à quoi bon la plus riche demeure, parmi des étrangers et loin de ses parents?]

Mais puisque tu le veux, c'est aussi mon retour
que je m'en vais vous dire, et toutes les angoisses,
dont Zeus* me poursuivit en revenant de Troie.

En partant d'Ilion, le vent qui nous portait nous
mit sous l'Ismaros, au pays des Kikones[3]. Là, je
pillai la ville et tuai les guerriers et lorsque, sous
les murs, on partagea les femmes et le tas des richesses, je fis si bien les lots que personne en partant n'eut pour moi de reproches. Alors j'aurais
voulu que nous songions à fuir du pied le plus rapide;

1. Montagne au sud d'Ithaque.
2. Voir chant X.
3. L'Ismaros, montagne de Thrace. Les Kikones étaient les alliés
des Troyens.

mais ces fous refusèrent. Le vin qui se but là! et les moutons qu'on égorgea sur cette plage! et les vaches cornues à la démarche torse! cependant qu'à grands cris, nos Kikones couraient appeler leurs voisins. Ceux de l'intérieur, plus nombreux et plus braves, envoient leurs gens montés qui combattaient en selle ou, s'il fallait, à pied. Plus denses qu'au printemps les feuilles et les fleurs, aussitôt ils arrivent : Zeus, pour notre malheur, nous mettait sous le coup du plus triste destin; quelle charge de maux*a*!... Tant que dure l'aurore et que grandit le jour sacré, nous résistons, sans plier sous le nombre; mais quand le jour penchant vient libérer les bœufs[1] les Kikones vainqueurs rompent mes Achéens, et six hommes guêtrés succombent sans pouvoir regagner leur navire; nous autres, nous fuyons le trépas et le sort.

Nous reprenons la mer, l'âme navrée, contents d'échapper à la mort, mais pleurant les amis : sur les doubles gaillards, avant de démarrer, je fais héler trois fois chacun des malheureux tombés en cette plaine, victimes des Kikones...

Mais, nos vaisseaux en mer, Zeus, l'assembleur des nues, nous déchaîne un Borée aux hurlements d'enfer : il noie sous les nuées le rivage et les flots; la nuit tombe du ciel, et notre flotte fuit, en donnant à la bande, et la rage du vent nous fend en trois et quatre pièces nos voilures... Il fallut amener, — on risquait de se perdre, — et pousser vers la terre à

a Vers 54-55 : ils se mettent en ligne et le combat s'engage sous le flanc des croiseurs : on s'attaque à grands coups de javelots de bronze.

1. Vers le soir.

grands efforts de rames. Là, deux jours et deux nuits, nous restons étendus, accablés de fatigue et rongés de chagrin. Quand, du troisième jour, l'Aurore* aux belles boucles annonce la venue, nous replantons les mâts, hissons les blanches voiles, et l'on n'a qu'à s'asseoir et qu'à laisser mener le vent et les pilotes... J'allais donc, sain et sauf, revenir au pays!

Mais voici qu'au détour du Malée, le courant, la houle et le Borée me ferment le détroit, puis le port de Cythère. Alors, neuf jours durant, les vents de mort m'emportent sur la mer aux poissons. Le dixième nous met aux bords des Lotophages[1], chez ce peuple qui n'a, pour tout mets, qu'une fleur.

On arrive; on débarque; on va puiser de l'eau, et l'on prépare en hâte le repas que l'on prend sous le flanc des croiseurs. Quand on a satisfait la soif et l'appétit, j'envoie trois de mes gens reconnaître les lieux[a], — deux hommes de mon choix, auxquels j'avais adjoint en troisième un héraut. Mais, à peine en chemin, mes envoyés se lient avec des Lotophages qui, loin de méditer le meurtre de nos gens, leur servent du lotos. Or, sitôt que l'un d'eux goûte à ces fruits de miel[2], il ne veut plus rentrer ni donner de nouvelles[b].

Je dus les ramener de force, tout en pleurs, et les

a Vers 89 : à quels mangeurs de pain appartient cette terre.

b Vers 96-97 : tous voudraient se fixer chez ces mangeurs de dattes, et gorgés de ces fruits, remettre à tout jamais la date du retour...

1. Peuple mystérieux, sur les côtes de Tripolitaine.

2. Peut-être ces « mangeurs de lotos » se nourrissaient-ils simplement du fruit du palmier dattier, aliment remarquable pour des Achéens mangeurs de pain.

mettre à la chaîne, allongés sous les bancs, au fond
de leurs vaisseaux. Puis je fis rembarquer mes gens
restés fidèles : pas de retard! à bord! et voguent les
navires! J'avais peur qu'à manger de ces dattes, les
autres n'oubliassent aussi la date du retour.

Mes gens sautent à bord et vont s'asseoir aux bancs,
puis, chacun en sa place, la rame bat le flot qui
blanchit sous les coups. Nous reprenons la mer,
l'âme toujours navrée.

De là, nous arrivons au pays des Yeux ronds[1],
brutes sans foi ni lois, qui, dans les Immortels, ont
tant de confiance qu'ils ne font de leurs mains ni
plants ni labourages[a]. Chez eux, pas d'assemblée qui
juge ou délibère; mais, au haut des grands monts,
au creux de sa caverne, chacun, sans s'occuper d'autrui, dicte sa loi à ses enfants et femmes.

Au-devant de leur port, ni trop près ni trop loin
de cette Cyclopie, s'offre l'Ile Petite[2].

C'est une île en forêt où les chèvres sauvages se
multiplient sans fin. Jamais un pas humain ne va les
y troubler. Jamais de ces chasseurs ne vont les y poursuivre, qui prennent tant de peine à courir les forêts
sur la cime des monts[b] : sans labours ni semailles,
tous les jours de l'année, l'île vide d'humains ne
sert que de pâtis à ces chèvres bêlantes.

C'est que, chez les Yeux Ronds, il n'est pas un

---

a Vers 109-111 : sans travaux, ni semailles, le sol leur fournit
tout, orges, froments, vignobles et vin des grosses grappes, que les
ondées de Zeus viennent gonfler pour eux.

b Vers 122 : ni charrues ni bétail ne leur disputent l'île.

1. Ou Cyclopes.

2. Identifiée par V. Bérard avec la petite île volcanique de
Nisida, dans le golfe de Naples.

navire aux joues de vermillon et pas un charpentier
pour construire une flotte. Car si ces gens avaient
de bons vaisseaux à rames pour aller, à travers les
mers, de ville en ville, chercher tant de produits
qu'échangent les humains, ah! la belle cité que porterait leur île! tous les fruits y viendraient; leur terre
est excellente; près des flots écumants, il est, sur le
rivage, des prairies arrosées, molles, où l'on aurait
des vignes éternelles; et quel labour facile! et les
hautes moissons qu'on ferait chaque été! car c'est
un gras terroir que recouvrent ces mottes.

Cette île a, dans son port, des cales si commodes
que, sans amarre à terre[a], on laisse les vaisseaux, une
fois remisés, jusqu'au jour où le cœur à nouveau se
décide ou que les vents se lèvent. A l'orée de ce port,
s'épanche l'onde claire d'une source sous roche, en
un cercle de trembles.

C'est là que nous entrons : un dieu nous pilotait[b].
Autour de nos vaisseaux, la brume était épaisse et,
dans le ciel chargé de nuages, la lune n'avait pas
un rayon. Aussi personne à bord, avant qu'on
échouât les solides croiseurs, n'avait aperçu l'île ni
vu la grosse mer qui roulait sur les bords.

Les vaisseaux échoués, les voiles amenées, on
débarque, on s'étend sur la grève et l'on dort jusqu'à l'aube divine.

Mais, sitôt qu'apparaît, dans son berceau de
brume, l'Aurore aux doigts de roses, nous battons
la forêt de cette île enchantée, où les filles du Zeus
à l'égide*, les Nymphes*, faisaient lever les chèvres

---

a Vers 137 : et sans jeter les ancres et sans lier les câbles.
b Vers 143 : en cette nuit profonde, qui ne laissait rien voir.

de leurs gîtes du mont : quel dîner pour nos gens!
Vite, l'on prend à bord les arcs courbés et les épieux
aux longues douilles; les tireurs se déploient, par-
tagés en trois bandes, et les dieux nous octroient
une si belle chasse que mes douze vaisseaux ont chacun leurs neuf chèvres; pour mon bord seulement,
on en prélève dix. Aussi, tout un grand jour, jusqu'au
soleil couchant, nous restons au festin : on avait
du bon vin, des viandes à foison! Nous n'avions
pas encore épuisé le vin rouge que nous avions à
bord; car chacun avait fait son plein dans les amphores, quand nous avions pillé la ville des Kikones
avec ses sanctuaires. La terre des Yeux Ronds était là,
toute proche : nous voyions ses fumées; nous entendions leurs voix et celles de leurs chèvres... Au coucher du soleil, quand vient le crépuscule, on s'étend
pour dormir sur la grève de mer.

LE CYCLOPE

Aussitôt qu'apparaît, dans son berceau de brume
l'Aurore aux doigts de roses, j'appelle tout le monde
à l'assemblée et dis :

ULYSSE. — Fidèles équipages, le gros de notre flotte
va demeurer ici; mais je vais prendre, moi, mon
navire et mes hommes; je veux tâter ces gens et
savoir ce qu'ils sont, des bandits sans justice, un
peuple de sauvages ou des gens accueillants qui respectent les dieux.

Je dis et, m'embarquant, j'ordonne à l'équipage

d'embarquer à son tour et de larguer l'amarre. Mes
gens sautent à bord et vont s'asseoir aux bancs, puis,
chacun en sa place, la rame bat le flot qui blanchit
sous les coups.

Nous eûmes vite atteint l'endroit, d'ailleurs tout
proche, où, sur le premier cap et dominant la mer,
s'offrait à nos regards une haute caverne, ombragée
de lauriers. Elle servait d'étable à de nombreux troupeaux de brebis et de chèvres : au-devant, une cour
profonde était enclose de gros blocs arrachés, de
chênes à panache et de pins au long fût.

C'est là que notre monstre humain avait son gîte;
c'est là qu'il vivait seul, à paître ses troupeaux, ne
fréquentant personne, mais toujours à l'écart et ne
pensant qu'au crime. Ah! le monstre étonnant! il
n'avait rien d'un bon mangeur de pain, d'un homme :
on aurait dit plutôt quelque pic forestier qu'on voit
se détacher sur le sommet des monts.

Je débarque et j'ordonne à mon brave équipage
de garder le vaisseau sans bouger de la grève; mais je
pars, n'emmenant que douze hommes d'élite que
j'avais désignés. J'emportais avec moi une outre, en
peau de chèvre, de ce vin noir si doux, que le fils
d'Evantheus, Maron, m'avait donné. Prêtre de
l'Apollon* qui veille sur Ismare[1], nous l'avions
épargné, lui, sa femme et son fils, en respectant son
toit, sous les arbres du bois de Phoebos Apollon.
Aussi m'avait-il fait des cadeaux magnifiques, me
donnant sept talents de son or travaillé, me donnant
un cratère, où tout était d'argent, et me donnant
enfin un lot de douze amphores de ce vin de liqueur;

1. Ville thrace.

sans une goutte d'eau, c'était boisson de dieu, dont
personne au logis, ni servants ni servantes, ne savait
la cachette, hors son épouse et lui et la seule intendante. Pour le boire en vin rouge, aussi doux que le
miel, il fallait n'en verser qu'une coupe remplie
dans vingt mesures d'eau et, du cratère, alors, l'odeur
montait si douce que c'en était divin et que n'en pas
goûter aurait paru sans charmes[a]!...

Rapidement, nous arrivons à la caverne : il n'était
pas chez lui; il était au pacage avec ses gras moutons.
Nous entrons dans la grotte et faisons la revue :
claies chargées de fromages; agnelets et chevreaux
dans les enclos bondés, — chaque âge avait ses stalles,
les aînés par ici et les cadets par là, plus loin les
nouveau-nés; — des vases en métal, tous regorgeant
de lait, les terrines, les seaux, qui lui servaient à
traire.

Mais, aussitôt entrés, mes gens n'ont de paroles
que pour me supplier de prendre les fromages, les
agneaux, les chevreaux, de vider les enclos et de
nous en aller en courant, au croiseur, retrouver
l'onde amère. C'est moi qui refusai; ah! qu'il eût
mieux valu!... Mais je voulais le voir et savoir
les présents qu'il nous ferait, cet hôte! Il n'allait se
montrer à mes gens que trop tôt, et non pour leur
plaisir... Nous restons. Nous faisons du feu, un
sacrifice, et, nous étant servis, nous mangeons des
fromages. Puis, dans la grotte assis, nous restons à
l'attendre.

a Vers 212-215 : j'en avais donc rempli ma grande outre; avec
elle, j'avais le sac de cuir pour les provisions; car en mon cœur fougueux, je n'avais qu'une envie : aborder ce sauvage, prodige de
vigueur, qui se moquait des lois humaines et divines.

Le voici qui revient, ramenant son troupeau : il porte à pleine charge un tas de branches mortes, pour le feu du souper : sous la voûte, il les jette avec un tel fracas qu'éperdus, nous fuyons au fond de la caverne. Il fait alors entrer dans cette vaste salle tout le troupeau dodu des femelles à traire; mais il laisse au-dehors, dans le creux de la cour, les boucs et les béliers. Puis il ferme l'entrée avec un gros rocher qu'il lève et met debout : même avec vingt-deux hauts fardiers à quatre roues, on n'eût pas fait bouger cette pierre du sol.

Quand il a pour portail ce roc infranchissable, il s'assied et se met à traire d'affilée tout son troupeau bêlant de brebis et de chèvres; puis, lâchant le petit sous le pis de chacune, il fait de son lait blanc cailler une moitié, qu'il égoutte et dépose en ses paniers de jonc; mais il avait gardé le reste en ses terrines pour le boire à son heure ou pendant son souper. Ce travail achevé, et ce ne fut pas long, il ranime le feu, nous voit et nous demande :

POLYPHÈME. — Étrangers, votre nom? d'où nous arrivez-vous sur les routes des ondes? faites-vous le commerce?... n'êtes-vous que pirates qui, follement, courez et croisez sur les flots et, risquant votre vie, vous en allez piller les côtes étrangères?

Il disait. Nous sentions notre cœur éclater, sous la peur de ce monstre et de sa voix terrible. Mais que faire?... Je prends la parole et lui dis :

ULYSSE. — Nous sommes Achéens. Nous revenions de Troie. Mais les vents de toute aire nous ont fait, hors de route, errer sur cet immense abîme de la mer : quand nous comptions rentrer, quels chemins! quel voyage pour venir jusqu'ici!... C'est Zeus assurément

qui l'avait décidé... Guerriers d'Agamemnon, nous
avons eu l'honneur de servir cet Atride*, dont le
renom n'a plus son égal sous les cieux, si grande était
la ville, qu'il pilla jusqu'au sol, et si nombreux les
gens, dont il causa la perte! Nous voici maintenant
chez toi, à tes genoux, espérant recevoir ton hospitalité
et quelqu'un des présents, que l'on se fait entre hôtes.
Crains les dieux, brave ami! tu vois des suppliants :
Zeus se fait le vengeur du suppliant, de l'hôte! Zeus
est l'Hospitalier, qui amène les hôtes et veut qu'on
les respecte!

Je disais; mais ce cœur sans pitié me répond :

POLYPHÈME. — Tu fais l'enfant, mon hôte! ou tu
nous viens de loin! Tu veux que, moi, je craigne et
respecte les dieux! Sache que les Yeux Ronds n'ont
à se soucier ni des dieux fortunés ni du Zeus à
l'égide : nous sommes les plus forts. Non! sans aucun
égard pour la haine de Zeus, je ne t'épargnerai, toi et
tes compagnons, que s'il plaît à mon cœur... Mais dis-
moi le mouillage où tu mis, en venant, ton solide
navire? est-ce au bout de la pointe ou plus près?...
que je sache!

Il voulait me tâter; mais j'en savais trop long et,
pour lui répliquer, je lui fis cette histoire :

ULYSSE. — Mon navire est brisé : oui! l'ébranleur
du sol, Posidon*, l'a jeté sur les roches du cap,
au bout de votre terre, où nous poussa le vent
qui nous portait du large; seuls, ces amis et moi
avons sauvé nos têtes.

Je disais, et ce cœur sans pitié ne dit mot. Mais,
sur mes compagnons s'élançant, mains ouvertes, il
en prend deux ensemble et, comme petits chiens,
il les rompt contre terre : leurs cervelles, coulant

sur le sol, l'arrosaient; puis, membre à membre,
ayant déchiqueté leurs corps, il en fait son souper;
à le voir dévorer, on eût dit un lion, nourrisson
des montagnes; entrailles, viandes, moelle, os, il ne
laisse rien. Nous autres, en pleurant, tendions les
mains vers Zeus!... voir cette œuvre d'horreur!...
se sentir désarmé!...

Quand enfin le Cyclope a la panse remplie de
cette chair humaine et du lait non mouillé qu'il
buvait par-dessus, il s'allonge au milieu de ses
bêtes dans l'antre. Alors je prends conseil de
mon cœur valeureux : vais-je, au long de ma cuisse,
tirer mon glaive à pointe et, lui courant dessus, le
lui planter au ventre, juste au point où le foie pend
sous le diaphragme? ma main saura tâter!... Une
idée me retint : enfermés avec lui, nous périssions encore; la mort était sur nous, car l'énorme
rocher dont le Cyclope avait bouché sa haute
porte, jamais nos bras, à nous, n'auraient pu
l'enlever.

En gémissant, nous attendons l'aube divine. Dans
son berceau de brume, aussitôt que paraît l'Aurore
aux doigts de roses, il ranime le feu, puis il trait
d'affilée ses bêtes magnifiques et lâche le petit sous
le pis de chacune. Ce travail achevé, — et ce ne
fut pas long, — il prend encor deux de mes gens
pour déjeuner et, quand il a mangé, il fait sortir de
l'antre toutes ses bêtes grasses. Sans effort, il avait
ôté le grand portail que, vite, il replaça : on eût
dit qu'il mettait la valve d'un carquois. Puis, criant
et sifflant, il emmène ses gras moutons vers la montagne.

Il nous avait quittés. Je roulais la vengeance au

gouffre de mon cœur[a]; or voici le projet que je crus le plus sage. Le Cyclope avait là, contre l'un de ses parcs, une grosse massue : c'était un olivier qu'il avait cassé vert pour le porter bien sec. Lorsque nous l'avions vu, nous l'avions comparé au mât d'un noir vaisseau, d'un de ces gros transports à vingt bancs de rameurs, qui peuvent traverser le grand gouffre des mers : c'était même longueur, à l'œil, même grosseur... Je me lève et je vais en couper une brasse, que je passe à mes gens pour en ôter les nœuds.

Quand ils l'ont bien poli, j'en viens tailler la pointe; je la mets à durcir dans le feu que j'active; je cache enfin ce pieu au profond du fumier, dont l'épaisse litière recouvrait tout le sol de la grande caverne. Je fais alors tirer au sort ceux de mes gens qui, partageant mon risque et soulevant le pieu, s'en iront le planter et tourner dans son œil sitôt que nous verrons sur lui le doux sommeil. Le sort désigne ceux que moi-même aurais pris; ils étaient quatre, et moi, je m'enrôle en cinquième.

Il rentre vers le soir, ramenant son troupeau à la fine toison. Mais, sous la grande voûte, il pousse ce jour-là toutes ses bêtes grasses; dans le creux de la cour, il n'en laisse pas une : avait-il son idée?... fut-ce l'ordre d'un dieu?...

Avec son gros rocher qu'il lève et met debout, il a bouché l'entrée. Il s'assied et se met à traire d'affilée tout son troupeau bêlant de brebis et de chèvres, puis lâche le petit sous le pis de chacune.

---

a Vers 317 : comment donc le punir? Ah! qu'Athéna* voulût se prêter à mon vœu!...

Ce travail achevé, et ce ne fut pas long, il prend encor pour son souper deux de mes gens.

Alors je viens à lui, tout près, et je lui parle; je tenais à deux mains une auge de vin noir. :

ULYSSE. — Cyclope, un coup de vin sur les viandes humaines que tu viens de manger : tu verras la boisson que nous avions à bord! C'est la libation que je voulais t'offrir, pensant que ta pitié nous remettrait chez nous. Mais ta fureur n'a plus de bornes, malheureux! Penses-tu que, chez toi, jamais homme revienne, lorsque l'on connaîtra cette étrange conduite?

Je disais; mais, prenant mon auge, il la vida : quelle joie formidable à boire ce doux vin!... Il en voulut avoir une seconde fois :

POLYPHÈME. — Donne encor, sois gentil! et dis-moi maintenant, tout de suite, ton nom! car je voudrais t'offrir, ô mon hôte, un présent qui va te réjouir. Sur cette terre aux blés, les Cyclopes ont bien le vin des grosses grappes, que les ondées de Zeus viennent gonfler pour eux. Mais ça, c'est un extrait de nectar, d'ambroisie!

Il dit et, de nouveau, je lui remplis son auge de vin aux sombres feux; trois fois j'apporte l'outre, et trois fois, comme un fol, il avale d'un trait!... Je vois bientôt le vin l'envahir jusqu'au cœur. Alors, pour l'aborder, j'essaie des plus doux mots :

ULYSSE. — Tu veux savoir mon nom le plus connu, Cyclope? Je m'en vais te le dire; mais tu me donneras le présent annoncé. C'est Personne, mon nom : oui! mon père et ma mère et tous mes compagnons m'ont surnommé Personne.

Je disais; mais ce cœur sans pitié me répond :

POLYPHÈME. — Eh bien! je mangerai Personne le dernier, après tous ses amis; le reste ira devant, et voilà le présent que je te fais, mon hôte!

Il se renverse alors et tombe sur le dos... Bientôt nous le voyons ployer son col énorme, et le sommeil le prend, invincible dompteur. Mais sa gorge rendait du vin, des chairs humaines, et il rotait, l'ivrogne! J'avais saisi le pieu; je l'avais mis chauffer sous le monceau des cendres; je parlais à mes gens pour les encourager : si l'un d'eux, pris de peur, m'avait abandonné!...

Quand le pieu d'olivier est au point de flamber, — tout vert qu'il fût encore, on en voyait déjà la terrible lueur, — je le tire du feu; je l'apporte en courant; mes gens, debout, m'entourent : un dieu les animait d'une nouvelle audace. Ils soulèvent le pieu : dans le coin de son œil, ils en fichent la pointe. Moi, je pèse d'en haut et je le fais tourner... Vous avez déjà vu percer à la tarière des poutres de navire, et les hommes tirer et rendre la courroie, et l'un peser d'en haut, et la mèche virer, toujours en même place! C'est ainsi qu'en son œil, nous tenions et tournions notre pointe de feu, et le sang bouillonnait autour du pieu brûlant : paupières et sourcils n'étaient plus que vapeurs de la prunelle en flammes, tandis qu'en grésillant, les racines flambaient... [Dans l'eau froide du bain qui trempe le métal, quand le maître bronzier plonge une grosse hache ou bien une doloire, le fer crie et gémit. C'est ainsi qu'en son œil, notre olivier sifflait...] Il eut un cri de fauve. La roche retentit. Mais nous, épouvantés, nous étions déjà loin.

Il s'arrache de l'œil le pieu trempé de sang. Il le rejette au loin, de ses mains en délire. Il appelle à

grands cris ses voisins, les Cyclopes, qui, dans le vent
de la falaise, ont leurs cavernes. Ils entendent son
cri; de partout, ils s'empressent. Ils étaient là, debout,
tout autour de la grotte, voulant savoir sa peine :

LE CHOEUR. — Polyphème, pourquoi ces cris d'acca-
blement?... pourquoi nous réveiller en pleine nuit
divine?... serait-ce ton troupeau qu'un mortel vient
te prendre?... est-ce toi que l'on tue par la ruse ou
la force?

De sa plus grosse voix, Polyphème criait du fond
de la caverne :

POLYPHÈME. — La ruse, mes amis! la ruse! et non
la force!... et qui me tue? Personne!

Les autres, de répondre avec ces mots ailés :

LE CHOEUR. — Personne?... contre toi, pas de
force?... tout seul?... C'est alors quelque mal qui te
vient du grand Zeus, et nous n'y pouvons rien :
invoque Posidon, notre roi, notre père!

A ces mots, ils s'en vont, et je riais tout bas : c'est
mon nom de Personne et mon perçant esprit qui
l'avaient abusé!

Gémissant, torturé de douleurs, le Cyclope, en
tâtonnant des mains, était allé lever le rocher du portail, puis il s'était assis en travers de l'entrée, les
deux mains étendues pour nous prendre au passage,
si nous voulions sortir dans le flot des moutons : il
attendait de moi pareil enfantillage!... Je songeais
au moyen de nous arracher tous, les compagnons et
moi, aux prises de la mort, et, ruses et calculs, je
mettais tout en œuvre : notre vie se jouait; le désastre
était proche...

Et voici le projet que je crus le plus sage. Ses
béliers étaient là, des mâles bien nourris, à l'épaisse

toison[a]. Sans bruit, avec l'osier, qui servait de coucher
à ce monstre infernal, j'avais fait des liens. J'attache
les béliers ensemble, trois par trois : la bête du milieu
portait l'un de mes gens; les autres la flanquaient,
pour mieux cacher mes hommes, dont le poids reposait ainsi sur le trio. Il me restait, à moi, le bélier le
plus fort. Je le prends par les reins, puis, coulé sous
son ventre, je m'allonge en sa laine, et je reste pendu,
tordant à pleines mains sa toison merveilleuse : rien
ne lasse mon cœur[b]...

ÉOLE[*] ET LESTRYGONS

Aussitôt qu'apparaît, dans son berceau de brume,
l'Aurore aux doigts de roses, les boucs et les béliers
courent au pâturage; mais les brebis, bêlant, font
cercle autour des stalles : le maître n'avait pu les
traire et, trop pesants, leurs pis leur faisaient mal.

Secoué de douleurs cruelles, le Cyclope tâtait, pour
la fouiller, l'échine de ses bêtes, qui s'arrêtaient bien
droites... L'enfant! il ne vit pas ce qui pendait au
ventre, dans l'épaisse toison.

Le dernier à sortir, mon bélier s'avançait, alourdi
de sa laine et de mes lourds pensers. Polyphème le
tâte et de sa grosse voix :

POLYPHÈME. — Doux bélier, qu'as-tu donc?... te
voilà le dernier à sortir de la grotte?... les autres t'ont

---

a Vers 426 : grands et beaux, ils avaient leur laine violâtre
b Vers 436 : en gémissant, nous attendons l'aube divine.

laissé?... D'ordinaire, c'est toi qui, le premier de tous,
t'en vas paître à grands pas les tendres fleurs des prés!
et tu vas, le premier, au courant des rivières! et le
premier encor, tu t'empresses, le soir, de rentrer à
l'étable!... Aujourd'hui te voilà le dernier des derniers!... Est-ce l'œil de ton maître qui cause tes
regrets? cet œil, qu'un scélérat, avec ses compagnons
infâmes, a crevé : ce Personne! il noya ma raison dans
le vin; mais celui-là, crois-moi, n'est pas tiré d'affaire...
Si l'amitié pouvait te donner la parole!... si tu pouvais
me dire où il fuit ma colère!... de son crâne fendu, sa
cervelle partout, à travers la caverne, arroserait le sol
et mon cœur trouverait moins lourdes les souffrances,
qu'est venu m'apporter ce perdu de Personne!

   Il dit et, le lâchant, fait sortir le bélier.

   Dès qu'on est un peu loin de l'antre et de la cour,
je me déprends d'abord, puis je délie mes hommes,
et, courant et poussant les bêtes trottinantes, que leur
graisse alourdit, nous rentrons au navire, avec de
longs détours... Ah! la joie de nos gens à nous voir
reparaître, échappés à la mort!... et les pleurs et les
cris sur ceux qui ne sont plus!... Mais, les sourcils
froncés, je défends que l'on pleure. J'ordonne qu'au
navire, on jette sans retard tout un lot de brebis à
l'épaisse toison et que, sur l'onde amère, au plus tôt
l'on reparte. Mes gens sautent à bord et vont s'asseoir
aux bancs; quand, chacun en sa place, la rame bat le
flot qui blanchit sous les coups[a], je m'adresse au
Cyclope, en paroles railleuses :

   ULYSSE. — Non! il n'était pas dit que tu devais,
Cyclope, manger les compagnons d'un homme sans

---

   [a] Vers 473 : mais lorsqu'il est au point d'où la voix porte encore.

vigueur, abusant de ta force au fond de ta caverne!...
De ta méchanceté, tu devais rencontrer le paiement,
malheureux, qui n'accueilles les hôtes que pour les
dévorer! Zeus et les autres dieux t'en ont récompensé.

Je dis et, dans son cœur, redouble la colère. D'une
grosse montagne, il arrache la cime. Il la lance. Elle
tombe au devant du navire à la proue azurée[a]. La mer,
sous la tombée de la roche, s'ébranle, et le flot de
retour nous ramène à la terre, où ce grand coup de
flux nous fait presque toucher. Mais, prenant à
deux mains notre plus longue gaffe, je pousse à éviter, et j'excite mes gens, en leur donnant les ordres[b].

De la tête, c'est moi qui leur rythme l'allure; ils
piquent de l'avant et tirent sur la rame. Nous voici
revenus en mer, deux fois plus loin; je hèle le Cyclope;
mes gens, autour de moi, de leurs mots les plus doux,
à l'envi me retiennent :

LE CHŒUR. — Tu vas exaspérer, malheureux, ce
sauvage! Il vient de nous jeter un si gros projectile
qu'il nous a ramené le croiseur à la côte; il a failli
nous perdre. Si tes cris ou ta voix lui parviennent
encore, c'est nos têtes, à nous, et les bois du vaisseau,
qu'il va mettre en bouillie, sous le bloc anguleux que
son bras peut lancer : il porte jusqu'ici!

Ils parlaient, sans fléchir l'audace de mon cœur.
Je reprends et lui crie de toute ma rancune :

ULYSSE. — Cyclope, auprès de toi, si quelqu'un
des mortels vient savoir le malheur qui t'a privé de
l'œil, dis-lui qui t'aveugla : c'est le fils de Laerte, oui!
le pilleur de Troie, l'homme d'Ithaque, Ulysse.

---

a Vers 483 : peu s'en faut qu'elle atteigne la pointe d'étambot
b Vers 489 : pour forcer d'avirons, si l'on veut s'en tirer.

Je disais. En hurlant, le Cyclope répond :

POLYPHÈME. — Ah! misère! je vois s'accomplir les
oracles de notre vieux devin! ce n'était qu'un mortel,
mais si noble, si grand! ce maître en prophéties,
Télémos l'Eurymide, qui vieillit parmi nous, prophète
des Cyclopes! Il m'avait bien prédit ce qui m'arrive-
rait et que, des mains d'Ulysse, je serais aveuglé. Mais
j'attendais toujours un mortel grand et beau, qui viendrait, revêtu d'une force superbe. Maintenant, c'est
un gueux, un freluquet, un nain, qui vient me crever
l'œil, quand le vin m'a dompté. Allons! reviens,
Ulysse! et je te donnerai les présents de ton hôte!
[Je charge le Seigneur qui ébranle la terre de te
remettre en route! Je suis son fils, tu sais! il se prétend mon père! Lui seul peut me guérir, s'il veut,
mais aucun autre ni des dieux fortunés ni des hommes
mortels.

A ces mots du Cyclope, aussitôt je réponds :

ULYSSE. — Ah! puissé-je t'ôter et le souffle et la vie
et t'envoyer dans les demeures de l'Hadès*, aussi vrai
que ton œil ne sera pas guéri, même par le Seigneur
qui ébranle le sol!

Je disais; mais déjà, il faisait sa prière à son roi
Posidon, en tendant les deux mains vers les astres
du ciel :

POLYPHÈME. — Ô maître de la terre, ô dieu coiffé
d'azur, ô Posidon, écoute! S'il est vrai que je suis ton
fils, si tu prétends à ce titre de père, fais pour moi
que jamais il ne rentre au logis, ce pilleur d'Ilion, cet
Ulysse[a]! ou du moins, si le sort lui permet de retrouver les siens et sa haute maison, au pays de ses pères

---

a Vers 531 : lui, ce fils de Laerte, qui demeure en Ithaque.

fais qu'après de longs maux, sur un vaisseau d'emprunt, il n'y rentre, privé de tous ses compagnons,
que pour trouver encor le malheur au logis!

A peine il avait dit : le dieu coiffé d'azur exauçait
sa prière.] Et déjà le Cyclope a repris un rocher bien
plus gros qu'il soulève. Il le fait tournoyer, le jette,
en y mettant sa force exaspérée. Du navire azuré, le
bloc rase la poupe, en risquant d'écraser la pointe
d'étambot[a].

Nous revoici dans l'île où nous avions laissé le
gros de notre flotte : sur les bancs des vaisseaux ou
campés alentour, nos tristes compagnons restaient à
nous attendre. On aborde, on échoue le vaisseau sur
le sable[b]; on tire de la cale les moutons du Cyclope;
j'en fais si bien les lots que personne en partant n'a
pour moi de reproches. Seul, je suis mieux traité : à
mon lot de moutons, les compagnons guêtrés ajoutent
un agneau, que j'offre sur la grève au dieu des nuées
sombres, à Zeus, fils de Cronos*. Mais, les cuisses
brûlées, ce roi de tous les êtres, dédaigna notre
offrande : il n'avait en l'esprit que notre perte à tous,
perte de mon escadre et perte, sur leurs bancs, de
mon brave équipage. Durant tout ce grand jour, jusqu'au soleil couchant, nous restons au festin : on
avait du bon vin, des viandes à foison! Au coucher
du soleil, quand vient le crépuscule, on s'étend pour
dormir sur la grève de mer.

Mais sitôt qu'apparaît, dans son berceau de brume,
l'Aurore aux doigts de roses, j'ordonne à tous mes
gens d'embarquer sans retard et de larguer l'amarre.

a Vers 541-542 : la mer, sous la tombée de la roche, s'ébranle,
et le flot nous poussant nous fait presque toucher.
b Vers 547 : nous prenons pied alors sur la grève de mer.

Mes gens sautent à bord et vont s'asseoir aux bancs;
puis, chacun en sa place, la rame bat le flot qui blanchit sous les coups.

Nous reprenons la mer, l'âme navrée, contents
d'échapper à la mort, mais pleurant les amis.

(CHANT X) Nous gagnons Eolie, où le fils d'Hippotès, cher aux dieux immortels, Éole*, a sa demeure[1].
C'est une île qui flotte : une côte de bronze, infran-
gible muraille, l'encercle tout entière; une roche polie
en pointe vers le ciel. Éole en son manoir nourrit
ses douze enfants, six filles et six fils qui sont à l'âge
d'hommes : pour femmes, à ses fils il a donné ses filles
et tous, près de leur père et de leur digne mère, vivent
à banqueter; leurs tables sont chargées de douceurs
innombrables; tout le jour, la maison, dans le fumet
des graisses, retentit de leurs voix; la nuit, chacun
s'en va, près de sa chaste épouse, dormir sur les tapis
de son cadre ajouré...

Nous montons vers le bourg, jusqu'à leur beau
manoir.

Éole, tout un mois, me traite et m'interroge, car
il veut tout connaître, la prise d'Ilion, la flotte et le
retour des Achéens d'Argos, et moi, de bout en bout,
point par point, je raconte.

Quand, voulant repartir, à mon tour je le prie de
me remettre en route, il a même obligeance à me
rapatrier. Il écorche un taureau de neuf ans; dans la
peau, il coud toutes les aires des vents impétueux,
car le fils de Cronos* l'en a fait régisseur : à son plai-

---

1. Les îles Lipari, royaume d'Éole, étaient encore nommées dans
l'Antiquité îles Éoliennes.

sir, il les excite ou les apaise. Il me donne ce sac,
dont la tresse d'argent luisante ne laissait passer
aucune brise; il s'en vient l'attacher au creux de mon
navire; puis il me fait souffler l'haleine d'un zéphyr,
qui doit, gens et vaisseaux, nous porter au logis...
Hélas! avant le terme, la folie de mes gens allait nous
perdre encore.

Durant neuf jours, neuf nuits, nous voguons sans
relâche. Voici que, le dixième, apparaissaient enfin
les champs de la patrie; nous en étions si près qu'on
en voyait les feux et les hommes autour. Mais il me
vient un doux sommeil; j'étais brisé : c'était moi qui,
toujours, avais tenu l'écoute, sans jamais la céder à
quelqu'un de mes gens; j'avais un tel désir d'arriver
au pays!... Mon équipage alors se met à discourir :
ce que j'ai dans ce sac, — pensent-ils, — les cadeaux
de ce fils d'Hippotès, de ce grand cœur d'Éole, c'est
de l'or, de l'argent!. Se tournant l'un vers l'autre, ils
se disent entre eux :

Le Chœur. — Misère! en voilà un que, toujours et
partout, on aime et l'on respecte, en quelque ville
et terre qu'il puisse bien aller! il ramenait déjà de
Troie sa belle charge de butin précieux, alors que
nous, au bout de ce même voyage, n'avions pour
revenir au logis que mains vides... Et voyez ce qu'il
vient de recevoir encore, pour avoir su gagner le cœur
de cet Éole!... Allons, vite! il faut voir ce que sont ces
cadeaux[a].

Sitôt dit, on se range à cet avis funeste. Le sac est
délié : tous les vents s'en échappent, et soudain la
rafale entraîne mes vaisseaux et les ramène au large;

---

a Vers 45 : combien d'or et d'argent est caché dans cette outre.

mes gens en pleurs voyaient s'éloigner la patrie!...
Moi, je m'éveille alors et mon cœur sans reproche
ne sait que décider : me jeter du vaisseau, chercher
la mort en mer, ou pàtir en silence et conserver la
vie?... Ma foi, je tins le coup : roulé dans mon manteau, je m'étendis à bord, tandis que, ramenés par
ce vent de malheur jusqu'en l'île d'Eole, mes gens se
lamentaient.

On arrive; on débarque; on va puiser de l'eau et,
sans tarder, mes gens se mettent au repas sous le
flanc des croiseurs. Quand on a satisfait la soif et
l'appétit, je pars, accompagné d'un héraut et d'un
homme, pour monter chez Eole. En son manoir
fameux, je le trouve au festin, lui, sa femme et ses fils.
Nous entrons au logis; mais nous restons au seuil,
assis dans l'embrasure. Leurs cœurs sont étonnés;
c'est moi qu'ils interrogent :

LE CHŒUR. — Ulysse!... te voilà revenu? et comment? quelle divinité méchante te poursuit? Nous
t'avions renvoyé en prenant tous les soins pour que
te soient rendus ta patrie, ta maison et tout ce qui
t'est cher...

Ils disaient. Je réponds, le cœur plein de détresse :

ULYSSE. — Le désastre me vint d'un méchant équipage, mais aussi, et surtout, d'un sommeil malheureux. Amis, secourez-moi; je sais votre pouvoir.

Je disais, essayant des plus douces paroles; mais
ils restaient muets. Leur père me répond :

EOLE. — Décampe de mon île, ô le rebut des êtres!...
car je n'ai plus le droit de t'accorder mes soins, ni
de te reconduire : un homme que les dieux fortunés
ont en haine!... Décampe!... tu reviens sous le courroux des dieux!

Il dit et me renvoie, malgré mes lourds sanglots.

Nous reprenons la mer, l'âme navrée; mes gens n'avaient plus de courage à peiner sur la rame : après notre folie, où retrouver un guide?...

Durant six jours, six nuits, nous voguons sans relâche. Nous touchons, le septième, au pays lestry-gon, sous le bourg de Lamos, la haute Télépyle, où l'on voit le berger appeler le berger : quand l'un rentre, il en sort un autre qui répond; un homme dégourdi gagnerait deux salaires, l'un à paître les bœufs, l'autre, les blancs moutons; car les chemins du jour côtoient ceux de la nuit[1].

Nous entrons dans ce port bien connu des marins : une double falaise, à pic et sans coupure, se dresse tout autour, et deux caps allongés, qui se font vis-à-vis au-devant de l'entrée, en étranglent la bouche[2]. Ma flotte s'y engage et s'en va jusqu'au fond, gaillards contre gaillards, s'amarrer côte à côte : pas de houle en ce creux, pas de flot, pas de ride; partout un calme blanc. Seul je reste au-dehors, avec mon noir vaisseau; sous le cap de l'entrée, je mets l'amarre en roche[a] : de troupeaux ou d'humains, on ne voyait pas trace; il ne montait du sol, au loin, qu'une fumée.

J'envoie pour reconnaître à quels mangeurs de pain appartient cette terre; les deux hommes choisis, auxquels j'avais adjoint en troisième un héraut, s'en vont prendre à la grève une piste battue, sur laquelle

a Vers 97 : me voici sur le roc de la guette, au sommet.

1. Dans ce pays fabuleux, le jour succède à la nuit à peine tombée : les journées sont si longues qu'on pourrait faire paître chaque jour deux troupeaux successivement.

2. Certains ont cru reconnaître ici la calanque de Bonifacio.

les chars descendent vers la ville le bois du haut des
monts. En approchant du bourg, ils voient une géante
qui s'en venait puiser à la source de l'Ours, à la claire
fontaine où la ville s'abreuve : d'Antiphatès le
Lestrygon, c'était la fille. On s'aborde; on se parle :
ils demandent le nom du roi, de ses sujets; elle,
tout aussitôt, leur montre les hauts toits du logis paternel.

Mais à peine entrent-ils au manoir désigné, qu'ils y
trouvent la femme, aussi haute qu'un mont, dont la
vue les atterre. Elle, de l'agora, s'empresse d'appeler
son glorieux époux, le roi Antiphatès, qui n'a qu'une
pensée : les tuer sans merci. Il broie l'un de mes
gens, dont il fait son dîner. Les deux autres s'enfuient
et rentrent aux navires. Mais, à travers la ville, il fait
donner l'alarme. A l'appel, de partout, accourent par
milliers ses Lestrygons robustes, moins hommes que
géants, qui, du haut des falaises, nous accablent de
blocs de roche à charge d'homme : équipages mou-
rants et vaisseaux fracassés, un tumulte de mort
monte de notre flotte. Puis, ayant harponné mes
gens comme des thons, la troupe les emporte à
l'horrible festin.

Mais pendant qu'on se tue dans le fond de la
rade, j'ai pris le glaive à pointe, qui me battait la
cuisse, et j'ai tranché tout net le câble du navire à
la proue azurée. J'active alors mes gens. J'ordonne à
mes rameurs de forcer d'avirons, si l'on veut s'en tirer.
Ils voient sur eux la mort; ils poussent, tous
ensemble, et font voler l'écume... O joie! voici le
large! mon navire a doublé des deux caps en sur-
plomb; mais là-bas, a péri le reste de l'escadre.

Nous reprenons la mer, l'âme navrée, contents

d'échapper à la mort, mais pleurant les amis. Nous gagnions Aîaié, une île[1] qu'a choisie pour demeure Circé, la terrible déesse douée de voix humaine, Circé aux belles boucles, une sœur d'Aiétès aux perfides pensées : tous deux doivent le jour au Soleil* des vivants, qui les eut de Persé*, la nymphe océanide.

Nous arrivons au cap, et, sans bruit nous poussons jusqu'au fond du mouillage : un dieu nous pilotait; sans tarder, l'on débarque et, deux jours et deux nuits, nous restons étendus, accablés de fatigue et rongés de chagrin.

Quand, du troisième jour, l'Aurore* aux belles boucles annonce la venue, je prends à bord ma pique et mon estoc à pointe, et, quittant le vaisseau, je grimpe à la vigie : je pensais voir de là quelque œuvre des humains, entendre quelque voix. Me voici sur le roc de la guette, au sommet : il monte une fumée du sol aux larges routes[a]. Mon esprit et mon cœur ne savent que résoudre : irai-je m'informer, maintenant que j'ai vu ce feu, cette fumée?... Tout compté, le parti le meilleur me sembla de regagner d'abord le navire et la plage, de donner le repas, puis d'envoyer mes gens reconnaître les lieux.

Je rentrais au croiseur, et j'allais arriver sous le double gaillard, lorsque, prenant pitié de mon isolement, un dieu met sur ma route un énorme dix-cors, qui, du pâtis des bois, descendait boire au fleuve; car il sentait déjà la force du soleil. Comme il longeait

a Vers 150 : au delà du maquis et des grands bois, c'était le manoir de Circé.
1. Cet ancien promontoire rocheux est aujourd'hui rattaché à la terre par la plaine des Marais Pontins : c'est le Monte Circeo, entre l'embouchure du Tibre et le golfe de Naples.

la berge, au bord de la forêt, je le frappe en plein dos
du bronze de ma pique : percé de part en part, il
s'effondre, en bramant, roule dans la poussière, et
son âme s'envole. Je monte alors dessus, j'arrache
de la plaie le bronze de ma pique et je couche mon
arme à terre où je la laisse; puis cassant des rameaux
et des joncs, je les tresse en lien redoublé, d'une
brasse environ; j'en attache en paquet les quatre
pieds du monstre, et, cette charge au cou, appuyé
sur ma pique, je rentre au noir vaisseau; jamais je
n'aurais pu sur une seule épaule, et d'une seule main,
rapporter cette bête : c'était vraiment un monstre!
Je m'en viens la jeter sous le flanc du vaisseau, puis
j'éveille mes gens. Je vais de l'un à l'autre, et du ton
le plus doux :

ULYSSE. — Malgré tous nos chagrins, non! ce n'est
pas encore aujourd'hui, mes amis, qu'il nous faudra
descendre aux maisons de l'Hadès*! pour nous, le
jour du sort n'est pas encor venu! Debout! sur le
croiseur, tant qu'il nous restera de quoi manger et
boire, songeons à nous nourrir : pourquoi mourir
de faim?

Je disais. Mon discours aussitôt les décide : ils découvrent leurs fronts et lorsque, sur le bord de la
mer inféconde, le cerf leur apparaît, ils restent ébahis :
c'était vraiment un monstre!... Quand, de cette merveille, ils ont empli leurs yeux, on se lave les mains,
on se met aux apprêts d'un repas magnifique, et,
durant tout le jour, jusqu'au soleil couchant, nous
restons au festin : on avait du bon vin, des viandes
à foison! Au coucher du soleil, quand vient le
crépuscule, on s'étend pour dormir sur la grève de
mer.

CHEZ CIRCÉ

Dans son berceau de brume, aussitôt qu'apparaît l'Aurore aux doigts de roses, j'appelle tout le monde à l'assemblée et dis[a] :

ULYSSE. — Amis, de cet endroit, nous ne pouvons rien voir, ni le point de noroît, ni celui de l'aurore : le Soleil des vivants, où tombe-t-il sous terre? par où nous revient-il?... Donc, au plus tôt, voyons s'il est quelque autre avis; pour moi, voici le bon : grimpé sur le rocher de la guette, j'ai vu une île que la mer couronne à l'infini; c'est une plaine basse; au centre, une fumée m'est apparue dans le maquis de la forêt...

Mais à ces mots, leur cœur se brise : ils se souviennent d'Antiphatès le Lestrygon et de ses crimes et de la force, aussi, du Cyclope au grand cœur qui dévore les hommes; ils pleurent à grands cris, versent des flots de larmes. Mais on n'avait que faire de ces gémissements.

Lorsque j'ai fait l'appel, je partage en deux camps tous mes hommes guêtrés; chaque bande a son chef : c'est moi-même pour l'une et, pour l'autre, Euryloque au visage de dieu. Nous secouons les sorts dans un bonnet de bronze : il en saute celui d'Euryloque au grand cœur, qui se met en chemin avec ses vingt-deux hommes; les partants, les restants, tout le monde pleurait.

a Vers 189 : camarades, deux mots! vous avez beau souffrir!

Ils trouvent dans un val, en un lieu découvert, la maison de Circé aux murs de pierres lisses et, tout autour, changés en lions et en loups de montagne, les hommes qu'en leur donnant sa drogue, avait ensorcelés la perfide déesse. A la vue de mes gens, loin de les assaillir, ces animaux se lèvent et, de leurs longues queues en orbes, les caressent... Tel le maître, en rentrant du festin, voit venir ses chiens qui le caressent, sachant qu'il a toujours pour eux quelque douceur. C'est ainsi que les lions et loups aux fortes griffes fêtaient mes compagnons, qui tremblaient à la vue de ces monstres terribles. Mais les voici debout, sous le porche de la déesse aux belles boucles. Ils entendent Circé chanter à belle voix et tisser au métier une toile divine, un de ces éclatants et grands et fins ouvrages, dont la grâce trahit la main d'une déesse.

Le meneur des guerriers, Politès, le premier, prend la parole et dit, — c'était, de tous mes gens, celui que son bon sens me faisait préférer :

POLITÈS. — Mes amis, écoutez ce chant d'une voix fraîche! on tisse là-dedans, devant un grand métier : tout le sol retentit : femme ou déesse?... allons! crions sans plus tarder!

Il dit : tous, de crier aussitôt leur appel.

Elle accourt, elle sort, ouvre sa porte reluisante et les invite; et voilà tous mes fous ensemble qui la suivent!... Flairant le piège, seul, Euryloque est resté... Elle les fait entrer; elle les fait asseoir aux sièges et fauteuils; puis, leur ayant battu dans son vin de Pramnos du fromage, de la farine et du miel vert, elle ajoute au mélange une drogue funeste, pour leur ôter tout souvenir de la patrie. Elle apporte la coupe;

ils boivent d'un seul trait. De sa baguette, alors, la
déesse les frappe et va les enfermer sous les tects de
ses porcs. Ils en avaient la tête et la voix et les soies;
ils en avaient l'allure; mais, en eux, persistait leur
esprit d'autrefois. Les voilà enfermés. Ils pleuraient
et Circé leur jetait à manger faines, glands et cor-
nouilles, la pâture ordinaire aux cochons qui se
vautrent.

Or, vers le noir croiseur, Euryloque rentré voulait
nous raconter le triste sort des autres. Mais il ne
pouvait plus, quel qu'en fût son désir, proférer un
seul mot : son âme était navrée d'un trop rude chagrin; ses yeux se remplissaient de larmes, et son
cœur débordait de sanglots. Étonnés, nous tâchions
de savoir, mais en vain...

Il nous raconte enfin la perte de ses gens :

EURYLOQUE. — Nous allions, noble Ulysse, où tu
nous avais dit. Au-delà du maquis, nous trouvons
en un val une belle bâtisse[a] et, dans le bruit d'un
grand métier, nous entendons la fraîche voix d'une
déesse ou d'une femme. Nos gens crient leur appel :
elle accourt, elle sort, ouvre sa porte reluisante et
nous invite, et voilà tous mes fous ensemble qui la
suivent! Moi seul, j'étais resté; j'avais flairé le piège...
Leur troupe a disparu; pas un n'est ressorti; pourtant, je suis resté longtemps à les guetter.

Il disait : sur mon dos, je jette mon grand glaive
en bronze à clous d'argent et, par-dessus, mon arc,
puis j'invite Euryloque à me montrer la route. Mais
il prend à deux mains mes genoux, me supplie[b] :

---

a Vers 253 : aux murs de pierres lisses, en un lieu découvert
b Vers 265 : à travers ses sanglots, il dit ces mots ailés.

EURYLOQUE. — Ne me remmène pas, ô nourrisson de Zeus!... Je ne veux pas aller! Je veux rester ici!... Je sais que, toi non plus, tu ne reviendras pas : tu ne nous rendras pas un seul de tous les autres! Ah! fuyons au plus vite avec ceux que voilà; nous pourrions éviter encor le jour fatal.

A ces mots d'Euryloque, aussitôt je réponds :

ULYSSE. — Euryloque, tu peux ne pas bouger d'ici. Au flanc du noir vaisseau, reste à manger et boire. Moi, je pars : le devoir impérieux est là.

Et je quitte, à ces mots, le navire et la mer.

Je venais de passer par le vallon sacré et j'allais arriver à la grande demeure de Circé la drogueuse, quand, près de la maison, j'ai devant moi Hermès* à la baguette d'or. Il avait pris les traits d'un de ces jeunes gens dont la grâce fleurit en la première barbe.

Il me saisit la main, me dit et déclare :

HERMÈS. — Où vas-tu, malheureux, au long de ces coteaux?... tout seul, et dans ces lieux que tu ne connais pas?... chez Circé, où tes gens transformés en pourceaux sont maintenant captifs au fond des soues bien closes?... Tu viens les délivrer?... Tu n'en reviendras pas, crois-moi : tu resteras à partager leur sort... Mais je veux te tirer du péril, te sauver. Tiens! c'est l'herbe de vie! avec elle, tu peux entrer en ce manoir, car sa vertu t'évitera le mauvais jour. Et je vais t'expliquer les desseins de Circé et tous ses maléfices. Ayant fait son mélange, elle aura beau jeter sa drogue dans ta coupe : le charme en tombera devant l'herbe de vie que je vais te donner. Mais suis bien mes conseils : aussitôt que, du bout de sa longue baguette, Circé t'aura frappé, toi, du long de ta cuisse, tire ton glaive à pointe et, lui sautant dessus,

fais mine de l'occire!... Tremblante, elle voudra te
mener à son lit; ce n'est pas le moment de refuser sa
couche! songe qu'elle est déesse, que, seule, elle a le
pouvoir de délivrer tes gens et de te reconduire! Mais
fais-la te prêter le grand serment des dieux[1] qu'elle n'a
contre toi aucun autre dessein pour ton mal et ta
perte[a].

Ayant ainsi parlé, le dieu aux rayons clairs tirait du
sol une herbe, qu'il m'apprit à connaître, avant de la
donner : la racine en est noire, et la fleur, blanc de
lait; « molu » disent les dieux; ce n'est pas sans
effort que les mortels l'arrachent; mais les dieux peuvent tout. Puis Hermès, regagnant les sommets de
l'Olympe, disparut dans les bois. Au manoir de Circé,
j'entrais : que de pensées bouillonnaient dans mon
cœur!

Sous le porche de la déesse aux belles boucles, je
m'arrête et je crie; la déesse m'entend. Elle accourt à
ma voix. Elle sort et, m'ouvrant sa porte reluisante,
elle m'invite, et moi, je la suis en dépit du chagrin de
mon cœur. Elle m'installe en un fauteuil aux clous
d'argent[b] et, dans la coupe d'or dont je vais me servir,
elle fait son mélange : elle y verse la drogue, ah!
l'âme de traîtresse!... Elle me tend la coupe : d'un
seul trait, je bois tout...

Le charme est sans effet, même après que, m'ayant
frappé de sa baguette, elle dit et déclare :

a Vers 301 : que, t'ayant là sans armes, elle ne fera rien pour te
prendre ta force et ta virilité.
b Vers 315 : un beau meuble ouvragé avec un marchepied.
1. Sur l'eau du Styx*, les dieux prononçaient un serment solen-
nel. Le dieu parjure était privé de souffle pour un an, puis exclu
des conseils et des festins divins pour neuf ans.

CIRCÉ. — Maintenant, viens aux tects coucher près
de tes gens!

Elle disait; mais moi, j'ai, du long de ma cuisse,
tiré mon glaive à pointe; je lui saute dessus, fais mine
de l'occire. Elle pousse un grand cri, s'effondre à mes
genoux, les prend, me prie, me dit ces paroles ailées :

CIRCÉ. — Quel est ton nom, ton peuple, et ta ville
et ta race?... Quel grand miracle! quoi! sans être
ensorcelé, tu m'as bu cette drogue!... Jamais, au
grand jamais, je n'avais vu mortel résister à ce charme,
dès qu'il en avait bu, dès que cette liqueur avait
franchi ses dents : il faut qu'habite en toi un esprit
invincible. C'et donc toi qui serais l'Ulysse aux mille
tours?... Le dieu aux rayons clairs, à la baguette d'or,
m'avait toujours prédit qu'avec son noir croiseur, il
viendrait, cet Ulysse, à son retour de Troie... Mais
allons! c'est assez : rentre au fourreau ton glaive et
montons sur mon lit; qu'unis sur cette couche et
devenus amants, nous puissions désormais nous fier
l'un à l'autre!

A ces mots de Circé, aussitôt je réponds :

ULYSSE. — Circé, comment peux-tu invoquer ma
douceur? toi qui, dans ce manoir, fis de mes gens des
porcs et qui, m'ayant ici, ne veux que me trahir!
Quand tu me viens offrir et ta chambre et ton lit,
c'est pour m'avoir sans armes!... c'est pour m'ôter
ma force et ma virilité!... Non! je n'accepterais de
monter sur ta couche que si tu consentais, déesse, à me
jurer le grand serment des dieux que tu n'as contre
moi aucun autre dessein pour mon mal et ma perte.

Je disais et, suivant mon ordre, elle jura. Quand
elle eut prononcé et scellé le serment, je montai sur le
lit somptueux de Circé. Ses femmes cependant arran-

geaient le manoir*a*. L'une, sur les fauteuils, ayant mis
des linons, étalait par-dessus les plus beaux draps de
pourpre. Une autre en approchait les tables en argent
et, sur elles, plaçait les corbeilles en or. Au cratère
d'argent, la troisième versait d'un vin au goût de miel,
en faisait le mélange, puis, devant chaque place,
mettait les coupes d'or. La dernière apporta l'eau
dans le grand trépied et ranima le feu. L'eau chauffa,
puis chanta dans le bronze luisant. J'entrai dans la
baignoire; après avoir tiédi l'eau de son grand trépied, elle m'en inonda la tête et les épaules, pour
chasser de mes membres l'épuisante fatigue.

Quand elle m'eut baigné et frotté d'huile fine et
revêtu d'un beau manteau et d'une robe, elle me
ramena, me fit asseoir en un fauteuil aux clous d'argent, un beau meuble ouvragé avec un marchepied*b*,
et me dit de manger; mais mon cœur résistait : j'avais
l'esprit ailleurs et voyais tout en mal. Circé me regardait rester là, sur mon siège, sans toucher à son pain,
en proie à la douleur. La voici qui, de moi, s'approche en me disant ces paroles ailées :

CIRCÉ. — Ulysse, qu'as-tu donc à rester sur ton
siège, pareil à un muet? Tu te ronges le cœur, sans
plus vouloir toucher au manger ni au boire : vois-tu
quelque autre piège?... Tu n'as plus rien à craindre :
ne t'ai-je pas juré le plus fort des serments?

---

a Vers 349-351 : pour tenir son logis, elle avait quatre nymphes,
nées des sources, des bois et des fleuves sacrés, qui coulent à la mer.
b Vers 368-372 : vint une chambrière qui, portant une aiguière
en or et du plus beau, me donnait à laver sur un bassin d'argent
et dressait devant moi une table polie; vint la digne intendante;
elle apportait le pain et le mit devant moi, puis me fit les honneurs
de toutes ses réserves.

A ces mots de Circé, aussitôt je réponds :

ULYSSE. — Oh! Circé, est-il homme, ayant quelque raison, qui pourrait s'en donner de manger et de boire, sans avoir vu d'abord ses amis délivrés? Ah! si c'est de bon cœur que tu me viens offrir ces mets, cette boisson, délivre-moi mes braves et les montre à nos yeux!

Je disais, et Circé, sa baguette à la main, traverse la grand-salle et va ouvrir les tects. Elle en tire mes gens : sous leur graisse, on eût dit des porcs de neuf printemps... Ils se dressent debout, lui présentent la face; elle passe en leurs rangs et les frotte, chacun, d'une drogue nouvelle : je vois se détacher, de leurs membres, les soies qui les avaient couverts, sitôt pris le poison de l'auguste déesse. De nouveau, les voilà redevenus des hommes. Quand ils m'ont reconnu, chacun me prend la main, et le même besoin de sanglots les saisit : le logis se remplit d'un terrible tapage! La déesse, elle aussi, est prise de pitié.

Elle vient et me dit, cette toute divine :

CIRCÉ. — Fils de Laerte, écoute! ô rejeton des dieux, Ulysse aux mille ruses! retourne maintenant au croiseur, à la plage; commencez par tirer à sec votre vaisseau; cachez tous vos agrès et vos biens dans les grottes; puis tu me reviendras et me ramèneras tout ton brave équipage.

Elle dit et mon cœur s'empresse d'obéir. Je reprends le chemin du croiseur, de la plage. Je retrouve au vaisseau mes braves compagnons.

[Quels sanglots! et quels cris! et quels torrents de larmes! C'est ainsi qu'en un parc, on voit bondir les veaux vers le troupeau des mères, qui, la panse garnie, reviennent aux litières : ils accourent en troupe;

ils leur tendent le mufle, et ce n'est plus l'enclos qui
peut les retenir; leur meuglante cohue se presse
autour des mères... Tels mes gens, quand leurs yeux
m'aperçoivent, m'entourent : ils éclatent en pleurs;
ils ont le même émoi que s'ils fussent rentrés sur la
roche d'Ithaque, au pays des aïeux, en notre ville
même, leur berceau, leur foyer.]

A travers leurs sanglots, j'entends ces mots ailés :

Le Chœur. — A te voir revenir, ô nourrisson de
Zeus*! nous avons même joie que si nous arrivions
en la patrie d'Ithaque. Mais voyons! conte-nous
comment sont morts les autres!

Ils disaient. Je reprends de mon ton le plus
doux :

Ulysse. — Commençons par tirer à sec notre vaisseau; déposons nos agrès et nos biens dans les grottes;
puis, tous, apprêtez-vous à venir chez Circé; dans son
temple, venez revoir nos compagnons, qui, mangeant
et buvant, ont de tout sans compter.

Je disais; mon discours aussitôt les décide. Seul,
Euryloque essaie de me les détourner[a] :

Euryloque. — Où voulez-vous aller, malheureux?
quelle envie de connaître ces maux, d'entrer en ce
manoir, où Circé, de nous tous, va faire des pourceaux, des loups ou des lions, pour lui garder, bon
gré mal gré, son grand logis? Avez-vous oublié le
Cyclope et l'étable où s'en furent nos gens, lorsque ce
même Ulysse, en brave, les suivait; n'est-ce pas sa
folie déjà qui les perdit?

Il disait. En mon cœur, j'hésitai : j'avais là, sur le
gras de ma cuisse, mon glaive à longue pointe,

---

[a] Vers 430 : il leur parle à chacun et dit ces mots ailés.

allais-je le tirer et, d'un coup, envoyer sa tête sur le
sol, quoiqu'il fût mon parent, et même des plus
proches[1]?... Mais tous nos compagnons, de leurs
mots les plus doux, à l'envi me retinrent :

LE CHŒUR. — Ô rejeton des dieux, laissons-le!... si
tu veux : il va rester à bord et garder le vaisseau, sans
bouger de la grève; nous autres, conduis-nous au
temple de Circé.

A ces mots, nous quittons le navire et la mer. Mais,
au flanc du vaisseau ne voulant pas rester, Euryloque
nous suit : mon éclat de fureur l'avait empli de
crainte.

Circé, dans son logis, traitait mes autres gens et, les
ayant baignés et frottés d'huile fine, les vêtait de la
robe et du manteau de laine.

Nous les trouvons tous au festin, dans la grand-
salle : on se cherche des yeux; on se revoit; on pleure,
on gémit; le manoir retentit de sanglots.

Elle vient et nous dit, cette toute divine :

CIRCÉ[a]. — Allons, ne poussez plus tant de gémissements!... Oh! je sais tous les maux que vous avez
soufferts sur la mer aux poissons ou, par la cruauté
des hommes, sur la côte! Mais prenez de ces mets et
buvez de ce vin, afin de retrouver en vous le même
cœur qui, jadis, vous a fait quitter le sol natal, votre
rocher d'Ithaque... Vous voilà sans élan et l'âme
anéantie, vous rappelant sans fin vos tristes aventures,
ne goûtant plus la joie, à force de souffrir!

Elle dit, et nos cœurs s'empressent d'obéir.

a Vers 456 : fils de Laerte, écoute, ô rejeton des dieux, Ulysse aux
mille ruses.

1. Euryloque est le beau-frère d'Ulysse. Il a épousé Ctimène,
dont il sera question au chant XV.

L'ÉVOCATION DES MORTS
[AU PAYS DES MORTS]

Jusqu'au bout de l'année, chez Circé, nous restons, vivant dans les festins : on avait du bon vin, des viandes à foison! Mais au bout de l'année quand revient le printemps[a1], mes braves compagnons m'appellent pour me dire :

Le Chœur. — Malheureux! il est temps de songer au pays, s'il est dans ton destin de rentrer, sain et sauf, en ta haute maison, au pays de tes pères.

Ils disaient et mon cœur s'empresse d'obéir.

Alors tout un grand jour, jusqu'au soleil couchant, nous restons au festin; on avait du bon vin, des viandes à foison! Au coucher du soleil, quand vient le crépuscule, mes hommes vont dormir dans l'ombre de la salle. Je monte sur le lit somptueux de Circé. Je lui prends les genoux. La déesse m'écoute[b] :

Ulysse. — Tiens parole, Circé : ne m'as-tu pas promis que tu me remettrais à mon foyer; déjà, tout mon désir y vole, et celui de mes gens; ils me fendent le cœur et leurs sanglots m'assiègent, si peu que tu t'éloignes.

Je dis. Elle répond, cette toute divine :

Circé. — Fils de Laerte, écoute, ô rejeton des dieux.

a Vers 470 : et que les mois échus ramènent les longs jours.

b Vers 482 : et je dis, élevant la voix, ces mots ailés.

1. Dans l'Antiquité, la navigation s'interrompait pendant la mauvaise saison.

Ulysse aux mille ruses! Si, dans cette maison, ce n'est plus de bon cœur que vous restez, partez! Mais voici le premier des voyages à faire : c'est chez Hadès* et la terrible Perséphone*, pour demander conseil à l'ombre du devin Tirésias de Thèbes, l'aveugle qui n'a rien perdu de sa sagesse, car, jusque dans la mort, Perséphone a voulu que, seul, il conservât le sens et la raison, parmi le vol des ombres.

A ces mots de Circé, tout mon cœur éclata. Pour pleurer, je m'étais assis sur notre couche : je ne voulais plus vivre, je ne voulais plus voir la clarté du soleil; je pleurais, me roulais; enfin j'usai ma peine et, retrouvant la voix, je lui dis en réponse :

ULYSSE. — Mais qui nous guidera, Circé, en ce voyage? jamais un noir vaisseau put-il gagner l'Hadès?

Je dis; elle répond, cette toute divine :

CIRCÉ[a]. — A quoi bon ce souci d'un pilote à ton bord? Pars! et, dressant le mât, déploie les blanches voiles! puis, assis, laisse faire au souffle du Borée qui vous emportera. Ton vaisseau va d'abord traverser l'Océan*. Quand vous aurez atteint le Petit Promontoire, le bois de Perséphone, ses saules aux fruits morts et ses hauts peupliers, échouez le vaisseau sur le bord des courants profonds de l'Océan; mais toi, prends ton chemin vers la maison d'Hadès[1]! A travers le marais, avance jusqu'aux lieux où l'Achéron reçoit le Pyriphlégéthon et les eaux qui, du Styx,

---

a Vers 504 : fils de Laerte, écoute, ô rejeton des dieux, Ulysse aux mille ruses!

1. Les Anciens situaient l'entrée des Enfers près du lac Averne, sur le golfe de Naples. Mais, bien évidemment, la description des lieux s'inspire ici de la représentation mythologique des Enfers.

tombent dans le Cocyte[1]. Les deux fleuves hurleurs
confluent devant la Pierre : c'est là qu'il faut aller,
— écoute bien mes ordres, — et là, creuser, seigneur,
une fosse carrée d'une coudée ou presque. Autour de
cette fosse, fais à tous les défunts les trois libations,
d'abord de lait miellé, ensuite de vin doux, et d'eau
pure en troisième, puis, saupoudrant le trou d'une
blanche farine, invoque longuement les morts, têtes
sans force; promets-leur qu'en Ithaque aussitôt
revenu, tu prendras la meilleure de tes vaches stériles pour la sacrifier sur un bûcher rempli des plus
belles offrandes; mais, en outre, promets au seul Tirésias un noir bélier sans tache, la fleur de vos troupeaux. Quand ta prière aura invoqué les défunts, fais
à ce noble peuple l'offrande d'un agneau et d'une
brebis noire, en tournant vers l'Erèbe* la tête des
victimes; mais détourne les yeux et ne regarde, toi,
que les courants du fleuve. Les ombres des défunts
qui dorment dans la mort vont accourir en foule.
Active alors tes gens : qu'ils écorchent les bêtes, dont
l'airain sans pitié vient de trancher la gorge; qu'ils
fassent l'holocauste en adjurant les dieux, Hadès le
fort et la terrible Perséphone; quant à toi, reste assis;
mais, au long de ta cuisse, tire ton glaive à pointe,
pour interdire aux morts, à ces têtes sans force, les
approches du sang, tant que Tirésias n'aura pas
répondu. Tu verras aussitôt arriver ce devin : c'est
lui qui te dira, ô meneur des guerriers! la route et les
distances et comment revenir sur la mer aux poissons.

A peine elle avait dit que l'Aurore* parut sur son

---

1. Le poète énumère les fleuves infernaux.

trône doré[a]. A travers le manoir, je réveille mes gens;
je vais de l'un à l'autre, et du ton le plus doux :

ULYSSE. — Assez dormir! quittez les douceurs du
sommeil! En route! C'est l'arrêt de l'auguste Circé!

Je disais et leurs cœurs s'empressent d'obéir.

Mais de ces lieux encor, le ciel me refusait de sauver tous mes gens. Le plus jeune de nous, un certain
Elpénor, le moins brave au combat, le moins sage au
conseil, avait quitté les autres et, pour chercher le
frais, alourdi par le vin, il s'en est allé dormir sur la
terrasse du temple de Circé. Au lever de mes gens, le
tumulte des voix et des pas le réveille : il se dresse
d'un bond et perd tout souvenir; au lieu d'aller tourner par le grand escalier, il va droit devant lui, tombe
du toit, se rompt les vertèbres du col, et son âme descend aux maisons de l'Hadès.

Tous mes gens réunis, je leur tiens ce discours :

ULYSSE. — C'est au logis, sans doute, au pays de vos
pères, que vous comptez rentrer... Mais Circé nous
assigne un tout autre voyage chez Hadès et chez la terrible Perséphone, pour demander conseil à l'ombre
du devin Tirésias de Thèbes.

J'avais à peine dit que leur cœur éclatait : sur la
terre, ils s'assoient; les voilà sanglotant, s'arrachant
les cheveux. Mais ces gémissements n'étaient d'aucun
secours[b].

Nous partons tristement, versant des flots de larmes. Or Circé, devant nous, était venue lier au flanc

---

[a] Vers 542-545 : la Nymphe*, me donnant la robe et le manteau, se drapa elle-même d'une écharpe neigeuse à la grâce légère;
elle ceignit ses reins de l'orfroi le plus beau et se couvrit la tête
d'un voile retombant.

[b] Vers 569 : nous prenons le chemin du croiseur, de la plage.

du noir vaisseau le couple d'un agneau et d'une brebis noire. Elle avait échappé sans peine à nos regards : quand un dieu veut cacher ses allées et venues, quels yeux pourraient le suivre?...

(CHANT XI) Nous atteignons enfin le navire et la mer. On remet le croiseur à la vague divine et, dans la coque noire, on charge mât et voiles. Les bêtes embarquées, nous aussi, nous montons[a]. Pour pousser le navire à la proue azurée, la déesse bouclée, la terrible Circé, douée de voix humaine, nous envoie un vaillant compagnon dans la brise, qui va gonfler nos voiles, et, quand à bord on a rangé tous les agrès, on n'a plus qu'à s'asseoir et qu'à laisser mener le vent et le pilote.

Tout le jour, nous courons sur la mer, voiles pleines. Le soleil se couchait, et c'était l'heure où l'ombre emplit toutes les rues, lorsque nous atteignons la passe et les courants profonds de l'Océan*, où les Kimmériens ont leurs pays et ville. Ce peuple vit couvert de nuées et de brumes, que jamais n'ont percées les rayons du Soleil, ni durant sa montée vers les astres du ciel, ni quand, du firmament, il revient à la terre : sur ces infortunés, pèse une nuit de mort.

Arrivés en ce lieu, nous tirons le vaisseau sur le bord du courant, nous en sortons les bêtes et, longeant l'Océan, nous allons à l'endroit que m'avait dit Circé.

Là, pendant qu'Euryloque, aidé de Périmède, se charge des victimes, je prends le glaive à pointe qui me battait la cuisse et je creuse un carré d'une coudée

---

a Vers 5 : toujours navrés, toujours pleurant à chaudes larmes.

ou presque; puis, autour de la fosse, je fais à tous les
morts les trois libations, d'abord de lait miellé,
ensuite de vin doux, et d'eau pure en troisième; je
répands sur le trou une blanche farine et, priant,
suppliant les morts, têtes sans force, je promets qu'en
Ithaque, aussitôt revenu, je prendrai la meilleure de
mes vaches stériles pour la sacrifier sur un bûcher
rempli des plus belles offrandes; en outre, je promets
au seul Tirésias un noir bélier sans tache, la fleur de
nos troupeaux.

Quand j'ai fait la prière et l'invocation au peuple
des défunts, je saisis les victimes; je leur tranche la
gorge sur la fosse, où le sang coule en sombres
vapeurs, et, du fond de l'Erèbe*, je vois se rassembler
les ombres des défunts qui dorment dans la mort
[: femmes et jeunes gens, vieillards chargés d'épreuves, tendres vierges portant au cœur leur premier
deuil, guerriers tombés en foule sous le bronze des
lances. Ces victimes d'Arès avaient encor leurs armes
couvertes de leur sang. En foule, ils accouraient à
l'entour de la fosse, avec des cris horribles : je ver-
dissais de crainte]. Mais je presse mes gens de
dépouiller les bêtes, dont l'airain sans pitié vient de
trancher la gorge : ils me font l'holocauste, en adjurant les dieux, Hadès* le fort et la terrible Perséphone[a]; moi, j'interdis à tous les morts, têtes sans
force, les approches du sang, tant que Tirésias ne
m'a pas répondu.

La première qui vint fut l'ombre d'Elpénor. Il
n'avait pas encor sa tombe sous la terre, au bord des

---

a Vers 48-49 : moi, du long de ma cuisse, avant tiré mon glaive
à pointe, je m'assieds.

grands chemins; son corps était toujours au manoir de Circé, où nous l'avions laissé sans pleurs, sans funérailles : nous avions eu là-bas besogne plus pressante. A sa vue, la pitié m'emplit les yeux de larmes et je dis, élevant la voix, ces mots ailés :

ULYSSE. — Elpénor, te voici!... aux brumes du noroît, tu nous as devancés!... à pied, tu pus venir plus vite que moi-même avec mon noir vaisseau!

Je dis. Il me répond dans un gémissement[a] :

ELPÉNOR. — Ce qui causa ma mort, c'est moins le mauvais sort d'une divinité qu'un trop gros coup de vin! Sur le toit de la salle, où j'étais étendu, j'avais tout oublié : au lieu d'aller tourner par le grand escalier, je marchai devant moi, tombai et me rompis les vertèbres du col : mon âme descendit aux maisons de l'Hadès... Maintenant, par pitié, songe à ceux de tes proches, qui ne sont pas ici, que tu retrouveras, au père qui nourrit ton enfance, à ta femme!... et songe à Télémaque, au seul enfant que tu laissas en ton manoir!... Lorsqu'en partant d'ici, tu quitteras l'Hadès, ton solide vaisseau doit encore, je le sais, toucher en Aiaié. Une fois arrivé, je te supplie, mon roi, de ne pas m'oublier! Avant de repartir, ne m'abandonne pas sans pleurs, sans funérailles; la colère des dieux m'attacherait à toi... Il faudra me brûler avec toutes mes armes et dresser mon tombeau sur la grève écumante, pour dire mon malheur jusque dans l'avenir!... Oh! rends-moi ces honneurs et plante sur ma tombe l'aviron dont, vivant, parmi vous, je ramais!

---

a Vers 60 : fils de Laerte, écoute, ô rejeton des dieux, Ulysse aux mille ruses!

A ces mots d'Elpénor, aussitôt je réponds :

ULYSSE. — Tout cela, pauvre ami, sera fait de mes mains.

Nous conversions ainsi tristement, face à face, et, tandis que, tenant mon glaive sur le sang, j'en défendais l'approche, son ombre, à l'autre bord, poursuivait ses discours.

C'est alors que survint l'ombre de feu ma mère, d'Anticleia, la fille du fier Autolycos, que j'avais, au départ vers la sainte Ilion, laissée pleine de vie. A sa vue, la pitié emplit mes yeux de larmes : hélas! malgré mon deuil, je devais l'empêcher de s'approcher du sang, tant que Tirésias n'aurait pas répondu.

Mais son ombre survient, tenant le sceptre d'or, et, me reconnaissant, Tirésias de Thèbes m'adresse la parole :

TIRÉSIAS[a]. — Pourquoi donc, malheureux, abandonner ainsi la clarté du soleil et venir voir les morts en ce lieu sans douceur? Allons écarte-toi de la fosse! détourne la pointe de ton glaive : que je boive le sang et te dise le vrai!

Il dit; je m'écartai et remis au fourreau mon glaive à clous d'argent. Il vint boire au sang noir, puis ce devin parfait me parla en ces termes :

TIRÉSIAS. — C'est le retour plus doux que le miel, noble Ulysse, que tu veux obtenir. Mais un dieu doit encor te le rendre pénible : car jamais l'Ébranleur du monde, je le crains, n'oubliera sa rancune : il te hait pour avoir aveuglé son enfant[1]... Et pourtant il se peut qu'à travers tous les maux, vous arriviez au

a Vers 92 : fils de Laerte écoute, ô rejeton des dieux, Ulysse aux mille ruses!
1. Le Cyclope.

terme, si tu sais consentir à maîtriser ton cœur et celui de tes gens. Aussitôt qu'échappés à la mer violette, ton solide vaisseau vous mettra sur les bords de l'Ile du Trident[1], vous trouverez, paissant, les vaches du Soleil* et ses grasses brebis : c'est le dieu qui voit tout, le dieu qui tout entend!

« Respecte ses troupeaux, ne songe qu'au retour, et je crois qu'en Ithaque, à travers tous les maux, vous rentrerez encor; mais je te garantis, si vous les maltraitez, que c'est fini de ton navire et de tes gens; tu pourrais t'en tirer et revenir, mais quand?... et dans quelle misère! tous tes hommes perdus! sur un vaisseau d'emprunt! et pour trouver encor le malheur au logis! pour y voir des bandits te dévorer tes biens et, le prix à la main, te courtiser ta femme!... Tu rentrerais à temps pour punir leurs excès à la pointe du bronze. Mais lorsqu'en ton manoir, tu les aurais tués, par la ruse ou la force, il faudrait repartir avec ta bonne rame à l'épaule et marcher, tant et tant qu'à la fin tu rencontres des gens qui ignorent la mer et, ne mêlant jamais de sel aux mets qu'ils mangent, ignorent les vaisseaux aux joues de vermillon et les rames polies, ces ailes des navires... Veux-tu que je te donne une marque assurée, sans méprise possible? le jour qu'en te croisant, un autre voyageur demanderait pourquoi, sur ta brillante épaule, est cette pelle à grains[2], c'est là qu'il te faudrait planter ta bonne rame et faire à Posidon* le parfait sacrifice d'un bélier, d'un taureau et d'un verrat de taille à couvrir une truie; tu reviendrais ensuite offrir en ton

---

1. La Sicile, île à trois pointes.
2. Confusion qui prouverait bien que ce voyageur ignore tout des choses de la mer.

logis la complète série des saintes hécatombes à tous
les Immortels, maîtres des champs du ciel; puis la
mer t'enverrait la plus douce des morts; tu ne
succomberais qu'à l'heureuse vieillesse, ayant autour
de toi des peuples fortunés... En vérité, j'ai dit.

A ces mots du devin, aussitôt je réponds :

ULYSSE. — Tirésias, voilà ce qu'a filé pour moi la
volonté des dieux. Mais voyons! réponds-moi sans
feinte, point par point : l'âme de feu ma mère est là,
silencieuse, qui s'approche du sang, mais n'ose interroger ni même regarder dans les yeux son enfant;
dis-moi par quel moyen, seigneur, je lui ferai connaître ma présence?

Je dis; tout aussitôt, Tirésias reprend :

TIRÉSIAS. — C'est facile à te dire et tu vas le comprendre : si, parmi ces défunts qui dorment dans la
mort, il en est que, du sang, tu laisses approcher, tu
sauras d'eux la vérité; mais dans l'Erèbe, les autres
rentreront, aussitôt refusés.

Voilà ce que me dit le roi Tirésias, et son ombre rentra au logis de l'Hadès : il est arrivé au bout de ses oracles. Mais moi, je restais là, attendant que ma mère vînt
boire au sang fumant. A peine eut-elle bu qu'elle me
reconnut et dit, en gémissant, ces paroles ailées :

ANTICLÉIA. — Mon fils, tu vis encor! et pourtant te
voici aux brumes du noroît! ces lieux ne s'offrent pas
aux regards des vivants : pour franchir les grands
fleuves et leurs courants terribles et d'abord l'Océan
qu'on ne saurait guéer, il faut un bon navire... Après
un si long temps, voguant à l'aventure, ne fais-tu
qu'arriver ici de la Troade? tes gens et ton vaisseau ne
t'auraient-pas encor ramené en Ithaque?... tu n'aurais
pas revu ta femme en ton manoir?

A ces mots de ma mère, aussitôt je réponds :

ULYSSE. — Ma mère, il m'a fallu naviguer vers l'Hadès pour demander conseil à l'ombre du devin Tirésias de Thèbes. Non! je n'ai pas encor touché en Achaïe, je n'ai pas encor mis le pied sur notre terre. Je continue d'errer, de misère en misère, depuis le premier jour que le divin Atride nous emmena, vers Ilion la poulinière, combattre les Troyens. Mais, voyons! réponds-moi sans feinte, point par point : quelle Parque* t'a prise et couchée dans la mort? fut-ce après un long mal?... fut-ce une douce flèche dont la déesse à l'arc, Artémis*, vint t'abattre?... Parle-moi de mon père, et parle-moi du fils que j'ai laissé là-bas!... mon pouvoir leur est-il resté? ou passa-t-il en des mains étrangères, le jour que l'on cessa de croire à mon retour?... Et dis-moi les pensées, les projets de ma femme?... est-elle demeurée auprès de notre enfant?... sait-elle maintenir tous mes biens sous sa garde?... ou déjà, pour époux, aurait-elle choisi quelque noble Achéen?

Je dis, et cette mère auguste me répond :

ANTICLEIA. — Elle te reste encor, et de tout cœur, fidèle, toujours en ton manoir où, sans trêve, ses jours et ses nuits lamentables se consument en larmes. Ta belle royauté reste toujours sans maître; mais Télémaque exploite en paix votre apanage[1] et prend sa juste part aux festins coutumiers, que se donnent entre eux les arbitres du peuple : on l'invite partout. Ton père vit aux champs, sans plus descendre en ville. Il ne veut pour dormir ni cadre ni

1. En ce point des aventures d'Ulysse (sept ans avant son retour définitif) les Prétendants n'ont pas commencé encore à manger ses biens..

couvertures ni draps moirés : l'hiver, c'est au logis
qu'il dort, parmi ses gens, près du feu, dans la
cendre, et n'ayant sur la peau que grossiers vêtements; mais quand revient l'été, puis l'automne
opulent, il s'en vient tristement, se faire un lit par
terre, des feuilles qui, partout, ont jonché le penchant de son coteau de vignes. Le chagrin de son
cœur va toujours grandissant, et son triste désir de te
savoir rentré, tandis qu'avec les maux, la vieillesse lui
vient. Et moi si je suis morte, ce n'est pas autrement
que j'ai subi le sort[a]. Ce n'est pas la langueur, ce
n'est pas le tourment de quelque maladie qui me fit
rendre l'âme : c'est le regret de toi, c'est le souci de
toi, c'est, ô mon noble Ulysse! c'est ta tendresse
même qui m'arracha la vie à la douceur de miel.

  Elle disait et moi, à force d'y penser, je n'avais
qu'un désir : serrer entre mes bras l'ombre de feu ma
mère... Trois fois, je m'élançai; tout mon cœur la
voulait. Trois fois, entre mes mains, ce ne fut plus
qu'une ombre ou qu'un songe envolé. L'angoisse me
poignait plus avant dans le cœur.

  Je lui dis, élevant la voix, ces mots ailés :

  ULYSSE. — Mère, pourquoi me fuir, lorsque je veux
te prendre? que, du moins chez Hadès, nous tenant
embrassés, nous goûtions, à nous deux, le frisson des
sanglots! La noble Perséphone, en suscitant ton
ombre, n'a-t-elle donc voulu que redoubler ma peine
et mes gémissements?

  Je dis, et cette mère auguste me répond :

  ANTICLEIA. — Hélas! mon fils, le plus infortuné des

----

  a Vers 198-199 : Non! ce n'est pas l'archère infaillible, Artémis,
qui, de sa douce flèche, au manoir vint m'abattre.

êtres!... Non! la fille de Zeus*, Perséphone, n'a pas
voulu te décevoir! Mais, pour tous, quand la mort
nous prend, voici la loi : les nerfs ne tiennent plus
ni la chair ni les os; tout cède à l'énergie de la brû-
lante flamme; dès que l'âme a quitté les ossements
blanchis, l'ombre prend sa volée et s'enfuit comme
un songe... Mais déjà, vers le jour, que ton désir se
hâte : retiens bien tout ceci pour le dire à ta femme,
quand tu la reverras.

[Or, pendant qu'entre nous, s'échangeaient ces
discours, les femmes survenaient que pressait de sortir
la noble Perséphone; et c'était tout l'essaim des
reines et princesses.

A l'entour du sang noir, leur troupe s'amassait, et
moi, je méditais d'interroger chacune; et voici le
moyen que je crus le meilleur : ayant pris de nouveau,
sur le gras de ma cuisse, mon glaive à longue pointe,
je ne les laissais boire au sang noir qu'une à une.
Leur rangée défila; chacune me conta le passé de sa
race; je les fis parler toutes.

Je vis d'abord Tyro*, fille d'un noble père : l'éminent Salmoneus l'engendra, disait-elle, et Crétheus,
un des fils d'Aiolos, l'épousa. Mais, éprise d'un
fleuve, et du plus beau des fleuves qui coulent sur la
terre, du divin Enipée[1], elle venait souvent au long
de son beau cours. Or l'Ébranleur du sol, le maître
de la terre, prit les traits d'Énipée pour s'étendre
auprès d'elle, et la vague grondante autour d'eux se
dressa aussi haute qu'un mont, sur la grève avancée
du fleuve tournoyant; sa volute cacha la mortelle et le

1. Fleuve de Thessalie.

dieu; Posidon, enlevant sa ceinture à la vierge, lui
versa le sommeil. L'œuvre d'amour finie, le dieu lui
déclara, en lui prenant la main :

POSIDON. — O femme, sois heureuse! De notre
amour, avant le retour de l'année, naîtront de beaux
enfants, car la couche d'un dieu n'est jamais inféconde; à toi, de les nourrir et de les élever. Rentre au
logis! tais-toi! et ne dis pas mon nom! c'est pour
toi seulement que je suis Posidon, l'ébranleur de la
terre.

Il dit et replongea sous la mer écumante, et la
nymphe enfanta Pélias et Nélée, l'un et l'autre vaillants serviteurs du grand Zeus. C'est dans Iaolkos[1]
et dans sa vaste plaine que Pélias vécut avec ses
grands troupeaux, et Nélée s'établit à la Pylos des
Sables. Mais la royale épouse eut encor de Crétheus
d'autres enfants, Aison, Phérès, Amythaon, si vaillant sur son char.

Puis je vis Antiope, la fille d'Asopos[2], qui se vantait
d'avoir dormi aux bras de Zeus; elle en conçut deux
fils, Amphion et Zéthos, les premiers fondateurs de
la Thèbes aux sept portes qu'ils munirent de tours,
car, malgré leur vaillance, ils ne pouvaient sans
tours habiter cette plaine.

D'Amphitryon, je vis aussi la femme, Alcmène*,
qui, pour avoir dormi dans les bras du grand Zeus,
enfanta le héros à l'âme de lion, l'intrépide Héraclès*.

Du superbe Créon, je vis aussi la fille, Mégaré,
qu'épousa le fils d'Amphitryon à la force invincible.

---

1. Cité de Thessalie.
2. Fleuve de Béotie.

Et la mère d'Œdipe*! cette belle Épicaste[1] qui, d'un
cœur ignorant, commit le grand forfait : elle épousa
son fils! meurtrier de son père, et mari de sa mère!...
Soudain les Immortels révélèrent son crime; il put régner, pourtant, sur les fils de Cadmos*, dans la charmante Thèbes, mais torturé de maux par les dieux ennemis, tandis qu'elle gagnait la maison de l'Hadès, aux
puissantes charnières : affolée de chagrin, elle avait, au
plafond de sa haute demeure, suspendu le lacet.
Après elle, son fils reçut en héritage les innombrables
maux que peuvent déchaîner les furies d'une mère.

   Je vis aussi Chloris, la plus belle des femmes, si
belle que Nélée, pour l'avoir en son lit, paya mille
cadeaux : des filles d'Amphion, elle était la plus
jeune; ce puissant Iaside régnait sur Orchomène[2]
et sur les Minyens. Reine des Pyliens, elle donna de
beaux enfants à son époux : Chromios et Nestor, le
fier Périclymène et cette fille enfin, merveille de la
terre, la vaillante Péro dont tout le voisinage se dis-
putait la main. Nélée, pour la donner, voulait qu'on
lui ravît le bétail dangereux, les bœufs au large front,
aux cornes recourbées, que le fort Iphiclès gardait
en Phylaké[3]. Seul, l'illustre devin[4] promit de les
ravir. Mais le destin d'un dieu hostile l'entrava :
d'infrangibles liens, les bouviers l'enlacèrent; les
jours, les nuits passaient; l'année ferma son cours;
quand le printemps revint, le robuste Iphiclès relâcha
le devin pour avoir tout prédit; ainsi la volonté de
Zeus s'accomplissait.

   1. Encore appelée Jocaste.
   2. En Béotie, sur les bords du lac Copaïs.
   3. Ville de Thessalie.
   4. Le devin Melampous*. Voir au chant XV.

Je vis aussi Léda*, la femme de Tyndare*, qui, de
lui, mit au jour deux fils audacieux, le dompteur de
chevaux, Castor*, et le vainqueur au pugilat, Pollux* :
sous la terre féconde, ils continuent de vivre; même
sous cette terre, Zeus les comble d'honneurs, car,
leurs jours alternant, ils vivent aujourd'hui, mais
pour mourir demain; c'est à l'égal des Immortels
qu'on les honore.

Je vis Iphimédée, l'épouse d'Aloeus. Posidon,
disait-elle, avait eu son amour; deux fils en étaient
nés, mais dont la vie fut courte, Otos, égal aux
dieux, et l'illustre Éphialte. Jamais la terre aux blés
n'avait encor nourri des hommes aussi grands, et le
seul Orion* eut plus noble beauté! A neuf ans, ils
avaient jusques à neuf coudées de largeur et, de
haut, ils atteignaient neuf brasses : ils menaçaient
les dieux de porter leur assaut et leurs cris dans
l'Olympe : pour monter jusqu'au ciel, ils voulaient
entasser sur l'Olympe l'Ossa et, sur l'Ossa, le Pélion[1]
aux bois tremblants; ils auraient réussi peut-être,
s'ils avaient atteint leur âge d'homme; mais avant
qu'eût fleuri la barbe sous leurs tempes et qu'un
duvet en fleur eût ombragé leurs joues, ils tombèrent
tous deux sous les flèches du fils[2], qu'à Zeus avait
donné Léto* aux beaux cheveux.

Je vis Phèdre et Procris et la belle Ariane, la fille
de Minos* à l'esprit malfaisant : Thésée* qui l'emmena de la Crète aux coteaux d'Athènes la sacrée,
n'en connut pas l'amour. Dionysos* l'accusait[3]. Arté-

1. L'Ossa et le Pélion : monts de Thessalie.
2. Ce fils est le dieu Apollon.
3. Dionysos, amoureux éconduit d'Ariane, se vengea en l'accu-
sant de sacrilège auprès d'Artémis.

mis, dans Dia, dans l'île entre-deux-mers, la perça
de ses flèches.

Je vis Maira, Clymène et l'atroce Ériphyle qui, de
son cher époux, toucha le prix en or.

De combien de héros, mes yeux virent alors les
femmes et les filles! Comment vous les nommer et les
dénombrer toutes? auparavant, la nuit divine aurait
passé... Il est temps de dormir, soit que j'aille au
vaisseau auprès de l'équipage, soit que je reste ici.
Mais que les dieux et vous songiez à mon retour!

Il dit; tous se taisaient dans l'ombre de la salle, et,
tenus sous le charme, ils gardaient le silence.

Arété aux bras blancs prit enfin la parole :

ARÉTÉ. — Que dites-vous, ô Phéaciens, de ce héros?
Il est beau, il est grand! quel esprit pondéré! Il est
mon hôte, à moi; mais l'honneur est pour tous. Ne
vous hâtez donc pas de le congédier; mais voyez son
besoin! ne lui refusez pas quelques présents de plus,
quand la faveur des dieux a mis en vos manoirs tant
et tant de richesses!

Alors le vieux héros Échénèos leur dit :

ÉCHÉNÈOS. — Mes amis, écoutons la plus sage des
reines! car, selon notre attente, elle va droit au but.
Suivez donc son conseil : Alkinoos est là; qu'il agisse
et qu'il parle!

Alors Alkinoos, reprenant la parole :

ALKINOOS. — C'est d'après ce conseil que tout se
passera, s'il m'est donné de vivre en gouvernant nos
bons rameurs de Phéacie. Mais, malgré son désir de
partir, que notre hôte veuille bien nous rester ici
jusqu'à demain : j'aurai pu réunir alors tous nos présents; nos gens s'occuperont de le remettre en route, et
moi plus que tout autre, qui suis maître en ce peuple.

Ulysse l'avisé lui fit cette réponse :

ULYSSE. — Seigneur Alkinoos, l'honneur de tout ce peuple, quand vous m'inviteriez à rester, fût-ce un an, pour obtenir de vous et le retour rapide et de nobles cadeaux, comment vous refuser?... J'aurais tout avantage à revenir, les mains mieux garnies, au pays : car mon peuple pour moi n'aurait que plus d'amour et plus de déférence, le jour qu'il me verrait reparaître en Ithaque.

Alors Alkinoos, en réponse, lui dit :

ALKINOOS. — En te voyant, Ulysse, on ne saurait penser à l'un de ces hâbleurs, de ces fripons sans nombre, comme la terre noire en nourrit par centaines, artisans de mensonges auxquels on ne voit goutte. Quel charme en tes discours! quel esprit de noblesse! L'aède le meilleur n'eût pas mieux raconté et tes cruels soucis et ceux de tout Argos. Mais, voyons, réponds-moi sans feinte, point par point : as-tu vu quelques-uns des compagnons divins qui, pour t'avoir suivi sous les murs d'Ilion, y trouvèrent la mort?... La longue nuit qui vient n'est pas près de finir : il n'est pas encor temps de dormir au manoir; allons! raconte-nous tes travaux, tes prodiges. Je resterais ici jusqu'à l'aube divine, si tu voulais encor nous parler de tes maux.

Ulysse l'avisé lui fit cette réponse :

ULYSSE. — Seigneur Alkinoos, l'honneur de tout ce peuple, il est du temps pour tout, pour les longues histoires, comme pour le sommeil. Mais puisque ton désir est de m'entendre encor, je ne puis me soustraire à de nouveaux récits, hélas! plus lamentables. Mes pauvres compagnons, morts après la victoire!... Ils n'étaient pas tombés sous les coups des Troyens, dans la mêlée hurlante : non! c'est en plein retour que, par la volonté d'une femme maudite[1], ils allaient succomber!

Donc, les femmes s'étaient dispersées çà et là. La chaste Perséphone avait chassé leurs ombres. Mais voici que survint l'ombre d'Agamemnon. Elle était tout en pleurs et menait le cortège de ceux qui, près de lui, dans le manoir d'Égisthe, avaient trouvé la mort et subi le destin. A peine, du sang noir, l'Atride* avait-il bu qu'il me reconnaissait et pleurant, gémissant, versant des flots de larmes, il me tendait les mains et voulait me toucher. Mais rien ne lui restait de la force et du muscle, qu'il avait eus jadis en ses membres alertes. A sa vue, la pitié m'emplit les yeux de larmes, et je dis, élevant la voix, ces mots ailés :

ULYSSE. — Atride glorieux, ô chef de nos guerriers, Agamemnon, dis-moi quelle Parque t'a pris et couché dans la mort? serait-ce Posidon qui coula tes vaisseaux, sous la triste poussée de ses vents de malheur?... aurais-tu succombé sous les coups d'ennemis, dans un enlèvement de beaux troupeaux, bœufs et moutons, sur un rivage?... ou dans quelque combat, sous les murs, pour les femmes?

Je dis; tout aussitôt, l'Atride me répond :

AGAMEMNON. — Fils de Laerte, écoute, ô rejeton des dieux, Ulysse aux mille ruses! ce n'est pas Posidon qui coula mes vaisseaux[a]; ce n'est pas sous les coups d'ennemis, au rivage, que je trouvai la mort. Mais, au manoir d'Égisthe, où je fus invité, c'est lui

a Vers 407 : sous la triste poussée de ses vents de malheur.
1. Il s'agit de Clytemnestre.

qui me tua, et ma maudite femme[a]! Voilà de quelle
mort infâme j'ai péri! Ils ont, autour de moi, égorgé
tous mes gens, sans en épargner un, tels les porcs
aux dents blanches qu'au jour d'un mariage, d'un
dîner par écot ou d'un repas de fête, on tue chez un
richard ou chez un haut seigneur. Tu ne fus pas sans
voir déjà beaucoup de meurtres, soit dans le corps
à corps, soit en pleine mêlée; mais c'est à cette vue
que ton cœur eût gémi! tout autour du cratère et des
tables chargées nous jonchions la grand-salle : le sol
fumait de sang! Et ce que j'entendis de plus atroce
encore, c'est le cri de Cassandre*, la fille de Priam,
qu'égorgeait sur mon corps la fourbe Clytemnestre;
je voulus la couvrir de mes bras; mais un coup de
glaive m'acheva... Et la chienne sortit, m'envoyant
vers l'Hadès, sans daigner me fermer ni les yeux ni
les lèvres. Rien ne passe en horreur et chiennerie les
femmes, qui se mettent au cœur de semblables forfaits! Voilà ce qu'elle avait préparé celle-là! l'infâme,
qui tua l'époux de sa jeunesse!... Moi qui pensais
trouver, en rentrant au logis, l'amour de mes enfants
et de mes serviteurs!... Quelle artiste en forfaits!...
Jusque dans l'avenir, quelle honte pour elle et pour
les pauvres femmes, même les plus honnêtes!...

A ces mots de l'Atride, aussitôt je réponds :

ULYSSE. — Oui, pour le sang d'Atrée, le Zeus à la
grand-voix fut toujours implacable : quelles ruses de
femme il déchaîna sur eux! que de héros, à nous,
Hélène nous coûta! et toi, c'est Clytemnestre qui te
dresse, pendant ton absence, un tel piège!

---

a Vers 441 : chez lui, en plein festin, à table, il m'abattit comme
un bœuf à la crèche.

Je dis; tout aussitôt l'Atride me répond :

AGAMEMNON. — Par exemple averti, sois dur envers ta femme! ne lui confie jamais tout ce que tu résous! Il faut de l'abandon, mais aussi du secret... Mais ce n'est pas ta femme, Ulysse, qui jamais te donnera la mort : elle a trop de raison, un cœur trop vertueux, cette fille d'Icare! Ah! sage Pénélope, au départ pour la guerre, — je la revois encor, lorsque nous la quittions toute jeune épousée, — elle avait sur le sein son tout petit enfant, qui, sans doute aujourd'hui, siège parmi les hommes... Heureux fils! en rentrant, son père le verra, et lui, comme il convient, embrassera son père... Mon fils!... pour empêcher mes yeux de s'en emplir, ma femme se hâta de me tuer moi-même... Mais encore un avis; mets-le bien en ton cœur : cache-toi, ne va pas te montrer au grand jour, quand tu aborderas au pays de tes pères; aujourd'hui, il n'est rien de sacré pour les femmes. Mais dis-moi maintenant, sans feinte, point par point : savez-vous le pays où peut vivre mon fils? est-il en Orchomène, à la Pylos des Sables ou, près de Ménélas, dans les plaines de Sparte? Je sais qu'il n'est pas mort, qu'il est encor sur terre, mon Oreste divin!

A ces mots de l'Atride, aussitôt je réponds :

ULYSSE. — A quoi bon, fils d'Atrée, m'interroger ainsi? Je ne sais rien d'Oreste : de sa vie, de sa mort, pourquoi parler à vide?

Nous conversions ainsi tristement, face à face, et restions à gémir, versant des flots de larmes. Survint l'ombre d'Achille et celle de Patrocle, suivies de l'éminent Antiloque[1] et d'Ajax, qui fut, après le fils émi-

---

1. Antiloque, fils de Nestor.

nent de Pélée, le plus beau, le plus grand de tous nos Danaens.

L'ombre d'Achille aux pieds légers me reconnut et, parmi les sanglots, me dit ces mots ailés :

ACHILLE[a]. — 'Tu veux donc, malheureux, surpasser tes exploits! mais comment osas-tu descendre dans l'Hadès, au séjour des défunts, fantômes insensibles des humains épuisés?

Aussitôt, à ces mots d'Achille, je réponds :

ULYSSE. — Fils de Pélée, Achille, ô toi, le plus vaillant de tous les Achéens, c'est pour Tirésias que tu me vois ici : je voulais qu'il m'apprît le moyen de rentrer · à mon rocher d'Ithaque, car je n'ai pas encor touché en Achaïe; toujours la proie des maux, non! je n'ai pas encor mis le pied sur ma terre... Mais, Achille, a-t-on vu ou verra-t-on jamais bonheur égal au tien? Jadis, quand tu vivais, nous tous, guerriers d'Argos, t'honorions comme un dieu : en ces lieux, aujourd'hui, je te vois, sur les morts, exercer la puissance; pour toi, même la mort, Achille, est sans tristesse!

Je dis; mais aussitôt, il me dit en réponse :

ACHILLE. — Oh! ne me farde pas la mort, mon noble Ulysse!... J'aimerais mieux, valet de bœufs, vivre en service chez un pauvre fermier, qui n'aurait pas grand-chère, que régner sur ces morts, sur tout ce peuple éteint! Mais allons, parle-moi de mon illustre fils : sut-il prendre ma place au front de la bataille?... Et dis-moi : que sais-tu de l'éminent Pélée? garde-t-il son pouvoir sur tous les Myrmi-

---

a Vers 473 : fils de Laerte, écoute, ô rejeton des dieux, Ulysse aux mille ruses!

dons? ou mépriserait-on en Hellade et en Phthie
cette vieillesse qui l'enchaîne, bras et jambes? Pour
lui porter secours, ah! si j'étais là-haut, sous les feux
du soleil, tel qu'aux plaines de Troie, rempart des
gens d'Argos, on me voyait tuer l'élite des guerriers!
Si tel je revenais au manoir de mon père, ne fût-ce
qu'un instant, comme ils craindraient ma force et ces
mains inlassables, tous ceux qui, l'outrageant, l'écartent des honneurs!

Aussitôt, à ces mots d'Achille, je réponds :

ULYSSE. — Non! je n'ai rien appris de l'éminent
Pélée. Mais je puis te parler de ton fils; à tes ordres;
voici la vérité sur ton Néoptolème : c'est moi, qui,
de Skyros[1], à bord du fin navire, l'amenai dans les
rangs des Achéens guêtrés... Siégeait-il aux conseils
qu'on tint sous Ilion, il parlait le premier, et tous ses
mots portaient; seuls, le divin Nestor et moi le sur-
passions. Lorsque les Achéens combattaient sous la
ville, jamais il ne restait au plus gros de la foule : il
courait de l'avant; nul n'égalait sa force; que
d'hommes il tua en de terribles chocs! Je ne puis,
nom par nom, te dire tous les braves qu'il abattit en
défendant nos Argiens. Mais ce fut sous ses coups
que le fils de Télèphe, Eurypylos, tomba et, près de ce
héros, tant de ces Kétéens qui se faisaient tuer pour
des cadeaux de femme[2] : je n'ai vu de plus beau que
le divin Memnon*. Et quand on s'embarqua dans le
cheval de bois qu'avait fait Épeios!... Tous les chefs
étaient là; c'est moi qui commandais pour ouvrir ou
fermer la porte de la trappe. Parmi ces conseillers et

1. L'île de Skyros, où le fils d'Achille fut élevé.
2. La mère d'Eurypylos avait reçu de Priam des présents pour
que son fils entre en guerre.

doges danaens, ah! j'en ai vu plus d'un qui, s'essuyant les yeux, tremblait de tous ses membres! Mais lui, pas un instant, je ne pus voir pâlir son beau teint ni couler sur ses joues une larme. Priant et suppliant qu'on sortît du cheval, tourmentant la poignée de son glaive, agitant sa lourde lance en bronze, il ne pensait, ton fils, qu'au malheur des Troyens. Quand nous eûmes, enfin, saccagé sur sa butte la ville de Priam et qu'avec son butin et sa prime d'honneur, il se remit en mer, il était sans blessure : coups des armes à pointe ou plaies du corps à corps, il avait échappé aux aveugles surprises que la fureur d'Arès* sème dans le combat.

A peine avais-je dit que, sur ses pieds légers, l'ombre de l'Éacide à grands pas s'éloignait : il allait à travers le Pré de l'Asphodèle, tout joyeux de savoir la valeur de son fils! Mais des autres défunts, qui dorment dans la mort, les ombres tristement restaient à me conter, chacune, son souci. Seule, l'ombre d'Ajax, le fils de Télamon, se tenait à l'écart : il me gardait rigueur de ma victoire au tribunal, près des vaisseaux, quand les armes d'Achille, offertes au vainqueur par son auguste mère, me furent adjugées. Les filles des Troyens et Pallas Athéna* avaient été nos juges. Ah! comme j'aurais dû ne pas gagner la joute! La tombe n'aurait pas aujourd'hui cette tête[a][1]!

J'essaie, pour l'aborder, des plus douces paroles :

Ulysse. — Écoute, Ajax, ô fils du noble Télamon, quoi! jusque dans la mort, tu me gardes rigueur de ces armes maudites! C'est pour notre malheur qu'un

---

a Vers 550-551 : cet Ajax, dont un seul de tous nos Danaens surpassait la beauté et les exploits, le fils éminent de Pélée!

1. Ajax, dépité, s'était donné la mort.

dieu nous les offrit : quel rempart ont en toi perdu
nos Achéens! autant que sur la tête du Péléide
Achille, nous avons sur ta mort pleuré toutes nos
larmes! Mais quelle en fut la cause, sinon la haine
atroce de Zeus* contre l'armée des piquiers danaens?
il te jeta le sort... Approche donc, seigneur; écoute
mes paroles : oh! réponds, à ma voix! apaise la fureur de ton cœur généreux!

Je dis; mais, sans répondre un mot, l'ombre d'Ajax
retournait dans l'Érèbe, près des autres défunts qui
dorment dans la mort.

Là, malgré sa colère, peut-être eût-il voulu me
parler ou m'entendre. Mais c'est d'autres défunts
qu'au fond de moi, mon cœur désirait voir les
ombres.

Alors je vis Minos, le noble fils de Zeus : tenant le
sceptre d'or, ce roi siégeait pour rendre aux défunts
la justice; assis autour de lui ou debout, les plaideurs
emplissaient la maison d'Hadès aux larges portes.

Après lui, m'apparut le géant Orion qui chassait,
à travers le Pré de l'Asphodèle, les fauves qu'autrefois
il avait abattus dans les monts solitaires : il avait à la
main cette massue de bronze que rien n'a pu briser.

Et je vis Tityos*, fils de la noble Terre* : il gisait
sur le sol et couvrait neuf arpents. Un couple de
vautours, posés à ses deux flancs, lui déchirait le foie
et fouillait ses entrailles, et ses mains ne pouvaient
les écarter de lui : il avait assailli la compagne de
Zeus, cette auguste Léto, qui s'en allait à Delphes, à
travers Panopée et sa riante plaine.

Je vis aussi Tantale* en proie à ses tourments. Il
était dans un lac, debout, et l'eau montait lui toucher
le menton; mais, toujours assoiffé, il ne pouvait rien

boire; chaque fois que, penché, le vieillard espérait
déjà prendre de l'eau, il voyait disparaître en un
gouffre le lac et paraître à ses pieds le sol de noir
limon, desséché par un dieu. Des arbres à panache,
au-dessus de sa tête, poiriers et grenadiers et pommiers aux fruits d'or, laissaient pendre leurs fruits[a];
à peine le vieillard faisait-il un effort pour y porter
la main : le vent les emportait jusqu'aux sombres
nuées.

Je vis aussi Sisyphe*, en proie à ses tourments : ses
deux bras soutenaient la pierre gigantesque, et, des
pieds et des mains, vers le sommet du tertre, il la
voulait pousser; mais à peine allait-il en atteindre la
crête, qu'une force soudain la faisant retomber, elle
roulait au bas, la pierre sans vergogne; mais lui,
muscles tendus, la poussait derechef; tout son corps
ruisselait de sueur, et son front se nimbait de poussière.

Puis ce fut Héraclès que je vis en sa force : ce
n'était que son ombre; parmi les Immortels, il sé-
journe en personne dans la joie des festins; du grand
Zeus et d'Héra* aux sandales dorées, il a la fille,
Hébé* aux chevilles bien prises. Autour de lui, parmi
le tumulte et les cris, les morts prenaient la fuite; on
eût dit des oiseaux. Pareil à la nuit sombre, il avait
dédaigné son arc et mis déjà la flèche sur la corde;
d'un regard effrayant, cet archer toujours prêt semblait chercher le but; sa poitrine portait le baudrier
terrible et le ceinturon d'or, où l'on voyait gravés,
merveille des chefs-d'œuvre, des ours, des sangliers,

---

a Vers 590 : et puissants oliviers et figuiers domestiques.

des lions aux yeux clairs, des mêlées, des combats,
des meurtres, des tueries : l'artiste, qui mit là tout
son art, essaierait vainement de refaire un pareil baudrier.

Héraclès, du premier regard, me reconnut et, parmi
les sanglots, me dit ces mots ailés :

HÉRACLÈS[a]. — Pauvre ami, traînes-tu cette vie misérable, que j'ai traînée là-haut, sous les feux du
soleil? Fils de Zeus, petit-fils de Cronos*, j'endurais
des misères sans bornes, asservi sous le joug du pire
des humains[1]; quels pénibles travaux il m'avait im-
posés! Ici, pour enlever le chien[2], il m'envoya;
c'était, dans sa pensée, le risque sans pareil... Je pris
et j'emmenai le chien hors de l'Hadès; pour guides,
j'avais eu Hermès* et la déesse aux yeux pers,
Athéna!

A ces mots, il rentra aux maisons de l'Hadès.]

(Et ma mère rentra aux maisons de l'Hadès) et
moi, je restais là, attendant la venue de quelqu'un
des héros, qui sont morts avant nous. J'aurais bien
voulu voir les héros des vieux âges, Thésée, Piri-
thoos*, nobles enfants des dieux. Mais avant eux, voici qu'avec des cris d'enfer, s'assemblaient les tribus
innombrables des morts. Je me sentis verdir de
crainte à la pensée que, du fond de l'Hadès, la noble
Perséphone pourrait nous envoyer la tête de Gorgo[3],
de ce monstre terrible... Sans tarder, je retourne au

---

a Vers 617 : fils de Laerte, écoute, ô rejeton des dieux, Ulysse
aux mille ruses.

1. Eurysthée avait imposé à Héraklès les Douze Travaux qui
l'illustrèrent.

2. Cerbère, le chien à plusieurs têtes.

3. La Gorgone pétrifiait les hommes de son regard.

vaisseau; je m'embarque et commande à mes gens
d'embarquer à leur tour, puis de larguer l'amarre.
Mes gens sautent à bord et vont s'asseoir aux bancs
et, descendant le cours du fleuve Okéanos, notre
vaisseau s'éloigne, à la rame d'abord, puis au gré de
la brise.

(CHANT XII) Quand nous avons quitté le cours de
l'Océan, nous voguons sur la mer, et le flot du grand
large nous porte en Aiaié, vers ces bords où, sortant de son berceau de brume, l'Aurore* a sa maison avec ses chœurs et le Soleil* a son lever. On
aborde; on échoue le vaisseau sur les sables*a* et nous
nous endormons jusqu'à l'aube divine.

LES SIRÈNES*
CHARYBDE ET SKYLLA

De son berceau de brume, aussitôt que sortit l'Aurore aux doigts de roses, j'envoyai de mes gens au
manoir de Circé pour rapporter le corps de défunt
Elpénor, tandis que, sans tarder, nous jetions bas des
arbres. Tristement, au plus haut du cap, nous le brû-
lons, pleurant à chaudes larmes. Quand la flamme a
détruit son cadavre et ses armes, nous lui dressons un
tertre, y plantons une stèle et nous fichons au haut sa
rame bien polie. Nous venions d'achever quand
arriva Circé, qui nous savait déjà revenus de l'Hadès*.

a Vers 6 : on prend pied sur la grève.

Elle accourut, parée; ses femmes la suivaient, nous apportant du pain, des viandes à foison, du vin aux sombres' feux. Debout en notre cercle, elle parlait ainsi, cette toute divine :

CIRCÉ. — Pauvres gens! vous avez pénétré dans l'Hadès! et vous vivez encore!... la mort, qui ne saisit qu'une fois les humains, vous la verrez deux fois!... Mais prenez de ces mets et buvez de ce vin; restez-là tout le jour; demain, vous voguerez, dès la pointe de l'aube; je vous dirai la route, en ne vous cachant rien, pour écarter de vous tout funeste artifice qui, sur terre ou sur mer, vous vaudrait des souffrances.

Elle disait : nos cœurs s'empressent d'obéir. Aussi, tout un grand jour, jusqu'au soleil couchant, nous restons au festin : on avait du bon vin, des viandes à foison! Au coucher du soleil, quand vient le crépuscule, les autres vont dormir au long de nos amarres; mais Circé, me prenant la main, me fait asseoir à l'écart de mes gens et, pour m'interroger sur tout notre voyage, s'allonge auprès de moi; je lui fais un récit complet, de point en point.

Elle me dit alors, cette auguste Circé :

CIRCÉ. — Vous voilà donc au bout de ce premier voyage! écoute maintenant ce que je vais te dire, et qu'un dieu quelque jour t'en fasse souvenir!

« Il vous faudra d'abord passer près des Sirènes*. Elles charment tous les mortels qui les approchent. Mais bien fou qui relâche pour entendre leurs chants! Jamais en son logis, sa femme et ses enfants ne fêtent son retour : car, de leurs fraîches voix, les Sirènes le charment, et le pré, leur séjour, est bordé d'un rivage tout blanchi d'ossements et de désirs humains, dont les chairs se corrompent... Passe sans t'arrêter! Mais

pétris de la cire à la douceur de miel et, de tes compagnons, bouche les deux oreilles ; que pas un d'eux
n'entende; toi seul, dans le croiseur, écoute, si tu veux!
mais, pieds et mains liés, debout sur l'emplature,
fais-toi fixer au mât pour goûter le plaisir d'entendre
la chanson, et, si tu les priais, si tu leur commandais
de desserrer les nœuds, que tes gens aussitôt donnent
un tour de plus! Quand tes rameurs auront dépassé
les Sirènes, — je ne t'assigne pas d'ici tout le par-
cours; à toi, de décider, — deux routes s'offriront; les
voici toutes deux. On trouve, d'un côté, les Pierres du
Pinacle[1] où rugit le grand flot azuré d'Amphitrite* :
chez les dieux fortunés, on les appelle Planktes.

« La première ne s'est jamais laissé frôler des oiseaux, même pas des timides colombes, qui vont à
Zeus* le père apporter l'ambroisie; mais le chauve
rocher, chaque fois, en prend une que Zeus doit remplacer pour rétablir le nombre. La seconde ne s'est
jamais laissé doubler par un vaisseau des hommes;
mais, planches du navire et corps des matelots, tout
est pris par la vague et par des tourbillons de feu
dévastateur. Un seul des grands vaisseaux de mer put
échapper : ce fut Argo*, rentrant du pays d'Aiétès,
cet Argo que, partout, vont chantant les aèdes; le
flot l'avait jeté contre ces grandes Pierres; mais Héra*
pour l'amour de Jason*, le sauva.

« L'autre route vous mène entre les Deux Écueils[2].

---

1. Ces deux « Pierres du Pinacle » — bien distinctes de Charybde
et Skylla dont il est question ensuite — se situent dans l'archipel
des îles Lipari. (Aujourd'hui Pietra Longa et Pietra Menalta).
D'après V. Bérard.
2. Charybde (un tourbillon plutôt qu'un écueil) et Skylla, de
part et d'autre du détroit de Messine.

L'un, dans les champs du ciel, pointe une cime aiguë,
que couronne en tout temps une sombre nuée, et rien
ne l'en délivre; ni l'été, ni l'automne, il ne plonge en
l'azur; aucun homme mortel, quand bien même il
aurait vingt jambes et vingt bras, ne saurait ni monter
ni se tenir là-haut; la roche en est trop lisse; on la
croirait polie. A mi-hauteur, se creuse une sombre
caverne, qui s'ouvre, du côté du noroît, vers l'Erèbe* :
du fond de ton vaisseau, c'est sur elle qu'il faut gouverner, noble Ulysse! Mais, du fond du vaisseau, le
plus habile archer ne saurait envoyer sa flèche en
cette cave, où Skylla, la terrible aboyeuse, a son gîte :
sa voix est d'une chienne, encor toute petite; mais
c'est un monstre affreux, dont la vue est sans charme
et, même pour un dieu, la rencontre sans joie. Ses
pieds, — elle en a douze, — ne sont que des moignons;
mais sur six cous géants, six têtes effroyables ont, chacune en sa gueule, trois rangs de dents serrées, imbri-
quées, toutes pleines des ombres de la mort. Enfoncée
à mi-corps dans le creux de la roche, elle darde ses
cous hors de l'antre terrible et pêche de là-haut, tout
autour de l'écueil que fouille son regard, les dau-
phins et les chiens de mer et, quelquefois, l'un de ces
plus grands monstres que nourrit par milliers la hurlante Amphitrite[1]. Jamais homme de mer ne s'est
encor vanté d'avoir fait passer là sans dommage un
navire : jusqu'au fond des bateaux à la proue azurée,
chaque gueule du monstre vient enlever un homme.

« L'autre Ecueil, tu verras, Ulysse, est bien plus bas[a].
Il porte un grand figuier en pleine frondaison; c'est

---

a Vers 102 : ils sont tout près; ta flèche irait de l'un à l'autre.
1. La description du monstre évoque quelque poulpe géant.

là-dessous qu'on voit la divine Charybde engloutir
l'onde noire : elle vomit trois fois chaque jour, et
trois fois, ô terreur! elle engouffre. Ne vas pas être
là pendant qu'elle engloutit, car l'Ebranleur du sol
lui-même ne saurait te tirer du péril... Choisis plutôt
Skylla, passe sous son écueil, longe au plus près et
file! il te vaut mieux encor pleurer six compagnons et
sauver le vaisseau que périr tous ensemble.

A ces mots de Circé, je réponds aussitôt :

ULYSSE. — Tout de même! dis-moi franchement, ô
déesse!... si j'allais, évitant la perte sur Charybde, me
dresser contre l'autre, lorsque je la verrais s'attaquer à
mes gens?...

Je dis. Elle répond, cette toute divine :

CIRCÉ. — Pauvre ami! tu ne vois toujours que
guerre et lutte. Tu ne veux même pas céder aux
Immortels?... Skylla ne peut mourir! c'est un mal
éternel, un terrible fléau, un monstre inattaquable! la
force serait vaine; il n'est de sûr moyen contre elle
que la fuite. Au long de son rocher, si tu perdais du
temps à prendre ton armure, un élan, de nouveau, la
jetterait sur vous, et chacun de ses cous te reprendrait
un homme. Non! passe à toute vogue en hélant Cra-
taïs, la mère de Skylla; c'est d'elle que naquit ce fléau
des humains; c'est elle qui mettra le terme à ses
attaques.

Puis vous arriverez à l'Ile du Trident où pâturent
en foule les vaches du Soleil et ses grasses brebis.
Sept hardes de brebis et sept troupeaux de vaches,
de cinquante chacun, y vivent toujours beaux, sans
connaître jamais la naissance ou la mort. Deux
déesses, Phaéthousa et Lampétie, sont là pour les
garder : au Soleil, fils d'En Haut, la divine Néère*

enfanta et nourrit ces deux nymphes bouclées, puis cette mère auguste envoya ses deux filles aux rivages lointains de l'Ile du Trident, pour y vivre en gardant les brebis de leur père et ses vaches cornues[a].

A peine elle avait dit, cette toute divine, que l'Aurore apparut sur son trône doré, et Circé, remontant dans l'île, s'éloigna.

Je reviens au vaisseau et je presse mes gens de remonter à bord, puis de larguer l'amarre. On s'embarque à la hâte; on va s'asseoir aux bancs[b]; pour pousser le navire à la proue azurée, la déesse bouclée, la terrible Circé, douée de voix humaine, nous envoie un vaillant compagnon dans la brise qui vient gonfler nos voiles et, quand, ayant à bord rangé tous les agrès, on n'a plus qu'à s'asseoir et qu'à laisser mener le vent et le pilote, je fais part à mes gens des soucis de mon cœur :

ULYSSE. — Amis, je ne veux pas qu'un ou deux seulement connaissent les arrêts que m'a transmis Circé, cette toute divine. Non!... Je veux tout vous dire, pour que, bien avertis, nous allions à la mort ou tâchions d'éviter la Parque* et le trépas. Donc, son premier conseil est de fuir les Sirènes, leur voix ensorcelante et leur prairie en fleurs; seul, je puis les entendre; mais il faut que, chargé de robustes liens, je demeure immobile, debout sur l'emplanture, serré

---

[a] Vers 137-141 : respecte ces troupeaux! ne songe qu'au retour! et je crois qu'en Ithaque, à travers tous les maux, vous rentrerez encore; mais je te garantis que, si vous maltraitiez ces bêtes, c'est fini du navire et des gens; tu pourrais t'en tirer et revenir, mais quand? et dans quelle misère! tous tes hommes perdus!...

[b] Vers 147 : puis chacun en sa place, la rame bat le flot qui blanchit sous les coups.

contre le mât, et si je vous priais, si je vous commandais de desserrer les nœuds, donnez un tour de plus!

Je dis, et j'achevais de prévenir mes gens, tandis
qu'en pleine course, le solide navire que poussait le
bon vent s'approchait des Sirènes. Soudain, la brise
tombe; un calme sans haleine s'établit sur les flots
qu'un dieu vient endormir. Mes gens se sont levés;
dans le creux du navire, ils amènent la voile et,
s'asseyant aux rames, ils font blanchir le flot sous la
pale en sapin.

Alors, de mon poignard en bronze, je divise un
grand gâteau de cire; à pleines mains, j'écrase et
pétris les morceaux. La cire est bientôt molle entre
mes doigts puissants[a]. De banc en banc, je vais leur
boucher les oreilles; dans le navire alors, ils me lient
bras et jambes et me fixent au mât, debout sur l'emplature, puis chacun en sa place, la rame bat le flot
qui blanchit sous les coups[b].

Nous passons en vitesse. Mais les Sirènes voient ce
rapide navire qui bondit tout près d'elles. Soudain,
leurs fraîches voix entonnent un cantique :

LE CHŒUR. — Viens ici! viens à nous! Ulysse tant
vanté! l'honneur de l'Achaïe!... Arrête ton croiseur :
viens écouter nos voix! Jamais un noir vaisseau n'a
doublé notre cap, sans ouïr les doux airs qui sortent
de nos lèvres; puis on s'en va content et plus riche
en savoir, car nous savons les maux, tous les maux
que les dieux, dans les champs de Troade, ont infligés
aux gens et d'Argos et de Troie, et nous savons aussi
tout ce que voit passer la terre nourricière.

---

a Vers 176 : et sous les feux du roi Soleil, ce fils d'En Haut!
b Vers 181 : le navire est enfin à portée de la voix.

Elles chantaient ainsi et leurs voix admirables me remplissaient le cœur du désir d'écouter. Je fronçais les sourcils pour donner à mes gens l'ordre de me défaire. Mais, tandis que, courbés sur la rame, ils tiraient, Euryloque venait, aidé de Périmède, resserrer mes liens et mettre un tour de plus.

Nous passons et, bientôt, l'on n'entend plus les cris ni les chants des Sirènes. Mes braves gens alors se hâtent d'enlever la cire que j'avais pétrie dans leurs oreilles, puis de me détacher.

L'île disparaît. Mais soudain j'aperçois la fumée[1] d'un grand flot dont j'entends les coups sourds. La peur saisit mes gens : envolées de leurs mains, les rames en claquant tombent au fil de l'eau; le vaisseau reste en place, les bras ne tirant plus sur les rames polies. Je vais sur la coursie relever les courages[a] :

ULYSSE. — Nous avons, mes amis, connu bien d'autres risques! peut-il nous advenir quelque danger plus grand qu'au jour où le Cyclope, au fond de sa caverne, nous tenait enfermés sous sa prise invincible? Pourtant, même de là, n'est-ce pas ma valeur, mes conseils, mon esprit qui nous ont délivrés?... Ce sera, quelque jour, de nos bons souvenirs!... Allons! croyez-m'en tous : faites ce que je dis; qu'on reprenne la rame et, fermes sur les bancs, allons! battez la mer d'une plongée profonde; voyons si, nous faisant passer sous ce désastre, Zeus veut nous en tirer!... Pilote, à toi mes ordres : tâche d'y bien penser, puisque à bord du vaisseau, c'est toi qui tiens la barre. Tu vois cette fumée et ce flot : passe au large et prends

---

a Vers 207 : je vais de l'un à l'autre et, du ton le plus doux...

1. Sans doute le nuage d'écume qui se forme au-dessus de la vague jaillissante.

garde à l'écueil! si, gagnant à la main, le navire y courait, c'est à la male mort que tu nous jetterais!

Je disais; mon discours aussitôt les décide. Je n'avais pas encor dit un mot de Skylla, fléau inévitable : mes gens, saisis de peur, pouvaient lâcher les rames, pour se blottir en tas dans le fond du vaisseau!... Mais j'avais oublié qu'en ses tristes avis, Circé m'avait enjoint de ne pas endosser mes armes glorieuses : je les revêts, je prends en main deux longues piques et je vais me poster au gaillard de l'avant; j'espérais découvrir cette Skylla de pierre, avant qu'elle causât le malheur de mes gens... Mais je cherchais sans voir et mes yeux se lassaient à fouiller les recoins de la roche embrumée...

Nous entrons dans la passe et voguons angoissés. Nous avons d'un côté la divine Charybde*a* et, de l'autre, Skylla. Quand Charybde vomit, toute la mer bouillonne et retentit comme un bassin sur un grand feu : l'écume en rejaillit jusqu'au haut des Ecueils et les couvre tous deux. Quand Charybde engloutit à nouveau l'onde amère, on la voit, dans son trou, bouillonner tout entière; le rocher du pourtour mugit terriblement; tout en bas, apparaît un fond de sables bleus... Ah! la terreur qui prit et fit verdir mes gens!

Mais, tandis que nos yeux regardaient vers Charybde, d'où nous craignions la mort, Skylla nous enlevait dans le creux du navire six compagnons, les meilleurs bras et les plus forts : me retournant pour voir le croiseur et mes gens, je n'aperçois les autres qu'emportés en plein ciel, pieds et mains battant l'air, et criant, m'appelant! [et répétant mon nom, pour la

a Vers 236 : avalant l'onde amère, avec un bruit terrible.

dernière fois : quel effroi dans leur cœur! Sur un cap
avancé, quand, au bout de sa gaule, le pêcheur a
lancé vers les petits poissons l'appât trompeur et la
corne[1] du bœuf champêtre, on le voit brusquement
rejeter hors de l'eau sa prise frétillante. Ils frétillaient
ainsi, hissés contre les pierres,] et Skylla, sur le seuil
de l'antre, les mangeait. Ils m'appelaient encore; ils
me tendaient les mains en cette lutte atroce!...

Non! jamais, de mes yeux, je ne vis telle horreur, à
travers tous les maux que m'a valus sur mer la recherche des passes!

Nous doublons les Ecueils, la terrible Charybde
aussi bien que Skylla. Nous voici chez le dieu, en cette
île admirable du Soleil, fils d'En Haut, où l'on
voyait, en foule, ses beaux bœufs au grand front et
ses grasses brebis. Déjà, du noir vaisseau, étant encore au large, nous entendions meugler les vaches
dans les parcs et bêler les moutons. Aussi me revenaient au cœur les prophéties de l'aveugle devin
Tirésias de Thèbes[a].

Je fais part à mes gens des soucis de mon cœur :

ULYSSE. — Camarades, deux mots! vous avez beau
souffrir; il faut que vous sachiez ce que Tirésias m'a prédit dans l'Hadès : il m'a recommandé, et très fort, d'éviter cette Ile du Soleil, le charmeur des mortels; il m'a dit
qu'en ces lieux, nous aurions à subir le comble des malheurs... Doublons cette île! écartez-en le noir vaisseau!

Je dis. Leur cœur éclate. Euryloque aussitôt répond
d'un ton haineux :

_a_ Vers 268-269 : et celles de Circé, la dame d'Aiaié: tous deux
m'avaient enjoint, et si fort, d'éviter cette Ile du Soleil, le charmeur des mortels!

1. Au-dessus de l'hameçon, un tube en corne protégeait la ligne.

EURYLOQUE. — Tu n'es pas tendre, Ulysse! ah! ta
force est intacte, et tes membres dispos!... Ta charpente est de fer et, lorsque nous tombons de sommeil, de fatigue, tu défends qu'on accoste à cette île
aux deux rives, où nous apprêterions le bon repas
du soir! tu veux que, sur-le-champ, dans la nuit qui
vient vite, nous poussions loin du bord et nous
allions nous perdre en la brume des mers! Les pires
coups de vent, destructeurs de vaisseaux, sont les
fils de la nuit! [et comment fuir la mort suspendue
sur nos têtes, s'il nous tombait soudain l'une de ces
bourrasques, que ce soit du Notos ou du hurlant
Zéphyr, qui brisent un navire, en dépit des dieux-
rois?...] C'est l'heure! Il faut céder aux ombres de la
nuit; préparons le souper; campons près du croiseur!
et dès l'aube, demain, nous reviendrons à bord et
pousserons au large.

Euryloque parlait; les autres d'applaudir. Mais,
connaissant les maux qu'un dieu nous destinait, je
lui dis, élevant la voix, ces mots ailés :

ULYSSE. — Je suis seul, Euryloque, et vous en abu-
sez! Du moins jurez-moi, tous, le plus fort des serments que, si nous rencontrons quelque troupe de
vaches ou quelque grand troupeau de brebis, nul de
vous n'aura l'impiété fatale d'en abattre; sagement,
sans toucher ni vaches ni moutons, vous vous conten-
terez des vivres qu'a fournis l'immortelle Circé.

Je dis et, sur mon ordre, ils jurent sans tarder.
Quand ils ont prononcé et scellé le serment, nous
entrons au Port Creux[1] et nous allons mouiller le
solide vaisseau en face des Eaux Douces, où mes

---

1. Ce « Port Creux » correspond sans doute à Messine.

gens débarqués se hâtent d'apprêter en maîtres le repas.

Quand on a satisfait la soif et l'appétit, on donne une pensée et des pleurs aux amis que, du creux du vaisseau, Skylla était venue nous prendre et dévorer; puis les larmes font place au plus doux des sommeils.

LES VACHES DU SOLEIL

Aux deux tiers de la nuit, quand les astres déclinent, Zeus, l'assembleur des nues, lâche un Notos terrible aux hurlements d'enfer, qui noie sous les nuées le rivage et les flots : la nuit tombe du ciel. Aussi, dès qu'apparaît, en son berceau de brume, l'Aurore aux doigts de roses, nous tirons le vaisseau et nous le remisons dans le creux d'une grotte, où les Nymphes* avaient leurs beaux chœurs et leurs sièges. Puis je tiens l'assemblée et, prenant la parole :

ULYSSE. — Amis, dans le croiseur, on a boisson et vivres; laissons donc les troupeaux : nous en aurions malheur! C'est un terrible dieu qui possède ces bœufs et ces grasses brebis : le Soleil qui voit tout, le dieu qui tout entend!

Je disais et leurs cœurs s'empressent d'obéir. Tout un mois, sans arrêt, c'est le Notos qui souffle : jamais un autre vent que d'Euros à Notos[1]. Aussi longtemps qu'on a du pain et du vin rouge, mes gens ne

---

1. Le Notos souffle du sud, et l'Euros du sud-est : vents contraires à Ulysse qui doit faire voile à l'est.

cherchent pas à vivre sur les bœufs. Mais quand sont
épuisés tous les vivres du bord, il faut se mettre en
chasse et battre le pays et, d'oiseaux, de poissons,
prendre ce que l'on trouve[a].

Or, un jour pour prier, j'avais quitté la grève, avec
l'espoir qu'un dieu viendrait me révéler le chemin du
retour. J'étais monté dans l'île et, sans plus voir mes
gens, je m'étais, à l'abri du vent, lavé les mains,
pour invoquer chacun des maîtres de l'Olympe. Voici
que l'un des dieux me versa, sur les yeux, le plus
doux des sommeils.

C'est alors qu'à mes gens, Euryloque donna le funeste conseil :

EURYLOQUE. — Camarades, deux mots! Vous avez
beau souffrir; écoutez-moi pourtant! Toute mort est
cruelle aux malheureux humains. Mais périr de famine! est-il sort plus affreux? Allons! nous avons là
ces vaches du Soleil. Pour faire aux Immortels,
maîtres des champs du ciel, la parfaite hécatombe,
pourchassons les plus belles. Si jamais nous devons
retrouver notre Ithaque, le pays des aïeux, nous ferons sans tarder au Soleil, fils d'En Haut, quelque
beau sanctuaire, où nous entasserons les plus riches
offrandes. Que si, voulant venger ses bœufs aux
cornes droites, il exige des dieux et leur fait décider
la perte du croiseur, j'aimerais mieux encor, pour en
finir d'un coup, tendre la bouche au flot que traîner
et périr en cette île déserte.

Euryloque parlait; les autres, d'applaudir. Ils se
mettent en chasse et cernent les meilleures des
vaches du Soleil; ils n'ont qu'un pas à faire : elles

___

a Vers 332 : à l'hameçon crochu; la faim tordait les ventres.

paissaient tout près de la proue azurée, ces vaches au grand front, si belles sous leurs cornes!

Pour invoquer les dieux, ils prennent du feuillage aux rameaux d'un grand chêne, au lieu de l'orge blanche dont il ne restait plus sous les bancs du vaisseau; puis, les dieux invoqués, on égorge, on écorche, on détache les cuisses; sur l'une et l'autre face, on les couvre de graisse; on empile dessus d'autres morceaux saignants; comme on n'a plus de vin pour les libations, c'est de l'eau qu'on répand sur les viandes qu'on brûle, et l'on met à griller la masse des viscères. Les cuisses consumées, on goûte des grillades et, découpé menu, le reste de la bête est rôti sur les broches. Le doux sommeil s'envole alors des mes paupières. Je reprends le chemin du croiseur, de la grève, et j'allais arriver sous le double gaillard, quand la bonne senteur de la graisse m'entoure. Je fonds en pleurs. Je crie vers les dieux immortels :

ULYSSE. — Zeus le père et vous tous, éternels Bienheureux! vous m'avez donc maudit, quand vous m'avez couché en ce sommeil perfide!... de quel forfait mes gens rêvaient en mon absence!

[Mais déjà Lampétie, drapée en ses longs voiles, accourait prévenir le Soleil, fils d'En Haut, du meurtre de ses vaches, et le dieu courroucé disait aux Immortels :

LE SOLEIL. — Zeus le Père et vous tous éternels Bienheureux, faites payer aux gens de ce fils de Laerte le meurtre de mes bêtes. Ah! les impies! c'était ma joie quand je montais vers les astres du ciel ou quand, mon tour fini, du haut du firmament, je rentrais sur la terre... Si je n'en obtiens pas la rançon que j'attends, je plonge dans l'Hadès et brille pour les morts.

Zeus, l'assembleur des nues, lui fit cette réponse :

ZEUS. — Soleil, reste à briller devant les Immortels et, sur la terre aux blés, devant les yeux des hommes. Quant à ceux-là, je vais, de ma foudre livide, leur fendre leur croiseur en pleine mer vineuse.

Ce fut de Calypso, la nymphe aux beaux cheveux, que j'appris ces discours, qu'elle disait tenir d'Hermès* le messager.]

J'étais redescendu au navire, à la mer. J'allais de l'un à l'autre et je les querellais. Hélas! nous ne pouvions découvrir de remède : les vaches n'étaient plus, et voici que les dieux nous envoyaient leurs signes : les dépouilles marchaient; les chairs cuites et crues meuglaient autour des broches; on aurait dit la voix des bêtes elles-mêmes.

Durant six jours entiers, mes braves compagnons ont de quoi banqueter : ils avaient au Soleil pris ses plus belles vaches. Mais lorsque Zeus, le fils de Cronos*, nous envoie la septième journée, le Notos qui soufflait en tempête s'apaise : on s'embarque à la hâte, on replante le mât, on tend les voiles blanches, on pousse vers le large[a]. Mais notre course est brève. En hurlant, nous arrive un furieux Zéphyr qui souffle en ouragan; la rafale, rompant d'un coup les deux étais, nous renverse le mât et fait pleuvoir tous les agrès à fond de cale; le mât, en s'abattant sur le gaillard de poupe, frappe au front le pilote et lui

---

a Vers 403-406 : et l'île disparaît : devant nous, plus de terres; rien que le ciel et l'eau. Zeus nous pend sur la coque une sombre nuée, dont la mer s'enténèbre.

brise le crâne[a]. Zeus tonne en même temps et fou-
droie le vaisseau[b]. Mes gens sont emportés par les
vagues; ils flottent autour du noir croiseur, pareils à
des corneilles; le dieu leur refusait la journée du
retour.

Moi, je courais d'un bout à l'autre du navire, quand
un paquet de mer disloque la membrure; la quille se
détache et la vague l'emporte. Mais le mât arraché
flottait contre la quille, et l'un des contre-étais y
restait attaché : c'était un cuir de bœuf; je m'en sers
pour lier ensemble mât et quille, et sur eux je m'assieds : les vents de mort m'emportent.

Le Zéphyr cesse alors de souffler en tempête. Mais
le Notos accourt pour m'angoisser le cœur, car il me
ramenait au gouffre de Charybde : toute la nuit, je
flotte; au lever du soleil, je me trouve devant la terrible Charybde et l'écueil de Skylla.

Or Charybde est en train d'avaler l'onde amère. Je
me lève de l'eau; je saute au haut figuier[1], je m'y
cramponne comme une chauve-souris. Mais je n'ai le
moyen ni de poser le pied ni de monter au tronc;
car le figuier, très loin des racines, tendait ses longs
et gros rameaux pour ombrager Charybde. Sans faiblir, je tiens là, jusqu'au dégorgement qui vient
rendre à mes vœux et le mât et la quille.

Quand je revois mes bois qui sortent de Charybde,
c'était l'heure tardive où, pour souper, le juge, ayant

---

a Vers 413-414 : la tête est en bouillie; l'homme, comme un
plongeur, choit du haut du gaillard, et son âme vaillante abandonne ses os.
b Vers 416-417 : la foudre vient frapper le vaisseau qui capote
et que le soufre emplit; tous mes gens sont à l'eau.
1. Voir, au début du chant, la configuration de Charybde.

entre plaideurs réglé mainte querelle, rentre de
l'agora. Je lâche pieds et mains pour retomber dessus; mais sur l'eau, je me plaque entre mes longues
poutres... Je remonte dessus; je rame des deux
mains, et le Père des dieux et des hommes me fait
échapper cette fois aux regards de Skylla; sinon,
j'étais perdu; la mort était sur moi; et neuf jours, je
dérive; à la dixième nuit, le ciel me jette enfin sur
cette île océane, où la nymphe bouclée, la terrible
déesse douée de voix humaine, Calypso, me reçoit
et me traite en amie...

Mais pourquoi vous reprendre un récit qu'hier
soir, en cette même salle, je vous ai fait à toi et ta
vaillante épouse?... Quand l'histoire est connue, je
n'ai jamais aimé en faire un nouveau conte.

(CHANT XIII) Il dit : tous se taisaient et, tenus sous
le charme, ils gardaient le silence dans l'ombre de la
salle.

Alkinoos enfin prit la parole et dit :

ALKINOOS. — Puisque à mon seuil de bronze et sous
les hauts plafonds de ma demeure, Ulysse, te voici
parvenu, tu n'auras plus, je crois, pour rentrer au
logis de longues aventures, quels que soient les
malheurs autrefois endurés! Quant à vous, les doyens,
je veux vous adresser à chacun ma demande, à vous
qui, tous les jours, en écoutant l'aède, buvez chez
moi le vin d'honneur aux sombres feux : pour notre
hôte déjà, en ce coffre poli, sont rangés les tissus, les
ouvrages en or et les autres présents qu'ont envoyés
nos conseillers de Phéacie; allons! ajoutons-y le don
d'un grand trépied et d'un chaudron par tête; sur le
peuple, demain, nous ferons la levée qui nous rem-

boursera ; car ces frais, pour chacun de nous, seraient trop lourds.

Il dit : tous, d'applaudir ces mots d'Alkinoos et
chacun pour dormir rentra dans son logis. Mais sitôt
que sortit de son berceau de brume l'Aurore* aux
doigts de roses, on courut au vaisseau, pour y porter
le bronze, attribut des guerriers. Sa Force et Sainteté,
montant lui-même à bord, s'en alla disposer les
objets sous les bancs pour que rien ne gênât les gens
de l'équipage, si l'on forçait de rames ; puis chez
Alkinoos, on revint et l'on fit les apprêts du dîner.

Pour les fêter, Sa Force et Sainteté le roi fit immoler
un bœuf[a], dont on brûla les cuisses, et l'on fut à la
joie de ce noble festin ; puis l'aède divin, que révérait
ce peuple, Démodocos, chanta.

Mais Ulysse, des yeux, guettait à chaque instant le
rapide déclin du soleil embrasé : il voulait tant partir !... Ainsi vont au souper les vœux du laboureur
lorsque, dans la jachère, ses bœufs tachés de vin ont
traîné tout le jour la charrue d'assemblage !... Et
comme il est joyeux quand, le soleil éteint, il revient,
les genoux flageolants, au souper !... D'un cœur aussi
joyeux, Ulysse salua le coucher du soleil et, soudain,
c'est aux bons rameurs de Phéacie, mais surtout à
leur roi, qu'il adressa ces mots :

ULYSSE. — Seigneur Alkinoos, l'honneur de tout ce
peuple, faites aux dieux l'offrande, puis reconduisez-
moi, sain et sauf, au logis. Je vous fais mes adieux.
Vous avez accompli tous les vœux de mon cœur : ce
départ, ces cadeaux, puissent les dieux du ciel me les

---

a Vers 25 : à Zeus*, fils de Cronos*, le dieu des nuées sombres
le roi de tous les êtres.

rendre prospères! et puissé-je au logis retrouver
sains et saufs ma femme et tous les miens!... Et vous
qu'ici je laisse, puissiez-vous rendre heureux et vos
enfants et vos compagnes de jeunesse! et, les dieux
vous donnant toute félicité, qu'à jamais le malheur
épargne votre peuple!

Il dit : tous, d'applaudir et d'émettre le vœu qu'on
remmenât cet hôte qui savait si bien dire.

Sa Force Alkinoos appela le héraut :

ALKINOOS. — Pontonoos, fais-nous le mélange au
cratère et donne-nous du vin à tous, en cette salle, pour
prier Zeus le père et renvoyer cet hôte à la terre natale.

Il dit : Pontonoos mêla dans le cratère un vin
fleurant le miel, puis s'en vint à la ronde emplir
toutes les coupes, et chacun, sans quitter son siège, fit
l'offrande aux dieux, aux Bienheureux, maîtres des
champs du ciel. Mais déjà le divin Ulysse était debout;
dans la main d'Arété, il mit la double coupe et lui
dit, élevant la voix, ces mots ailés :

ULYSSE. — O reine, à ton bonheur!... ton bonheur
éternel, jusqu'au jour où viendront la vieillesse et la
mort : c'est notre lot à tous. Puisque je vais partir,
ah! qu'en cette maison, longtemps fasse ta joie le roi
Alkinoos, tes enfants et ton peuple!

Et comme le divin Ulysse, sur ces mots, avait franchi le seuil, Sa Force Alkinoos lui donna un héraut
pour le mener jusqu'au croiseur, sur le rivage; avec
eux, Arété dépêcha trois servantes : la première portait la robe avec l'écharpe tout fraîchement lavée;
l'autre suivait, portant le coffre aux bois épais, et la
troisième avait le pain et le vin rouge.

Quand ils eurent atteint le navire et la mer, les
nobles convoyeurs se hâtèrent de prendre les vivres

pour la route et de les déposer dans le fond du vaisseau ; puis, des draps de linon, ils firent pour Ulysse,
sur le gaillard de poupe, un lit où le héros dormirait
loin du bruit. Alors il s'embarqua, se coucha sans
rien dire, en ordre, les rameurs prirent place à leurs
bancs ; de la pierre trouée, on détacha l'amarre, et
bientôt, reins cambrés, dans l'embrun de l'écume, ils
tiraient l'aviron.

Mais déjà sur ses yeux, tombait un doux sommeil,
sans sursaut, tout pareil à la paix de la mort
[: comme, devant le char, on voit quatre étalons
s'élancer dans la plaine et pointer tous ensemble et
dévorer la route sous les claques du fouet ; ainsi poin-
tait la proue et, dans les gros bouillons du sillage,
roulait la mer retentissante], et le vaisseau courait
sans secousse et sans risque, et l'épervier, le plus
rapide des oiseaux, ne l'aurait pas suivi.

Il courait, il volait, fendant le flot des mers, empor-
tant ce héros aux divines pensées, dont l'âme avait
connu, autrefois, tant d'angoisses*a*. Maintenant, sans
un geste, il dormait, oubliant tous les maux endurés.
Juste à l'heure où paraît la reine des étoiles, qui
vient pour annoncer le lever de l'Aurore en son berceau de brume, le navire, achevant sa course sur la
mer, abordait en Ithaque.

Le Vieillard de la mer, Phorkys*, a dans les champs
d'Ithaque un de ses ports. Deux pointes avancées, qui
dressent face à face leurs falaises abruptes, rejettent
au-dehors les colères du vent et de la grande houle ;
au-dedans, les rameurs peuvent abandonner leur
vaisseau sans amarre, sitôt qu'ils ont atteint la ligne

---

a Vers 91 : à batailler sur terre, à peiner sur les flots.

du mouillage. A la tête du port, un olivier s'éploie, et l'on trouve tout près la sainte grotte obscure et charmante des Nymphes, qu'on appelle Naïades* : on y voit leurs cratères, leurs amphores de pierre, où vient rucher l'abeille, et, sur leurs grands métiers de pierre, les tissus teints en pourpre de mer, que fabriquent leurs mains, — enchantement des yeux! — et leurs sources d'eaux vives.

La grotte a deux entrées : par l'une, ouverte au nord, descendent les humains; l'autre s'ouvre au midi; mais c'est l'entrée des dieux; jamais homme ne prend ce chemin d'Immortels.

En ce port connu d'eux, les Phéaciens pénètrent. Ils s'échouent sur la grève et presque une moitié de leur navire y monte, tant les bras des rameurs avaient donné l'élan! Ils sautent hors des bancs, prennent d'abord Ulysse et, du creux du vaisseau, l'enlèvent en ses draps et son linon moiré; sans rompre son sommeil, sur le sable, ils le posent; ils tirent du vaisseau les richesses données par les rois phéaciens*a*; ils les mettent en tas, au pied de l'olivier, à l'écart de la route, de peur que les passants n'en viennent dérober, avant qu'il se réveille, puis, reprenant la mer, le croiseur s'en retourne.

Mais l'Ebranleur du sol n'avait pas oublié ses menaces d'antan à ce divin Ulysse. Il s'en était aller prendre l'avis de Zeus :

POSIDON*. — Quel respect, Zeus le Père, auront encor pour moi les dieux, les Immortels, quand les mortels me bravent, même ces Phéaciens qui sont nés de ma race? Je savais bien qu'Ulysse, à travers

---

a Vers 121 : pour revenir chez lui : il devait ces présents au grand cœur d'Athéna.

mille maux, rentrerait au logis; connaissant dès
l'abord ta promesse jurée, jamais je n'ai voulu le priver du retour. Mais c'est tout endormi, qu'à bord de
leur croiseur, ces gens de Phéacie lui font passer la
mer pour le mettre en Ithaque, avec de tels présents[a]
qu'Ulysse, revenu d'Ilion sans encombre, n'eût jamais
rapporté pareil lot de butin.

Zeus, l'assembleur des nues, lui fit cette réponse :

ZEUS. — Misère! que dis-tu! les dieux te mépriser,
toi, l'Ebranleur du sol à la force géante!... Je voudrais
bien les voir ne pas te respecter, toi, leur aîné, leur
chef! Mais s'il est des mortels dont l'audace se croie
de force à te braver, n'as-tu pas aujourd'hui et demain la vengeance? Fais comme il te plaira pour
assouvir ton cœur.

Posidon, l'ébranleur du sol, lui répondit :

POSIDON. — J'aurais depuis longtemps fait ce que tu
dis là, dieu des sombres nuées! Mais je crains ta
colère et voudrais l'éviter. Aujourd'hui, quand je vois,
dans la brume des mers, les Phéaciens rentrer de
cette reconduite, je pense à disloquer leur solide
vaisseau, pour que, rendus prudents, ils quittent désormais ce métier de passeurs[b].

Zeus, l'assembleur des nues, lui fit cette réponse :

ZEUS. — Cher, voici le parti que choisirait mon
cœur. Quand les gens de la ville pourront voir leur
vaisseau, de la pomme à la quille, rentrant à pleine
vogue, j'en ferais un rocher tout proche de la rive[c] :
que ce croiseur de pierre étonne les humains!

---

a Vers 136 : un pareil chargement d'or, de bronze et d'étoffes.
b Vers 152 : et couvrir leur cité du grand mont qui l'encercle.
c Vers 158 : en couvrant leur cité du grand mont qui l'encercle.

Il dit, et Posidon, l'Ébranleur de la terre eut à
peine entendu qu'il s'en fut en Schérie, en terre phéacienne, et là, il attendit. Le croiseur, arrivant du
large, était tout proche; il passait en vitesse : l'Ébranleur de la terre fit un pas, étendit la main et, le frappant, l'enracina au fond des eaux comme une roche.
Puis il s'en retourna.

Quels discours échangeaient en paroles ailées ces
gens de Phéacie, ces armateurs, ces mariniers aux
longues rames! Se tournant l'un vers l'autre, ils se
disaient entre eux :

LE CHŒUR. — Misère!... ah! qui vient donc d'entra-
ver dans la mer le croiseur qui rentrait? on le voyait
déjà de la pomme à la quille!

Ainsi parlaient les gens sans comprendre l'affaire.
Mais, prenant la parole, Alkinoos leur dit :

ALKINOOS. — Ah! misère! je vois s'accomplir les
oracles du vieux temps de mon père : Posidon, disait-
il, nous en voudrait un jour de notre renommée d'infaillibles passeurs et, lorsque reviendrait de quelque
reconduite un solide croiseur du peuple phéacien,
le dieu le briserait dans la brume des mers, puis couvrirait le bourg du grand mont qui l'encercle. Tous
ces mots du vieillard, vont-ils donc s'accomplir?...
Allons, croyez-m'en tous : faites ce que je dis; renon-
çons à passer quiconque vient chez nous; offrons à
Posidon douze taureaux de choix; implorons sa pitié; qu'il laisse notre bourg sans l'avoir recouvert de
la longue montagne.

Il dit, et, pris de crainte, le peuple phéacien
apprêtait les taureaux...

LA VENGEANCE D'ULYSSE

CHANTS XIII 185 A XXIII 296

Voici le troisième drame dont fut composée, « bâtie », notre présente « Poésie » de l'*Odyssée*. Les Anciens ne nous fournissent, ni pour un chant particulier ni pour un ensemble de chants, ce titre : *la Vengeance d'Ulysse.* Mais la plupart des critiques du XIXe siècle l'ont adopté, soit sous cette forme même, soit sous une forme équivalente : *le Massacre des Prétendants.* Nous allons rencontrer ces derniers mots comme titre particulier de l'un des épisodes. C'est pourquoi j'ai cru devoir adopter l'autre formule pour l'ensemble.

Ce drame commence au vers 185 de notre chant XIII. Nul ne discute plus aujourd'hui sur la séparation nécessaire qu'il faut rétablir en cet endroit dans la masse agglomérée par les Alexandrins, puis arbitrairement coupée par eux en « chants ». Ce drame, d'autre part, ne comprend pas toute la fin de notre *Odyssée* classique : les Alexandrins indiquaient déjà le vers 296 de leur chant XXIII comme le terme de l'*Odyssée* véritable; au-delà, ils avaient, sans doute en quelques éditions antérieures, la preuve que la fin du chant XXIII et tout le chant XXIV avaient été ajoutés, comme une sorte de conclusion ou, si l'on veut, d'épilogue et de finale, par les bâtisseurs récents de la « Poésie » unitaire.

En ce drame, un épisode presque entier du *Voyage,* le *Retour de Télémaque,* a été inséré, en dépit de toute harmonie, de toute logique et même de toute chronologie raisonnable. Les générations plus récentes y ont fait entrer, par des moyens aussi maladroits et des sutures aussi grossières, des interpolations nombreuses et considérables (le chant XVIII tout entier, par exemple).

Le résultat final est un rapetassage continu, dans lequel les morceaux authentiques sont de qualité à peine supérieure, pour le fond et la forme, aux parties les plus « bâtardes ». Seul, le premier quart de cette *Vengeance,* — les deux ou trois épisodes chez Eumée, — a une incontestable valeur; le sourire de l'auteur et du texte trahit une origine citadine, — je dirais volontiers : « bourgeoise »; — c'est une partie de campagne que vont faire chez leur Porcher Ulysse et son fils. Si les *Récits chez Alkinoos* peuvent être comparés aux plus nobles tragédies de Racine et le *Voyage de Télémaque,* aux plus alertes comédies de Regnard, c'est dans les pièces de Voltaire qu'il faudrait chercher des analogies avec la *Vengeance.*

LA RENTRÉE D'ULYSSE

Pendant qu'en Phéacie, entourant son autel, doges et conseillers adressaient leur prière à leur roi Posidon, Ulysse s'éveillait de son premier sommeil sur la terre natale, mais sans la reconnaître après la longue absence; car Pallas Athéna*, cette fille de Zeus, avait autour de lui versé une nuée, afin que, de ces lieux, il ne reconnût rien et qu'il apprît tout d'elle : ni sa femme, ni son peuple, ni ses amis ne devaient le reconnaître, tant que, des prétendants, il n'aurait pas puni toutes les violences. Aussi, devant les yeux du maître, tout n'était que sites étrangers, les mouillages des ports, les rocs inaccessibles, les sentes en lacets et les arbres touffus.

Brusquement relevé, debout, il contemplait le pays de ses pères... Il se prit à gémir et, du plat de ses mains se frappant les deux cuisses, il eut un cri d'angoisse :

Ulysse. — [Quel est donc ce pays? hélas! chez quels mortels suis-je enfin revenu?... chez un peuple sauvage, des bandits sans justice?... ou des gens accueillants qui respectent les dieux?... Où m'en vais-je porter cet amas de richesses?... moi-même, où m'en aller? Que ne suis-je resté là-bas en Phéacie! j'aurais bien rencontré quelque autre roi puissant qui m'aurait accueilli et reconduit chez moi. Maintenant je ne sais où mettre tous ces biens... Et pourtant, je

ne puis les abandonner là, en proie à tout venant.]
Misère! Ah! voilà donc ces gens de Phéacie! ces gens
sensés et justes! Doges et conseillers, c'est eux qui
m'ont jeté sur la terre étrangère, eux qui m'avaient
tant dit qu'ils me ramèneraient en mon aire d'Ithaque!... Puisqu'ils n'en ont rien fait, que Zeus les
récompense, le Zeus des suppliants, qui surveillant les
hommes, sait punir leurs forfaits!... Mais allons! que je
compte et revoie mes richesses : pourvu qu'en s'en allant, ils n'aient rien emporté au creux de leur vaisseau!

Il dit et dénombra les splendides trépieds, et les
chaudrons, et l'or, et les belles étoffes : il ne lui manquait rien. Mais avec quels sanglots il pleurait sa
patrie, en se traînant au bord des vagues mugissantes!

Athéna vint à lui. Elle avait pris les traits d'un
jeune pastoureau, d'un tendre adolescent qui serait
fils de roi. Sur l'épaule, elle avait la double et fine
cape, à la main la houlette et, sous ses pieds luisants, la paire de sandales.

Ulysse en la voyant eut le cœur plein de joie. Il
vint à sa rencontre et dit ces mots ailés :

ULYSSE. — Ami, puisqu'en ces lieux, c'est toi que,
le premier, je rencontre, salut! Accueille-moi sans
haine! et sauve-moi ces biens!... et me sauve moi-
même! Comme un dieu, je t'implore et suis à tes
genoux. Dis-moi tout net encore; j'ai besoin de savoir :
quel est donc ce pays? et quel en est le peuple? et
quelle en est la race?... Est-ce une île pointant sur
les flots comme une aire ou, penchée sur la mer,
n'est-ce que l'avancée d'un continent fertile?

Athéna, la déesse aux yeux pers, répliqua :

ATHÉNA. — Es-tu fol, étranger, ou viens-tu de si
loin?... Sur cette terre, ici, c'est toi qui m'interroges?

Pourtant, elle n'est pas à ce point inconnue : elle a son grand renom, aussi bien chez les gens de l'aube et du midi que dans les brumes du noroît, au fond du monde! Elle n'est que rochers peu faits pour les chevaux; mais, sans être très pauvre et sans être très vaste, elle a du grain, du vin plus qu'on ne saurait dire, de la pluie en tout temps et de fortes rosées : un bon pays à chèvres!... un bon pays à porcs!... des bois de toute essence; des trous d'eau toujours pleins. Et voilà, étranger, pourquoi le nom d'Ithaque est allé jusqu'à Troie, que l'on nous dit si loin de la terre achéenne!

A ces mots, quelle joie eut le divin Ulysse[a]!

Reprenant la parole, le héros d'endurance lui dit ces mots ailés, mais c'était menteries; pour jouer sur les mots, jamais en son esprit les ruses ne manquaient :

ULYSSE. — Ithaque! on m'en parla, loin d'ici, outremer, dans les plaines de Crète. Je ne fais qu'arriver avec ce chargement; j'en ai laissé là-bas autant à ma famille, le jour que j'ai dû fuir, après avoir tué, dans nos plaines de Crète, le fils d'Idoménée, le coureur Orsiloque, qui, pour ses pieds légers, n'avait pas de rival chez les pauvres humains. Il voulait me priver de tout ce butin-là[b] : car j'avais, disait-il, mécontenté son père et trahi son service, pour commander ma bande au pays des Troyens. Un soir qu'il revenait des champs, je le frappai du bronze de ma lance : j'étais en embuscade avec un compagnon, sur le bord

---

a Vers 251-252 : douceur de la patrie, que la fille du Zeus à l'égide, Athéna, venait de lui nommer!

b Vers 263-264 : ce butin de Troade, pour lequel j'avais eu tant de maux à souffrir en bataillant sur terre, en peinant sur les flots.

du chemin ; la nuit la plus obscure avait empli le ciel ; personne ne pouvait nous voir ; en plein secret, je lui fis rendre l'âme. Dès que je l'eus tué à la pointe du bronze, je courus implorer, à bord de leur vaisseau, de nobles Phéniciens. Je leur offris sur mon butin de quoi leur plaire. Je les avais priés de me mettre à Pylos ou de me débarquer dans la divine Élide, chez les rois épéens[1]. Mais la rage du vent les jeta hors de route : ils luttèrent en vain, sans vouloir me duper ; écartés de Pylos, c'est en ces lieux qu'ils vinrent... Cette nuit, leurs rameurs nous ont fait à grand-peine entrer en cette rade ; personne ne parla du souper dont pourtant nous avions grand besoin ; mais, sitôt débarqués, tout le monde dormait... Le bon sommeil qui me prit là ! j'étais brisé !... Du creux de leur navire, ils ont tiré mes biens, les ont mis près de moi qui dormais dans le sable, puis se sont rembarqués vers Sidon, leur grand-ville, et sont partis en me laissant à ma tristesse.

A ces mots, Athéna, la déesse aux yeux pers, eut un sourire aux lèvres ; le flattant de la main et reprenant ses traits de femme[a], elle lui dit ces paroles ailées :

Athéna. — Quel fourbe, quel larron, quand ce serait un dieu, pourrait te surpasser en ruses de tout genre !... Pauvre éternel brodeur ! n'avoir faim que de ruses !... Tu rentres au pays et ne penses encore qu'aux contes de brigands, aux mensonges chers à ton cœur depuis l'enfance... Trêve de ces histoires ! nous sommes deux au jeu : si, de tous les mortels,

---

a Vers 289 : de grande et belle femme, artiste en beaux ouvrages
1. Les Épéens sont les habitants de l'Élide.

je te sais le plus fort en calculs et discours, c'est
l'esprit et les tours de Pallas Athéna que vantent
tous les dieux... Tu n'as pas reconnu cette fille de
Zeus, celle qu'à tes côtés, en toutes tes épreuves, tu
retrouvas toujours, veillant à ta défense, celle qui te
gagna le cœur des Phéaciens! Et maintenant encor,
si tu me vois ici, c'est que je veux tramer avec toi tes
projets et cacher ces richesses que, pour rentrer chez
toi, les nobles Phéaciens ne t'ont données que sur
mes idée et conseil... Sache donc les soucis que, jusqu'en ton manoir, le destin te réserve. Il faudra tout
subir, sans jamais confier à quiconque, homme ou
femme, que c'est toi qui reviens après tant d'aventures; sans mot dire, il faudra pâtir de bien des maux
et te prêter à tout, même à la violence!

Ulysse l'avisé lui fit cette réponse :

ULYSSE. — Quel mortel, ô déesse, à première rencontre pourrait te reconnaître?... On a beau être
habile : tu prends toutes les formes!... Ce que je sais
bien, moi, c'est que ton dévouement était à mes
côtés tant qu'au pays de Troie, les fils de l'Achaïe
ont mené la bataille. Mais du jour que l'on eut saccagé sur sa butte la ville de Priam et que, montés à
bord, un dieu nous dispersa, dès lors, fille de Zeus,
je cessai de te voir; je ne te sentis pas embarquée à
mon bord pour m'épargner les maux. Tout le temps
que j'errai, je ne connus jamais que doutes en mon
cœur, jusqu'au jour où les dieux me tirèrent de
peines. Alors, au bon pays des gens de Phéacie, c'est
toi dont les discours vinrent m'encourager et me
guider en ville! Maintenant je t'en prie par ton Père :
réponds! je suis à tes genoux; je ne puis croire encor
que je sois arrivé en mon aire d'Ithaque; c'est sur un

autre sol que me voici perdu... Tu te railles, je sais,
et ne parles ainsi que pour leurrer mon cœur... Est-il
bien vrai, dis-moi, que c'est là ma patrie?

Athéna, la déesse aux yeux pers, répliqua :

ATHÉNA. — C'est donc toujours le même esprit en
ta poitrine! Non! je ne puis t'abandonner en ton
malheur. Tu sais trop finement deviner et comprendre. Un autre n'eût été, après tant de traverses,
qu'aux joies de l'arrivée, au besoin de revoir chez
lui enfants et femme. Mais toi, tu ne veux pas demander et savoir; par toi-même, tu veux juger de
ton épouse. Sache qu'en ton manoir, elle passe les
nuits dans l'éternelle angoisse, et les jours à pleurer.
Oh! moi, je n'ai jamais douté : je savais bien qu'un
jour tu rentrerais, après avoir perdu le dernier de
tes hommes. Mais je n'ai pas voulu combattre Posidon, le frère de mon père : il avait contre toi, qui
aveuglas son fils, tant de rancune au cœur!...

« Mais regarde avec moi le sol de ton Ithaque : tu
me croiras peut-être... La rade de Phorkys, le Vieillard de la mer, la voici! et voici l'olivier qui s'éploie
à l'entrée de la rade[a]! voici l'antre voûté, voici la
grande salle où tu vins, tant de fois, offrir une parfaite hécatombe aux Naïades! et voici, revêtu de ses
bois, le Nérite!

A ces mots, Athéna dispersa la nuée : le pays apparut; quelle joie ressentit le héros d'endurance! il
connut le bonheur, cet Ulysse divin. Sa terre! il en
baisait la glèbe nourricière, puis, les mains vers le
ciel, il invoquait les Nymphes* :

---

a Vers 347-348 : près de lui, cette obscure et charmante caverne,
c'est la grotte des Nymphes qu'on appelle Naïades.

Ulysse. — Ô vous, filles de Zeus, ô Nymphes, ô Naïades, que j'ai cru ne jamais revoir, je vous salue!... Acceptez aujourd'hui mes plus tendres prières. Bientôt, comme autrefois, vous aurez nos offrandes, si la fille de Zeus, la déesse au butin, me restant favorable, m'accorde, à moi, de vivre, à mon fils, de grandir!

Athéna, la déesse aux yeux pers, l'incitait :

Athéna. — Courage! et que ton cœur écarte un tel souci! Mais hâtons-nous : au fond de la grotte sacrée, déposons tes richesses; que tu n'en perdes rien: puis nous tiendrons conseil pour le meilleur succès.

A ces mots, pénétrant dans l'ombre de la grotte, la déesse en allait visiter les recoins, pendant qu'en toute hâte, Ulysse lui passait les dons des Phéaciens, le bronze inaltérable, l'or, les bonnes étoffes, et la fille du Zeus à l'égide, Athéna, les rangeait avec soin et mettait sur l'entrée de la grotte une pierre.

Puis le couple s'assit sous l'olivier sacré, tramant la mort de ces bandits de prétendants, et ce fut Athéna, la déesse aux yeux pers, qui rouvrit l'entretien :

Athéna. — Fils de Laerte, écoute! ô rejeton des dieux, Ulysse aux mille ruses! songe à tourner tes coups sur ces gens éhontés, qu'on voit, depuis trois ans, usurper ton manoir et, le prix à la main, vouloir prendre ta femme. Elle, c'est ton retour que son âme attristée attend de jour en jour; mais il lui faut à tous donner des espérances, envoyer à chacun promesses et messages, quand elle a dans l'esprit de tout autres projets.

Ulysse l'avisé lui fit cette réponse :

Ulysse. — Misère! ah! j'allais donc trouver en mon manoir, comme l'Atride* Agamemnon, le jour fatal, si tu n'étais venue tout me dire, ô déesse. Mais voyons, trame-moi le plan de ma vengeance! et reste à mes côtés pour me verser la même audace valeureuse qu'au jour où, d'Ilion, nous avons arraché les voiles éclatants!... Si d'une telle ardeur, ô déesse aux yeux pers, tu venais m'assister, j'irais me mesurer contre trois cents guerriers[a].

Athéna, la déesse aux yeux pers, répliqua :

ATHÉNA. — Oui, toujours et partout, quand nous devrons agir, je serai près de toi, sans te manquer jamais. Ces seigneurs prétendants qui dévorent tes vivres, ah! je les vois déjà, de leur sang et cervelle, arroser tout le sol! Quand je t'aurai rendu méconnaissable à tous[b], à ta femme, à ton fils qu'au manoir tu laissas, il faudra tout d'abord t'en aller chez Eumée, le chef de tes porchers : il te garde son cœur; il chérit ton enfant, ta sage Pénélope; c'est près de ses pourceaux que tu le trouveras. Ils ont leurs tects au bord de la Pierre au Corbeau, sur la source Aréthuse : là, se gorgeant de glands et s'abreuvant d'eau noire, ils ont tout ce qui met les porcs en belle graisse... Restes-y pour attendre et pour te renseigner, tandis que je m'en vais jusqu'à Lacédémone, la ville aux belles femmes : je veux te ramener, cher Ulysse, ton fils! Télémaque est parti vers Sparte à la grand-plaine savoir de Ménélas si l'on parlait de toi, si tu vivais encore.

---

a Vers 391 : avec ta bienveillance auguste et ton secours.

b Vers 398-402 : je vais donc te flétrir cette si jolie peau sur ces membres flexibles, faire tomber ces blonds cheveux de cette tête, te couvrir de haillons qui saisiront d'horreur les regards des humains; j'éraillerai tes yeux, ces beaux yeux d'autrefois, afin qu'aux prétendants tu paraisses hideux.

Ulysse l'avisé lui fit cette réponse :

Ulysse. — Et pour quelle raison ne lui as-tu rien dit, toi, dont l'esprit sait tout?... tu voulais qu'à son tour, sur la mer inféconde, il errât et souffrît, pendant que son avoir est mangé par ces gens?

Athéna, la déesse aux yeux pers, répliqua :

Athéna. — Oh! pour lui, que ton cœur ne soit point en souci!... C'est moi qui l'ai conduit, voulant qu'en ce voyage, il acquît bon renom : sans l'ombre d'une peine, il reste bien tranquille au manoir de l'Atride et ne manque de rien. Je sais bien qu'une bande, avec un noir vaisseau, lui tend une embuscade et voudrait le tuer avant qu'il ait revu le pays de ses pères. Mais ne crains rien; je veille : auparavant, la terre en couvrira plus d'un[a].

Elle dit et, l'ayant touché de sa baguette, flétrit sa jolie peau sur ses membres flexibles; de sa tête, ses cheveux blonds étaient tombés; il avait sur le corps la peau d'un très vieil homme; ses beaux yeux d'autrefois n'étaient plus qu'éraillures, sa robe n'était plus que haillons misérables, loqueteux et graisseux, tout mangés de fumée. Puis Pallas Athéna, lui jetant sur le dos la grande peau râpée d'un cerf aux pieds rapides, lui donna un bâton et une orde besace, qui n'était que lambeaux pendus à une corde.

a Vers 428 : parmi ces prétendants qui mangent ton avoir.

L'ENTRETIEN CHEZ EUMÉE

Quand tout fut concerté entre eux, ils se quittèrent. Athéna s'en allait vers Sparte la divine chercher le fils d'Ulysse.

(CHANT XIV) Mais Ulysse prenait le sentier rocailleux qui monte à travers bois, du port vers la falaise. Il allait à l'endroit qu'avait dit Athéna*, retrouver ce divin porcher, qui, de son maître, défendait mieux les biens que nul des domestiques dont Ulysse avait pu faire autrefois l'achat.

Il trouva le porcher assis dans l'avant-pièce. En ce lieu découvert, le haut mur de la cour formait un grand beau cercle que, pour loger ses porcs, Eumée avait construit en l'absence d'Ulysse, sans consulter sa dame ni le vieillard Laerte.

Sur les murs en gros blocs, la frise était d'épines[1]; au-dehors, tout autour, côte à côte plantés, des pieux serrés, d'énormes chênes équarris lui faisaient un rempart; au-dedans, douze tects pour le sommeil des truies s'alignaient porte à porte : sur le sol de chacun, couchaient cinquante truies qu'on enfermait le soir; chacune avit mis bas. Mais les mâles restaient au-dehors pour la nuit; leur nombre était bien

---

1. Des branches épineuses, couronnant l'enceinte, en rendent le franchissement impossible.

moindre, décimés qu'ils étaient pour fournir à la table des divins prétendants, car Eumée, chaque jour, leur devait le plus gras de ses cochons à lard : aussi n'en restait-il plus que trois cent soixante. Quatre chiens les gardaient jour et nuit, quatre fauves, qu'avait nourris le grand commandeur des porchers.

Eumée était assis, ajustant à son pied la paire de sandales que, dans un cuir de bœuf bon teint, il se taillait. Ses gens étaient partis : trois suivaient la cohue errante des pourceaux; il avait envoyé le quatrième en ville mener aux prétendants le porc que, chaque jour, ces bandits exigeaient pour faire un sacrifice et manger tout leur saoul.

Soudain, les chiens hurleurs, apercevant Ulysse, lui coururent dessus avec de grands abois... Sagement, il s'assit, mais laissa le bâton échapper de ses mains et, devant son étable, il allait endurer le plus triste des sorts, quand, de son pas rapide, Eumée hors de l'auvent accourut derrière eux, si vite que le cuir échappa de ses mains.

A grands éclats de voix, sous une pluie de pierres, il dispersa les chiens, puis il dit à son maître :

EUMÉE. — Vieillard, encore un peu et, d'un seul coup, mes chiens allaient te mettre en pièces! La belle renommée que tu m'aurais value! J'ai déjà, grâce aux dieux, trop de maux et d'angoisses!... Ah! mon maître divin! pendant que, tristement, je vis à le pleurer, il me faut élever ses cochons les plus gras pour que d'autres les mangent... Et lui, toujours errant, il a peut-être faim en quelque ville ou champ des peuples d'autre langue..., s'il vit, s'il voit encor la clarté du soleil!... Mais allons! vieux, suis-moi; entrons dans ma cabane; je veux que, de son

pain, de son vin, toi aussi, tu prennes tout ton saoul,
puis tu me conteras d'où tu viens et les maux que
ton cœur endura.

Et le divin porcher, le menant à sa loge, le fit entrer
et l'installa sur la banquette, qu'il avait rembourrée
de brousse et recouverte de la peau bien velue d'une
chèvre sauvage : c'était là qu'il couchait, au large et
sur le doux.

En voyant son porcher le recevoir ainsi, Ulysse,
plein de joie, lui dit et déclara :

ULYSSE. — Ô mon hôte! que Zeus* et tous les
Immortels, exauçant tes désirs les plus chers, récom-
pensent cet accueil de bonté!

Mais toi, porcher Eumée, tu lui dis en réponse :

EUMÉE. — Étranger, ma coutume est d'honorer les
hôtes, quand même il m'en viendrait de plus piteux
que toi; étrangers, mendiants, tous nous viennent de
Zeus; ne dit-on pas : petite aumône, grande joie?...
Je fais ce que je puis : tu sais que serviteur vit toujours dans la crainte, quand il faut obéir à des
maîtres stupides. Ah! celui dont les dieux entravent
le retour, quels soins et quels égards il aurait eus
pour moi! il m'aurait établi! maison, lopin de champ
et femme de grand prix, il m'aurait accordé tout ce
qu'on peut attendre du bon cœur de son maître,
après un long travail que bénissent les dieux. Tu vois
qu'ils ont béni ce coin où je m'attache. Vieillissant
parmi nous, le maître m'eût comblé. Mais, nous l'avons
perdu... Ah! qu'Hélène et sa race auraient pu disparaître[a]! Car lui aussi partit, vers Troie la poulinière,
combattre les Troyens pour l'honneur de l'Atride*.

a Vers 69 : et sans laisser de trace! elle qui, de tant d'hommes,
a brisé les genoux.

Il dit et, par-dessus sa robe, prestement, il serra
sa ceinture; puis, s'en allant aux tects où restait enfermé le peuple des gorets, il en prit une paire, les
rapporta, les immola, les fit flamber et, les ayant
tranchés menu, les embrocha.

Quand ce rôti fut prêt, il l'apporta fumant, le mit
devant Ulysse, à même sur les broches, en saupoudra
les chairs d'une blanche farine, mélangea dans sa
jatte un vin fleurant le miel et prit un siège en face,
en invitant son hôte :

EUMÉE. — Allons! mange, notre hôte!... dîner de
serviteurs!... de simples porcelets! car nos cochons
à lard, les prétendants les croquent, sans un remords
au cœur et sans pitié d'autrui. Ah! les dieux bienheureux détestent l'injustice : c'est toujours l'équité
que le ciel récompense, et la bonne conduite! les
pires des brigands, quand ils s'en vont piller les
rivages d'autrui, que Zeus livre à leurs coups, peuvent bien revenir avec leur cale pleine : la crainte
et les remords s'abattent sur leurs cœurs. Mais
sans doute nos gens, par quelque avis du ciel, ont dû
savoir la mort lamentable du maître. Aussi ne font-
ils pas leur cour comme il se doit : au lieu de retourner sur leurs propres domaines, ce sont nos biens,
à nous, que, tout tranquillement, sans rien se refuser,
ces bandits nous dévorent. Autant de nuits, autant
de jours que Zeus leur fait, il leur faut des victimes,
et pas une ni deux! ils engouffrent le vin! ils sèchent
le cellier!... Sache que notre maître avait la vie très
large : ni sur ce continent, dont la côte noircit[1], ni

---

1. La ligne du rivage est en effet visible d'Ithaque

dans l'Ithaque même, aucun autre héros n'avait aussi
grand train! ils se mettraient à vingt sans égaler son
bien : veux-tu savoir le compte?... En terre ferme[1]
il a douze troupeaux de vaches, tout autant de moutons[a], que font paître là-bas des bergers à sa solde
ou des hôtes à lui. Ici, dans notre Ithaque, est son
armée de chèvres, onze hardes en tout, qu'à l'autre
bout de l'île, gardent d'honnêtes gens; eux aussi,
chaque jour, doivent aux prétendants envoyer une
bête, en prenant le meilleur de leurs chevreaux
dodus. Et tu me vois garder et défendre ses porcs,
dont, chaque jour, je dois leur fournir le plus
beau!

Il disait. Mais Ulysse, avalant prestement les viandes
et le vin, à grands coups, sans mot dire, et songeant à
planter des maux aux prétendants, se restaurait le
cœur. Le repas terminé, Eumée emplit de vin la
tasse où il buvait et la tendit au maître. Ulysse
l'accepta et, d'un cœur plus joyeux, il lui dit, élevant la voix, ces mots ailés :

ULYSSE. — Ami, quel est celui qui t'avait acheté à
ses propres dépens? Tu viens de me vanter sa richesse et sa force; tu me dis qu'il est mort pour
l'honneur de l'Atride; s'il est un si grand roi, voyons,
dis-moi son nom! je l'ai connu peut-être : Zeus et les
autres dieux immortels savent bien si, l'ayant vu,
je puis t'en donner des nouvelles; j'ai tant couru le
monde!

a Vers 101 : en même nombre aussi les bandes de cochons et les
hardes de chèvres.

1. Ithaque, avec ses rochers, ne peut nourrir le gros bétail, qu'on
envoie paître sur le continent.

Eumée, le commandeur des porchers, répliqua :

Eumée. — Des nouvelles, vieillard! tous les rouleurs des mers viendraient nous en donner, qu'ils ne convaincraient plus sa femme ni son fils! Pour obtenir nos soins, tous les gens d'aventures inventent des mensonges, chacun à sa façon; la vérité est le dernier de leurs soucis! et dès qu'un vagabond arrive en notre Ithaque, il court chez ma maîtresse et lui conte une histoire. Elle, de l'accueillir, et de le bien traiter, et de l'interroger!... et voilà les sanglots!... et les yeux pleins de larmes!... Il est trop naturel de pleurer un mari qui périt loin des siens!... Et toi aussi, mon petit vieux, tu bâtiras sur-le-champ une histoire, pour avoir les habits, la robe et le manteau. Mais Lui!... voici longtemps, je pense, que les chiens et les oiseaux rapides ont décharné ses os, d'où l'âme s'est enfuie, à moins que les poissons de mer ne l'aient mangé ou que, sur un rivage, une dune profonde ne recouvre ses os. Ici ou là, il est bien mort!... Pour tous les siens, et pour moi plus encor, la vie n'est désormais que tristesse : où que j'aille, je ne retrouverai jamais un si doux maître!... Oui! j'aurais beau revoir et mon père et ma mère, et la maison natale, où tous deux m'ont nourri... Certes, je les regrette[a]! et pourtant moins que lui... Car c'est Ulysse absent qui me manque le plus... Ô mon hôte, tu vois que, même en son absence, j'hésite à le nommer. Entre tous, il m'aimait; j'avais place en son cœur; il a beau être loin; il n'a toujours qu'un nom pour moi : c'est le grand frère!

---

a Vers 143 : je voudrais, retournant à la terre natale, les revoir de mes yeux.

Le héros d'endurance, Ulysse le divin, lui fit cette réponse :

ULYSSE. — Je vois bien, mon ami, que tu nieras toujours; car, c'en est dit pour toi, il ne reviendra plus! ton cœur reste incrédule!... Eh bien, c'est un serment, ce n'est plus une histoire que, moi, je te ferai sur le retour d'Ulysse; tu n'auras à payer cette bonne nouvelle que s'il vient à rentrer un jour en son manoir[a]; jusque-là, quel que soit mon besoin, je refuse; les portes de l'Hadès me sont moins odieuses que ces conteurs que fait mentir la pauvreté... Donc que Zeus soit témoin, et tous les Immortels, et ta table, ô mon hôte[b], je dis que tu verras s'accomplir tous mes mots[c]! soit à la fin du mois, soit au début de l'autre. Ulysse rentrera chez lui et punira tous ceux qui, dans cette île, ont outragé sa femme et son illustre fils.

Mais toi, porcher Eumée, tu lui dis en réponse :

EUMÉE. — Ce n'est pas moi, vieillard, qui te paierai jamais cette bonne nouvelle : Ulysse, en sa maison, jamais ne rentrera... Mais, prends ton temps et bois! puis laissons le sujet et parlons d'autre chose, car jusqu'au fond du cœur, la tristesse me prend, chaque fois que j'entends parler de ce bon maître... Non! laissons les serments, et qu'Ulysse revienne! c'est notre vœu à tous, à moi, à Pénélope, au divin Télémaque et au vieillard Laerte!... Mais pour un autre encor, mon angoisse est sans bornes : c'est pour le fils qu'Ulysse engendra, Télémaque! les dieux avaient

---

a Vers 154 : me vêtissant de neuf, la robe et le manteau.
b Vers 159 : comme aussi ce foyer de l'éminent Ulysse.
c Vers 161 : oui, cette lune-ci, Ulysse rentrera.

nourri ce rejet de la race; j'ai cru qu'à l'âge d'homme,
il nous rendrait son père, avec sa taille et sa noblesse
et sa beauté. Est-ce un homme, est-ce un dieu qui
soudain affola cet esprit pondéré? Voilà qu'il est
parti s'enquérir de son père en la bonne Pylos, et
nos fiers prétendants le guettent au retour pour
éteindre en Ithaque le nom d'Arkésios et sa race
divine. Nous n'y pouvons plus rien : se laissera-t-il
prendre? pourra-t-il échapper, si le fils de Cronos*
étend sur lui son bras? Mais toi, mon petit vieux,
il te faut maintenant nous conter tes chagrins;
parle-moi sans détour : j'ai besoin de savoir. Quel
est ton nom, ton peuple et ta ville et ta race?... et
quel est le vaisseau qui, chez nous, t'apporta? comment les gens de mer t'ont-ils mis en Ithaque?
avaient-ils un pays de qui se réclamer?... car ce n'est
pas à pied que tu nous viens, je pense!

Ulysse l'avisé lui fit cette réponse :

ULYSSE. — Oui, mon hôte, je vais te répondre sans
feinte. Mais nous aurions du temps, des vivres, du
bon vin et, sans bouger d'ici, laissant l'ouvrage aux
autres, nous resterions tout à notre aise à banqueter, que j'en aurais encor grandement pour l'année
avant de te pouvoir défiler mes chagrins[a]!

« J'ai l'honneur d'être né dans les plaines de Crète[1].
Mon père était fort riche; de sa femme, il avait de
nombreux autres fils, légitimes ceux-là, qu'il élevait
chez lui : ma mère, à moi, n'était qu'une esclave
achetée. Il me traitait pourtant comme un fils de
sa femme, ce Castor l'Hylakide, dont le sang fait ma

---

a Vers 198 : car j'ai pâti de tout sous le courroux des dieux.
1. A nouveau, Ulysse entreprend un récit fantaisiste.

gloire et que le peuple, en Crète, honorait comme
un dieu pour ses succès, ses biens et ses valeureux
fils. Mais les Parques* de mort, l'ayant pris, l'empor-
tèrent aux maisons de l'Hadès, et ses fils pleins d'or-
gueil partagèrent ses biens, qu'ils tirèrent au sort.
Moi, sauf une maison que l'on m'attribua, je n'eus
que peu de chose; mais je pus prendre femme en
très riche famille : on vantait ma valeur; je savais
m'occuper, ne pas fuir la bataille... Oh! c'est loin
tout cela! pourtant je crois qu'au chaume, on devine
l'épi : tant de calamités ont fait de moi leur proie!...

« Arès* et Athéna m'avaient pourvu d'audace, et
de muscles aussi! Quand, avec ma poignée de braves
bien choisis, je m'en allais planter des maux aux
adversaires, ah! ce n'est pas la mort que voulait
regarder mon cœur toujours allant! Je courais bon
premier, je bondissais en tête, et ma lance abattait
tout ce qui, devant moi, ne savait pas courir... Mais,
si brave au combat, je n'avais aucun goût pour le travail des champs et les soins de ménage qui font les
beaux enfants : ce que j'aimais c'étaient les rames,
les vaisseaux, les flèches, les combats, les javelots
polis; tous les outils de mort, qui font trembler les
autres, faisaient ma joie; les dieux m'en emplissaient le
cœur : à chacun, n'est-ce pas? son plaisir et sa tâche.

« Donc, avant qu'en Troade, on eût vu débarquer
les fils des Achéens, j'avais neuf fois déjà, en pays
étranger, emmené mes vaisseaux rapides et mes
braves : un énorme butin m'en était revenu; je pré-
levais d'abord une prime à mon choix, puis je tirais
ma part. Aussi, de jour en jour, ma maison s'accrois-
sait; elle m'aurait valu quelque jour le respect des
Crétois, et leur crainte. Mais quand, vers Ilion, le

Zeus à la grand-voix nous voulut assigner cet odieux
voyage, qui brisa les genoux de tant de nos héros,
ce fut moi qu'on chargea de commander la flotte,
avec Idoménée, notre roi glorieux : nul moyen d'es-
quiver; j'aurais eu dans le peuple un trop mauvais
renom... Et nous restons là-bas neuf années à combattre en bons fils d'Achéens. Quand, la dixième
année, nous avons saccagé la ville de Priam, nous
revenons chez nous avec tous nos vaisseaux; mais
un dieu dispersait les autres Achéens, et moi, l'infortuné! quels maux me réservait la sagesse de Zeus!

« Je n'avais pas joui un mois de mes enfants, de la
femme de ma jeunesse et de mes biens, que l'envie
me prenait d'équiper des navires et d'aller en croi-
sière, avec mes compagnons divins, dans l'Egyptos.
J'équipe neuf vaisseaux, et les hommes affluent. Six
jours, ces braves gens font bombance chez moi; c'est
moi qui, sans compter, fournissais les victimes, tant
pour offrir aux dieux que pour servir à table. Le
septième, on embarque et, des plaines de Crète, un
bel et plein Borée nous emmène tout droit, comme
au courant d'un fleuve : à bord, pas d'avaries; ni
maladie, ni mort; on n'avait qu'à s'asseoir et qu'à
laisser mener le vent et les pilotes. Cinq jours, et
nous entrons au beau fleuve Egyptos[a].

« Une fois arrivé, j'ordonne à tous mes braves de
garder les vaisseaux sans bouger de la rive, tandis que
j'envoyais des vigies sur les guettes; mais, cédant
à leur fougue et suivant leur envie, les voilà qui se
ruent sur les champs merveilleux de ce peuple

---

a Vers 258 : je fais entrer tous mes vaisseaux aux deux gaillards
dans le fleuve Égyptos.

d'Égypte, les pillant, massacrant les hommes, ramenant les enfants et les femmes. Le cri ne tarde pas
d'en venir à la ville : dès la pointe de l'aube, accourus à la voix, piétons et gens de chars emplissent la
campagne de bronze scintillant; Zeus, le joueur de
foudre, nous jette la panique, et pas un de mes gens
n'a le cœur de tenir en regardant en face : nous
étions, il est vrai, dans un cercle de mort.

« J'en vois périr beaucoup sous la pointe du bronze;
pour le travail forcé, on emmène le reste. Mais Zeus
lui-même alors me fournit une idée... Oh! comme
j'aurais dû mourir dans l'Egyptos, subir la destinée!
la suite allait avoir pour moi tant de malheurs!...
Mais ôtant de ma tête mon bonnet de métal[1] posant
le bouclier que j'avais aux épaules, je rejette ma
lance et, mains vides, je vais droit aux chevaux du
roi : je tombe à ses genoux; je les tiens embrassés;
il a pitié de moi! C'est lui qui me protège et me prend
sur son char; jusque dans son manoir, il me ramène
en larmes; la foule brandissait ses piques contre moi
et demandait ma mort; c'étaient des forcenés; mais
lui les écartait, redoutant la colère de Zeus l'hospitalier, qui sait toujours tirer vengeance des forfaits[2].

« Je restai là sept ans, amassant de grands biens :
tous me faisaient des dons chez ces peuples d'Égypte.
Lorsque s'ouvrit le cours de la huitième année, je
vis venir à moi l'un de ces Phéniciens qui savent
en conter : sa fourbe avait déjà causé bien des malheurs!... Il m'enjôle pour m'emmener en Phénicie

1. A l'origine, le casque se présentait comme un bonnet de cuir
recouvert de plaques de bronze.
2. Les lois sacrées de l'hospitalité font oublier au roi ses griefs
contre le chef des pillards. Zeus veillait à l'observance de ces lois.

où, de fait, il avait sa maison et ses biens. Là, j'habite chez lui le restant de l'année. Mais lorsque les
journées et les mois ont passé, quand, au bout de
l'année, le printemps nous revient, il m'emmène en
Libye sur un vaisseau du large : il m'en avait conté
pour m'avoir à son bord avec ma cargaison; là-bas,
il espérait me vendre le bon prix; en m'embarquant,
je m'en doutais; mais comment faire?

« Notre vaisseau filait : un bel et plein Borée l'avait
poussé déjà au-dessus de la Crète, quand le fils de
Cronos décide notre perte... La Crète disparaît :
plus une terre en vue; rien que le ciel et l'eau! Zeus
nous pend sur la coque une sombre nuée, dont la
mer s'enténèbre*a*; la foudre vient frapper le vaisseau
qui capote et que le soufre emplit : tous mes gens
sont à l'eau*b*. Mais Zeus, dans ma détresse, me met
entre les bras l'énorme mât de ce navire à proue
d'azur; c'est qu'il voulait encor me tirer du péril!...
Sur le mât que j'embrasse, je me laisse emporter
et je flotte neuf jours, en proie aux vents de mort.
C'est en pleine nuit noire, enfin, que, le dixième, la
grosse mer me roule à la côte thesprote[1]. Là, je suis
accueilli, sans rançon, par le roi des Thesprotes,
Phidon : le fils de ce héros, me trouvant épuisé de
froid et de fatigue, m'avait mené chez lui; il me prit
par la main pour aller chez son père; on m'y donna
le vêtement, robe et manteau.

« C'est là qu'on m'a parlé d'Ulysse; car le roi m'a
dit l'avoir reçu, qui rentrait au pays, et l'avoir bien

a Vers 305 : il tonne en même temps et lance son éclair.
b Vers 308-309 : et comme des corneilles, le flot les ballottait
autour du vaisseau noir; le dieu leur refusait la journée du retour
1. Au sud de l'Épire.

traité. Il m'a même montré tout le tas des richesses que ramenait Ulysse[a], de quoi bien vivre à deux, pendant dix âges d'homme.

« Le manoir était plein de ces objets de prix. Ulysse était parti, disait-on, pour Dodon[1]. Au feuillage divin du grand chêne de Zeus, il voulait demander conseil pour revenir au bon pays d'Ithaque : après sa longue absence, devait-il se cacher ou paraître au grand jour ? Sur nos libations d'adieu, dans son logis, le roi m'a fait serment que le navire était à flot et les gens prêts, pour ramener Ulysse à la terre natale. Mais ce fut moi d'abord que Phidon renvoya sur un vaisseau thesprote qui, pour Doulichion[2], le grand marché au blé, se trouvait en partance. Le roi chargea ces gens de veiller sur ma vie et de me ramener chez le roi Acastos[3]. Mais en eux prévalut la mauvaise pensée de me donner en proie aux pires des misères. Quand, la terre quittée, nous sommes au grand large, les voilà qui m'octroient le joug de l'esclavage, m'arrachent mes habits, la robe et le manteau, et jettent sur mon dos cette mauvaise loque, cette robe en haillons que tu me vois encore. Vers le soir, nous touchons à votre aire d'Ithaque. Ils m'attachent, serré à plusieurs tours de corde, sous les bancs du vaisseau, puis débarquent en hâte et prennent le repas.

a Vers 324 : et du bronze, et de l'or, et du fer travaillé.

1. Dodone, en Épire, parmi les chênes. Interprété par les prêtres de Zeus, le bruissement du vent dans les feuilles avait une valeur prophétique.

2. L'île de Doulichion (peut-être Leucade ?) fait partie du royaume d'Ulysse, avec Ithaque, Zacynthe et Samé.

3. Roi de Doulichion, vassal d'Ulysse.

« Mais, sans peine, une main divine me détache. Alors, de mon haillon, je me couvre la tête; je glisse par l'étrave, je m'allonge sur l'eau et, ramant des deux mains, je me mets à la nage si bien qu'en un instant, hors de prise, loin d'eux, j'aborde au plus épais d'un petit bois en fleurs, où je vais me blottir; je les entends courir, hurler à pleine voix; mais, trouvant sans profit de pousser plus avant, ils retournent bientôt au creux de leur navire... Les dieux, sans plus de peine, m'avaient dissimulé!... et c'est les mêmes dieux qui m'ont, en ta cabane, amené chez un juste : il faut que vivre encor soit dans ma destinée!

Mais toi, porcher Eumée, tu lui dis en réponse :

Eumée. — Oh! le plus malheureux des hôtes, tout mon cœur se lève à ce récit d'une si douloureuse et si longue aventure!... Il n'est qu'un point, vois-tu, qui me semble inventé. Non! non! je ne crois pas aux contes sur Ulysse! En ton état, pourquoi ces vaines menteries? Je suis bien renseigné sur le retour du maître! C'est la haine de tous les dieux qui l'accabla[a]... Moi, près de mes cochons, je vis très retiré; si je vais à la ville, c'est lorsque Pénélope, la plus sage des femmes, me fait querir en hâte, les jours où, par hasard, lui vient une nouvelle. Il faut les voir alors autour du messager que, tous, ils interrogent, soit qu'ils pleurent la longue absence de mon maître, soit qu'ils vivent en joie, sans crainte du vengeur, à dévorer ses biens! Moi, j'ai cessé de m'informer, de m'en-

---

a Vers 367-371 : puisqu'il l'ont épargné là-bas, chez les Troyens, ou, la guerre achevée, dans les bras de ses proches; car des Panachéens, il aurait eu sa tombe! et quelle grande gloire il léguait à son fils! Mais, tu vois, les Harpyies* l'ont enlevé sans gloire.

quérir, du jour qu'un Étolien me leurra de ses
fables : ayant tué son homme et roulé par le monde,
il s'en vint à ma loge; je le reçus à bras ouverts; il
me conta qu'en Crète il avait vu, auprès d'Idoménée,
mon maître radoubant ses navires que la tempête
avait brisés : à l'été, à l'automne, Ulysse rentrerait
avec tout son butin et ses divins guerriers!... Puisque à ton tour, le ciel t'amène sous mon toit, lamentable vieillard, ne crois pas qu'à mentir, on me flatte
et me charme ou qu'on gagne à ce prix mes égards
et mon cœur. C'est Zeus l'hospitalier que je respecte
en toi, et tu m'as fait pitié!

Ulysse l'avisé lui fit cette réponse :

ULYSSE. — Quel esprit incrédule habite en ta poitrine! Même par un serment, je n'ai pu t'ébranler!
et tu ne me crois pas!... Veux-tu donc maintenant
que nous fassions un pacte et qu'ensuite les dieux,
les maîtres de l'Olympe, entre nous, soient témoins?
Le jour que rentrera ton maître en ce logis, tu me
dois les habits, la robe et le manteau, et vers Doulichion où je comptais aller, tu me fais reconduire;
mais s'il ne revient pas, ton maître! si je mens, tu
diras à tes gens de me précipiter du haut de la Grand-
Roche[1], pour qu'aucun mendiant ne croit plus t'en-
jôler.

Mais le divin porcher lui disait en réponse :

EUMÉE. — Oui, mon hôte! voilà le moyen de répandre ma gloire et mes mérites chez les gens d'aujourd'hui et dans tout l'avenir!... t'accueillir en ma
loge et te traiter en hôte, pour t'assaillir ensuite et
t'enlever la vie! Ah! je pourrais alors prier avec espoir

_____
1. Sans doute la falaise qui limite Ithaque au sud-est.

Zeus, le fils de Cronos!... Mais pensons au souper :
je voudrais bien avoir ici les camarades pour préparer dans la cabane un bon repas.

Tandis qu'ils échangeaient ces paroles entre eux,
voici que les pourceaux et leurs pâtres rentraient. Sous
les tects, pour la nuit, on poussa les femelles; de
leurs enclos, montaient des grognements sans fin.

AUX CHAMPS...

Or, le divin porcher appela ses bergers :

EUMÉE. — Vous allez m'amener le plus beau de nos
porcs; pour cet hôte qui vient de loin, nous le tue-
rons! et nous-mêmes, tâchons de profiter aussi!
Nous avons tout le mal! ces porcs aux blanches dents
nous font assez peiner, quand d'autres, sans remords,
vivent de nos sueurs!

Il disait et, prenant le bronze sans pitié, il en fen-
dait ses bûches. Les autres amenaient un porc de
belle graisse, un cochon de cinq ans, que l'on mit
aussitôt debout sur le foyer, et le porcher n'oublia
pas les Immortels : c'était un bon esprit! Du porc aux
blanches dents, quand il eut prélevé quelques poils
de la hure, qu'il jeta dans la flamme en invoquant
les dieux[a], il assomma la bête d'une bûche de chêne
qu'il n'avait pas fendue, et l'âme s'envola.

Saigné, flambé, le porc fut vite dépecé et, sur les
viandes crues qu'il détachait des membres, le porcher

---

[a] Vers 424 : pour que le sage Ulysse revînt en sa maison.

étendit un large champ de graisse, puis jeta dans le feu ces tranches saupoudrées d'une fine farine, et le reste, coupé menu, fut mis aux broches.

Quand tout fut cuit à point, lorsque, tiré du feu, le rôti fut dressé sur les planches à pain, le porcher se leva et fit les parts : c'était le plus juste des cœurs! Il mit tout au partage et prépara sept lots. Le premier, qu'il offrit avec une prière, fut pour le fils de Zeus, Hermès*, et pour les Nymphes*. Il en servit un autre à chacun des convives, mais garda pour Ulysse les filets allongés du porc aux blanches dents, et cette part d'honneur emplit de joie le maître. Ulysse l'avisé prit alors la parole :

Ulysse. — Que Zeus le père, Eumée, t'aime comme je t'aime, puisque, dans mon état, tu daignes me combler!

Mais toi, porcher Eumée, tu lui dis en réponse :

Eumée. — Mange, hôte infortuné, et profite de l'heure : donnant ou refusant, les dieux à leur envie font de nous ce qu'ils veulent; que ne peuvent-ils pas?

Ce disant, il offrait aux dieux d'éternité les prémices du porc et les libations d'un vin aux sombres feux; puis, il remit la tasse entre les mains d'Ulysse et s'assit à côté du preneur d'Ilion, devant sa propre part.

Lorsque Mésaulios leur eut servi le pain, — c'était un serviteur*a* qu'à ses propres dépens, Eumée avait acquis des marins de Taphos, — tous, vers les parts de choix préparées et servies, étendirent les mains.

---

a Vers 450-451 : en l'absence du maître, sans consulter sa dame ou le vieillard Laerte.

Quand on eut satisfait la soif et l'appétit, lorsque Mésaulios eut ramassé le pain, on alla se coucher, avec tout son content de viandes et de pain. Là-dessus, la nuit vint, nuit mauvaise et sans lune, où, jusqu'à l'aube, allait tomber la pluie de Zeus; il souf-flait sans arrêt l'un de ces grand zéphyrs qui amènent de l'eau.

Ulysse résolut d'éprouver le porcher, pour voir s'il quitterait et donnerait sa cape ou, ne pensant qu'à soi, en demanderait une à l'un de ses bergers :

ULYSSE. — Écoutez tous, Eumée et vous, ses compa-gnons! j'aurais une prière... C'est le vin qui m'incite, ce fou qui fait chanter, danser et rire aux larmes l'homme le plus rassis et nous tire les mots que mieux vaudrait garder. Mais, ayant commencé de jaser, je dis tout!... Ah! si j'avais encor ma jeu-nesse et ma force, comme en cette embuscade, que nous avions un jour poussée sous Ilion! Ulysse et Ménélas l'Atride nous menaient; ils m'avaient désigné pour commander en tiers[a]. Nous voilà sous la ville, en une brousse épaisse : nous nous couchons parmi les joncs et le marais, tapis sous nos armures; mais survient le Borée; la nuit se fait mauvaise : nuit de gel, où la neige, en nous tombant dessus, s'étalait en verglas et, sur les boucliers, faisait couche de glace.

« Tous les autres avaient leur robe et leur manteau; de leur grand bouclier couverts jusqu'aux épaules, ils dormaient bien tranquilles : j'étais, à l'étourdie, venu sans mon manteau; je n'avais pas prévu qu'il gèlerait si fort; je l'avais donc laissé près de mes

a Vers 472 : nous allons sous la ville, au pied de la muraille

compagnons, et je n'étais parti qu'avec mon bouclier et ma ceinture en bronze[1].

« Aux deux tiers de la nuit, quand les astres déclinent, je réveille du coude Ulysse, mon voisin; je lui parle; aussitôt il me prête l'oreille :

— Fils de Laerte, écoute, ô rejeton des dieux, Ulysse aux mille ruses! je m'en vais trépasser!... Cet ouragan me tue; car je suis sans manteau et, pour venir, un dieu m'a fait traîtreusement ne prendre que ma robe; je ne vois plus moyen de me tirer d'affaire!

« A peine avais-je dit qu'il avait son idée : au conseil, au combat, ah! quel homme c'était!... De sa voix la plus basse, il me parle et me dit :

— Silence maintenant et, de nos Achéens, que pas un ne t'entende!

« Sur son coude plié, il relève la tête[a] :

— Nous nous sommes risqués un peu loin des vaisseaux : si j'envoyais quelqu'un dire au pasteur des peuples, l'Atride Agamemnon, qu'il faut nous dépêcher un renfort des navires?

« Il disait; prestement Thoas, fils d'Andrémon, se lève et se défait de son manteau de pourpre pour courir aux vaisseaux. Et moi, dans son manteau, je m'endors, — oh! délices! laissant monter l'Aurore* à son trône doré[b]...

---

a Vers 495 : camarades, deux mots! un dieu vient, en dormant, de m'envoyer un songe.

b Vers 503-506 : ah! si j'avais encor ma jeunesse et ma force! en cette loge, on m'eût donné quelque manteau, autant par amitié que par respect d'un brave! mais on n'a que mépris pour les haillons que j'ai!

1. Recouverte de plaques de bronze, la ceinture prolonge la cuirasse et descend jusqu'à mi-cuisses.

Mais toi, porcher Eumée, tu lui dis en réponse :

EUMÉE. — Vieillard, le beau récit que tu viens de
nous faire! pas un mot maladroit et qui n'aille au
profit... Pour ce soir, tout au moins, il ne te manquera ni vêtements ni rien que l'on doive accorder
en pareille rencontre au pauvre suppliant! Mais à
l'aube, demain, tu recoudras tes loques, car nous
n'avons ici ni manteaux par douzaines, ni robe de
rechange : à chaque homme la sienne[a].

Il dit et, se levant, vint faire, auprès du feu, un lit
avec des peaux de moutons et de chèvres. Ulysse s'y
coucha. Eumée jeta sur lui l'épais et grand manteau,
qu'il avait de rechange pour les jours où l'orage
en fureur sévissait. Près d'Ulysse étendu, les jeunes
gens d'Eumée se couchèrent aussi; mais lui, ne voulant pas dormir loin de ses porcs, il s'armait pour
sortir. Ulysse fut heureux de voir comme il soignait
les biens du maître absent. A sa vaillante épaule,
Eumée avait d'abord pendu son glaive à pointe; il
revêtait la plus épaisse de ses capes pour s'abriter
du vent, prenait sa peau de bique, une ample peau
bien drue, et sa houlette à pointe contre chiens et
rôdeurs, puis il s'en fut coucher près des porcs aux
dents blanches, sous le Creux de la Roche, à l'abri
du Borée...

---

a Vers 515-517 : attends le fils d'Ulysse: aussitôt revenu, c'est lui
qui, te donnant la robe et le manteau, te fera reconduire, où que
puissent aller les désirs de ton cœur.

LE RETOUR DE TÉLÉMAQUE

(CHANT XV) Mais aux plaines de Sparte, Athéna*
s'en venait trouver le noble fils de son grand cœur
d'Ulysse, lui parler du retour et hâter son départ.
Télémaque et le fin Nestoride[1] étaient là, reposant
dans l'entrée du noble Ménélas. Le tranquille sommeil pesait sur Pisistrate; mais contre sa douceur,
Télémaque luttait; soucieux de son père, en cette
nuit divine, il restait éveillé quand la Vierge aux
yeux pers, debout à son chevet :

ATHÉNA. — Télémaque, il suffit : c'est assez d'aventures si loin de ton logis! Tu laisses ton avoir, tu
laisses ta maison aux mains de tels bandits! Ils vont
tout te manger, se partager tes biens, tandis que tu
perdras ton temps à ce voyage. Va-t'en donc au plus
vite demander à ce bon crieur de Ménélas qu'il te
remette en route, si tu veux en rentrant retrouver
au foyer ton éminente mère. Car voici que son père
et ses frères la pressent d'épouser Eurymaque; de
tous les prétendants, ses dons l'ont fait vainqueur;
chaque jour, il augmente encor la somme offerte
[: prends garde! à ton insu, si quelqu'un de tes
biens sortait de ton logis! Tu sais le cœur des femmes :
c'est toujours la maison de leur nouveau mari qu'elles
veulent servir; leur fils d'un premier lit, l'époux de

1. Pisistrate, fils de Nestor.

leur jeunesse ne comptent plus pour elles; il est mort! c'est l'oubli! Rentre donc et sois là pour confier tes biens à celle des servantes dont tu verras le zèle, jusqu'au jour où les dieux viendront te présenter quelque digne compagne]. Écoute un autre avis et le mets en ton cœur : les chefs des prétendants te guettent, embusqués dans la passe entre Ithaque et la Samé des Roches[1]. Ils veulent te tuer, avant que tu revoies le pays de tes pères[a]. Écarte donc des Iles ton solide croiseur; vogue toute la nuit : celui des Immortels qui veille à ta défense t'enverra pour rentrer une brise d'arrière. En approchant d'Ithaque, aborde au premier cap, puis renvoie ton navire et tes gens à la ville. Mais toi, monte d'abord retrouver le porcher[b]; passe la nuit chez lui et le dépêche en ville pour avertir ta mère, la sage Pénélope, que tu rentres en vie, sain et sauf, de Pylos.

La déesse, à ces mots, disparut, regagnant les sommets de l'Olympe.

Mais le fils du divin Ulysse, Télémaque, tira le Nestoride des douceurs du sommeil, en le poussant du pied et lui disant ces mots :

TÉLÉMAQUE. — Pisistrate! debout! allons, fils de Nestor! amène les chevaux au sabot non fendu! attelle-les au char, et mettons-nous en route!

Mais le fils de Nestor, Pisistrate, lui dit :

PISISTRATE. — Quel moyen, Télémaque, de lancer les chevaux en cette nuit profonde, si pressés que,

---

a Vers 31-32 : mais, ne crains rien, je veille, auparavant la terre en recevra plus d'un, des seigneurs prétendants qui dévorent tes vivres.

b Vers 39 : qui veille sur tes porcs et te garde son cœur.

1. Voir la note à la fin du chant IV.

tous deux, nous soyons de partir?... L'aurore n'est
pas loin. Attends que Ménélas l'Atride*, le seigneur
à la lance fameuse, vienne nous apporter ses cadeaux
sur le char et te donne congé avec des mots aimables :
quel meilleur souvenir pour le restant des jours
qu'une bonne amitié établie d'hôte à hôte?

A peine avait-il dit que l'Aurore* montait sur son
trône doré, et voici que le bon crieur de Ménélas,
ayant quitté le lit d'Hélène aux beaux cheveux, s'en
venait les rejoindre. Dès que le fils d'Ulysse eut aperçu
le roi, il vêtit à la hâte sa robe reluisante, jeta sa
grande écharpe sur ses fortes épaules et, sortant dans
la cour, vint à lui pour lui dire*a* :

TÉLÉMAQUE. — Ménélas, fils d'Atrée, le nourrisson
de Zeus*, le meneur des guerriers, renvoie-moi, il
est temps, au pays de mes pères; mon cœur n'a plus
qu'un vœu; c'est de rentrer chez moi.

Ce bon crieur de Ménélas lui répondit :

MÉNÉLAS. — Puisque tu veux partir, ce n'est pas
moi qui vais te retenir ici plus longtemps, Télémaque! Je blâme également dans l'hôte qui reçoit
l'excès d'empressement et l'excès de froideur :
j'aime avant tout la règle et trouve aussi mauvais
de renvoyer un hôte, quand il veut demeurer, que
de le retenir quand il veut s'échapper : à l'hôte que
doit-on? bon accueil s'il demeure, congé s'il veut
partir.

« Laisse-moi seulement le temps de t'apporter mes
cadeaux sur le char; je veux que tu les voies, que tes
yeux les admirent, et je vais dire aux femmes qu'on
nous serve un repas, tiré de la réserve. Mon hon-

a Vers 63 : Télémaque, le fils de ce divin Ulysse.

neur, mon renom, vos aises m'interdisent de vous
lancer à jeun de par le vaste monde! Veux-tu courir
l'Hellade, séjourner en Argos? Je vais t'accompagner;
je prendrai mes chevaux et je serai ton guide : de
ville en ville alors, tu verras devant nous s'ouvrir
toutes les portes, affluer au départ les cadeaux, les
chaudrons, les beaux trépieds de bronze, les paires
de mulets et les coupes en or.

Posément, Télémaque le regarda et dit :

TÉLÉMAQUE. — Ménélas, fils d'Atrée, le nourrisson
de Zeus, le meneur des guerriers! je veux rentrer
tout droit chez nous; en m'en allant, je n'ai laissé
personne pour veiller sur mes biens; à chercher
trop longtemps ce père égal aux dieux, je risquerais
ma perte ou celle d'un objet de prix dans mon
manoir.

Il disait; mais le bon crieur de Ménélas eut à peine
entendu qu'il donnait l'ordre à son épouse et ses
servantes de servir un repas tiré de la réserve : survint Étéoneus, le fils de Boéthos, qui sortait de son
lit; il habitait tout près; le bon crieur de Ménélas
lui commanda de rallumer le feu et de cuire les
viandes; aussitôt commandé, le fils de Boéthos s'em-
pressa d'obéir.

Puis l'Atride, au trésor embaumé, descendit : sans
le quitter, sa femme et son fils le suivaient. Lui-même,
il s'en alla au dépôt des bijoux et prit la double
coupe; mais, tandis qu'il chargeait son fils Mégapenthès du cratère d'argent, Hélène choisissait, debout auprès des coffres, l'un des voiles brodés, ouvrages de ses mains. Quand elle en eut tiré, cette
femme divine, le plus orné de broderies et le plus
grand, — il brillait comme un astre, étendu tout au

fond, — ils revinrent en hâte à travers le manoir retrouver Télémaque, et le blond Ménélas lui adressa ces mots :

MÉNÉLAS. — Télémaque, tu pars! plaise à l'époux d'Héra*, au Zeus retentissant, que ce retour s'achève au gré de tes désirs*a*!

A ces mots, le seigneur Atride lui remit la belle double coupe; le fort Mégapenthès déposa devant lui le cratère luisant; Hélène s'avança, Hélène aux belles joues, qui, tenant le grand voile en sa main, vint lui dire :

HÉLÈNE. — J'ai mon présent aussi, cher enfant; prends et garde en souvenir d'Hélène cette œuvre de ses mains. Quand le jour de l'hymen viendra combler tes vœux, que ta femme le porte; que chez toi, d'ici là, ta mère le conserve... Je te fais mes adieux : ah! puisses-tu rentrer en ta haute maison, au pays de tes pères!

Elle dit et lui mit dans la main le grand voile, qu'il reçut plein de joie.

Le héros Pisistrate, ayant pris ces cadeaux que son cœur admirait, monta les déposer dans le panier du char.

Mais, le blond Ménélas leur montrant le chemin, on rentra dans la salle et l'on s'assit en ligne aux sièges et fauteuils. Vint une chambrière qui, portant une aiguière en or et du plus beau, leur donnait à

a Vers 113-119 : de tous les objets d'art qui sont en mon manoir, je m'en vais te donner le plus beau, le plus rare; oui; je veux te donner un cratère forgé, dont la panse est d'argent, les lèvres de vermeil. C'est l'œuvre d'Héphaestos*; il me vient de Sidon, du seigneur Phaedimos, ce roi qui m'abrita, dans sa propre demeure, quand je rentrais ici; je veux qu'il t'appartienne.

laver sur un bassin d'argent et dressait devant eux une table polie. Vint la digne intendante : elle apportait le pain et le mit devant eux, puis leur fit les honneurs de toutes ses réserves. Le fils de Boéthos, ayant tranché les viandes, distribua les parts. L'échanson fut le fils du noble Ménélas. Alors, aux parts de choix préparées et servies, ils tendirent les mains. Quand on eut satisfait la soif et l'appétit, Télémaque et le fin Nestoride attelèrent les chevaux sous le joug et, montant sur le char aux brillantes couleurs, poussèrent hors du porche et de l'entrée sonore.

L'Atride les suivait ; il tenait en sa droite, pour le coup de l'adieu, sa coupe d'or remplie d'un vin au goût de miel, et ce blond Ménélas, debout près des chevaux, dit en tendant la coupe :

MÉNÉLAS. — Jeunes gens, tous mes vœux pour vous et pour Nestor ! En ce pasteur du peuple, j'eus toujours un bon père, tant qu'au pays de Troie, les fils de l'Achaïe ont mené la bataille.

Posément, Télémaque le regarda et dit :

TÉLÉMAQUE. — Tout ce que tu nous dis, ô nourrisson de Zeus, sois bien sûr qu'à Nestor, nous le répéterons aussi sitôt arrivés. Mais, rentré dans Ithaque, puissé-je aussi trouver Ulysse à son foyer ! et puissé-je lui dire avec quelle bonté tu m'as reçu chez toi et combien de cadeaux merveilleux je rapporte !

Il disait : à sa droite un oiseau s'envola, un aigle qui tenait, toute blanche en ses serres, une oie privée géante, enlevée de la cour ; avec des cris, servants et femmes le chassaient. Il passa près du char et fila par la droite, en avant des chevaux. Cette vue mit la joie

et l'espoir dans les cœurs[1], et le fils de Nestor, Pisistrate, reprit le premier la parole.

PISISTRATE. — Pour qui donc, Ménélas, ô nourrisson
de Zeus, ô meneur des guerriers, le ciel nous envoie-
t-il ce présage? réponds : c'est pour nous ou pour
toi?

Il dit et Ménélas cherchait, le bon guerrier, quelle
sage réponse il leur pourrait bien faire. Mais, drapée
dans son voile, Hélène fut plus prompte :

HÉLÈNE. — Écoutez-moi! voici quelle est la prophétie qu'un dieu me jette au cœur et qui s'accomplira. Pour enlever notre oie, nourrie à la maison,
vous avez vu cet aigle venir de son berceau et de son
nid des monts. Après bien des malheurs et bien des
aventures, c'est tout pareillement qu'Ulysse rentrera
chez lui pour se venger; il se peut qu'à cette heure,
il soit rentré déjà et plante le malheur à tous les prétendants.

Posément, Télémaque la regarda et dit :

TÉLÉMAQUE. — Ah! que l'époux d'Héra, le Zeus
retentissant, t'exauce! et c'est vers toi, comme vers
l'un des dieux, que, même de là-bas, s'en iront nos
prières.

Il disait et, du fouet, il poussait l'attelage et, traversant la ville, les chevaux pleins d'ardeur s'élançaient vers la plaine.

Le joug, sur leurs deux cous, tressauta tout le jour.
Le soleil se couchait, et c'était l'heure où l'ombre
emplit toutes les rues comme on entrait à Phères[2] où
le roi Dioclès, un des fils d'Orsiloque, un petit-fils

---

1. L'aigle vient de droite : présage favorable.
2. Voir, ci-dessus, la dernière note du chant III.

d'Alphée*, leur offrit pour la nuit son hospitalité.

Mais à peine sortait, de son berceau de brume, l'Aurore aux doigts de roses, qu'attelant les chevaux et montant sur le char aux brillantes couleurs, ils poussaient hors du porche et de l'entrée sonore[a]. Ils eurent vite atteint la butte de Pylos, et Télémaque alors dit au fils de Nestor :

TÉLÉMAQUE. — Nestoride, veux-tu me donner la promesse de suivre mon conseil? Nous voici pour jamais des hôtes, je m'en flatte; nos deux pères amis, notre parité d'âge et ce voyage enfin resserrent notre entente. Conduis-moi, nourrisson de Zeus, près du navire et me laisse à la plage! J'ai peur que le Vieillard, pour me fêter encore, ne m'oblige à rester au manoir; j'ai besoin de partir au plus vite.

Il dit. Le Nestoride en son âme cherchait comment faire et tenir sans faute la promesse : il pensa, tout compté, qu'il valait mieux gagner le croiseur et la plage. Il tourna ses chevaux et, le navire atteint, il apporta du char, sur le gaillard de poupe, les présents magnifiques, les étoffes et l'or donnés par Ménélas, et, pressant Télémaque, lui dit ces mots ailés :

PISISTRATE. — Monte à bord et fais zèle pour embarquer tes gens : que je n'aie pas le temps, en rentrant au logis, d'informer le Vieillard! Mon esprit et mon cœur sont bien sûrs d'une chose, c'est que tu n'es pas quitte; son cœur est violent; jusqu'ici, en personne, il viendra te chercher et ne rentrera pas à vide, je te jure. Ah! la belle colère où tu vas nous le mettre!

a Vers 192 : un coup pour démarrer; de grand cœur aussitôt, les chevaux s'envolèrent.

Il disait et, poussant les chevaux aux longs crins, il tournait vers la ville et bientôt atteignait le manoir de Pylos. Télémaque empressé commandait la manœuvre :

TÉLÉMAQUE. — Dans notre noir vaisseau, rangez tous les agrès, compagnons!... embarquez! et mettons-nous en route!

Il disait : aussitôt, on obéit à l'ordre et, s'embarquant en hâte, on va s'asseoir aux bancs.

Pendant qu'il s'apprêtait et que, devant la poupe, il faisait son offrande en priant Athéna, un homme s'approcha. Il arrivait de loin. Il avait fui d'Argos, ayant tué son homme. Et c'était un devin du sang de Mélampous*.

Car jadis Mélampous habitait à Pylos, la mère des troupeaux, où, très riche, il avait le plus beau des manoirs. Mais il avait dû fuir sur la terre étrangère : le généreux Nélée, le plus noble des êtres, l'avait, durant un an, dépouillé de ses biens, cependant qu'il était captif chez Phylakos et que, chargé de chaînes, la fille de Nélée lui valait des tortures, pour la lourde folie qu'avait mise en son cœur la terrible Erinnys*. Mais, éludant la Parque, il put, de Phylaké, ramener à Pylos les vaches mugissantes et punir le divin Nélée de son méfait; puis, ayant célébré les noces de son frère, il quitta le pays et s'en fut vers Argos et ses prés d'élevage[1]. C'est là que le destin lui donna de régner sur des sujets nombreux; il prit femme; il bâtit une haute maison; il engendra deux fils pleins de vigueur, Antiphatès et Mantios.

---

1. Allusion a déjà été faite (au chant XI, à propos de Chloris) à la légende du devin Mélampous*. Voir l'Index.

Le premier engendra Oiclès au grand cœur, dont Amphiaraos naquit, l'entraîneur d'hommes, que le Zeus à l'égide* aima de tout son cœur : favori d'Apollon*, s'il ne put arriver au seuil de la vieillesse, c'est qu'à Thèbes, il périt des présents d'une femme[1]. Il eut deux fils, Amphilochos et Alkmaon. Mantios à son tour engendra deux enfants, Klitos et Polyphide. Si l'Aurore enleva sur son trône doré Klitos pour sa beauté, s'il est parmi les dieux, c'est Apollon qui fit de l'ardent Polyphide, parmi tous les mortels, le meilleur des devins, quand Amphiaraos eut disparu du monde; mais vers Hypérésie[2], le courroux de son père le força d'émigrer; c'est là qu'il demeurait et que tous les mortels venaient le consulter. Celui qui survenait était l'un de ses fils nommé Théoclymène.

Lorsque, de Télémaque, il se fut approché, le laissant achever offrandes et prières auprès du noir croiseur, il n'éleva la voix que pour ces mots ailés :

Théoclymène. — Ami, puisqu'en ces lieux je vois ton sacrifice, écoute ma prière! Au nom de tes offrandes, par le ciel, par ta tête, par celle de tes gens que je vois à ta suite! réponds à ma demande et dis-moi sans détour ton nom et ta patrie et ta ville et ta race!

Posément, Télémaque le regarda et dit :

Télémaque. — Oui, je veux, étranger, te répondre sans feinte. Ma famille est d'Ithaque et mon père est Ulysse... si ce n'est pas un rêve. Mais voici qu'il est mort et de mort misérable! j'ai pris cet équipage et, sur ce noir vaisseau, je me suis mis en mer pour m'informer de lui et de sa longue absence.

---

1. Sa femme, achetée par des présents, l'avait lancé dans une expédition où il trouva la mort.
2. Ville d'Achaïe.

Alors Théoclymène au visage de dieu :

THÉOCLYMÈNE. — J'ai dû fuir, moi aussi, loin du pays natal. J'avais tué mon homme. Parmi les Achéens, il avait dans Argos et ses prés d'élevage des frères et parents si puissants, si nombreux que j'ai dû m'exiler pour éviter la mort et l'ombre de la Parque : mon destin désormais est de courir le monde... Accueille en ton vaisseau l'exilé qui t'implore! Sauve-moi de leurs coups; sans doute, ils me poursuivent!

Posément, Télémaque le regarda et dit :

TÉLÉMAQUE. — Comment te refuser?... Tu le veux!... je t'emmène! A bord du fin navire, suis-moi; je ferai tout pour t'accueillir là-bas.

Il dit et, recevant la lance armée de bronze, il vint la déposer sur l'un des deux gaillards. Puis, pour prendre la mer, lui-même s'embarqua. Il s'assit à la poupe et fit à ses côtés la place de son hôte. On détacha les câbles. Les gens, sautant à bord, s'assirent à leurs bancs. Télémaque empressé commandait la manœuvre; ses hommes de répondre à son empressement. On dressa le sapin du mât qui fut planté au trou de la coursie; on raidit les étais, et la drisse de cuir hissa les voiles blanches. La déesse aux yeux pers leur fit alors souffler la brise favorable dont les fraîches risées, s'élançant de l'éther, allaient sur l'onde amère terminer au plus vite la course du vaisseau[a].

Le soleil se couchait, et c'était l'heure où l'ombre emplit toutes les rues, quand la brise de Zeus leur fit doubler Pheia en vitesse et longer cette Elide divine où règne l'Epéen; puis ils mirent le cap sur

---

a Vers 295 : ils longèrent Krounoi, Chalkis aux belles eaux.

les Iles Pointues[1]. Télémaque songeait : pourrait-il fuit la mort? allait-il être pris?

Dans la cabane, Ulysse et le divin porcher soupaient; à leurs côtés, soupaient aussi les autres. Quand on eut satisfait la soif et l'appétit, Ulysse résolut d'éprouver le porcher, pour voir si, le traitant de tout cœur en ami, Eumée voudrait encor le garder dans sa loge ou s'il l'engagerait à se rendre à la ville.

ULYSSE. — Écoutez tous, Eumée! et vous, ses compagnons! je voudrais vous quitter dès l'aube et m'en aller mendier à la ville, sans rester plus longtemps à ta charge, à la vôtre : tu vas me renseigner et, pour aller là-bas, me fournir le bon guide; une fois arrivé, je serai bien forcé d'aller de porte en porte voir qui me donnera ou la tasse ou la croûte; mais, si je puis entrer chez le divin Ulysse, j'irai mettre au courant la sage Pénélope ou, restant parmi ces bandits de prétendants, j'aurai bien à dîner, puisqu'ils font si grand-chère. Je saurai sans retard les servir à leur gré; car, — je peux bien le dire; entends bien et crois-moi, — par la bonté d'Hermès*, le divin messager, dont tout travail humain reçoit grâce et renom, je suis pour le service un homme unique au monde : bien arranger le feu, fendre les bûches sèches, trancher, rôtir la viande ou faire l'échanson, je sais tous les métiers d'un vilain chez les nobles.

Avec un grand soupir, tu dis, porcher Eumée :

EUMÉE. — Ah! misère! mon hôte, où ton esprit va-

---

1. Le cap Pheia se trouve sur la côte d'Élide, au nord-ouest du Péloponnèse. Les « Iles Pointues » s'appellent aujourd'hui îles Échinades.

t-il trouver pareil projet?... Tu désires vraiment
te jeter dans le gouffre, parmi ces prétendants dont
l'audace et les crimes vont jusqu'au ciel de fer[1]?... Ils
ont pour les servir des gens d'une autre mine, des
jouvenceaux en belle robe et beaux manteaux, aux
cheveux bien huilés, à la jolie figure!... et sachant
le service! car leurs tables polies sont encombrées de
pain, de viandes et de vin... reste donc avec nous; qui
se plaint de t'avoir? ce n'est pas moi, ni l'un des
hommes que j'ai là. Attends le fils d'Ulysse : aussitôt revenu, c'est lui qui, te donnant la robe et le
manteau, te fera reconduire où que puissent aller les
désirs de ton cœur.

Le héros d'endurance, Ulysse le divin, lui fit cette
réponse :

ULYSSE. — Que Zeus le père, Eumée, t'aime comme
je t'aime! toi qui m'as retiré de la misère [errante;
c'est si dur! est-il rien de pis que mendier? Ah! ce
ventre maudit! toujours nous harcelant, c'est lui qui
vaut aux gens les maux et les chagrins de cette vie]
errante!... Puisque tu me retiens, puisque tu me
conseilles d'attendre ici ton maître, parle-moi des
parents de ce divin Ulysse. Il avait une mère, un père
qu'il laissa au seuil de la vieillesse : sont-ils encor
vivants sous les feux du soleil? ou, morts, sont-ils
déjà aux maisons de l'Hadès*?

Eumée, le commandeur des porchers, répliqua :

EUMÉE. — Oui, mon hôte, je vais te répondre sans
feinte. Laerte vit encor; mais à Zeus, chaque jour, il
demande d'éteindre en ses membres la vie. Il est au

---

1. L'époque homérique se représentait le ciel comme une voûte
d'airain (ou de fer : variante).

désespoir de vivre en ce manoir d'où son fils est absent, où sa femme mourut, l'amie de sa jeunesse! C'est surtout le regret de cette sage épouse qui le mine et, de lui, fait un vieux avant l'âge!... Elle est morte du deuil de son fils valeureux. Ah! la mort lamentable! que l'épargne le ciel à tous ceux qui m'entourent, amis et bienfaiteurs!... Moi, tant qu'elle était là, malgré son grand chagrin, j'allais souvent l'interroger, l'entretenir. C'est elle qui m'avait élevé, elle-même : j'étais le compagnon de sa fille au long voile, de sa grande Ctimène[1], l'aînée de ses enfants; avec elle nourri, j'avais, ou peu s'en faut, reçu les mêmes soins, jusqu'au jour où, tous deux, nous franchîmes le seuil béni de la jeunesse; à quelqu'un de Samé[2], ses parents la donnèrent : quels cadeaux ils reçurent! la reine me vêtit de neuf, robe et manteau, me chaussa de sandales et, m'envoyant aux champs, ne m'en aima pas moins... J'ai perdu tout cela maintenant, avec elle!... Il me reste ce coin, où les dieux fortunés bénissent mon travail, de quoi manger et boire et faire aussi l'aumône. Que pourrait me conter la dame d'aujourd'hui qu'il me fût doux d'apprendre?... ni parole, ni fait!... je vois notre maison en proie à ces bandits!... Pourtant les serviteurs ont grand besoin parfois d'aller voir la maîtresse, de lui parler un peu de tout et de l'entendre; on mange, on boit un coup, et l'on rapporte aux champs quelqu'un de ces cadeaux qui réchauffent toujours le zèle du service.

Ulysse l'avisé lui fit cette réponse :

1. Sœur d'Ulysse, épouse d'Euryloque.
2. L'île de Céphallénie, qui fait partie du royaume d'Ulysse

Ulysse. — Oh! misère! as-tu donc commencé tout
enfant d'errer si loin de ta patrie, de ta famille?
Allons, porcher Eumée, sans feinte, point par point,
conte-moi cette histoire; fut-ce durant le sac d'une
ville aux grand-rues, où demeuraient ton père et ton
auguste mère? fut-ce à garder tout seul les moutons
et les bœufs qu'un parti d'ennemis te prit sur ses
vaisseaux et vint te vendre ici, au logis de cet homme,
qui donna le bon prix?

Eumée, le commandeur des porchers, répliqua :

Eumée. — Puisque tu veux savoir, mon hôte, et
m'interroges, à ton tour fais silence, prends ton
temps, reste assis et bois un coup de vin. Voici les
nuits sans fin[1] qui laissent du loisir pour le sommeil
et pour le plaisir des histoires; avant l'heure, il vaut
mieux ne pas se mettre au lit; c'est fatigant aussi
de dormir trop longtemps... Vous autres, si le cœur
vous en dit, bon courage! allez dormir ailleurs! Dès
que l'aube poindra, déjeunez, rassemblez les truies
et suivez-les!... Dans la loge, nous deux, buvons et
banquetons! et, pour nous divertir, échangeons maux
et peines! A distance, les maux divertissent leur
homme[a]... Écoute, toi qui veux savoir et m'interroges.

« On appelle Syros, — connais-tu ce nom-là? — une
île qui se trouve au-dessus d'Ortygie, du côté du couchant[2]. Ce n'est pas très peuplé, mais c'est un bon
pays : des vaches, des moutons, du vin en abondance,
du grain en quantité. On n'y connaît jamais la famine,
jamais les maladies, fléaux des malheureux humains;

---

a Vers 401 : quand on a tant souffert et si loin voyagé.
1. Nous sommes au commencement de la mauvaise saison.
2. Dans l'archipel des Cyclades.

mais, quand les citadins ont atteint la vieillesse, le
dieu à l'arc d'argent, qu'Artémis* accompagne, Apollon les abat de ses plus douces flèches[1]. Entre elles,
deux cités s'en partagent les terres; sur toutes deux,
régnait mon père, Ctésios, un des fils d'Orménos,
semblable aux Immortels.

« On y vit arriver des gens de Phénicie, de ces
marins rapaces, qui, dans leur noir vaisseau, ont mille
camelotes. Or une Phénicienne, artiste en beaux
ouvrages, était à la maison : la grande et belle fille,
que ces routiers de Phéniciens nous débauchèrent!
Un jour·donc, au lavoir, elle s'abandonna sous le
flanc du vaisseau... Ah! le lit et l'amour, voilà qui
pervertit les pauvres cœurs de femmes, même des
plus honnêtes... Il lui demande, après, son nom et sa
patrie. Elle indique aussitôt le haut toit de mon père :

·La Sidonienne. — Mais je suis de Sidon, le grand
marché du bronze; du très riche Arybas, j'ai l'honneur d'être fille; quand je rentrais des champs, des
marins de Taphos, des pirates, m'ont prise et vendue
en ces lieux[a].

« L'autre, qui l'avait eue en secret, lui répond :

Le Phénicien. — Tu ne reviendrais pas avec nous,
au pays, revoir tes père et mère en leur haute maison?... Car ils vivent encore; on les dit toujours
riches.

« La femme, reprenant la parole, répond :

La Sidonienne. — Cela pourrait aller, si tous les
gens du bord me prêtaient le serment que vous me
remettrez, saine et sauve, au logis.

---

a Vers 429 : au logis de cet homme qui donna le bon prix
1. Voir la note au chant III.

« Les autres aussitôt jurent à sa demande; quand
ils ont prononcé et scellé le serment, c'est elle qui
reprend la parole et leur dit :

LA SIDONIENNE. — Silence maintenant! que personne jamais ne m'accoste ou me parle, si quelqu'un de vos gens me rencontre soit dans la rue, soit
à la source. Il ne faut pas qu'on aille avertir notre
vieux! s'il avait des soupçons, il m'aurait tôt liée
d'une corde solide et vous perdrait aussi!... Gardez-
moi le secret! hâtez le chargement et, quand votre
vaisseau aura son plein de vivres, vite! envoyez quelqu'un m'avertir au manoir! J'apporterai tout l'or
que j'aurai sous la main et je voudrais encor, pour
payer mon passage, vous livrer un enfant que j'élève
au logis; c'est le fils de cet homme; il trotte sur mes
pas quand je sors dans la rue; il est de bonne vente,
si je l'amène à bord, on vous en donnera et des
cents et des mille, où que vous le vendiez chez les
gens d'autre langue.

« Elle dit et revint au logis de mon père. Mais l'année s'acheva : ils restaient toujours là, faisant leur
plein de vivres dans le creux du vaisseau. Enfin, la
cale pleine, ils étaient pour partir. Un messager s'en
vint avertir notre femme. C'était un fin matois qui,
pour entrer chez nous, tenait un collier d'or, enfilé
de gros ambres. Tandis qu'en la grand-salle, ma mère
vénérée et ses femmes prenaient et palpaient le collier, et le mangeaient des yeux, et débattaient le prix,
l'homme, sans dire un mot, fit un signe à la fille et,
d'accord, regagna le creux de son vaisseau. Elle aussitôt me prend par la main et m'entraîne. A la porte,
dans l'avant-pièce, elle aperçoit des coupes, des
corbeilles : mon père, ce jour-là, avait offert à ses

collègues un repas; puis ils étaient partis discuter au
conseil les affaires du peuple. En passant, elle vole
et cache dans son sein trois coupes; je la suis, pauvre
fou que j'étais!

« Le soleil se couchait, et c'était l'heure où l'ombre
emplit toutes les rues. Nous arrivons, courants, au
mouillage connu : nos gens de Phénicie et leur vaisseau rapide étaient bien à leur poste. Ils nous prennent à bord, embarquent et se lancent sur la route des
ondes; Zeus nous envoie le vent; durant six jours, six
nuits, nous voguons sans relâche, et le fils de Cronos
nous ouvrait le septième, quand la déesse à l'arc, Artémis, vient frapper de ses traits cette fille; comme un
oiseau de mer, elle tombe et s'affale au fond de la
sentine; il faut, par-dessus bord, la jeter en pâture
aux poissons et aux phoques, et me voilà tout seul
avec mon gros chagrin! En Ithaque, le vent et le flot
nous portèrent. C'est là que, de ses biens, Laerte
m'acheta... Voilà comment mes yeux ont connu ce
pays.

Le rejeton des dieux, Ulysse, repartit :

ULYSSE. — Ah! tout mon cœur, Eumée, se lève dans
mon sein à ce récit des maux que ton âme endura. En ton malheur pourtant, Zeus te voulut du
bien, puisqu'au bout de tes peines, tu trouvas la maison de cet homme si doux, qui te donne en ami
le boire et le manger et te fait la vie large! Moi,
pour venir ici, combien j'ai dû rouler les villes des
humains!...

Pendant qu'ils échangeaient ces paroles entre eux
prenant sur leur sommeil, puis s'endormaient à peine,
l'Aurore était montée sur son trône, et déjà les gens
de Télémaque abordaient au rivage, amenaient

la voilure et déplantaient le mât*ᵃ*, puis sur la grève, où l'équipage descendit, le repas s'apprêta et l'on fit le mélange du vin aux sombres feux. Quand on eut satisfait la soif et l'appétit, Télémaque reprit posément la parole :

TÉLÉMAQUE. — Vous autres, jusqu'au bourg poussez le noir vaisseau! Moi, je m'en vais monter aux champs, près des bergers. Ce soir, lorsque j'aurai visité mon domaine, je rentrerai en ville et, dès l'aube, demain, je compte vous offrir le banquet du retour, un bon repas de viande, et mon vin le plus doux.

Alors Théoclymène au visage de dieu :

THÉOCLYMÈNE. — Et moi, mon cher enfant? Où faudra-t-il aller? chez quelqu'un de vos rois en cette aire d'Ithaque? ou tout droit chez ta mère, en ta propre maison?

Posément, Télémaque le regarda et dit :

TÉLÉMAQUE. — En tout autre moment, c'est moi qui te dirais de t'en aller chez nous; je ne lésine pas sur l'hospitalité. Mais la place aujourd'hui ne te serait pas bonne. Car je vais être absent et, pour veiller sur toi, ma mère ne peut rien : elle évite au manoir les yeux des prétendants; loin d'eux, à son étage[1], elle reste au métier... Mais je vais t'indiquer quelqu'un d'autre : rends-toi chez le noble Eurymaque, fils du sage Polybe; notre peuple déjà l'honore comme un dieu; de tous les prétendants, c'est encor le meilleur! il est si désireux de devenir l'époux de ma mère et

a Vers 497-498 : en vitesse; on se met aux rames vers la cale, on jette l'ancre et l'on attache les amarres.

1. La chambre de Pénélope se situe à l'étage, au-dessus du « Mégaron ».

d'avoir la royauté d'Ulysse!... L'aura-t-il?... Zeus le
sait!... Du haut de son éther, le maître de l'Olympe
pourrait, avant l'hymen, leur octroyer à tous la mauvaise journée!

Comme il parlait encore, à sa droite un oiseau, un
faucon s'envola : en ses serres, ce prompt messager
d'Apollon plumait une colombe, et les plumes tombaient entre les pieds de Télémaque et le vaisseau.
Alors Théoclymène, appelant Télémaque à l'écart de
ses gens, le flatta de la main en lui disant tout droit :

THÉOCLYMÈNE. — Tu n'en saurais douter : cet oiseau
à ta droite, c'est un dieu, Télémaque, qui le fit envo-
ler; je l'ai bien vu; je sais que c'était un présage; en
ce pays d'Ithaque, il n'est pas sang de roi plus royal
que le vôtre, à tout jamais, ici, c'est vous qui l'em-
portez.

Posément, Télémaque le regarda et dit :

TÉLÉMAQUE. — Si les dieux, ô mon hôte, accom-
plissaient tes dires, tu trouverais chez moi une amitié
si prompte et des dons si nombreux que tous, en te
voyant, chanteraient ton bonheur.

Et se tournant vers son fidèle Piraeos :

TÉLÉMAQUE. — Piraeos le Clytide, aucun des gens
qui m'ont suivi jusqu'à Pylos ne m'est aussi soumis
que toi en toutes choses. Aujourd'hui, prends cet
hôte et le conduis chez toi! donne-lui tous tes soins
et, jusqu'à mon retour, fais-le moi respecter.

Le bon piquier de Piraeos lui répondit :

PIRAEOS. — Reste aux champs tout le temps que tu
veux, Télémaque : je prendrai soin de lui; rien ne lui
manquera de ce qu'on doit aux hôtes.

Il dit et, remontant à bord, il donna l'ordre à ses
gens d'embarquer et de larguer l'amarre : ils sau-

tèrent à bord et prirent place aux bancs, tandis que Télémaque attachait à ses pieds ses plus belles sandales, puis tirait du gaillard sa forte lance armée d'une pointe de bronze.

Les amarres larguées, l'équipage obéit[a] et reprit en ramant le chemin de la ville. Mais déjà Télémaque, à grands pas, se hâtait vers l'enclos que les porcs emplissaient par milliers et vers le campement de ce noble porcher, si fidèle à ses maîtres.

FILS ET PÈRE

(CHANT XVI) Dans la cabane, Ulysse et le divin porcher préparaient le repas du matin : dès l'aurore, ils avaient allumé le feu et mis en route la cohue des pourceaux, suivis de leurs bergers. Télémaque approchait : ces grands hurleurs de chiens l'assaillaient de caresses, mais sans un aboiement.

Quand le divin Ulysse vit frétiller les chiens, puis entendit les pas, tout de suite, au porcher, il dit ces mots ailés :

ULYSSE. — Eumée, on vient te voir..., quelqu'un de tes amis ou de tes connaissances : les chiens, sans un aboi, l'assaillent de caresses; j'entends un bruit de pas.

Il n'avait pas fini de parler que son fils se dressait à la porte.

Étonné, le porcher se lève et, de ses mains, laisse tomber les vases, dans lesquels il était en train de

---

a Vers 554 : [à l'ordre] de ce fils du divin Ulysse, Télémaque;

mélanger un vin aux sombres feux. Il va droit à son
maître : il lui baise le front, baise ses deux beaux yeux
et baise ses deux mains; il verse un flot de larmes : tel
un père accueillant, de toute sa tendresse, l'enfant le
plus chéri, qui lui revient, après dix ans, de l'étranger, ce fils unique, objet de si cruels émois! tel le divin porcher embrassait et couvrait de baisers Télémaque au visage de dieu.

Il le voyait vivant! Il sanglotait; il lui disait ces
mots ailés :

EUMÉE. — Te voilà, Télémaque, ô ma douce lumière! Je te savais parti pour Pylos et croyais ne
jamais te revoir! Entre, mon cher enfant! qu'à plein
cœur, je m'en donne de te voir là, chez moi, à peine
débarqué!... Tu te fais rare aux champs et près de
tes bergers! tu restes à la ville : as-tu si grand plaisir à
n'avoir sous les yeux que le vilain troupeau des seigneurs prétendants?

Posément, Télémaque le regarda et dit :

TÉLÉMAQUE. — C'est bien! c'est bien! vieux frère!
c'est pour toi que je viens, pour te voir de mes yeux,
pour apprendre de toi si ma mère au manoir continue de rester ou si quelqu'un déjà est son nouveau
mari et si le lit d'Ulysse, en proie aux araignées, n'est
plus qu'un cadre vide.

Eumée, le commandeur des porchers, répliqua :

EUMÉE. — Elle résiste encor de tout son cœur fidèle!
toujours en ton manoir où, sans arrêt, ses jours et ses
nuits lamentables se consument en larmes!

A ces mots, le porcher prit la lance de bronze des
mains de Télémaque. Le fils d'Ulysse avait franchi le
seuil de pierre et déjà, comme il pénétrait dans la cabane, son père se levait pour lui de la banquette.

Mais, l'arrêtant du geste, Télémaque lui dit :

Télémaque. — Reste assis, étranger! nous trouverons ailleurs un siège en notre loge! Je vois ici quelqu'un qui va nous l'arranger.

Il disait, et son père avait repris sa place. Mais déjà le porcher avait, de ramée verte et de peaux de moutons, rembourré l'autre banc, et c'est là que le fils d'Ulysse vint s'asseoir.

Puis Eumée, leur servant sur les plateaux à viandes ce qu'on avait laissé, la veille, du rôti, se hâta d'entasser le pain dans les corbeilles, de mêler dans sa jatte un vin fleurant le miel, et vint enfin s'asseoir, face au divin Ulysse. Alors aux parts de choix, préparées et servies, ils tendirent les mains.

Quand on eut satisfait la soif et l'appétit, c'est au divin porcher que parla Télémaque :

Télémaque. — Cet hôte que voilà, d'où te vient-il, vieux frère?... comment les gens de mer l'ont-ils mis en Ithaque? avait-il un pays de qui se réclamer[a]?

Mais toi, porcher Eumée, tu lui dis en réponse :

Eumée[b]. — Il prétend être né dans les plaines de Crète; il dit qu'il a roulé dans des villes sans nombre, au long des aventures que le ciel lui fila; pour venir à ma loge, il se serait enfui d'un vaisseau des Thesprotes; mais je te le remets; fais-en ce que tu veux! il est ton suppliant et de toi se réclame.

Posément, Télémaque le regarda et dit :

Télémaque. — Eumée, tu viens de dire un mot qui m'est cruel : voyons! comment, chez moi, prendre cet étranger? Je suis trop jeune encor pour compter sur

---

a Vers 59 : car ce n'est pas à pied qu'il t'est venu, je pense.
b Vers 61 : oui, mon fils, tu sauras toute la vérité.

mon bras et protéger un hôte qu'on voudrait outrager, sans qu'il y fût pour rien. Ma mère?... deux
désirs se partagent son cœur : rester auprès de moi,
veiller sur ma maison, en gardant le respect des droits
de son époux et l'estime du peuple, ou suivre, pour
finir, l'Achéen de son choix, qui saurait au manoir
faire sa cour avec les plus beaux présents. Puisque cet
étranger est venu sous ton toit, je lui donne les habits
neufs, robe et manteau[a], et le ferai conduire où que
puissent aller les désirs de son cœur... Si tu voulais,
— c'est mieux, — le garder en ta loge, je vous ferais
tenir toute sa subsistance, son pain, ses vêtements,
sans que toi ni tes gens l'ayez à votre charge. Mais
qu'il aille là-bas, parmi les prétendants! je ne saurais
l'admettre, oh! non! je connais trop leur violence
impie! Quand ils l'outrageraient, j'aurais trop de
chagrin! quel moyen de lutter, si brave que l'on soit?
ne sont-ils pas les plus nombreux et les plus forts?

Le héros d'endurance, Ulysse le divin, lui fit cette
réponse :

ULYSSE. — Ami, puisque aussi bien j'ai le droit de
répondre, vous me poignez le cœur lorsque je vous
entends raconter les complots des prétendants chez
toi!... et leurs impiétés!... et ton servage, à toi, né
pour un autre sort! Dis-moi : c'est de plein gré que
tu portes le joug? ou, dans ton peuple, as-tu la haine
d'un parti qui suit la voix d'un dieu?... est-ce parmi
tes frères que tu n'as pas trouvé l'appui que, dans la
lutte, on attendrait d'un frère, au plus fort du danger?... Ah! si j'avais encor ta jeunesse èn ce cœur!...
si j'étais soit le fils de l'éminent Ulysse, soit Ulysse en

---

[1] Vers 80 : un glaive à deux tranchants, les sandales aux pieds

personne*a*!... Je veux bien qu'aussitôt, ma tête roule
aux pieds de quelque mercenaire, si, de tous ces gens-
là, je n'étais le fléau*b* : oui! quand je serais seul, écrasé
par le nombre, j'aimerais mieux encor mourir en mon
manoir qu'assister tous les jours à ces œuvres indignes*c*.

Posément, Télémaque le regarda et dit :

TÉLÉMAQUE. — Oh! mon hôte, je vais te répondre
sans feinte. Ce n'est pas tout mon peuple qui me hait
ou me brave, et des frères, non plus, ne m'ont pas
refusé le secours que, d'un frère, on attend dans la
lutte, au plus fort du danger : jamais Zeus* n'a donné
qu'un fils à notre race; d'Arkésios, Laerte était le fils
unique; Ulysse fut le fils unique de Laerte et ne laissa
chez lui qu'un fils unique, — moi, dont il n'a pas
joui*d*!... Mais laissons tout cela sur les genoux des
dieux! Toi, vieux frère, va-t'en informer au plus tôt
la sage Pénélope : dis-lui que, sain et sauf, je rentre
de Pylos, mais que je reste ici. Puis, tu nous reviendras, sans avoir prévenu personne d'autre qu'elle;
aucun des Achéens ne doit rien en savoir; car ils sont
trop de gens à machiner ma perte.

a Vers 101 : rentré de son exil il reste de l'espoir.

b Vers 104 : dès mon entrée dans le manoir d'Ulysse, fils de
Laerte.

c Vers 108-111 : voir assaillir mes hôtes, traîner au déshonneur
dans tout ce beau logis mes femmes de service, mon vin couler à
flots et gâcher tous mes vivres, hélas! jusques à quand? et pour
quel résultat?

d Vers 121-128 : mais j'ai dans mon manoir une armée d'ennemis : tous les chefs, tant qu'ils sont, qui règnent sur nos îles,
Doulichion, Samé, Zante la forestière, et tous les tyranneaux des
monts de notre Ithaque, tous courtisent ma mère et pillent ma maison : elle, sans repousser un hymen qu'elle abhorre, n'ose pas en
finir; on les voit aujourd'hui dévorer mon avoir, on les verra bientôt me déchirer moi-même.

Mais toi, porcher Eumée, tu lui dis en réponse :

Eumée. — Je comprends : j'ai saisi; j'avais prévu ton ordre. Mais, voyons! réponds-moi sans feinte, point par point : dois-je aller chez Laerte et, de ce même pas, lui porter la nouvelle? il est si malheureux!... C'est Ulysse autrefois qui le mettait en deuil : encor le voyait-on surveiller ses cultures; chez lui, avec ses gens, quand le cœur lui disait, il mangeait et buvait. Mais, depuis qu'il te sait en route vers Pylos, on dit qu'il ne veut plus rien manger ni rien boire : sans regarder ses champs, il gémit, il sanglote, il reste à te pleurer, et déjà, sur ses os, on voit fondre les chairs.

Posément, Télémaque le regarda et dit :

Télémaque. — Tant pis!... mais, que veux-tu? quel qu'en soit mon chagrin, il nous faut le laisser! Si le ciel nous servait au gré de nos désirs, c'est d'abord pour mon père que je demanderais la journée du retour... Va porter mon message et nous reviens ici, sans aller chez Laerte à travers la campagne. Pourtant, dis à ma mère d'envoyer au plus vite, en secret, l'intendante; cette femme pourrait avertir le vieillard.

Il dit : tout aussitôt, le porcher se leva et, prenant ses sandales, il les mit à ses pieds, puis s'en fut vers la ville.

A peine le porcher eut quitté la cabane qu'Athéna*, qui l'avait guetté, se présenta. Elle avait pris ses traits de grande et belle femme, artiste en beaux ouvrages. En face de la porte, debout, elle apparut, mais aux seuls yeux d'Ulysse : Télémaque l'avait devant lui sans la voir[a]. Comme Ulysse, les chiens avaient vu la

---

[a] Vers 161 : tous les yeux ne voient pas apparaître les dieux.

déesse : sans japper, mais grognants, ils s'enfuirent de
peur dans un coin de la loge. La déesse avait fait un
signe des sourcils. Ulysse, ayant compris[a] sortit devant
la cour. Là déesse lui dit :

ATHÉNA. — Fils de Laerte, écoute! ô rejeton des
dieux, Ulysse aux mille ruses! il est temps de parler : ton fils doit tout savoir; il vous faut combiner
la mort des prétendants et prendre le chemin de
ta fameuse ville; vous m'aurez avec vous; je serai
là, tout près, ne rêvant que bataille.

A ces mots, le touchant de sa baguette d'or,
Athéna lui remit d'abord sur la poitrine sa robe
et son écharpe tout fraîchement lavée, puis lui
rendit sa belle allure et sa jeunesse : sa peau rede-
vint brune, et ses joues bien remplies; sa barbe aux
bleus reflets lui revint au menton; le miracle achevé,
Athéna disparut.

Quand Ulysse rentra dans la loge, son fils, plein
de trouble et d'effroi, détourna les regards, craignant de voir un dieu, puis, élevant la voix, lui dit
ces mots ailés :

TÉLÉMAQUE. — Quel changement, mon hôte!...
à l'instant, je t'ai vu sous d'autres vêtements! et
sous une autre peau! Serais-tu l'un des dieux, maîtres
des champs du ciel?... Du moins, sois-nous propice;
prends en grâce les dons, victime ou vases d'or, que
nous voulons t'offrir, et laisse-nous la vie!

Le héros d'endurance, Ulysse le divin, lui fit cette
réponse :

ULYSSE. — Je ne suis pas un dieu! pourquoi me

---

a Vers 165 : sortit du mégaron et, longeant le grand mur, il traversa la cour.

comparer à l'un des Immortels?... crois-moi : je suis
ton père, celui qui t'a coûté tant de pleurs et d'angoisses et pour qui tu subis les assauts de ces gens!

Il disait et baisait son fils et, de ses joues, tombaient au sol les larmes qu'il avait bravement conte-
nues jusque-là.

Mais sans admettre encor que ce fût bien son père,
Télémaque à nouveau lui disait en réponse :

TÉLÉMAQUE. — Non, tu n'es pas mon père Ulysse!
un dieu m'abuse, afin de redoubler mes pleurs et mes
sanglots. Car un simple mortel ne peut trouver en soi
le moyen d'opérer de pareils changements : il faut
qu'un dieu l'assiste et le fasse, à son gré, ou jeune
homme ou vieillard... Tu n'étais à l'instant qu'un
vieux, couvert de loques : voici que tu parais semblable à l'un des dieux, maîtres des champs du ciel!

Ulysse l'avisé lui fit cette réponse :

ULYSSE. — La rentrée de ton père au logis, Télémaque, ne doit pas exciter ta surprise et ta crainte.
Ici tu ne verras jamais un autre Ulysse : c'est moi
qui suis ton père! Après tant de malheurs, après tant
d'aventures, si, la vingtième année[1], je reviens au
pays, c'est l'œuvre d'Athéna qui donne le butin. Oui!
c'est elle qui peut, — et vouloir lui suffit, — me
montrer tour à tour sous les traits d'un vieux pauvre
et sous les beaux habits d'un homme jeune encore :
il est facile aux dieux, maîtres des champs du ciel,
de couvrir un mortel ou d'éclat ou d'opprobre!

A ces mots, il reprit sa place et Télémaque, tenant
son noble père embrassé, gémissait et répandait des
larmes!... Il leur prit à tous deux un besoin de san-

---

1. Après neuf ans de siège et dix ans d'errances.

glots. Ils pleuraient et leurs cris étaient plus déchirants que celui des orfraies, des vautours bien en
griffes, auxquels des paysans ont ravi leurs petits
avant le premier vol... C'était même pitié que leurs
yeux pleins de larmes! et le soleil couchant eût encor
vu leurs pleurs, si le fils n'eût soudain interrogé son
père :

TÉLÉMAQUE. — Mais pour rentrer ici, mon père, en
notre Ithaque, dis-moi sur quel vaisseau, quels marins t'avaient pris? et quel est le pays dont ils se
réclamaient[a]?

Le héros d'endurance, Ulysse le divin, lui fit cette
réponse :

ULYSSE[b]. — Je viens de Phéacie; ce peuple d'armateurs fait métier de passer quiconque va chez eux.
Pendant que je dormais, c'est un de leurs croiseurs
qui m'apporta sur mer et me mit en Ithaque, avec
le bronze, l'or, les vêtements tissés, tous les cadeaux
de prix, dont ils m'avaient comblé et qui sont, grâce
aux dieux, déposés dans la grotte. Les ordres
d'Athéna m'ont fait venir ici, pour tramer avec toi
la mort de nos rivaux... Mais, avant tout, dis-moi
et leur nombre et leurs noms : que je sache combien
ils sont et ce qu'ils valent; puis je réfléchirai en mon
cœur valeureux et je déciderai si, tout seuls, nous
pouvons les attaquer sans aide ou s'il nous faut aller
chercher quelque renfort.

Posément, Télémaque le regarda et dit :

TÉLÉMAQUE. — Ah! mon père, j'avais entendu célé-

---

a Vers 224 : car ce n'est pas à pied que tu nous viens, je
pense.
b Vers 226 : oui, mon fils, tu sauras toute la vérité.

brer ta prudence au conseil et ta force au combat.
Mais quel mot tu dis là! j'en ai comme un vertige!...
comment lutter à deux contre un nombre pareil? et
de gens vigoureux! car, si les prétendants n'étaient
en vérité qu'une dizaine ou deux! Mais ils sont tant
et tant!... tu le verras toi-même aussitôt arrivé. [Tu
veux savoir leur nombre? Doulichion leva cinquante-
deux seigneurs, que suivent six valets; vingt-quatre
de Samé; de Zante, une vingtaine, et tous, fils
d'Achéens, sans compter ceux d'Ithaque, douze de
nos plus braves, et le héraut Médon, et le divin aède,
et deux autres servants pour trancher aux festins.
Nous vois-tu nous heurter à toute cette bande,
maîtresse du manoir? Ah! je crains que, d'un prix
terriblement amer, tu n'aies en arrivant à payer ta
vengeance...] Mais voyons, réfléchis, n'as-tu pas
d'allié qui, d'un cœur dévoué, pourrait nous secourir?

Le héros d'endurance, Ulysse le divin, lui fit cette
réponse :

ULYSSE. — Je vais t'en nommer deux : écoute et me
comprends! Suffirait-il de Zeus le père et d'Athéna?
ou faudrait-il chercher un autre défenseur?

Posément, Télémaque le regarda et dit :

TÉLÉMAQUE. — Pour de bons alliés, ceux que tu dis
le sont, bien qu'ils trônent un peu trop haut dans
les nuées!... il est vrai qu'ils disposent des mortels
et des dieux.

Le héros d'endurance, Ulysse le divin, lui fit cette
réponse :

ULYSSE. — C'est eux qu'avant longtemps, au plus
fort de la lutte, tu verras à l'ouvrage, lorsque, dans
le manoir, les prétendants et nous n'aurons plus
d'autre arbitre que la force d'Arès*. Demain, tu t'en

iras, dès la pointe du jour, retrouver au logis ces fous de prétendants; un peu plus tard, Eumée me conduira en ville; j'aurai repris les traits d'un vieux pauvre et mes loques. Quels que soient les affronts qu'au logis je rencontre, que ton cœur se résigne à me voir maltraité! Si même tu les vois me traîner par les pieds, à travers là grand-salle, et me mettre dehors ou me frapper de loin, laisse faire! regarde! ou, pour les détourner de leurs folies, n'emploie que les mots les plus doux; ils te refuseront; car pour eux, aura lui la journée du destin! Écoute un autre avis et le mets [en ton cœur. Sur l'avis d'Athéna, la bonne conseillère, tu me verras te faire un signe de la tête; dès que tu l'auras vu, ramasse, en la grand-salle, tous les engins de guerre qui s'y peuvent trouver, puis va les entasser au fond du haut trésor et si les prétendants en remarquent l'absence et veulent des raisons, paie-les de gentillesses; dis-leur : « je les ai mis à l'abri des fumées! Qui pourrait aujourd'hui reconnaître ces armes qu'à son départ pour Troie, Ulysse avait laissées? les vapeurs du foyer les ont mangées de rouille!... Et voici l'autre idée que Zeus m'a mise en tête : j'ai redouté surtout qu'un jour de beuverie, une rixe entre vous n'amenât des blessures et ne souillât ma table et vos projets d'hymen : de lui-même, le fer attire à lui son homme. » Tu laisseras pour nous deux piques, deux épées et deux écus en buffle à tenir à la main; nous nous élancerons pour nous en emparer, quand Pallas Athéna et Zeus notre complice aveugleront nos gens. Écoute un autre avis, et le mets] en ton cœur. Si c'est bien de mon sang, de moi, que tu naquis, personne n'entendra parler de ma présence : que Laerte l'ignore et le porcher aussi, et tous nos serviteurs, et même Pénélope. A nous seuls, toi et moi, nous devrons éprouver la droiture des femmes et nous devrons aussi, parmi nos domestiques, chercher qui nous respecte et nous craint en son âme ou qui, sans plus d'égards, méprisa ta détresse.

Son noble fils alors, en réponse, lui dit :

TÉLÉMAQUE. — Père, tu connaîtras mon âme par la suite : tu n'y trouveras pas, je crois, d'étourderie. Mais ce n'est pas ainsi que je vois pour nous deux le plus grand avantage. Calcule, je te prie : que de temps, que de pas à travers nos domaines, si tu veux éprouver chacun de nos bergers, cependant qu'au manoir, ces gens tout à loisir dévorent tes richesses en cette folle vie qui ne ménage rien!... Oh! les femmes, tu dois, je crois, t'en enquérir[a]; mais les hommes, comment aller de loge en loge pour éprouver chacun?... Nous y verrons plus tard, sur un signe certain que le Zeus à l'égide* aura pu t'envoyer.

Pendant qu'ils échangeaient ces paroles, voici qu'entrait au port d'Ithaque le solide navire, qui, de Pylos, avait ramené Télémaque et tous ses compagnons. Quand ils furent entrés jusqu'au fond de la rade, et qu'à la grève, on eut tiré le noir vaisseau[b], on emporta d'abord tout droit, chez Clytios[1] les présents magnifiques; puis, au logis d'Ulysse, un héraut s'en alla prévenir Pénélope, la plus sage des femmes, que son fils Télémaque aux champs était resté, mais avait renvoyé le vaisseau vers la ville, qu'il ne fallait donc pas que la crainte et

a Vers 317 : lesquelles t'ont manqué; lesquelles sont fidèles.

b Vers 326 : les servantes empressés emportaient les agrès.

1. Père de Piraeos, un des compagnons dévoués de Télémaque : voir à la fin du chant XV.

les larmes amollissent le cœur de la vaillante reine.

Or le divin porcher rencontra ce héraut, comme ils allaient tous deux porter le même avis chez la femme du maître. Mais, à peine entraient-ils chez le divin Ulysse, que le héraut criait devant toutes les femmes : « C'est fait, reine! ton fils est rentré de Pylos! » tandis que le porcher, allant à Pénélope, lui disait tout ce dont son fils l'avait chargé et, quand il eut fini de rendre son message, reprenait le chemin de ses porcs, en quittant la salle, puis l'enceinte.

Au cœur des prétendants, quel trouble consterné! Ils sortent de la salle et traversent la cour; au-devant du grand mur, à l'entrée du portail, ils vont tenir séance et le premier qui prend la parole est le fils de Polybe, Eurymaque.

EURYMAQUE. — Mes amis! il est donc accompli, ce voyage! quel exploit d'insolence!... Nous l'avions interdit pourtant à Télémaque. Allons! vite, levons des rameurs du grand large et mettons-les en mer sur un vaisseau de choix; que là-bas, au plus tôt, ils aillent avertir nos amis de rentrer[1].

Il n'avait pas fini de parler que, soudain Amphinomos, tournant la tête, apercevait un vaisseau qui rentrait jusqu'au fond de la rade et, les voiles carguées, se mettait à la rame.

Avec un bon sourire, il dit aux camarades :

AMPHINOMOS. — Nous n'avons plus besoin de leur donner l'avis! les voici dans le port!... l'ont-ils su par un dieu?... ont-ils vu de leurs yeux passer l'autre navire, mais sans pouvoir l'atteindre?

Il dit; mais, se levant de leurs bancs, les rameurs

---

1. Une partie des Prétendants est encore en embuscade.

avaient déjà pris pied sur la grève de mer et tiré prestement au sec le noir vaisseau; les servants empressés emportaient les agrès, et les maîtres, en troupe, allaient à l'agora.

Tous témoins écartés, jeunes gens ou vieillards, Antinoos, le fils d'Euphithès, leur parla :

ANTINOOS. — Ah! misère! notre homme est sauvé par les dieux : il est hors de danger... Tout le jour, nos vigies allaient se relever dans le vent des falaises, et, le soleil couché, jamais nous ne passions la nuit sur le rivage; mais, le navire en mer, jusqu'à l'aube divine, nous restions à croiser, à guetter Télémaque, pour nous saisir de lui et le faire mourir! Puisqu'un dieu nous l'enlève et le ramène au port, nous voici réunis pour lui trouver enfin une mort sans douceur, car il faut en finir : croyez-moi, lui vivant, jamais nous ne viendrons à bout de notre affaire; il est homme de sens, de conseil et d'adresse, et ce n'est plus à nous que va, — tout au contraire, — le dévouement du peuple... Allons! n'attendons pas qu'il ait à l'agora réuni l'assemblée de tous les Achéens. Il ne va pas, je crois, déposer sa colère. Vous verrez sa fureur, quand il se lèvera pour raconter au peuple la mort, que nous voulions, mais que nous n'avons pu déchaîner sur sa tête. Le peuple en l'écoutant va crier au forfait! mal pour mal, s'ils allaient nous décréter d'exil?... qui veut, loin du pays, aller à l'étranger?... Non! prenons les devants : aux champs, loin de la ville, ou le long de la route, faisons-le disparaître; ses vivres et ses biens nous reviendront à nous, après un bon partage; nous abandonnerons ses maisons à sa mère et à qui l'aura prise!... Mon avis vous déplaît? vous désirez qu'il vive et que son patrimoine entier

lui soit acquis?... Alors ne restons plus à lui manger
ici les biens qui font sa joie; dispersons-nous, rentrons, chacun en son manoir d'où nos cadeaux viendront faire ici notre cour, et c'est le plus offrant ou
l'élu du destin qui deviendra l'époux.

Il dit : tous se taisaient. Mais, après un silence, ce
fut Amphinomos qui reprit la parole. Noble fils de
Nisos, il avait eu le roi Arétès pour aïeul et, chef des
prétendants qui, de Doulichion, l'île au froment, l'île
aux grands prés, étaient venus, c'est lui dont les discours plaisaient à Pénélope : car il n'avait au cœur
qu'honnêtes sentiments.

C'est pour le bien de tous qu'il prenait la parole :

AMPHINOMOS. — Pour l'instant, mes amis, je ne suis
pas d'avis de tuer Télémaque : c'est grave d'attenter
à la race des rois! il faudrait commencer par consulter les dieux. Si nous avons pour nous un arrêt du
grand Zeus, c'est moi qui frapperai et, tous, vous me
verrez vous inciter, vous autres! Si les dieux refu-
saient, je suis pour qu'on s'abstienne!

Il dit : tous d'approuver ces mots d'Amphinomos
et, se levant en hâte, ils revinrent s'asseoir dans la
maison d'Ulysse, sur les fauteuils polis.

[La sage Pénélope eut alors son dessein : devant
les prétendants à l'audace effrénée, elle voulut paraître; car le héraut Médon, qui savait leurs projets,
venait de l'informer qu'au manoir on tramait la perte
de son fils; pénétrant dans la salle, avec ses chambrières, voici qu'elle arriva devant les prétendants,
cette femme divine, et, debout au montant de l'épaisse
embrasure, ramenant sur ses joues ses voiles éclatants,
ce fut Antinoos qu'elle prit à partie :

PÉNÉLOPE. — Antinoos, cœur furieux, tisseur de
maux, on a beau te vanter en ce pays d'Ithaque
comme le plus sensé et le plus éloquent de tous ceux
de ton âge : je ne te vois pas tel; pauvre fou, c'est
donc toi qui veux à Télémaque ourdir mort et trépas!
Tu ris des suppliants, dont Zeus est le témoin!... ourdir les maux d'autrui, n'est-ce pas sacrilège? Ignores-
tu qu'un jour ton père vint ici, fuyant devant le peuple et craignant leurs fureurs, quand, ligué avec les
pirates de Taphos, il avait assailli nos amis les Thesprotes? on demandait sa tête; on voulait le tuer et
dévorer ses biens dont tous avaient envie. Mais
Ulysse intervint et brida leur colère... Aujourd'hui,
sans payer, tu manges sa maison, tu courtises sa
femme et veux tuer son fils! Ah! tu me fais horreur!...
Il faut cesser, crois-moi, et ramener les autres.

Eurymaque, le fils de Polybe, intervint :

EURYMAQUE. — Que la fille d'Icare, la sage Pénélope, se rassure! pourquoi te mettre en tels soucis?
Ne crains pas qu'il existe ou puisse jamais être,
l'homme qui porterait la main sur Télémaque! sur
ton enfant! Jamais, tant que, les yeux ouverts, je
serai de ce monde! ou, — je te le promets et tu verras
la chose, — le sang noir giclera autour de notre
lance... Je n'ai pas oublié comment, sur ses genoux,
le preneur d'Ilion, Ulysse m'asseyait, quand, mettant dans mes mains un morceau du rôti, il me
donnait à boire un coup de son vin rouge. Aussi,
pour Télémaque, ai-je plus d'amitié que pour homme
qui vive! Ce n'est pas de la main des prétendants,
crois-moi, que lui viendra la mort; mais nous ne pouvons rien contre la main des dieux.

Il ne parlait ainsi que pour la rassurer; mais son

cœur ne pensait qu'à perdre Télémaque. La reine
regagna son étage brillant.

Elle y pleurait encore Ulysse, son époux, à l'heure
où la déesse aux yeux pers, Athéna, lui versa sur les
yeux le plus doux des sommeils.]

Or le divin porcher rentrait au soir tombant. Déjà,
pour le souper, Télémaque et son père rôtissaient,
tour à tour, le porcelet d'un an qu'ils avaient immolé.
Athéna, revenue près du fils de Laerte, l'avait touché
de sa baguette et, de nouveau, Ulysse n'était plus
qu'un vieillard en haillons : la déesse avait craint que,
face à face, Eumée ne reconnût le maître et ne pût
s'empêcher d'avertir Pénélope.

Il entra. Le premier, Télémaque lui dit :

TÉLÉMAQUE. — C'est toi, divin Eumée? en ville, que
dit-on?... Nos fougueux prétendants sont-ils enfin
rentrés? ou, toujours embusqués, me guettent-ils
encor, même après mon retour?

Mais toi, porcher Eumée, tu lui dis en réponse :

EUMÉE. — Ah! j'avais bien souci de parler de cela
ou de m'en enquérir!... En courant par la ville, je
n'avais qu'un désir : revenir au plus tôt, mon message
rendu. J'ai croisé le héraut, que tes gens envoyaient :
c'est de ce messager rapide que ta mère a su d'abord
la chose... J'ai pourtant mon idée : voici ce que j'ai
vu. J'étais sur le chemin du retour, j'arrivais au-dessus
de la ville, sur la butte d'Hermès*, quand je vis un
croiseur entrer dans notre port : il était plein de gens,
chargé de boucliers, de lances à deux douilles; je crois
que c'était eux, mais ne sais rien de plus.

A ces mots du porcher, Sa Force et Sainteté Télémaque sourit, en regardant son père. Mais Eumée ne
vit rien.

Les apprêts achevés et le souper servi, on mangea, tout aux joies de ce repas d'égaux, puis, ayant satisfait la soif et l'appétit, on parla de dormir et l'on s'en fut goûter les présents du sommeil.

A LA VILLE

(CHANT XVII) De son berceau de brume, à peine était sortie l'Aurore* aux doigts de roses que le fils du divin Ulysse, Télémaque, après s'être chaussé de ses belles sandales, prenait sa forte lance pour se rendre à la ville et, l'ayant bien en main, disait à son porcher :

TÉLÉMAQUE. — Vieux frère, écoute-moi, je vais rentrer en ville me montrer à ma mère; je la connais; je sais que ses cris lamentables, ses sanglots et ses pleurs ne trouveront de fin qu'après m'avoir revu. Mais toi, voici mes ordres : pour mendier son pain, amène-nous là-bas notre pauvre étranger; lui donne qui voudra ou la croûte ou la tasse; j'ai déjà trop d'ennuis; je ne puis me charger de tout le genre humain; si notre hôte le prend en mal, tant pis pour lui! j'aime mon franc parler.

Ulysse l'avisé, lui fit cette réponse :

ULYSSE. — Ne va pas croire, ami que j'aie si grande envie qu'on me garde céans*a* : penses-tu que je sois d'âge à rester aux loges pour obéir en tout aux or-

---

a Vers 18-19 : quand on mendie son pain, on trouve son dîner en ville mieux qu'aux champs; me donne qui voudra!

dres d'un patron? Non! non! tu peux partir : sitôt
qu'un air de feu et de soleil venu m'auront ragaillardi,
j'aurai, pour m'emmener, cet homme, — il a tes
ordres, — car, avec ces haillons terriblement mauvais,
la gelée du matin m'aurait vite abattu, et la ville n'est
pas, disiez-vous, toute proche.

Il disait, Télémaque avait quitté la loge et, de son
pas alerte, il s'en allait, plantant des maux aux prétendants.

Au grand corps du logis quand il fut arrivé, il s'en
alla dresser la lance, qu'il portait, à la haute colonne[1],
puis, entrant dans la salle, franchit le seuil de pierre.
Bien avant tous les autres, la nourrice Euryclée, qui
couvrait de toisons les fauteuils ouvragés, aperçut
Télémaque, et ses larmes jaillirent. Elle vint droit à
lui, et les autres servantes du valeureux Ulysse
l'entouraient, le fêtaient, couvraient de leurs baisers
sa tête et ses épaules.

Mais voici Pénélope, la plus sage des femmes, qui
sortait de sa chambre : on eût dit Artémis* ou
l'Aphrodite* d'or. Elle prit dans ses bras son enfant
et, pleurant, le baisant sur le front et sur ses
deux beaux yeux, lui dit ces mots ailés à travers ses
sanglots :

Pénélope. — Te voilà, Télémaque! ô ma douce
lumière! Ah! j'ai cru ne jamais te revoir quand j'ai
su qu'embarqué en secret, contre ma volonté, tu par-
tais pour Pylos t'informer de ton père. Allons! dis-
moi, qu'as-tu rencontré! qu'as-tu vu?...

Posément Télémaque la regarda et dit :

---

1. Autour des colonnes du « Mégaron » sont aménagés des râte-
liers pour les piques.

TÉLÉMAQUE. — Ne me fais pas pleurer, ne trouble pas mon cœur, mère! puisque, sur moi, la mort n'est pas tombée. Mais baigne ton visage; mets des habits sans tache[a] pour faire à tous les dieux le vœu d'une hécatombe, si Zeus* prend quelque jour le soin de nous venger. Je vais à l'agora, j'y dois trouver un hôte qu'en rentrant de là-bas, je ramenais ici[1]; mais, sur mon ordre, avec mes compagnons divins, il a pris les devants; j'ai dit à Piraeos de l'emmener chez lui et, jusqu'à mon retour, de le soigner en l'honorant comme un ami.

Il disait : sans qu'un mot s'envolât de ses lèvres, Pénélope, baignant son visage, alla mettre des vêtements sans tache et faire à tous les dieux le vœu d'une hécatombe, si Zeus prenait un jour le soin de les venger.

Mais Télémaque était sorti de la grand-salle et, reprenant sa lance, emmenait avec lui deux de ses lévriers. Athéna* le parait d'une grâce céleste. Vers lui, quand il entra, tous les yeux se tournèrent; en groupe, autour de lui, les fougueux prétendants lui faisaient mille grâces, mais roulaient la traîtrise au gouffre de leurs cœurs.

Télémaque évita leur nombreuse cohue et s'en vint prendre place à l'endroit où siégeaient ensemble Halithersès, Antiphos et Mentor, que son père avait eus pour amis dès l'enfance.

Comme ils l'interrogeaient sur toutes les nouvelles, voici que Piraeos, à la lance fameuse, approchait : par la ville, il avait amené son hôte à l'agora. Sans tarder

---

a Vers 49 : et monte à ton étage avec tes chambrières.
1. Théoclymène (voir chant XV).

un instant. Télémaque s'en vint accueillir l'étranger.

Mais déjà Piraeos avait pris la parole :

PIRAEOS. — Télémaque, envoie-nous au plus tôt des servantes pour reprendre chez moi tous les cadeaux que tu reçus de Ménélas.

Posément, Télémaque le regarda et dit :

TÉLÉMAQUE. — Piraeos, attendons! je ne vois pas encore la fin de tout cela. Il se peut qu'au manoir, les fougueux prétendants me tuent en trahison et que mon patrimoine entier soit leur partage : plutôt qu'à l'un d'entre eux, j'aime mieux t'en laisser, à toi, la jouissance. Si c'est moi qui leur plante et le meurtre et la mort, nous aurons même joie, moi de les recevoir et toi de me les rendre.

Il dit et prit avec son hôte infortuné le chemin du manoir. Quand ils eurent atteint le grand corps du logis et laissé leurs manteaux aux sièges et fauteuils, ils allèrent au bain dans les cuves polies. Puis baignés, frottés d'huile, par la main des servantes, et vêtus de la robe et du manteau de laine, au sortir des baignoires, ils prirent siège à table.

Vint une chambrière qui, portant une aiguière en or, et du plus beau, leur donnait à laver sur un bassin d'argent et dressait devant eux une table polie. Vint la digne intendante : elle apportait le pain et le mit devant eux, puis leur fit les honneurs de toutes ses réserves, tandis qu'en l'embrasure, en face de son fils, Pénélope, allongée sur son siège, tournait sa quenouille légère.

Vers les morceaux de choix préparés et servis, ils tendirent les mains.

Quand on eut satisfait la soif et l'appétit, la plus sage des femmes, Pénélope, reprit :

Pénélope. — Télémaque, faut-il que, remontant chez moi, je m'étende en ce lit qu'emplissent mes sanglots et que trempent mes larmes, depuis le jour qu'Ulysse avec les fils d'Atrée partit vers Ilion?... Veux-tu donc me laisser, — quand ici vont entrer les fougueux prétendants, — sans daigner me parler du retour de ton père? En sais-tu quelque chose?

Posément, Télémaque la regarda et dit :

Télémaque. — Non! voici tout au long, mère, la vérité. Je m'en fus à Pylos où Nestor, le pasteur du peuple, me reçut en sa haute demeure et m'entoura de soins, comme un père accueillant un fils qui rentrerait après un an d'absence. C'est un pareil accueil que me fit le vieillard avec ses nobles fils. Du malheureux Ulysse, il ne put rien me dire, n'ayant jamais appris de personne en ce monde qu'il fût vivant ou mort. Mais Nestor, me donnant ses chevaux et son char aux panneaux bien plaqués, m'envoya chez le fils d'Atrée, chez Ménélas à la lance fameuse... Et c'est là que j'ai vu Hélène l'Argienne, celle pour qui les gens et d'Argos et de Troie, sous le courroux des dieux, ont subi tant d'épreuves! Le premier mot de Ménélas le bon crieur fut pour me demander quel besoin m'amenait en sa Sparte divine; point par point, je lui dis toute la vérité, et voici quelle fut aussitôt sa réponse[a] : « Je vais répondre à tes prières

---

a Vers 124-137 : Misère! ah! c'est au lit du héros de vaillance que voudraient se coucher ces hommes sans vigueur! Quand le lion vaillant a quitté sa tanière, il se peut que la biche y vienne remiser les deux faons nouveau-nés qui la tètent encore, puis s'en aille brouter, par les pentes boisées, les combes verdoyantes : il rentre se coucher et leur donne à tous deux un destin sans douceur. C'est un pareil destin et sans plus de douceur qu'ils obtiendraient

et demandes, sans un mot qui t'égare ou te puisse abuser. Oui! tout ce que j'ai su par un Vieux de la mer* au parler prophétique, le voici sans omettre et sans changer un mot : il m'a dit qu'il avait aperçu, dans une île, Ulysse tout en larmes, qu'en un manoir, là-bas, la nymphe Calypso le retient malgré lui et qu'il ne peut rentrer au pays de ses pères*a*. » Voilà ce que m'a dit l'Atride Ménélas à la lance fameuse. Ma tâche était remplie : je revins et le vent, que les dieux me donnèrent, me ramena tout droit à la terre natale.

Il dit, et Pénélope en était remuée jusqu'au fond de son cœur. Alors Théoclymène au visage de·dieu :

THÉOCLYMÈNE. — Digne épouse du fils de Laerte, d'Ulysse, tu vois que Ménélas ne savait pas grand-chose; mais retiens mon avis; je prédis à coup sûr et ne te cache rien*b*. Sache qu'en sa patrie, Ulysse est revenu, qu'il y siège, y circule et, connaissant déjà leurs vilaines besognes, prépare un vilain sort à tous les prétendants... Voilà ce qu'est venu me révéler l'augure, ce que je révélai moi-même à Télémaque sur les bancs du vaisseau[1].

La plus sage des femmes, Pénélope, reprit :

d'Ulysse, si demain, Zeus le Père! Athéna! Apollon! il pouvait revenir tel qu'aux murs de Lesbos, nous le vîmes un jour accepter le défi du fils de Philomèle* et lutter avec lui et, de son bras robuste, le tomber pour la joie de tous nos Achéens!... Qu'il rentre, cet Ulysse, parler aux prétendants : tous auront la vie courte et des noces amères!

a Vers 145-146 : n'ayant ni les vaisseaux à rames, ni les hommes pour voguer sur le dos de la plaine marine.

b Vers 155-156 : que Zeus m'en soit témoin, et tous les autres dieux et ta table, ô mon hôte, comme aussi ce foyer de l'éminent Ulysse où me voici rendu!

1. Théoclymène appartient à une lignée de devins.

Pénélope. — Ah! puisse s'accomplir ta parole, ô mon hôte! tu trouverais chez moi une amitié si prompte et des dons si nombreux que chacun, à te voir, vanterait ton bonheur.

Pendant qu'ils échangeaient ces paroles entre eux, les prétendants, devant la grand-salle d'Ulysse, se jouaient à lancer disques et javelots sur la dure esplanade, théâtre coutumier de leur morgue insolente.

Vint l'heure du repas : on vit entrer les bêtes que, suivant la coutume, des bergers amenaient des champs, de toutes parts, et voici que Médon, leur héraut préféré, leur compagnon de table, disait aux prétendants :

Médon. — Si vos cœurs, jeunes gens, ont assez de la joute, rentrons dans le logis préparer le repas; c'est un plaisir aussi que de dîner à l'heure.

Il dit et, se levant, ils acceptent l'invite. Une fois arrivés au grand corps du logis, ils s'en vont déposer sur les sièges et sur les fauteuils leurs manteaux[a]. abattent une vache amenée du troupeau, puis des porcs gras à lard, et le dîner s'apprête.

A la même heure, Ulysse et le divin porcher se préparaient, aux champs, pour venir à la ville.

Eumée, le commandeur des porchers, discourait :

Eumée. — Puisque c'est ton avis, mon hôte, de partir aujourd'hui, pour la ville, je m'en vais obéir aux ordres de mon maître. Tu sais que, volontiers, je t'aurais conservé pour garder notre loge. Mais lui, je le respecte!... et je craindrais qu'ensuite, il ne me querellât;

---

a Vers 180 : ils abattent de grands moutons, des chèvres grasses

or reproches du maître ont toujours peu de charme...
Mettons-nous en chemin : tu vois, le jour s'avance;
le soir, qui tôt viendra, pourrait bien être frais.

Ulysse l'avisé lui fit cette réponse :

ULYSSE. — Je comprends; j'ai saisi; j'avais prévu
l'invite : en route! va devant! mène-moi jusqu'au
bout!... Mais encore un cadeau : tu dois bien avoir
là un bâton de coupé; il me faut un appui; vous
disiez que la route est plutôt un glissoir.

Il disait, et tandis qu'il jetait sur son dos la sordide
besace[a], le porcher lui donnait le bâton demandé.

Et le couple partit, en laissant la cabane à la garde
des chiens et des autres bergers. Le porcher conduisait à la ville son roi... : son roi, ce mendiant, ce
vieillard lamentable! quel sceptre dans la main! quels
haillons sur sa peau!...

Ils atteignaient le bas de la côte escarpée; ils appro-
chaient du bourg et venaient de passer la source
maçonnée, construite par Ithaque, Nérite et Polyktor[1]
la source aux belles eaux où la ville s'abreuve : sous
les peupliers d'eau, qui, d'un cercle complet, enferment la fontaine, ils voyaient du rocher tomber son
onde fraîche, sous cet autel des Nymphes*, où chacun
en passant fait toujours quelque offrande. C'est là
que Mélantheus, le fils de Dolios, les croisa sur la
route[b]. Aussitôt qu'il les vit, il n'eut à leur adresse

---

a Vers 198 : qui n'était que lambeaux, pendus à une corde.
b Vers 213-214 : pour le repas des prétendants, il amenait ses
chèvres les plus belles; deux bergers le suivaient.
1. Ithacos est le héros éponyme de l'île d'Ithaque. Néritos (qui a
donné son nom au massif montagneux du sud de l'île) et Polyktor
étaient ses frères.

que paroles d'insulte violente et grossière; Ulysse en sursauta :

MÉLANTHEUS. — Voilà le roi des gueux qui mène un autre gueux! comme on voit que les dieux assortissent les paires!... Misérable porcher, où mènes-tu ce goinfre*a*? à combien de montants va-t-il monter la garde et s'user les épaules en quémandant, non des femmes, ni des chaudrons, mais seulement des croûtes?... Si tu me le donnais pour garder notre étable, balayer le fumier, faire aux chevreaux du vert! avec mon petit lait, il se ferait des cuisses... Mais il n'a jamais su que mauvaises besognes : il ne daignerait pas se donner à l'ouvrage! il préfère gueuser, quêter de porte en porte, emplir ce ventre, un gouffre!... Eh bien! je te préviens et tu verras la chose! qu'il entre seulement chez ton divin Ulysse! de la main des seigneurs, je vois les escabelles lui voler à la tête et lui polir les côtes! quels coups en notre salle!

Et passant, à ces mots, près d'Ulysse, ce fou lui détacha un coup de talon dans la hanche. Ulysse tint le coup sans lâcher le sentier; mais il se demanda si d'un revers de trique, il n'allait pas l'abattre ou, l'enlevant du sol, l'assommer contre terre... Mais il se résigna et dompta son envie, et ce fut le porcher qui, les yeux dans les yeux, querella Mélantheus, puis, les mains vers le ciel, cria cette prière :

EUMÉE. — Nymphes de cette source, ô vous, filles de Zeus, si pour vous, quelquefois, Ulysse a fait brûler des cuissots de chevreaux ou d'agneaux, recouverts d'un large champ de graisse, accordez à nos vœux que le maître revienne! que le ciel nous le rende!...

---

a Vers 220 : l'odieux mendiant! ce fléau des festins.

il aura bientôt fait de rabattre la morgue et les airs
insolents, que tu vas, chaque jour, promener à la ville,
en laissant ton troupeau aux pires des bergers!

Le maître-chevrier, Mélantheus, répliqua :

MÉLANTHEUS. — Ah! misère! que dit ce chien qui
sent la rage?... Quelque jour, sous lés bancs d'un noir
vaisseau, j'irai te vendre loin d'Ithaque! et je ferai
fortune!... Et quant au fils d'Ulysse, ah! si dès aujour-
d'hui le dieu à l'arc d'argent, Apollon*, pouvait donc
venir en plein manoir l'abattre ou le livrer aux coups
des prétendants, aussi vrai que le père a perdu, loin
de nous, la journée du retour!

Il dit et, les laissant marcher d'un train plus lent, il
s'en fut à grands pas vers le manoir du maître. Il
entra dans la salle : parmi les prétendants, en face
d'Eurymaque, — c'était son grand ami, — il s'en vint
prendre place; devant lui, les servants mirent sa
part des viandes; puis, la digne intendante lui présenta le pain.

Or, devant le manoir, Ulysse et le divin porcher
avaient fait halte; autour d'eux, bourdonnait un bruit
de lyre creuse; car Phémios, avant de chanter, préludait.

Ulysse prit la main du porcher et lui dit :

ULYSSE. — Eumée, ce beau manoir, c'est bien celui
d'Ulysse?... Il est facile à reconnaître entre cent
autres. On le distingue à l'œil : quelle enceinte à la
cour! quel mur et quelle frise! et ce portail à deux
barres, quelle défense! je ne sais pas d'humain qui
puisse le forcer. Là-dedans, j'imagine, un festin est
servi à de nombreux convives; sens-tu l'odeur des
graisses?... entends-tu la cithare, que les dieux ont
donnée pour compagne au festin?

Mais toi, porcher Eumée, tu lui dis en réponse :

Eumée. — Tu l'as bien reconnu; en ceci comme en tout, non! tu n'as rien d'un sot!... Mais discutons un peu ce que nous allons faire : entres-tu le premier dans le corps du logis, au milieu de ces gens? je resterai derrière... Aimes-tu mieux rester et que j'aille devant?... Alors ne traîne pas! si l'on te voit dehors, c'est les coups ou la chasse... Décide, je te prie.

Le héros d'endurance, Ulysse le divin, lui fit cette réponse :

Ulysse. — Je comprends; j'ai saisi; j'avais prévu l'invite. Prends les devants; c'est moi qui resterai derrière : qu'importent les volées et les coups? j'y suis fait : [mon cœur est endurant; j'ai déjà tant souffert au combat ou sur mer; s'il me faut un surcroît de peines, qu'il me vienne! Il faut bien obéir à ce ventre odieux, qui nous vaut tant de maux! c'est lui qui fait partir et vaisseaux et rameurs, pour piller l'ennemi sur la mer inféconde].

Pendant qu'ils échangeaient ces paroles entre eux, un chien couché leva la tête et les oreilles; c'était Argos, le chien que le vaillant Ulysse achevait d'élever, quand il fallut partir vers la sainte Ilion, sans en avoir joui. Avec les jeunes gens, Argos avait vécu, courant le cerf, le lièvre et les chèvres sauvages. Négligé maintenant, en l'absence du maître, il gisait, étendu au-devant du portail, sur le tas de fumier des mulets et des bœufs où les servants d'Ulysse venaient prendre de quoi fumer le grand domaine; c'est là qu'Argos était couché, couvert de poux. Il reconnut Ulysse en l'homme qui venait et, remuant la queue, coucha les deux oreilles : la force lui manqua pour s'approcher du maître.

Ulysse l'avait vu : il détourna la tête en essuyant un pleur, et, pour mieux se cacher d'Eumée, qui ne vit rien, il se hâta de dire :

ULYSSE. — Eumée!... l'étrange chien couché sur ce fumier! il est de belle race; mais on ne peut plus voir si sa vitesse à courre égalait sa beauté; peut-être n'était-il qu'un de ces chiens de table, auxquels les soins des rois ne vont que pour la montre.

Mais toi, porcher Eumée, tu lui dis en réponse :

EUMÉE. — C'est le chien de ce maître qui mourut loin de nous : si tu pouvais le voir encore actif et beau, tel qu'Ulysse, en partant pour Troie, nous le laissa! tu vanterais bientôt sa vitesse et sa force! Au plus profond des bois, dès qu'il voyait les fauves, pas un ne réchappait! pas de meilleur limier! Mais le voilà perclus! son maître a disparu loin du pays natal; les femmes n'ont plus soin de lui; on le néglige... Sitôt qu'ils ne sont plus sous la poigne du maître, les serviteurs n'ont plus grand zèle à la besogne; le Zeus à la grand-voix prive un homme de la moitié de sa valeur, lorsqu'il abat sur lui le joug de l'esclavage.

A ces mots, il entra au grand corps du logis, et, droit à la grand-salle, il s'en fut retrouver les nobles prétendants. Mais Argos n'était plus : les ombres de la mort avaient couvert ses yeux qui venaient de revoir Ulysse après vingt ans.

Bien avant tous les autres, quelqu'un vit le porcher entrer au mégaron, et ce fut Télémaque au visage de dieu, qui, d'un signe de tête, aussitôt l'appela. Eumée, cherchant des yeux, vint prendre l'escabelle aux brillantes couleurs, où, d'ordinaire, était assis le grand tranchant, qui taillait et coupait les parts des prétendants attablés dans la salle. Eumée, portant ce

siège, alla se mettre à table en face de son maître ;
quand il se fut assis, le héraut lui servit sa part avec
le pain, qu'il prit dans la corbeille.

Mais voici qu'après lui, Ulysse était entré[a] : restant
au seuil poli, il s'assit dans la porte[b1].

Télémaque appela le porcher et lui dit (il avait pris
dans la plus belle des corbeilles, un gros morceau de
pain, avec autant de viande que ses deux mains, en
coupe, en pouvaient contenir) :

TÉLÉMAQUE. — Va porter à notre hôte et dis-lui
qu'il s'en vienne quêter, de table en table, à chaque
prétendant ; car réservé ne sied aux gens dans la
misère.

Il dit et le porcher eut à peine entendu que
s'en allant trouver Ulysse, il lui disait ces paroles
ailées :

EUMÉE. — Voici ce que t'envoie Télémaque, ô mon
hôte ; mais il t'invite aussi à quêter dans la salle à tous
les prétendants, car réserve, dit-il, ne sied aux misé-
reux.

Ulysse l'avisé lui fit cette réponse :

ULYSSE. — Zeus le roi ! je t'en prie ! rends heureux
Télémaque entre tous les humains, et que le plein
succès comble tous ses désirs !

Il dit et, des deux mains, prit le pain et la viande
qu'à ses pieds, il posa sur l'immonde besace, puis se

----

a Vers 337-338 : sous les traits d'un vieillard, d'un triste mendiant ! quel sceptre dans sa main ! quels haillons sur sa peau !

b Vers 340-341 : au seuil en bois de frêne, en appuyant son dos
au montant de cyprès que l'artisan, jadis, en maître avait poli et
dressé au cordeau.

1. Un seuil de pierre, un peu surélevé, mène à la grand-salle :
c'est là qu'Ulysse s'assied.

mit à manger, cependant que chantait l'aède en la
grand-salle; ils finirent ensemble, Ulysse de dîner,
l'aède de chanter. Les prétendants faisaient vacarme
en la grand-salle : Athéna vint alors dire au fils de
Laerte de mendier les croûtes auprès des prétendants,
pour connaître les gens de cœur et les impies; mais
aucun ne devait échapper à la mort.

Ulysse alors, de gauche à droite, s'en alla près de
chaque convive, tendant partout la main, comme si,
de sa vie, il n'eût que mendié. Par pitié, l'on donnait;
mais, surpris à sa vue, les prétendants entre eux se
demandaient son nom et d'où venait cet homme.
Le maître-chevrier, Mélantheus, leur disait :

MÉLANTHEUS. — Deux mots, ô prétendants de la
plus noble reine! l'étranger que voilà, je l'ai vu ce
matin qui s'en venait ici, conduit par le porcher; mais
j'ignore son nom et sa noble origine.

Il dit; Antinoos fit querelle au porcher :

ANTINOOS. — Porcher, te voilà bien; amener ça en
ville! Voyons!... Nous n'avions pas assez de vagabonds, d'odieux quémandeurs, fléaux de nos festins!...
Tu n'es pas satisfait encor de l'assemblée, qui déjà
mange ici les vivres de ton maître! Il te fallait encore
inviter celui-là!

Mais toi, porcher Eumée, tu lui dis en réponse :

EUMÉE. — Ce sont, Antinoos, vilains mots pour un
noble! Quels hôtes s'en va-t-on querir à l'étranger?
ceux qui peuvent remplir un service public, devins et
médecins et dresseurs de charpentes ou chantre aimé
du ciel, qui charme les oreilles! voilà ceux que l'on
fait venir du bout du monde! Mais s'en aller chercher un gueux qui vous dévore? Mais nous te connaissons; aucun des prétendants n'est d'humeur plus

hargneuse envers les gens d'Ulysse et surtout envers moi... Oh! je m'en soucie peu, tant qu'au manoir survit la sage Pénélope, ainsi que Télémaque au visage de dieu!

Posément, Télémaque le regarda et dit :

TÉLÉMAQUE. — Silence!... et ne dis plus un seul mot à cet homme! Tu sais qu'Antinoos est toujours querelleur, et ses aigres propos excitent tous les autres.

Et, pour Antinoos, il dit ces mots ailés :

TÉLÉMAQUE. — Antinoos, je sais que ton cœur n'a pour moi que paternels soucis. Tu veux que je renvoie cet hôte de ma salle, sans ménager les mots. Ah! que le ciel m'en garde! Non! prends et donne-lui, sans craindre mes reproches; oui! c'est moi qui t'en prie[a]... Mais voilà des pensées inconnues à ton cœur. Il te plaît de manger, mais non d'offrir aux autres!

Antinoos alors, de répondre et de dire :

ANTINOOS. — Quel discours, Télémaque! ah! prêcheur d'agora à la tête emportée!... Que chaque prétendant lui donne autant que moi! et pour trois mois entiers, il videra ces lieux.

[Il dit et, sous la table, il prit le tabouret où, pendant le festin, posaient ses pieds brillants. Il le brandit. Ulysse avait déjà reçu les dons de tous les autres : de viandes et de pain, sa besace était pleine; il revenait au seuil et s'en allait goûter aux dons des Achéens. Auprès d'Antinoos, il était arrivé; il s'adressait à lui :

---

a Vers 401-402 : va! ne crains ni ma mère ni l'un des serviteurs qui sont dans le manoir de ce divin Ulysse.

ULYSSE. — Donne ami!... Tu n'es pas, parmi ces Achéens, le moins noble, je pense! à ta mine de roi, tu me sembles leur chef! Il faut donc te montrer plus généreux qu'eux tous : un beau morceau de pain! et, jusqu'au bout du monde, j'irai te célébrant... Il fut un temps aussi où j'avais ma maison, où les hommes vantaient mon heureuse opulence : que de fois j'ai donné à de pauvres errants, sans demander leur nom, sans voir que leurs besoins! Car j'avais, par milliers, serviteurs et le reste, ce qui fait la vie large et le renom des riches. Mais le fils de Cronos*, — sa volonté soit faite! — Zeus m'a tout enlevé. C'est lui qui, pour me perdre, un jour me fit aller dans l'Egyptos avec mes rouleurs de corsaires! ah! la route sans fin*!... Une fois arrivés, j'ordonne à tous mes braves de rester à leurs bords, pour garder les navires, tandis que j'envoyais des vigies sur les guettes. Mais, cédant à leur fougue et suivant leur envie, les voilà qui se ruent sur les champs merveilleux de ce peuple d'Égypte, les pillant, massacrant les hommes, ramenant les enfants et les femmes. Le cri ne tarde pas d'en venir à la ville : dès la pointe de l'aube, accourus à la voix, piétons et gens de chars emplissent la campagne de bronze scintillant. Zeus, le joueur de foudre, nous jette la panique, et pas un de mes gens n'a le cœur de tenir en regardant en face : nous étions, il est vrai, dans un cercle de mort; j'en vois périr beaucoup sous la pointe du bronze; pour le travail forcé, on emmène le reste.

« Et moi, je connus Chypre : un étranger passait; on fit cadeau de moi à ce fils d'Iasos, Dmétor, dont

---

a Vers 427 : dans le fleuve Égyptos, je mouille mes vaisseaux.

la puissance était grande sur Chypre... C'est de là que
j'arrive à travers mille maux[1].

Antinoos alors, de répondre et de dire :

ANTINOOS. — Pour gâter nos festins, quel dieu nous
amena le fléau que voilà?... Au large!... halte-là! ne
viens pas à ma table! ou tu vas à l'instant retrouver
les douceurs de l'Égypte et de Chypre!... Quel front!
quelle impudeur!... Tu oses mendier! tu fais le tour et
viens solliciter chacun! Ah! ils ont la main large : avec
le bien d'autrui, ils ne regardent guère et n'ont pas de
pitié; chacun d'eux n'a qu'à prendre!

Ulysse l'avisé s'éloigna, mais lui dit :

ULYSSE. — Misère!... ah! tu n'as pas le cœur de ton
visage! En ta propre maison, qu'on aille t'implorer,
tu ne donneras rien! rien, pas même le sel, ô toi qui,
maintenant, à la table d'autrui, me refuses le pain,
quand tu n'as qu'à le prendre à ce tas, devant toi!

Il dit. Antinoos redoubla de colère et, le toisant, lui
dit ces paroles ailées :

ANTINOOS. — Attends! de cette salle, tu ne vas pas
sortir en bel état, je pense! Ah! tu viens m'insulter!...]

Il dit et, saisissant un tabouret, le lance. Tout au
haut de l'échine, en pleine épaule droite, Ulysse fut
atteint. Mais, ferme comme un roc il resta sans bron-
cher sous la coup, sans mot dire, en hochant de la
tête et roulant la vengeance au gouffre de son cœur.

[Il s'en revint au seuil. Il s'assit, déposa sa besace
remplie et dit aux prétendants :

1. Cet épisode cypriote ne figure pas dans la première version
du récit imaginé par Ulysse (voir au chant XIV).

ULYSSE. — Deux mots, ô prétendants de la plus
noble reine! Voici ce que mon cœur me dicte en ma
poitrine. On peut n'avoir au cœur ni chagrin, ni
regret, quand on reçoit des coups en défendant ses
biens, ses bœufs, ses blancs moutons. Mais ce qui
m'a valu les coups d'Antinoos, c'est ce ventre odieux,
ce ventre misérable, qui nous vaut tant de maux!...
Si, pour le pauvre aussi, il est de par le monde des
dieux, des Erinnyes*, qu'avant son mariage Antinoos
arrive au terme de la mort!

Antinoos, le fils d'Euphithès, répliqua :

ANTINOOS. — Va t'asseoir, l'étranger! mange et
tiens-toi tranquille! ou cherche un autre gîte!... Mais
pour ces beaux discours, crains que nos jeunes gens
ne te traînent dehors par le pied ou le bras; ils te
mettraient à vif!

Il dit; mais le courroux des autres éclatait; on entendit la voix d'un de ces jeunes fats :

LE CHŒUR. — Antinoos, frapper un pauvre vagabond! insensé, quelle honte!... si c'était par hasard
quelqu'un des dieux du ciel!... Les dieux prennent
les traits de lointains étrangers et, sous toutes les
formes, s'en vont de ville en ville inspecter les vertus
des humains et leurs crimes.

Les prétendants parlaient; l'autre n'en avait cure, et
le chagrin croissait au cœur de Télémaque à voir
frapper son père; mais, sans laisser tomber de ses
yeux une larme, il secouait la tête et roulait la vengeance au gouffre de son cœur.]

Mais lorsque Pénélope, la plus sage des femmes,
apprit qu'en la grand-salle, un hôte était frappé, elle
dit à ses femmes :

PÉNÉLOPE. — Ah! de son arc d'argent, qu'Apollon le lui rende!

Et l'intendante Eurynomé, de lui répondre :

EURYNOMÉ. — Si quelque effet suivait nos malédictions, pas un de ces gens-là ne reverrait monter l'Aurore sur son trône.

La plus sage des femmes, Pénélope, reprit :

PÉNÉLOPE. — Tous, avec leurs complots sont odieux. nourrice! Mais cet Antinoos a la noirceur des Parques*. Dans la grand-salle, un pauvre étranger fait la quête, de convive en convive, l'indigence l'amène. Les autres remplissaient, de leurs dons, sa besace; mais, c'est un tabouret qu'Antinoos lui lance en pleine épaule droite.

C'est ainsi qu'en sa chambre assise, Pénélope parlait à ses servantes; mais le divin Ulysse reprenait son dîner.

La reine fit venir le porcher et lui dit :

PÉNÉLOPE. — Va donc, divin Eumée, inviter l'étranger; qu'il vienne! je voudrais converser avec lui, l'interroger; peut-être a-t-il quelque nouvelle du malheureux Ulysse: peut-être l'a-t-il vu de ses yeux : il paraît avoir roulé le monde.

Mais toi, porcher Eumée, tu lui dis en réponse :

EUMÉE. — Ah! si nos Achéens, reine, voulaient se taire! ses façons de parler te charmeraient le cœur! Je l'ai gardé trois jours et trois nuits dans ma loge, car c'est chez moi qu'il vint, en fuyant d'un vaisseau; trois jours, il me parla, sans pouvoir achever le récit de ses peines... As-tu vu le public regarder vers l'aède, inspiré par les dieux pour la joie des mortels? Tant qu'il chante, on ne veut que l'entendre et toujours! C'est un pareil charmeur qu'il fut en mon manoir. Ulysse est, m'a-t-il dit, son hôte de famille. Il habitait en Crète au pays de Minos* : c'est de là qu'il nous vient, roulé, de flots en flots, à travers tous les maux. Il jure que, d'Ulysse, on lui parla non loin d'ici, chez les Thesprotes, que, dans ce bon pays, notre maître est vivant et qu'il va nous rentrer, tout chargé de richesses.

La plus sage des femmes, Pénélope, reprit :

PÉNÉLOPE. — Va donc et me l'amène! face à face, je veux qu'en personne il me parle; assis devant la porte ou restés dans la salle, qu'ils s'amusent, nos gens : ils ont le cœur léger! Leurs biens restent intacts! chez eux, ils les entassent! leur pain, leur vin ne sert qu'à quelques serviteurs; mais chez nous ils accourent et passent leurs journées à nous tuer bœufs et moutons et chèvres grasses, à boire, en leurs festins, nos vins aux sombres feux; et l'on gâche, et c'est fait du meilleur de nos biens! et pas un homme ici pour remplacer Ulysse et défendre ce toit!... S'il revenait, Ulysse!.... s'il rentrait au pays et retrouvait son fils!.... Ces gens auraient bientôt le paiement de leurs crimes!

Sur ces mots, Télémaque éternua si fort que les murs, d'un écho terrible, retentirent. Pénélope, en riant, se tourna vers Eumée et lui dit aussitôt ces paroles ailées :

PÉNÉLOPE. — Allons! va nous chercher cet hôte! qu'on le voie! N'as-tu pas entendu mon fils éternuer à toutes mes paroles? ah! si c'était la mort promise aux prétendants[a][1]. Encore un autre avis; mets-le bien

---

a Vers 547 : pas un n'évitera le trépas et les Parques.

1. L'éternuement passait pour un signe favorable.

en ton cœur : si je trouve qu'en tout, il dit la vérité, je
lui donne les habits neufs, robe et manteau.

Elle dit : le porcher eut à peine entendu que, rentrant dans la salle et s'approchant d'Ulysse, il dit ces
mots ailés :

EUMÉE. — Ô père l'étranger, la plus sage des
femmes, Pénélope, t'appelle. Mère de Télémaque, elle
vit dans l'angoisse; mais son cœur aujourd'hui l'engage à s'enquérir du sort de son époux!... si c'est la
vérité, qu'elle voit en tes dires, elle t'habillera de neuf,
robe et manteau [, qui te manquent si fort, et mendiant ton pain à travers le pays, tu rempliras ta panse;
te donne qui voudra].

Le héros d'endurance, Ulysse le divin, lui fit cette
réponse :

ULYSSE. — Je ne demande, Eumée, qu'à dire tout de
suite à la fille d'Icare, la sage Pénélope, toute la
vérité : je puis parler de lui! car nous avons passé par
les mêmes misères! Mais je crains la cohue et l'humeur de ces gens[a]. A l'instant, tu l'as vu, quel mal
avais-je fait en parcourant la salle? Cet homme m'a
frappé, blessé cruellement, sans que ni Télémaque
intervînt ni personne. C'est pourquoi, maintenant,
quel que soit son désir, va prier Pénélope d'attendre
là-dedans, jusqu'au soleil couché : alors je répondrai
à toutes ses demandes sur son époux et la journée de
son retour, pourvu qu'auprès du feu, elle me donne
place : je suis si mal vêtu!... Mais tu le sais toi-même;
n'es-tu pas le premier chez qui j'ai mendié?

Il disait ; le porcher eut à peine entendu qu'il
revint chez la reine :

_a_ Vers 565 : leur audace et leurs crimes vont jusqu'au ciel de fer.

Quand il parut au seuil, Pénélope lui dit :

PÉNÉLOPE. — Eumée! tu viens sans lui?... que veut ce mendiant? qui lui fait si grand-peur? est-ce timidité d'entrer en ce logis?... Timide mendiant! voilà qui ne va guère!

Mais toi, porcher Eumée, tu lui dis en réponse :

EUMÉE. — Il parle sagement, et tout autre en sa place craindrait des prétendants la morgue et les excès. Jusqu'au soleil couché, il te prie de l'attendre, et pour toi-même, ô reine, ce sera mieux ainsi : tu pourras, seule à seul, lui parler et l'entendre.

La plus sage des femmes, Pénélope, reprit :

PÉNÉLOPE. — Cet hôte n'est pas sot : il a deviné juste; jamais pareils bandits n'ont au monde tramé plus infâmes complots.

La reine avait parlé, et le divin porcher, n'ayant plus rien à dire, s'en retournait à l'assemblée des prétendants. Il vint à Télémaque et, front penché pour n'être entendu d'aucun autre, il lui dit aussitôt ces paroles ailées :

EUMÉE. — Ami, je vais rentrer : j'ai là-bas mes cochons et nos biens à garder, ton avoir et le mien... Ici, prends soin de tout, de ton salut d'abord! songe bien à tes risques! tant d'Achéens t'en veulent!... Zeus les anéantisse avant qu'ils ne nous perdent!

Posément, Télémaque le regarda et dit :

TÉLÉMAQUE. — Tout ira bien, vieux frère! Va-t'en! voici le soir! mais ramène demain quelques belles victimes... Ici, les dieux et moi, nous veillerons à tout.

Il disait. Mais Eumée, sur l'escabeau luisant, s'était remis à table. Quand il eut son content de manger et de boire, il se mit en chemin pour rejoindre ses porcs et, la salle quittée, il sortit de l'enceinte, laissant là les convives, qui faisaient leur plaisir de la danse et du chant, car déjà la journée se hâtait vers le soir (; bientôt chacun s'en fut dormir en son logis).

LE PUGILAT

(CHANT XVIII) [Survint un mendiant, le gueux de la commune, qui s'en allait de porte en porte par la ville. Tout Ithaque admirait le gouffre de sa panse, où sans cesse tombaient mangeailles et boissons. Sans force ni vigueur, mais de très grande taille et de belle apparence, il s'appelait Arnée; sa vénérable mère, au jour de sa naissance, l'avait ainsi nommé; mais tous les jeunes gens le surnommaient Iros : il était leur Iris*, porteur de tous messages.

Il entra et voulut chasser de sa maison Ulysse, en l'insultant avec ces mots ailés :

Iros. — Vieillard, quitte le seuil! ou je vais, par le pied, t'en tirer au plus vite! Regarde-les donc tous : de l'œil, ils me font signe de te mettre dehors! Mais moi, j'aurais trop honte. Allons! vite, debout! qu'entre nous, la dispute n'aille pas jusqu'aux mains.

Ulysse l'avisé le toisa et lui dit :

Ulysse. — Malheureux! contre toi qu'ai-je dit, qu'ai-je fait? ai-je empêché quelqu'un de te donner, à toi, tout ce qu'il voudra prendre?... Sur le seuil, on tient deux!... Ne fais pas le jaloux : ce n'est pas toi

qui paies!... Tu me sembles un frère en l'art de gueu-
serie : que les dieux entre nous répartissent la chance!
Mais, bas les mains! tu sais! ne me provoque pas! ou
gare à ma colère! Tout vieux que tu me vois, je te
mettrais en sang les côtes et les lèvres, et j'aurais pour
demain la paix, la grande paix!... Car, jamais, j'en
suis sûr, tu ne reviendrais plus en ce manoir d'Ulysse,
chez ce fils de Laerte!

Plein de colère, Iros le gueux lui répondit :

IROS. — Misère! ah! quel discours ce goinfre nous
dégoise, comme une vieille femme au coin de son
foyer! Gare aux coups! Je m'en vais travailler des
deux mains pour lui faire cracher toutes ses dents à
terre, comme on fait d'une truie qui fouge dans les
blés!... Trousse-toi! c'est l'instant! car voici nos
arbitres : au combat! qu'on te voie lutter contre un
cadet!

Sur le seuil reluisant, devant les hautes portes, ils
mettaient tout leur cœur à s'exciter ainsi.

Sitôt qu'Antinoos, Sa Force et Sainteté, aperçut
la dispute, il dit aux prétendants, avec un joyeux
rire :

ANTINOOS. — Mes amis, quelle aubaine! jamais
encor les dieux n'ont, en cette maison, tant fait
pour notre joie! Iros et l'étranger se sont pris de
querelle; ils veulent s'empoigner : mettons-les vite
aux mains!

Il disait et, d'un bond, tous, en riant, se lèvent
pour faire cercle autour de nos deux loqueteux, et le
fils d'Eupithès, Antinoos, leur dit :

ANTINOOS. — Valeureux prétendants, j'ai deux mots
à vous dire! Nous avons sur le feu, pour le repas du
soir, ces estomacs de chèvres que nous avons bourrés

de graisses et de sang; pour prix de son exploit, le vainqueur choisira quelqu'un de ces boudins et s'en ira le prendre! et trouvant désormais place à tous nos festins, il sera notre pauvre; à tout autre que lui, nous fermerons la porte!

A ce discours d'Antinoos, tous d'applaudir. Mais, ayant ruse en tête, notre Ulysse avisé reprenait la parole :

ULYSSE. — Mes amis, avez-vous jamais vu mettre aux prises un jeune avec un vieux, épuisé de misère?... Puisqu'il faut obéir à ce bandit de ventre et me prêter aux coups, du moins jurez-moi tous le plus fort des serments que, pour aider Iros, personne n'abattra sur moi sa lourde main! j'en serais accablé.

Il dit. On lui prêta le serment demandé. Quand on eut prononcé et scellé le serment, Sa Force et Sainteté Télémaque reprit :

TÉLÉMAQUE. — Étranger, si son cœur et ton âme vaillante te pressent d'accepter le combat, sois sans crainte! aucun des Achéens n'oserait te frapper! Tous seraient contre lui, moi d'abord qui reçois ici, et leurs deux rois, Eurymaque et Antinoos, gens de droiture, qui, tous les deux, m'approuvent.

Il dit; tous, d'applaudir. Sur sa virilité, troussant alors ses loques, Ulysse leur montra ses grandes belles cuisses[1] puis ses larges épaules et sa poitrine et ses bras musclés apparurent. Athéna*, accourue, infusait la vigueur à ce pasteur du peuple; chez tous les prétendants, la surprise éclata; se tournant l'un vers l'autre ils se disaient entre eux :

---

1. Donc la cicatrice qui, plus loin, le fera reconnaître infailliblement, devait apparaître et donner l'éveil aux prétendants. — Invraisemblance qui conduit à juger cet épisode interpolé.

Le Chœur. — Avant peu notre Iros, pauvre Iris déclassée, aura le mal qu'il cherche! Quelles cuisses le vieux nous sort de ses haillons!

Ils disaient; mais Iros sentait son cœur à mal. Déjà les serviteurs l'avaient troussé de force et l'amenaient tremblant : sur ses membres, la chair n'était plus que frissons.

Aussi, le gourmandant, Antinoos lui dit :

Antinoos. — Ah! taureau fanfaron! il vaudrait mieux pour toi ne pas être vivant, ne jamais être né que frissonner ainsi, d'une crainte effroyable, devant un vieux qu'épuise une vie de misères! Mais moi, je te préviens et tu verras la chose! s'il est victorieux, si tu te laisses battre, je t'envoie à la côte, au fond d'un noir vaisseau, chez le roi Échétos[1], fléau du genre humain! d'un bronze sans pitié, il te tailladera le nez et les oreilles, t'arrachera le membre, pour le jeter tout cru, en curée, à ses chiens.

Mais, pendant qu'il parlait, le frisson redoublait sur les membres d'Iros qu'on poussait dans le cercle.

Ils se mirent en garde et le divin Ulysse, le héros d'endurance, un instant hésita : allait-il l'assommer, l'étendre mort du coup? ou, le poussant plus doucement, le jeter bas? Tout compte fait, il vit encor son avantage à frapper doucement pour ne pas se trahir aux yeux des Achéens.

Les bras se détendirent : Ulysse fut atteint en pleine épaule droite; mais son poing se logea dans le cou, sous l'oreille; on entendit craquer les os dans le gosier; de la bouche d'Iros, un flot rouge jaillit : en mugissant, il s'effondra dans la poussière, grinçant des

---

1. Roi légendaire d'Épire, le type du tyran cruel.

dents, tapant la terre des talons; et, les deux bras au ciel, ils se mouraient de rire, les nobles prétendants! Puis Ulysse le prit par un pied, le traîna hors du seuil, dans la cour, jusqu'aux premières portes; au-delà de l'entrée, il l'assit, appuyé contre le mur d'enceinte, son bâton dans les bras, et lui dit, élevant la voix, ces mots ailés :

ULYSSE. — Reste ici désormais; écarte de l'entrée les pourceaux et les chiens; mais ne régente plus les hôtes et les pauvres, sinon, malheur plus grand pourrait bien s'ajouter à tes maux d'aujourd'hui.

A ces mots, il lui mit en travers des épaules son immonde besace*a*, puis il vint se rasseoir au seuil de la grand-salle, et les autres rentraient avec de joyeux rires, en le félicitant :

LE CHŒUR. — Ah! que Zeus*, étranger, et tous les Immortels comblent tous les désirs que peut former ton cœur! Grâce à toi, nous voilà délivrés de ce gouffre : il ne mendiera plus*b*.

Ils disaient, et leurs vœux faisaient la joie d'Ulysse. Pendant qu'Antinoos lui servait le plus gros des estomacs bourrés de graisses et de sang, Amphinomos choisit deux pains dans sa corbeille et les lui vint offrir avec sa coupe d'or, en le complimentant :

AMPHINOMOS. — Bravo, père étranger! que puisse la fortune un jour te revenir! aujourd'hui, je te vois en proie à tant de maux!

Ulysse l'avisé lui fit cette réponse :

ULYSSE. — Vraiment, Amphinomos, tu me parais

a Vers 109 : qui n'était que lambeaux, pendus à une corde.
b Vers 115-116 : dans le peuple, et bientôt nous allons l'envoyer à la côte, chez le roi Échétos, fléau du genre humain!

très sage et digne de ce père, dont, à Doulichion,
j'entendais célébrer le renom, ce Nisos si bon, si
opulent! Puisqu'on te dit son fils, je veux te prévenir : tu me parais affable; écoute et me comprends.
Sur la terre, il n'est rien de plus faible que
l'homme[a] : tant que les Immortels lui donnent le
bonheur et lui gardent sa force, il pense que jamais
le mal ne l'atteindra; mais quand, des Bienheureux,
il a sa part de maux, ce n'est qu'à contrecœur qu'il
supporte la vie. En ce monde, dis-moi, qu'ont les
hommes dans l'âme? ce que, chaque matin, le Père
des humains et des dieux veut y mettre!... Moi,
j'aurais dû compter parmi les gens heureux; mais en
quelles folies ne m'ont pas entraîné ma fougue et ma
vigueur!... et j'espérais aussi en mon père et mes
frères!... L'homme devrait toujours se garder d'être
impie, mais jouir en silence des dons qu'envoient les
dieux. Je vois ces prétendants machiner des folies! Ils
outragent l'épouse et dévorent les biens d'un héros
qui n'est plus éloigné pour longtemps, c'est moi
qui te le dis, de sa terre et des siens; il est tout
près d'ici!... Ah! que, te ramenant chez toi, un dieu
te garde d'être sur son chemin, le jour qu'il reverra
le pays de ses pères! C'est le sang qui devra décider,
sois-en sûr, entre ces gens et lui, aussitôt qu'il sera
rentré sous ce plafond!

Il dit, fit son offrande aux dieux et but le vin à la
douceur de miel, puis il rendit la coupe au rangeur
des guerriers. A travers la grand-salle, Amphinomos
revint, le cœur plein de tristesse, et secouant la tête,
avec la mort dans l'âme, se rassit au fauteuil qu'il

---

a Vers 131 : de tous les animaux qui marchent et respirent.

venait de quitter. Mais rien ne le sauva; car Athéna
le mit sous les mains et la lance de celui qui devait le
tuer, Télémaque.

C'est alors qu'Athéna, la déesse aux yeux pers, fit
naître dans l'esprit de la fille d'Icare le désir d'apparaître aux yeux des prétendants pour attiser leurs
cœurs et redoubler l'estime que lui vouaient déjà son
fils et son mari[1]. D'un sourire contraint, la sage
Pénélope appela l'intendante :

PÉNÉLOPE. — Eurynomé, mon cœur éprouve le
désir, que toujours j'ignorai, de paraître devant les
yeux des prétendants; pourtant je les abhorre; mais
je dois dire un mot à mon fils : mieux vaudrait qu'il
ne fût pas toujours avec les prétendants; sous de
belles paroles, ces bandits n'ont pour lui que
sinistres pensées.

Et l'intendante Eurynomé, de lui répondre :

EURYNOMÉ. — Ma fille, en tout cela, tu parles sagement... Va donc! parle à ton fils et ne lui cache rien.
Mais baigne ton visage et farde-toi les joues; ne
descends pas ainsi, les traits bouffis de larmes : cet
éternel chagrin n'est pas de la sagesse, et voici que
ton fils est à cet âge, enfin! de la première barbe où,
de le voir un jour, tu priais tant les dieux!

La sage Pénélope alors lui répondit :

PÉNÉLOPE. — Eurynomé, tais-toi! ton amour me
conseille de baigner mon visage!... et de farder mes
joues! Ah! ma beauté! les dieux, les maîtres de
l'Olympe, l'ont détruite du jour que le héros partit
au creux de ses vaisseaux!... Mais prie Autonoé de

1. En leur faisant admirer son art de la ruse. Mais l'attitude de
Pénélope, ici, déconcerte.

venir me trouver avec Hippodamie : je les veux près de moi pour entrer dans la salle; j'aurais honte d'aller seule parmi ces hommes!

Elle dit et la vieille, à travers le manoir, allait dire aux servantes de venir au plus vite.

Mais, suivant son dessein, la déesse aux yeux pers versait un doux sommeil à la fille d'Icare. Cependant qu'en son siège, Pénélope dormait, les membres détendus, la tête renversée, cette toute divine l'ornait de tous ses dons immortels, pour charmer les yeux des Achéens; prenant d'abord pour lui laver son beau visage cette essence divine, dont se sert Kythérée* à la belle couronne avant d'entrer au chœur des aimables Charites[a1], elle le fit plus blanc que l'ivoire scié.

Quand elle eut achevé et qu'elle eut disparu, cette toute divine, voici que, de la salle, accouraient à l'appel les filles aux bras blancs. Le doux sommeil alors abandonna la reine et se passant les mains sur les joues, elle dit :

PÉNÉLOPE. — A force de souffrir, je tombe en la douceur de l'assoupissement. Que la chaste Artémis* m'envoie donc à l'instant une mort aussi douce! Ah! ne plus consumer ma vie dans les sanglots, à regretter l'époux dont nul en Achaïe ne pouvait égaler la valeur en tous genres!

Elle dit et quitta son étage luisant et, sans l'abandonner, les deux filles suivaient.

Voici qu'elle arriva devant les prétendants, cette femme divine, et, debout au montant de l'épaisse embra-

---

a Vers 195 : et, la faisant paraître et plus grande et plus forte...
1. Les Charites ou Grâces*.

sure, ramenant sur ses joues ses voiles éclatants,
tandis qu'à ses côtés, veillaient les chambrières et que
des prétendants les genoux flageolaient sous le charme
d'amour[a], la reine s'adressait à son fils Télémaque[*] :

PÉNÉLOPE. — Télémaque, es-tu donc sans esprit
et sans cœur? Tout petit, tes desseins étaient mieux
réfléchis; te voilà grand; tu vas entrer dans l'âge
d'homme; à te voir bel et grand, il n'est pas d'étranger
qui ne te proclamât le fils d'un homme heureux;
mais, parfois, tu parais sans esprit et sans cœur!...
que vient-il d'arriver au manoir, me dit-on? tu laisses
insulter un hôte de la sorte? Qu'allons-nous devenir,
si, jusqu'en nos maisons, un paisible étranger peut
être maltraité aussi cruellement!... Quelle honte pour
toi et quelle flétrissure!

Posément, Télémaque la regarda et dit :

TÉLÉMAQUE. — Ma mère, je ne puis qu'approuver
ton courroux : ce n'est pas qu'en mon cœur, je ne
pèse et ne voie[b]; mais parfois je ne puis prendre le
bon parti tant ces gens, qui m'assiègent, me troublent
et m'égarent! ils ne pensent qu'au mal! je n'ai pas un
appui!... Pourtant cette dispute entre Iros et le vieux,
la volonté des prétendants ne l'a pas faite... Non!
regarde sa force!... Plût au ciel, Zeus le père!
Athéna! Apollon*! qu'on vit les prétendants à travers le manoir branler ainsi la tête, vaincus, membres
rompus, les uns dans la maison, les autres dans la
cour! tout comme Iros, là-bas, au porche de la cour,
est assis maintenant, dodelinant du chef et

---

a Vers 213 : ils n'avaient tous qu'un vœu, être couchés près
d'elle.
b Vers 229 : le bien comme le mal, je suis sorti d'enfance.

semblant pris de vin, sans pouvoir se dresser sur ses
pieds ni reprendre la route du logis, le chemin du
retour : c'est un homme cassé!

Quand ils eurent entre eux échangé ces paroles,
Eurymaque adressa ces mots à Pénélope :

EURYMAQUE. — Fille d'Icare, ô toi, la plus sage
des femmes! si tous les Achéens de l'Argos ionienne
te voyaient, Pénélope! combien d'autres encor
viendraient en prétendants s'asseoir en ce manoir,
dès l'aube, et banqueter! Aucune femme au monde
n'égale ta beauté, ta taille et cet esprit pondéré qui
t'anime.

La plus sage des femmes, Pénélope, reprit :

PÉNÉLOPE. — Ma valeur, ma beauté, mes grands
airs, Eurymaque, les dieux m'ont tout ravi, lorsque,
vers Ilion, les Achéens partirent, emmenant avec eux
Ulysse, mon époux! Ah! s'il me revenait pour veiller
sur ma vie, que mon renom serait et plus grand et
plus beau! Je n'ai plus que chagrins, tant le ciel me
tourmente!... Le jour qu'il s'en alla loin du pays
natal, il me prit la main droite au poignet et me dit :
« Ma femme, je sais bien que, de cette Troade, nos
Achéens guêtrés ne reviendront pas tous; on dit que
les Troyens sont braves gens de guerre, bons piquiers,
bons archers, bons cavaliers, montés sur ces chevaux
rapides, qui, dans le grand procès du combat indécis,
sont les soudains arbitres. Le ciel me fera-t-il revenir
en Ithaque? dois-je périr là-bas en Troade? qui sait?
Tu resteras ici et prendras soin de tout. Pense à mes
père et mère : pour eux, en ce manoir, reste toujours
la même; sois plus aimante encor quand leur fils sera
loin! Plus tard, quand tu verras de la barbe à ton fils,
épouse qui te plaît et quitte la maison! » Oui! je l'en-

tends encore, et tout s'est accompli. Je vois venir la
nuit odieuse où l'hymen achèvera ma perte, puisque
Zeus m'enleva ce qui fut mon bonheur. Mais pour me
torturer et l'esprit et le cœur, voici des prétendants
aux étranges manières!... Pour plaire à fille noble et
de riche maison, on lutte, à qui mieux mieux, de
générosité; chez elle, on va traiter ses parents, on
amène les bœufs, les moutons gras, les plus riches
cadeaux; on ne se jette pas sur ses biens sans défense!

Elle disait; la joie vint au divin Ulysse. Il avait bien
compris, le héros d'endurance, qu'elle flattait leurs
cœurs par de douces paroles, pour avoir leurs cadeaux
et cacher ses desseins.

Antinoos, le fils d'Eupithès, répondit :

ANTINOOS. — Fille d'Icare, ô toi, la plus sage des
femmes! laisse-nous apporter, chacun, notre cadeau
et prends-le, Pénélope; car présent refusé fut toujours
une insulte. Mais jamais nous n'irons sur nos biens ni
ailleurs avant de t'avoir vue accepter pour époux
l'Achéen de ton choix.

A ce discours d'Antinoos, tous d'applaudir, et chacun au logis envoya son héraut pour chercher un présent. L'homme d'Antinoos rapporta le plus beau des
grands voiles brodés : ses douze agrafes d'or passaient
en des anneaux à la courbe savante. Aussitôt le héraut
d'Eurymaque apporta un collier d'or ouvré, enfilé de
gros ambres, — un rayon de soleil! Les deux servants
d'Eurydamas lui rapportèrent des pendants à trois
perles de la grosseur des mûres : la grâce en éclatait.
Puis, de chez Pisandros, fils du roi Polyktor, un servant rapporta un tour de cou, le plus admirable
joyau, et de même, chacun des autres Achéens fit
quelque beau présent. Elle reprit alors, cette femme

divine, l'escalier de sa chambre et, près d'elle, les
deux chambrières portaient les cadeaux magnifiques.

En bas, on se remit, pour attendre le soir, aux plaisirs de la danse et des chansons joyeuses; dans les
ombres du soir, on s'ébattait encor. Alors, pour éclairer la grand-salle, on dressa trois torchères, chargées
de branches résineuses, qui, tombées de longtemps,
sèches jusqu'à la moelle, venaient d'être fendues par
le bronze des haches; on y mêla des torches que
vinrent tour à tour ranimer les servantes du valeureux
Ulysse.

Le rejeton des dieux, Ulysse l'avisé, dit alors à ces
filles :

ULYSSE. — Ô servantes du maître absent depuis
longtemps, vous pouvez remonter dans les appartements de votre auguste reine; restez à la distraire en
tournant vos fuseaux, en cardant votre laine. C'est
moi qui veillerai pour eux tous aux torchères et,
quand leur bon plaisir serait de voir monter l'Aurore*
sur son trône, ils ne m'abattraient pas; j'ai bien trop
d'endurance!

Il dit; elles, de rire et de se regarder. Mais l'une,
Mélantho, jeunesse aux belles joues, se mit à l'insulter. Fille de Dolios[1], elle avait eu les soins maternels
de la reine, qui l'avait élevée et gâtée de cadeaux;
mais son cœur était sans pitié pour Pénélope, car,
avec Eurymaque, elle était en amour.

Elle lança ces mots d'insulte contre Ulysse :

MÉLANTHO. — Misérable étranger, n'as-tu pas les

---

1. Mélantho est la sœur de ce Mélantheus qui, au chant XVII,
avait insulté Ulysse et Eumée et qui, à la fin du chant XXII, sera si
affreusement supplicié.

esprits quelque peu chavirés! au lieu d'aller dormir
à la chambre de forge ou dans quelque parlote, tu
viens hâbler ici[a] : es-tu grisé d'avoir battu ce gueux
d'Iros? Prends garde! un autre Iros, mais de meilleur
courage, pourrait tôt se lever, dont les poings vigoureux te fêleraient le crâne et te mettraient dehors, tout
barbouillé de sang!

Ulysse l'avisé la toisa et lui dit :

ULYSSE. — Ah! chienne, quels discours! je m'en vais
de ce pas le dire à Télémaque! qu'il te fasse à l'instant dépecer, membre à membre!

Il dit et la terreur dispersa les servantes; en hâte,
elles rentrèrent, sentant se dérober leurs genoux et
croyant ses dires sérieux. Ulysse alors resta debout près
des torchères : il les surveillait toutes, mais avait
l'âme ailleurs et méditait déjà ce qu'il sut accomplir.

Or, Pallas Athéna ne mettait fin ni trêve aux cui-
santes insultes des fougueux prétendants; la déesse
voulait que le fils de Laerte, Ulysse, fût mordu plus
avant jusqu'au cœur.

Eurymaque, le fils de Polybe, reprit, en se raillant
d'Ulysse, et les autres, de rire :

EURYMAQUE. — Deux mots, ô prétendants de la
plus noble reine! Voici ce que mon cœur me dicte en
ma poitrine : c'est un décret des dieux qui fit venir cet
hommes en la maison d'Ulysse; je vois son crâne luire
à l'égal d'un flambeau! quelle tête! et dessus, pas
l'ombre d'un cheveu!

Il dit et, se tournant vers ce grand cœur d'Ulysse :

EURYMAQUE. — Voudrais-tu pas, notre hôte, entrer

a Vers 330-332 : devant tous ces héros! vraiment tu n'as pas
peur!... c'est le vin qui te tient? ou ne sais-tu jamais débiter que
sornettes?...

à mon service? je t'enverrais aux champs, à l'autre
bout de l'île; tu serais bien payé pour ramasser la
pierre et planter de grands arbres; je fournirais, avec
le pain de tous les jours, le vêtement complet et la
chaussure aux pieds... Mais tu ne fus dressé qu'aux
vilaines besognes; tu refuses l'ouvrage et préfères
rouler la ville à mendier de quoi rassasier le gouffre
de ta panse!

Ulysse l'avisé lui fit cette réponse :

Ulysse. — Eurymaque, veux-tu qu'on nous mette
en concours? Par un jour de printemps, quand les
journées sont longues, qu'on nous conduise au pré,
que j'aie ma bonne faux, et toi pareillement : tout le
jour, sans manger, nous abattrons l'ouvrage, jusqu'à
la nuit venue et jusqu'au bout du foin!... Quant à
pousser les bœufs, et même les plus forts, une paire
de grands bœufs roux, saturés d'herbe, — même âge,
même force, même ardeur indomptable, — donne-
moi quatre arpents où le soc entre aux mottes, et tu
verras si mon sillon est coupé droit... Et la guerre?...
aujourd'hui plût au fils de Cronos* d'en susciter
quelqu'une; que j'eusse un bouclier, deux piques, un
bonnet dont la coiffe de bronze me colle bien aux
tempes : tu me verrais au premier rang des combattants et ne parlerais plus en raillant de ma panse!...
Mais tu n'es qu'insolence en ton cœur sans pitié!...
Tu te crois grand et fort, je veux bien! tes rivaux sont
en si petit nombre, et de valeur si mince!... Si tu
voyais entrer Ulysse en sa patrie, ah! tu saurais courir! et le portail, tout grand ouvert devant ta fuite te
semblerait étroit.

Il dit et redoubla le courroux d'Eurymaque qui, le
toisant, lui dit ces paroles ailées :

EURYMAQUE. — Misérable! je vais, sans plus, te châtier! Voyez-vous cette langue! tu viens hâbler ici devant tous ces héros! vraiment, tu n'as pas peur! c'est le vin qui te tient? ou ne sais-tu jamais débiter que sornettes[a] ?

Il disait et déjà prenait une escabelle. Par crainte d'Eurymaque, Ulysse vint s'asseoir aux genoux d'Amphinomos de Doulichion. L'escabelle atteignit l'échanson au bras droit; on entendit tinter le flacon sur le sol, tandis qu'avec un cri, l'homme tombait dans la poussière, à la renverse.

Les prétendants criaient dans l'ombre de la salle. Se tournant l'un vers l'autre, ils se disaient entre eux :

LE CHŒUR. — Qu'il aurait dû, cet hôte, aller se perdre ailleurs! s'il n'était pas venu, il nous eût épargné, du moins, tout ce tapage : maintenant pour des gueux nous voici en querelle! quel charme reste-t-il au plus noble festin où règne le désordre?

Sa Force et Sainteté Télémaque leur dit :

TÉLÉMAQUE. — Malheureux! c'est folie! Vos cœurs ne portent plus le manger et le boire! c'est un dieu qui vous pique? Allons! vous avez bien dîné : rentrez dormir, si le cœur vous en dit; je ne chasse personne.

Il dit; tous s'étonnaient, les dents plantées aux lèvres, que Télémaque osât leur parler de si haut!

Alors Amphinomos prit la parole et dit[b] :

AMPHINOMOS. — Amis, quand on vous dit des choses aussi justes, à quoi bon riposter en termes irritants? ne frappez ni cet homme ni l'un des serviteurs qui sont dans le manoir de ce divin Ulysse.

a Vers 393 : es-tu grisé d'avoir battu ce gueux d'Iros?
b Vers 413 : noble fils de Nisos, il avait eu le roi Arétès pour aïeul.

Allons! que l'échanson, pour une offrande aux
dieux, nous emplisse les coupes! et qu'après cette
offrande, on rentre se coucher, en laissant l'étranger
dans le manoir d'Ulysse, aux soins de Télémaque,
puisqu'il est sous son toit.

Il dit, et ce discours fut approuvé de tous. Dans le
cratère, alors, le seigneur Moulios prépara le mélange. C'était l'un des hérauts, qui, de Doulichion,
avaient accompagné leur maître Amphinomos. Il s'en
vint à la ronde emplir toutes les coupes; chacun fit
son offrande aux dieux, aux Bienheureux; puis on
but de ce vin à la douceur de miel[a], et chacun s'en
alla dormir en son logis.]

(CHANT XIX) [Seul, le divin Ulysse restait en la
grande-salle à méditer, avec le secours d'Athéna*, la
mort des prétendants.

Soudain, à Télémaque, il dit ces mots ailés :

ULYSSE. — Télémaque, il te faut emporter au trésor
tous les engins de guerre et, si les prétendants en re-
marquaient l'absence et voulaient des raisons, paie-les
de gentillesses; dis-leur : « Je les ai mis à l'abri des fumées : qui pourrait aujourd'hui reconnaître ces armes
qu'à son départ pour Troie, Ulysse avait laissées? les
vapeurs du foyer les ont mangées de rouille!... Et voici
l'autre idée qu'un dieu m'a mise en tête : j'ai redouté surtout qu'un jour de beuverie, une rixe entre vous n'amenât des blessures et ne souillât ma table et vos projets
d'hymen; de lui-même, le fer attire à lui son homme. »

Il dit, et Télémaque obéit à son père. Appelant la
nourrice Euryclée, il lui dit :

---

[a] Vers 427 : quand on eut fait l'offrande et bu tout son content...

TÉLÉMAQUE. — Nourrice, enferme-moi les femmes là-dedans, cependant qu'au trésor, je m'en irai porter les armes de mon père. Les fumées du logis mangent ces belles armes; on n'en a pas pris soin depuis qu'il est parti; j'étais trop jeune alors; aujourd'hui je voudrais les ranger à l'abri des vapeurs du foyer.

La nourrice Euryclée lui fit cette réponse :

EURYCLÉE. — Si tu pouvais aussi, mon enfant, prendre à cœur le soin de ta maison et sauver tous ces biens! Va donc!... Mais qui prends-tu pour te porter la torche?... Les filles auraient pu t'éclairer : tu les chasses!

Posément, Télémaque la regarda et dit :

TÉLÉMAQUE. — J'ai là cet étranger; car, de si loin qu'on vienne, je n'entends pas qu'oisif, on puise à mon boisseau!

Il dit et, sans qu'un mot s'envolât de ses lèvres, la vieille alla fermer la porte du logis.

Ulysse, s'élançant avec son noble fils, emportait au trésor casques, lances aiguës et boucliers à bosses et, de sa lampe d'or, c'est Pallas Athéna qui faisait devant eux la plus belle lumière.

A son père, soudain, Télémaque parla :

TÉLÉMAQUE. — Père, devant mes yeux, je vois un grand miracle. A travers le manoir, les murs, les belles niches, les poutres de sapin et les hautes colonnes scintillent à mes yeux comme une flamme vive... Ce doit être un des dieux, maîtres des champs du ciel.

Ulysse l'avisé lui fit cette réponse :

ULYSSE. — Tais-toi! bride ton cœur! et ne demande rien! C'est la façon des dieux, des maîtres de l'Olympe... Mais rentrons! va dormir! je veux rester ici pour

éprouver encor les femmes et ta mère; en pleurant,
elle va m'interroger sur tout.

Il dit et Télémaque, à la lueur des torches, traversa la grand-salle pour regagner la chambre où,
comme tous les soirs, il s'en allait trouver la douceur
du sommeil, et c'est là que, ce soir encore, il s'endor-
mit jusqu'à l'aube divine.]

LE BAIN DE PIEDS

Seul, le divin Ulysse restait en la grand-salle à méditer, avec le secours d'Athéna, la mort des prétendants. Mais déjà Pénélope, la plus sage des femmes,
descendait de sa chambre[a], ayant pris avec elle deux
de ses chambrières, qui lui mirent auprès du foyer
une chaise, où la reine s'assit.

[Œuvre d'Icmalios, ce siège était plaqué d'ivoires
et d'argent; en bas, un marchepied y tenait, recouvert
d'une épaisse toison. C'est là que vint s'asseoir la plus
sage des femmes. Les filles aux bras blancs sortaient
de la grand-salle : avec les tas de pain, les unes emportaient les tables et les coupes, que venaient de
vider ces hommes arrogants; les autres, renversant
la braise des torchères, les rechargeaient de bois nouveaux pour éclairer la salle et la chauffer.

Or, Mélantho se prit à insulter Ulysse pour la
seconde fois :

a Vers 54 : on eût dit Artémis* ou l'Aphrodite* d'or.

Mélantho. — L'étranger! penses-tu nous encombrer encore ici toute la nuit, rôdant par la maison, espionnant les femmes?... Prends la porte, vieux gueux!... c'est assez du repas!... ou je vais, à grands coups de tison, t'expulser!

Ulysse l'avisé la toisa et lui dit :

Ulysse. — Malheureuse, pourquoi me harceler ainsi d'un cœur plein de colère? Je suis sale, il est vrai, et n'ai que des haillons, et je vais mendiant par la ville : que faire, quand le besoin nous tient?... c'est le destin de tous les gueux et vagabonds... Il fut un temps aussi où j'avais ma maison, où les hommes vantaient mon heureuse opulence; que de fois j'ai donné à de pauvres errants, sans demander leur nom, sans voir que leurs besoins! Ah! par milliers, j'avais serviteurs et le reste, ce qui fait la vie large et le renom des riches. Mais le fils de Cronos*, — sa volonté soit faite! — Zeus* m'a tout enlevé!... Femme, prévois le jour où tu perdras aussi cet éclat qui te fait la reine de ces filles! et redoute l'humeur de ta dame irritée ou le retour d'Ulysse! il reste de l'espoir!... Admettons qu'il soit mort et ne rentre jamais : son fils est encor là! tu sais ce qu'en a fait la grâce d'Apollon*; ne crois pas que les yeux de Télémaque ignorent les crimes des servantes : ce n'est plus un enfant.

Il dit. Mais Pénélope, la plus sage des femmes, entendit et, prenant à partie Mélantho, lui dit et déclara :

Pénélope. — Je t'y prends! quelle audace! ah! la chienne effrontée! tes crimes finiront par te coûter la tête! Tu le savais pourtant : tu m'avais entendue; j'avais dit devant toi qu'ici, dans ma grand-salle, je

veux à l'étranger parler de mon époux; tu sais quel
deuil m'accable!]

Puis elle dit à l'intendante Eurynomé :
PÉNÉLOPE. — Allons, Eurynomé, apporte-nous un
siège avec une toison : que l'étranger s'asseye et me
parle et m'entende! je veux l'interroger.

Elle dit : en courant, la vieille alla chercher pour le
divin Ulysse un siège bien poli, y mit une toison, et
c'est là que s'assit le héros d'endurance, tandis que
Pénélope, la plus sage des femmes, commençait
l'entretien :
PÉNÉLOPE. — Ce que je veux d'abord te demander,
mon hôte, c'est ton nom et ton peuple, et ta ville et
ta race.

[Ulysse l'avisé lui fit cette réponse :
ULYSSE. — Ô femme! est-il mortel, sur la terre sans
bornes, qui te pourrait blâmer? Non! ta gloire a
monté jusques aux champs du ciel! et l'on parle de
toi comme d'un roi parfait[a], qui, redoutant les dieux,
vit selon la justice. Pour lui, les noirs sillons portent
le blé et l'orge; l'arbre est chargé de fruits; le troupeau croît sans cesse; la mer pacifiée apporte ses
poissons, et les peuples prospèrent. Aussi, dans ta
maison, tu peux m'interroger sur tout ce qu'il te
plaît; mais ne demande pas ma race et ma patrie;
en me les rappelant, tu ne feras encor qu'augmenter
mes souffrances : je suis si malheureux!

Dans la maison d'autrui, il ne faut pas toujours

_a_ Vers 110 : qui règne sur un peuple et nombreux et vaillant.

gémir, se lamenter; geindre sans fin n'est pas la meilleure attitude... qui sait? quelque servante agacée ou toi-même, vous finiriez par mettre au compte de l'ivresse ce déluge de larmes.

La plus sage des femmes, Pénélope, reprit :

PÉNÉLOPE. — Étranger, ma valeur, ma beauté, mes grands airs, les dieux m'ont tout ravi lorsque, vers Ilion, les Achéens partirent, emmenant avec eux Ulysse mon époux! Ah! s'il me revenait pour veiller sur ma vie, que mon renom serait et plus grand et plus beau! Je n'ai plus que chagrins : tant le ciel me tourmente[a]! Tout m'est indifférent, les suppliants, les hôtes, et même les hérauts, qui servent le public. Le seul regret d'Ulysse me fait fondre le cœur. Ils pressent cet hymen. Moi, j'entasse les ruses. Un dieu m'avait d'abord inspiré ce moyen. Dressant mon grand métier, je tissais au manoir un immense linon et leur disais parfois : « Mes jeunes prétendants, je sais bien qu'il n'est plus, cet Ulysse divin! mais, malgré vos désirs de hâter cet hymen, permettez que j'achève! tout ce fil resterait inutile et perdu. C'est pour ensevelir notre seigneur Laerte : quand la Parque* de mort viendra, tout de son long, le coucher au trépas, quel serait contre moi le cri des Achéennes, si cet homme opulent gisait là sans suaire! » Je disais, et ces gens, à mon gré, faisaient taire la fougue de leurs cœurs. Sur cette immense toile, je tissais tout le jour; mais, la nuit, je venais, aux torches, la défaire. Trois années, mon secret dupa les Achéens. Quand vint

---

a Vers 130-133 : tous les chefs, tant qu'ils sont, qui règnent sur nos îles, Doulichion, Samé, Zante la forestière, et tous les tyranneaux des monts de notre Ithaque m'imposent leur recherche et mangent la maison.

la quatrième, à ce printemps dernier[a], ils furent
avertis par mes femmes, ces chiennes, qui ne respectent rien. Ils vinrent me surprendre : quels cris!
et quels reproches! Il fallut en finir : oh! je ne voulais
pas! mais on sut m'y forcer. Maintenant je ne sais
comment fuir cet hymen! je suis à bout d'idées. Pour
le choix d'un époux, mes parents me harcèlent; mon
fils est irrité de voir manger ses biens; il comprend;
c'est un homme; il est en âge enfin de tenir sa maison; il se ferait un nom par la grâce de Zeus!...
Quoi qu'il en soit, dis-moi ta race et ta patrie; car
tu n'es pas sorti du chêne légendaire ou de quelque
rocher.]

Ulysse l'avisé lui fit cette réponse :
ULYSSE. — Digne épouse du fils de Laerte, d'Ulysse!
pourquoi tenir si fort à connaître ma race? Oh! je
vais te répondre! Mais crains de redoubler les chagrins qui m'obsèdent! c'est le sort, quand on est
exilé comme moi et depuis si longtemps[b]! Voici donc
pour répondre à tes vœux et demandes.

« Au large, dans la mer vineuse, est une terre,
aussi belle que riche, isolée dans les flots : c'est la
terre de Crète, aux hommes innombrables, aux
quatre-vingt-dix villes dont les langues se mêlent;
côte à côte, on y voit Achéens, Kydoniens, vaillants
Étéocrètes, Doriens tripartites[1] et Pélasges divins;
parmi elles, Cnossos, grand-ville de ce roi Minos*
que le grand Zeus, toutes les neuf années, prenait

a Vers 153 : et que les mois échus ramenaient les longs jours.
b Vers 170 : roulé de maux en maux dans les villes des hommes.
1. Les peuplades doriennes étaient divisées en trois tribus. D'où
l'épithète.

pour confident. Il était mon aïeul : son fils, Deucalion* au grand cœur, m'engendra et, pour frère,
j'avais le roi Idoménée qui, sur les nefs rostrales[1]
suivit vers Ilion les deux frères Atrides*. Moi, qu'on
appelle Aithon, j'étais le moins âgé; il était mon aîné
par les ans et la force... C'est chez nous que je vis
Ulysse; il s'en allait à Troie, quand il reçut mon hospitalité : car la rage des vents, au détour du Malée,
l'avait jeté en Crète, et, mouillant dans les Ports
Dangereux d'Amnisos, sous l'Antre d'Ilithyie*, il
n'avait qu'à grand-peine échappé aux rafales. Vers la
ville, il monta pour voir Idoménée, son ami, disait-il,
son hôte respecté. Mais, dix ou onze fois, l'Aurore*
avait brillé depuis qu'Idoménée était parti vers Troie,
à bord des nefs rostrales.

« C'est donc moi qui, prenant Ulysse en ma demeure, le traitai de mon mieux et l'entourai de soins :
j'avais maison fournie! Pour lui et pour ses gens du
reste de la flotte, je levai dans le peuple le vin aux
sombres feux, les bœufs à immoler, les farines de
quoi contenter tous leurs cœurs. Douze jours, ces
divins Achéens nous restèrent : un grand coup de
Borée, attisé par un dieu qui leur voulait du mal,
couchait tout sur le sol et leur fermait la mer. Mais
le treizième jour, comme le vent tombait, ils re-
prirent le large.

A tant de menteries, comme il savait donner l'apparence du vrai! Pénélope écoutait, et larmes de couler,
et visage de fondre : vous avez vu l'Euros, à la fonte
des neiges, fondre sur les grands monts qu'à mon-

---

1. Le rostre est l'éperon qui garnit la proue des navires de
guerre.

ceaux, le Zéphyr a chargés de frimas, et la fonte gonfler le courant des rivières; telles, ses belles joues
paraissaient fondre en larmes; elle pleurait l'époux
qu'elle avait auprès d'elle! Le cœur plein de pitié,
Ulysse contemplait la douleur de sa femme; mais,
sans un tremblement des cils, ses yeux semblaient
de la corne ou du fer : pour sa ruse, il fallait qu'il lui
cachât ses larmes. Quand elle eut épuisé les sanglots
et les pleurs, elle dit, reprenant avec lui l'entretien :

PÉNÉLOPE. — Étranger, je voudrais une preuve à tes
dires! Si ton écrit est vrai, si c'est toi qui reçus là-bas,
en ton manoir, mon époux avec ses équipages divins,
quels vêtements, dis-moi, avait-il sur le corps? que
semblait-il lui-même? et quelle était sa suite?

Ulysse l'avisé lui fit cette réponse :

ULYSSE. — Femme, après tant d'années, répondre est
difficile! voilà près de vingt ans qu'il est venu chez
nous, puis a quitté notre île... Pourtant le voici tel
qu'aujourd'hui je le vois, cet Ulysse divin! Il avait un
manteau double, teinté en pourpre, que fermait une
agrafe en or à double trou : c'était une œuvre d'art
représentant un chien, qui tenait entre ses deux pattes
de devant un faon tout moucheté; le faon se débattait,
et le chien aboyait : nos gens s'en venaient tous
admirer cet ouvrage! tous deux étaient en or; et le
chien regardait le faon qu'il étranglait et, pour s'enfuir, les pieds du faon se débattaient... Sur son corps,
il avait une robe luisante, plus mince que la peau de
l'oignon le plus sec, — un rayon de soleil; nos femmes
s'attroupaient pour mieux la regarder[a]!... J'ignore si,
chez lui, Ulysse avait déjà ces mêmes vêtements : sur

---

a Vers 236 : autre détail encore à bien mettre en ton cœur.

son croiseur, en route, les avait-il reçus d'un compagnon, d'un hôte? il avait tant d'amis! parmi les Achéens, combien peu l'égalaient!... C'est ainsi qu'il reçut de moi un glaive en bronze, un beau manteau de pourpre et l'une de ces robes qui tombent jusqu'aux pieds, le jour qu'avec respect, je pris congé de lui, sur les bancs du vaisseau... Un héraut le suivait, qui semblait son aîné, mais de peu : il avait, — je puis te le décrire, — le dos rond, la peau noire, une tête frisée; son nom est Eurybate; Ulysse avait pour lui des égards sans pareils et prisait ses avis plus que ceux d'aucun autre.

Il disait : Pénélope sentait grandir encor son besoin de pleurer[a]; reprenant la parole, elle lui répondit :

PÉNÉLOPE. — Mon hôte, jusqu'ici, je t'avais en pitié... Désormais, j'ai pour toi sympathie et respect : reste en cette maison!... C'est de moi qu'il avait les habits dont tu parles; je les avais tirés moi-même du trésor... Cette agrafe brillante, c'est moi qui l'avais mise; je voulais qu'il fût beau!... Dire que jamais plus, cette maison ni moi, nous ne l'accueillerons rentrant en son pays[b].

Ulysse l'avisé lui fit cette réponse :

ULYSSE. — Digne épouse du fils de Laerte, d'Ulysse! cesse enfin de gâter ce visage si beau et de ronger ton cœur à pleurer ton époux! Je ne te blâme pas! il est trop naturel de pleurer un époux, l'ami de sa jeunesse, à qui l'on a donné des fils de son amour,

a Vers 250-251 : elle avait reconnu les signes évidents que lui donnait Ulysse; quand elle eut épuisé les pleurs et les sanglots...
b Vers 259-260 : c'est le courroux des dieux qui fit monter Ulysse au creux de son vaisseau, pour aller visiter cette Troie de malheur : que le nom en périsse!

même quand ce n'est pas un émule des dieux, comme
on dit qu'est Ulysse. Mais cesse de gémir et crois à
ma parole, car c'est la vérité sans détour que je dis.
Ulysse va rentrer : j'en ai eu la nouvelle non loin d'ici,
au bon pays de Thesprotie[1]. Il vit; il vous ramène
un gros butin de prix[, quêté parmi le peuple. Mais
son brave équipage et son navire creux, il a tout vu
sombrer dans les vagues vineuses, quand, de l'Ile
au Trident, il revenait, maudit de Zeus et d'Hélios*.
Ses gens ayant mangé les vaches de ce dieu, pas un ne
réchappa de la houle des mers; seul, porté sur sa
quille, Ulysse fut jeté aux bords des Phéaciens; de
tout cœur, ces parents des dieux l'ont accueilli, ho-
noré comme un dieu et comblé de cadeaux. Ils voulaient, sain et sauf, le ramener chez lui : Ulysse auprès
de toi serait depuis longtemps. Mais il vit son profit à
faire un long détour en quête de richesses; Ulysse
n'est-il pas le plus entreprenant des hommes de ce
monde? Il n'a pas de rival! Voilà ce que j'ai su par
le roi des Thesprotes : sur ses libations d'adieu, en
son logis, Phidon m'a fait serment que le navire était
à flot, les gens tout prêts, pour ramener Ulysse à la
terre natale. Mais ce fut moi d'abord que Phidon renvoya sur un vaisseau thesprote qui, pour Doulichion,
le grand marché au blé, se trouvait en partance... Oui!
Phidon m'a montré tout le tas des richesses que
ramenait Ulysse, — de quoi bien vivre à deux pendant
dix âges d'homme. Le manoir était plein de ces objets
de prix. Ulysse était parti, disait-on, pour Dodone;
au feuillage divin du grand chêne de Zeus, il voulait
demander conseil pour revenir à la terre natale :

---

1. Voir, au chant XIV, le récit mensonger d'Ulysse à Eumée.

après sa longue absence, devrait-il se cacher ou paraître au grand jour?... Crois-moi : il est sauvé; il revient; il approche; avant qu'il soit longtemps, il reverra les siens et la terre natale. Je dis la vérité : en veux-tu le serment? Par Zeus, par le plus grand et le meilleur des dieux, comme par ce foyer de l'éminent Ulysse, où me voici rendu, je dis que tu verras s'accomplir tous mes mots. Oui, cette lune-ci, Ulysse rentrera[a].

La plus sage des femmes, Pénélope, reprit :

PÉNÉLOPE. — Ah! puissent s'accomplir tes paroles, mon hôte! Tu trouverais chez moi une amitié si prompte et des dons si nombreux que chacun, à te voir, vanterait ton bonheur!... Mais moi, j'ai dans le cœur un sûr pressentiment qu'Ulysse à son foyer ne reviendra jamais et que jamais tu n'obtiendras la reconduite. Car il n'est plus ici de patrons comme Ulysse, — mais y fut-il jamais? — pour respecter un hôte et savoir lui donner le congé ou l'accueil... Mais lavez-lui les pieds et, pour lui faire un lit, mes filles, garnissez de feutres et de draps moirés un de nos cadres; je veux qu'il soit au chaud pour voir monter l'Aurore sur son trône doré [et demain, dès l'aurore, il faudra lui donner le bain et l'onction, pour que, dans la grand-salle, auprès de Télémaque, il aille prendre place et plaisir au festin. Et malheur à celui qui, d'un cœur envieux, le viendrait outrager! Ah! celui-là chez nous n'aurait plus rien à faire, si formidablement qu'il pût s'en irriter. Car, mon hôte, comment garderais-tu l'idée que, sur les autres femmes, je l'emporte en esprit, en prudence avisée, si, pour

---

a Vers 307 : soit à la fin du mois, soit au début de l'autre.

dîner en mon manoir, je te laissais dans cette saleté et ces mauvais habits! Notre vie est si courte! A vivre sans pitié pour soi-même et les autres, l'homme durant sa vie ne reçoit en paiement que malédictions, et, mort, tous les méprisent. A vivre sans rigueur pour soi-même et les autres, on se gagne un renom que l'étranger s'en va colporter par le monde, et bien des gens alors vantent votre noblesse].

Ulysse l'avisé lui fit cette réponse :

ULYSSE. — Digne épouse du fils de Laerte, d'Ulysse! feutres et draps moirés ne me disent plus rien, depuis le jour qu'à bord d'un vaisseau long-rameur, je me suis éloigné des monts neigeux de Crète : je coucherai par terre, comme tant d'autres fois où je n'ai pas dormi. J'ai passé tant de nuits sur un lit misérable, tant de fois attendu que la divine Aurore apparût sur son trône! Et je n'ai pas, non plus, envie d'un bain de pieds : près de toi, je ne vois servir en ce logis que filles qui jamais ne toucheront mes pieds..., à moins que tu n'aies là quelque très vieille femme, au cœur plein de sagesse, que le malheur ait éprouvée autant que moi; celle-là, je veux bien qu'elle touche à mes pieds.

La plus sage des femmes, Pénélope, reprit :

PÉNÉLOPE. — Personne n'eut jamais, cher hôte[a], la sagesse et la droite raison, qu'on trouve en tes discours... Mais j'ai là une vieille, à l'esprit toujours grave, celle qui le nourrit, le pauvre! et l'éleva; ses bras l'avaient reçu, à peine mis au jour. Elle est toute cassée, sans forces; mais c'est elle qui lavera tes

---

a Vers 351 : j'ai vu, de tous les coins du monde, des amis venir en ce manoir.

pieds... Allons! viens, toute sage Euryclée! lève-toi,
pour lui donner le bain! C'est un contemporain de
ton maître, je crois : Ulysse aurait ces pieds; Ulysse
aurait ces mains! ah! la misère est prompte à vous
vieillir un homme!

Elle dit; mais la vieille Euryclée, se cachant des
deux mains le visage, pleurait à chaudes larmes et
disait, sanglotant :

EURYCLÉE. — Ulysse! mon enfant! pour toi je n'ai
rien pu! toi que Zeus exécra entre tous les humains,
alors que tu servais les dieux d'un cœur fidèle! D'aucun autre mortel, le brandisseur de foudre, Zeus,
reçut-il jamais autant de gras cuisseaux, d'hécatombes
choisies? Et quand tu demandais, pour tant de sacrifices, une vieillesse heureuse auprès d'un noble fils,
c'est à toi, à toi seul que Zeus a refusé la journée du
retour!... Ah! comme toi, notre hôte, peut-être a-t-il
connu, en des manoirs fameux, chez des hôtes lointains, le mépris de servantes pareilles à ces chiennes
qui, toutes, te méprisent! et c'est pour éviter leur
blâme et leurs affronts que tu ne voudrais pas être
baigné par elles! Mais moi, c'est de grand cœur que
je veux obéir à la fille d'Icare, la plus sage des
femmes, et te laver les pieds, autant pour toi que
pour Pénélope elle-même, car une grande angoisse
a levé dans mon cœur!... Veux-tu savoir pourquoi?
je m'en vais te le dire : j'ai vu venir ici beaucoup
de malheureux; mais je n'ai jamais vu pareille
resemblance de démarche, de voix, de pieds avec
Ulysse!...

Ulysse l'avisé lui fit cette réponse :

ULYSSE. — Tous ceux qui nous ont vus, de leurs
veux, l'un et l'autre, retrouvent entre nous la même

ressemblance; mais qui peut en parler, ô vieille!
mieux que toi?

Il dit et, s'apprêtant à lui laver les pieds, Euryclée
s'en fut prendre un chaudron scintillant, y mit beaucoup d'eau froide, puis ajouta l'eau chaude. Ulysse
était allé s'asseoir loin du foyer, en tournant aussitôt
le dos à la lueur, car son âme, soudain, avait craint
que la vieille, en lui prenant le pied, ne vît la cicatrice
qui révélerait tout.

Or, à peine à ses pieds pour lui donner le bain, la
vieille reconnut le maître à la blessure qu'en suivant
au Parnasse les fils d'Autolycos[1], Ulysse avait jadis
reçue d'un sanglier à la blanche défense.

[De cet Autolycos*, sa mère était la fille, et ce héros
passait pour le plus grand voleur et le meilleur parjure; Hermès*, à qui plaisaient les cuissots de chevreaux et d'agneaux qu'il brûlait, l'avait ainsi doué
et la bonté du dieu accompagnait ses pas.

Jadis Autolycos, au gras pays d'Ithaque, était venu
pour voir le nouveau petit-fils que lui donnait sa fille.
A la fin du repas, Euryclée avait mis l'enfant sur ses
genoux, en lui disant tout droit :

EURYCLÉE. — Autolycos, c'est toi qui vas trouver un
nom pour ce fils de ta fille, si longtemps souhaité.

Autolycos alors avait dit en réponse :

AUTOLYCOS. — Mon gendre et toi ma fille, donnez-
lui donc le nom que je m'en vais vous dire! tant de
gens en chemin m'ont *ulcéré* le cœur (la terre en nourrit trop de ces hommes et femmes!) que je veux à

---

1. Grand-père maternel d'Ulysse, tandis qu'Arkésios était son
grand-père paternel.

l'enfant donner le nom d'*Ulysse*[1] ! et, quand il sera grand, qu'il s'en vienne au Parnasse, au manoir maternel, où sont tous mes trésors : je lui veux en donner de quoi rentrer content !

Et c'est ainsi qu'Ulysse alla plus tard chercher ces cadeaux magnifiques. Autolycos lui-même et ses fils l'accueillirent à bras ouverts, avec les mots les plus aimables ; sa grand-mère Amphithée, le serrant dans ses bras, le baisa sur le front et sur ses deux beaux yeux. Autolycos donna l'ordre à ses vaillants fils d'apprêter le repas. Dociles à son ordre, aussitôt ils amènent un taureau de cinq ans : on l'écorche, on le pare et, membres dépecés, c'est en maîtres qu'on sait trancher menu les viandes, les enfiler aux broches, les rôtir avec soin et diviser les parts, puis, toute la journée jusqu'au soleil couchant, les cœurs sont à la joie de ce repas d'égaux. Au coucher du soleil, quand vient le crépuscule, on va goûter au lit les présents du sommeil.

Mais sitôt qu'apparaît dans son berceau de brume l'Aurore aux doigts de roses, ils se mettent en chasse : les chiens allaient devant les fils d'Autolycos, et le divin Ulysse accompagnait ses oncles... Sous le couvert des bois, on a gravi les flancs escarpés du Parnasse, et bientôt l'on atteint les combes éventées. C'est l'heure où le soleil, sortant des profondeurs de l'Océan* tranquille, éclaire les campagnes. Voici les rabatteurs arrivés dans un val, et les chiens, devant eux, s'en vont, flairant les

1. Le traducteur cherche à rendre le calembour qu'autorise, en grec, la ressemblance du nom d'Ulysse (Odusseus) et de celui de la souffrance (Odunè).

traces. Les fils d'Autolycos suivent et, parmi eux, notre Ulysse divin brandit auprès des chïens sa lance à la grande ombre.

Un sanglier géant gîtait en cet endroit, tout au fond d'un hallier, que jamais ne perçaient ni les vents les plus forts, ni les brumes humides, ni les coups du soleil et ses plus clairs rayons : l'abri était si dense que la pluie elle-même n'y pouvait pénétrer! les feuilles le jonchaient en épaisse litière... La bête entend les hommes et les chiens et les pas qui lui viennent dessus : fonçant hors du fourré, toutes soies hérissées, les prunelles en feu, elle était là, debout; Ulysse, le premier, bondit en élevant, dans sa robuste main, le long bois de la lance dont il compte l'abattre. La bête le devance et le boute à la cuisse et, filant de côté, emporte à sa défense tout un morceau de chair, sans avoir entamé cependant jusqu'à l'os. Mais Ulysse, d'un heureux coup, l'avait frappée en pleine épaule droite : la pointe était sortie, brillante, à l'autre flanc, et la bête, en grognant, roulait dans la poussière : son âme s'envolait! Aussitôt, pour soigner cet Ulysse divin, les fils d'Autolycos se mettent à l'ouvrage : ils bandent avec art la jambe du héros, arrêtent le sang noir par le moyen d'un charme, puis hâtent le retour au manoir paternel.

Guéri par son aïeul et ses oncles, comblé de présents magnifiques, Ulysse par leurs soins s'en revint promptement à son pays d'Ithaque, où son retour joyeux mit dans la joie son père et son auguste mère. Ils voulaient tout savoir, l'accident et la plaie : il sut leur raconter en détail cette chasse et comment il reçut le coup du blanc boutoir, en suivant au Parnasse les fils d'Autolycos.]

Or, du plat de ses mains, la vieille, en le palpant, reconnut la blessure et laissa retomber le pied dans le chaudron : le bronze retentit; le chaudron bascula; l'eau s'enfuit sur le sol... L'angoisse et le bonheur s'emparaient de la vieille; ses yeux se remplissaient de larmes et sa voix si claire défaillait. Enfin, prenant Ulysse au menton, elle dit :

EURYCLÉE. — Ulysse, c'est donc toi!... c'est toi, mon cher enfant!... Et moi qui ne l'ai pas aussitôt reconnu!... Il était devant moi; je le palpais, ce maître!

Elle dit et tourna les yeux vers Pénélope, voulant la prévenir que l'époux était là... Pénélope ne put rencontrer ce regard : Athéna détournait son esprit et ses yeux.

Mais Ulysse, de sa main droite, avait saisi la nourrice à la gorge et, de son autre main, l'attirant jusqu'à lui :

ULYSSE. — Eh! quoi, c'est toi, nourrice, dont le sein m'a nourri, c'est toi qui veux me perdre, lorsque après vingt années de maux de toutes sortes, je reviens au pays?... Puisqu'en ton cœur, les dieux ont mis la vérité, tais-toi! qu'en ce manoir, nul autre ne le sache! car moi, je t'en préviens et tu verras la chose : si quelque jour un dieu jette sous ma vengeance les nobles prétendants, tu peux m'avoir nourri, je te traiterai, moi, comme les autres femmes qui ne sortiront pas en vie de ce manoir[1].

La très sage Euryclée lui fit cette réponse :

EURYCLÉE. — Quel mot s'est échappé de l'enclos de tes dents, mon fils? ne sais-tu pas le cœur que je te

---

1. Ulysse doute de la fidélité d'Euryclée. D'où la protestation de la vieille nourrice.

garde?... et que rien ne m'ébranle? le caillou le plus dur, le fer ne tient pas mieux. Mais, écoute un avis et le mets en ton cœur : si les dieux quelque jour jettent sous ta vengeance les nobles prétendants, c'est moi qui te dirai, nom par nom, les servantes qui t'ont, en ce manoir, trahi ou respecté.

Ulysse l'avisé lui fit cette réponse :

ULYSSE. — Nourrice, laisse donc! pourquoi me les nommer? crois-tu que, de mes yeux, je ne saurai pas voir et connaître chacune?... Mais garde mon secret et laisse faire aux dieux!

Il disait et la vieille, à travers la grand-salle, s'en fut chercher de l'eau, car tout son premier bain était là, répandu, puis lui lavant les pieds, les oignit d'huile fine. Ulysse alors, tirant son siège auprès du feu, se mit à se chauffer; ses loques maintenant recouvraient sa blessure.

La plus sage des femmes, Pénélope, reprit :

PÉNÉLOPE. — Mon hôte, je n'ai plus à te dire qu'un mot. Voici l'heure où le lit va sembler agréable, quand malgré les chagrins, on peut se laisser prendre aux douceurs du sommeil! Moi, c'est un deuil sans fin que me donnent les dieux. Tout le jour, les sanglots et les pleurs me soulagent..., et puis, j'ai mon travail, mes femmes, la maison; il faut tout surveiller. Mais quand revient la nuit pour endormir les autres, je reste sur mon lit : l'aiguillon des chagrins, qui m'assiègent le cœur, excite mes sanglots...

[Fille de Pandareus*, la chanteuse verdière[1] se perche au plus épais des arbres refeuillés, pour chan-

---

1. La fille de Pandareus, Aèdon, fut changée par Zeus en rossignol. (Voir l'Index.)

ter ses doux airs quand le printemps renaît; ses rou-
lades pressées emplissent les échos; elle pleure Itylos,
l'enfant du roi Zéthos, ce fils qu'en sa folie, son poignard immola... C'est ainsi que mon cœur tiraillé se
déchire : dois-je rester ici, auprès de mon enfant, tout
garder en l'état, défendre mon avoir, mes femmes, ce
manoir, aux grands toits, ne songer qu'aux droits de
mon époux, à l'estime du peuple? ou dois-je faire un
choix et suivre l'Achéen dont les présents sans fin viendront, en ce manoir, faire le mieux sa cour? Mon fils,
tant qu'il était petit et sans calcul, m'empêchait de
quitter, pour me remarier, ce toit de mon époux. Il
est grand maintenant; il entre à l'âge d'homme; il
désire ne plus me voir en ce manoir, où ses biens dé-
vorés par tous ces gens l'irritent.]

Mais, voyons, donne-moi ton avis sur un songe,
que je m'en vais te dire... Je voyais dans ma cour mes
vingt oies qui, sortant de l'eau, mangeaient le grain :
leur vue faisait ma joie, lorsque, de la montagne, un
grand aigle survint qui, de son bec courbé, brisa le
col à toutes; elles gisaient en tas, pendant que, vers
l'azur des dieux, il remontait. Et, toujours en mon
songe, je pleurais et criais, et j'étais entourée d'Achéennes bouclées, qu'attiraient mes sanglots, et je
pleurais mes oies que l'aigle avait tuées... Mais sur le
bord du toit, il revint se poser et, pour me consoler,
prenant la voix humaine : « Fille du glorieux Icare,
sois sans crainte! Ceci n'est pas un songe; c'est bien,
en vérité, ce qui va s'accomplir! Les prétendants
seront ces oies; je serai l'aigle, envolé tout à l'heure,
à présent revenu. Moi, ton époux, je vais donner aux
prétendants une mort misérable! » Il disait; le som-

meil de miel m'avait quittée : à travers le manoir,
j'allai compter mes oies; tout comme à l'ordinaire, je
les vis becqueter le grain auprès de l'auge.

Ulysse l'avisé lui fit cette réponse :

ULYSSE. — Femme, je ne vois pas que l'on puisse
donner d'autre sens à ton rêve. De la bouche d'Ulysse
en personne, tu sais ce qui doit advenir : pour tous
les prétendants, c'est la mort assurée; pas un n'évitera
le trépas et les Parques.

La plus sage des femmes, Pénélope, reprit :

PÉNÉLOPE. — O mon hôte, je sais la vanité des
songes et leur obscur langage!... je sais, pour les humains, combien peu s'accomplissent! [Les songes
vacillants nous viennent de deux portes; l'une est
fermée de corne; l'autre est fermée d'ivoire; quand
un songe nous vient par l'*ivoire* scié, ce n'est que
tromperies, simple *ivraie* de paroles; ceux que laisse
passer la *corne* bien polie nous *cornent* le succès du
mortel qui les voit[1]. Mais ce n'est pas de là que
m'est venu, je crois, ce songe redoutable! nous en aurions, mon fils et moi, trop de bonheur!] Mais
écoute un avis et le mets en ton cœur. La voici, elle
vient, l'aurore de malheur, où j'abandonnerai cette
maison d'Ulysse : je vais leur proposer un jeu, celui
des haches. Ulysse, en son manoir, alignait douze
haches, comme étais de carène; puis, à bonne distance, il allait se poster pour envoyer sa flèche à travers tout le rang[2]... C'est l'épreuve qu'aux pré-

---

1. Le traducteur a cherché à rendre deux calembours intradui-
sibles littéralement.
2. Ce sont douze fers de hache, démanchés, qui sont d'abord
alignés. Puis le tireur doit faire passer sa flèche à travers les douze
yeux où viennent s'adapter, normalement, les manches.

tendants je vais offrir : si l'un d'eux, sans effort, peut nous tendre cet arc et, dans les douze haches, envoyer une flèche, c'est lui que je suivrai, quittant cette maison, ce toit de ma jeunesse, si beau, si bien fourni, que je crois ne jamais oublier, — fût-ce en rêve.

Ulysse l'avisé lui fit cette réponse :

ULYSSE. — Digne épouse du fils de Laerte, d'Ulysse! chez toi, sans plus tarder, ouvre-leur ce concours! car tu verras rentrer Ulysse l'avisé avant que tous ces gens, maniant l'arc poli, aient pu tendre la corde et traverser les haches.

La plus sage des femmes, Pénélope, reprit :

PÉNÉLOPE. — En ce manoir, mon hôte, si tu voulais rester encore à me charmer, le sommeil ne saurait s'abattre sur mes yeux. Mais on ne peut toujours écarter le sommeil; c'est pour tous les mortels que, sur la terre aux blés, les dieux ont fait la loi. Je vais donc, il est temps, regagner mon étage et m'étendre en ce lit qu'emplissent mes sanglots et que trempent mes larmes depuis le jour qu'Ulysse est allé voir là-bas cette Troie de malheur!... que le nom en périsse!... Puissé-je reposer : toi, dors en ce logis! fais-toi par terre un lit, ou qu'on te dresse un cadre...

A ces mots, regagnant son étage brillant[a], elle rentra chez elle avec ses chambrières : elle y pleurait encore Ulysse, son époux, à l'heure où la déesse aux yeux pers, Athéna, vint jeter sur ses yeux le plus doux des sommeils.

(CHANT XX) Ce fut dans l'avant-pièce que le divin Ulysse vint alors se coucher : par terre et sur la peau fraîche encore de la vache, il entassa plusieurs toisons

---

a Vers 601 : sans la laisser, suivait le reste des servantes.

de ces brebis que, chaque jour, offraient aux dieux les Achéens.

Quand il y fut couché, Eurynomé sur lui vint jeter une cape. Mais, songeant à planter des maux aux prétendants il restait éveillé.

[De la salle, il voyait s'échapper les servantes, qui, chez les prétendants allant à leurs amours, s'excitaient l'une l'autre au plaisir et aux rires. Son cœur en sa poitrine en était soulevé; son esprit et son cœur ne savaient que résoudre : allait-il se jeter sur elles, les tuer? ou, pour le dernier soir, laisserait-il encor ces bandits les avoir?...

Tout son cœur aboyait : la chienne, autour de ses petits chiens qui flageolent, aboie aux inconnus et s'apprête au combat; ainsi jappait son âme, indignée de ces crimes; mais, frappant sa poitrine, il gourmandait son cœur :

ULYSSE. — Patience, mon cœur! c'est chiennerie bien pire qu'il fallut supporter le jour que le Cyclope, en fureur, dévorait mes braves compagnons! ton audace avisée me tira de cet antre où je pensais mourir!

C'est ainsi qu'il parlait, s'adressant à son cœur; son âme résistait, ancrée dans l'endurance, pendant qu'il se roulait d'un côté, puis de l'autre; comme on voit un héros, sur un grand feu qui flambe, tourner de-ci de-là une panse bourrée de graisses et de sang; il voudrait tant la voir cuite tout aussitôt; ainsi, il se roulait, méditant les moyens d'attaquer, à lui seul, cette foule éhontée.]

Mais voici qu'Athéna* se présentait à lui[a] et lui disait ces mots, debout à son chevet :

_____

a Vers 31 : venue du haut du ciel, sous les traits d'une femme.

ATHÉNA. — Pourquoi veiller toujours, ô toi, le plus infortuné de tous les hommes?... N'as-tu pas maintenant ton foyer, et ta femme, et ce fils que pourraient t'envier tous les pères?

Ulysse l'avisé lui fit cette réponse :

ULYSSE. — Déesse, en tout cela, tes discours sont parfaits; mais ce qu'au fond de mon esprit, je cherche encore, c'est comment, à moi seul, mes mains pourront punir cette troupe éhontée, qui s'en vient chaque jour envahir ma maison! et, souci bien plus grand! si je tuais ces gens avec l'assentiment de ton Père et le tien, mon cœur voudrait savoir où me réfugier; penses-y, je te prie!

La déesse aux yeux pers, Athéna, répondit :

ATHÉNA. — Pauvre ami! les humains mettent leur confiance en des amis sans force, en de simples mortels qui n'ont pas grand esprit!... Ne suis-je pas déesse? toujours à tes côtés, je veillerai sur toi dans toutes tes épreuves et, pour te parler net, cinquante bataillons de ces pauvres mortels, pourraient nous entourer de leur cercle de mort; c'est encore en tes mains que passeraient leurs bœufs et leurs grasses brebis. Allons! que le sommeil te prenne, toi aussi! rester toute la nuit aux aguets, sans dormir, ç'est encore une gêne : tes maux sont à leur terme.

A ces mots, lui versant le sommeil aux paupières, cette toute divine remonta sur l'Olympe. Ulysse alors fut pris du sommeil, qui détend les soucis et les membres. Mais voici que, là-haut, sa femme s'éveillait et, le cœur soucieux, s'asseyait, pour pleurer, sur sa couche moelleuse. Elle pleura longtemps, pour soulager son cœur, cette femme divine! puis ce fut Artémis*, surtout, qu'elle invoqua :

PÉNÉLOPE. — Fille auguste de Zeus*, Artémis, ô
déesse! viens me percer le cœur de l'une de tes
flèches! viens me prendre la vie! [à présent, tout de
suite! ou qu'ensuite les vents, par la voie des nuées,
m'enlèvent et m'emportent, pour me jeter aux bords
où l'Océan reflue[1]! Filles de Pandareus*, les vents
ainsi vous prirent! Vos parents étaient morts, enlevés
par les dieux, et vous étiez restées au manoir, orphelines. La divine Aphrodite* alors vous nourrissait de
fromage, de miel suave et de vin doux; Héra* mettait
en vous, plus qu'en toutes les femmes, la beauté, la
raison, et la chaste Artémis vous donnait la grandeur,
et Pallas Athéna, l'adresse aux beaux ouvrages. Mais
un jour Aphrodite, au sommet de l'Olympe, vint
demander pour vous un heureux mariage à Zeus, le
brandisseur de foudre, qui connaît le destin malheureux ou joyeux des mortels. Et c'est alors que les
Harpyies* vous enlevèrent pour vous remettre aux
soins des tristes Erinnyes*!... Que tout pareillement,
me fassent disparaître les dieux, les habitants des
manoirs de l'Olympe! que me transperce l'Artémis
aux belles boucles! mais du moins qu'en l'horreur du
monde souterrain, j'aille revoir Ulysse!] pour que je
n'aie jamais à contenter les vœux d'un moins noble
héros! Encore est-il aux maux quelque adoucisse-
ment, quand, pleurant tout le jour sous le poids des
tristesses, on a du moins les nuits où le sommeil nous
prend et, nous fermant les yeux, vient nous faire
oublier la vie, bonne ou mauvaise. Mais moi, le ciel
m'afflige encor de mauvais songes! Cette nuit, Il était
à dormir près de moi! je Le retrouvais tel qu'Il partit

1. Aux rivages des Morts.

pour l'armée! quelle joie dans mon cœur! car je croyais L'avoir en chair, non pas en songe.

Elle parlait ainsi, et l'Aurore* montait sur son trône doré.

Or, la voix de sa femme en pleurs était venue jusqu'au divin Ulysse : pensif, il écouta; son cœur se figura qu'il était reconnu, qu'elle allait apparaître, debout à son chevet... Couverture et toisons, il rassembla son lit et le posa sur l'un des fauteuils de la salle, puis emporta la peau de vache dans la cour, et, mains levées, il fit à Zeus cette prière :

ULYSSE. — Si les dieux, Zeus le père, à travers tant de maux et sur terre et sur mer, m'ont voulu ramener enfin dans mon pays, fais qu'en cette maison, un mot soit prononcé par les gens qui s'éveillent et qu'un signe de toi apparaisse au-dehors!

Sitôt qu'il eut parlé, le Zeus de la sagesse accueillit sa prière : soudain, la foudre emplit la gloire de l'Olympe, du profond des nuées, et le divin Ulysse eut de la joie au cœur et, du logis tout proche, une femme parla. Car le pasteur du peuple avait en son moulin douze femmes peinant à moudre orges et blés qui font le nerf des hommes : les onze autres dormaient, ayant broyé leur grain; une seule n'avait pas achevé sa tâche; elle était la plus faible. En arrêtant sa meule, ce fut elle qui dit, présage pour son maître :

SERVANTE. — O Zeus le père, ô roi des dieux et des humains! dans les astres du ciel, quel éclat de ta foudre!... Pourtant, pas un nuage!... C'est un signe de toi!... Alors, exauce aussi mon vœu de pauvre femme! fais que les prétendants, en ce manoir d'Ulysse, viennent prendre aujourd'hui le dernier des derniers de leurs joyeux festins!... Ils m'ont brisé le cœur et rompu les genoux à moudre leur farine!... qu'ils dînent aujourd'hui pour la dernière fois!

Et ce cri de la femme et la foudre de Zeus rendirent le divin Ulysse tout joyeux; il comprit qu'il allait moudre aussi sa vengeance!

LE JEU DE L'ARC

Accourue à travers le beau manoir d'Ulysse, la troupe des servantes ranimait au foyer la danse de la flamme, quand, sortant de son lit, Télémaque apparut. Cet homme égal aux dieux avait mis ses habits, passé son glaive à pointe autour de son épaule, chaussé ses pieds luisants de ses belles sandales et pris sa forte lance à la pointe de bronze. Au seuil, il s'arrêta et dit à Euryclée :

TÉLÉMAQUE. — Nourrice, qu'a-t-on fait pour bien traiter notre hôte? a-t-il trouvé chez nous le lit et le coucher?... ou l'auriez-vous laissé sans prendre soin de lui? Car je connais ma mère! et cette âme si sage est parfois étonnante pour tirer du commun des mortels la canaille et, sans égards, chasser les plus honnêtes gens.

La nourrice Euryclée lui fit cette réponse :

EURYCLÉE. — Aujourd'hui, mon enfant, ne la mets pas en cause! ce serait injustice! Du vin? il est resté à boire son content!... du pain lui fut offert, mais il n'avait pas faim! Quand l'heure fut venue du lit et du sommeil, ta mère a dit aux femmes d'aller dresser un cadre; mais il est si maudit du sort, si misérable que, pour dormir, il n'a voulu ni lit ni draps : il n'a pris que la peau fraîche encor de la vache et des peaux de moutons, pour se coucher dans l'avant-pièce où nous l'avons recouvert d'une cape.

Sur ces mots d'Euryclée, Télémaque s'en fut, à travers la grand-salle[a], rejoindre à l'agora les Achéens guêtrés.

Mais la divine vieille appelait les servantes[b] :

EURYCLÉE. — Allons vite à l'ouvrage! qu'on balaie le logis! qu'on l'arrose et qu'on mette sur les fauteuils ouvrés la pourpre des tapis! que d'autres, à l'éponge, essuient toutes les tables, puis nettoient le cratère et, dans leur double fond[1], les coupes en métal! mais vous, à la fontaine, allez chercher de l'eau et rentrez au plus vite! Nos prétendants ne vont pas tarder à venir; ils seront là de grand matin : c'est fête en ville.

Elle dit : à sa voix, les femmes obéirent. Pendant que vingt allaient à la Fontaine Noire, les autres s'empressaient au travail dans les salles.

On vit alors entrer les fougueux prétendants : tout de suite, ils se mirent à bien fendre le bois. Puis on vit revenir de la source les femmes. Puis, survint le porcher, poussant trois cochons gras, l'honneur de son troupeau, que, dans la belle enceinte, il laissa pâturer; mais lui, s'en vint tout droit complimenter Ulysse :

EUMÉE. — Est-ce d'un meilleur œil que l'on te voit ici, notre hôte? ou gardent-ils leurs façons insolentes?

Ulysse l'avisé lui fit cette réponse :

a Vers 145 : lance en main, avec deux lévriers à sa suite.
b Vers 148 : Euryclée, fille d'Ops, le fils de Pisénor.
1. Voir la note au début du chant III.

ULYSSE. — Eumée, puissent les dieux punir leurs infamies! quelles impiétés trament ces bandits-là, sans ombre de pudeur, dans la maison d'un autre!

Pendant qu'ils échangeaient ces paroles entre eux, survint Mélanthios, le maître-chevrier, avec la fine fleur de ses hardes de chèvres[a]. Sous le porche sonore, il attacha ses bêtes et, s'approchant d'Ulysse, il lui dit en raillant :

MÉLANTHOS. — L'étranger, toujours là pour quêter dans la salle et gêner les convives! Quand prendras-tu la porte? Décidément, je vois qu'avant de nous quitter, nos bras se tâteront : de la mendicité, tu dépasses les bornes! Il est ailleurs qu'ici des festins d'Achéens!

Ulysse l'avisé resta sans rien répondre, muet, branlant la tête et roulant la vengeance au gouffre de son cœur. En troisième, survint alors Philoetios : commandeur des bouviers, il arrivait du bac[1], qui passe chaque jour les gens qui se présentent. Il avait amené une vache stérile avec des chèvres grasses. Sous le porche sonore, il attacha ses bêtes et, s'approchant d'Eumée, lui fit cette demande :

PHILOETIOS. — Porcher, quel est cet hôte? C'est, dans notre maison, un nouvel arrivant. De quel peuple, chez nous, peut-il se réclamer? a-t-il ici ou là famille et héritage? le pauvre homme! il a l'air d'un vrai roi, d'un grand chef! comme à rouler le monde les dieux brisent un homme et nous filent des maux, même quand on est roi!

Puis, s'approchant d'Ulysse, il lui fit un salut de la main et lui dit ces paroles ailées :

---

a Vers 175 : repas des prétendants; deux bergers le suivaient.

1. Le gros bétail était élevé sur le continent ou sur la grande île voisine de Céphallénie. Voir la note au chant XIV.

Philoetios. — Salut, père étranger! que puisse la fortune un jour te revenir! aujourd'hui, je te vois en proie à tant de maux!... Ah! Zeus le père! est-il, parmi les autres dieux, plus terrible que toi? Sans pitié des mortels, que, pourtant, tu fis naître, tu les jettes en proie aux pires des souffrances... Une sueur m'a pris quand je t'ai vu, notre hôte, et mes yeux ont pleuré au souvenir d'Ulysse, car je le vois couvert de semblables haillons et courant par le monde!... s'il vit, s'il voit encor la clarté du soleil. Mais si la mort l'a mis aux maisons de l'Hadès*, je veux pleurer toujours cet Ulysse éminent, qui me prit tout enfant, pour lui garder ses bœufs aux champs képhalléniotes[1]. Maintenant, son troupeau ne peut plus se compter! Jamais homme ne vit croître pareillement ses bœufs au large front... Mais, sur l'ordre d'intrus, je dois les amener ici, pour qu'on les mange!... En son propre manoir, sans pitié pour son fils, sans pensée pour les dieux et pour leur châtiment, ils ne comptent déjà que partager les biens du maître disparu! Aussi, dans ma poitrine, mon cœur tourne et retourne un projet : le voici. Du vivant de son fils, je trouverais très mal d'aller avec mes bœufs dans un autre pays, chez les gens d'autre langue; mais qu'il est plus cruel de rester à souffrir auprès des bœufs d'autrui! Ah! oui, depuis longtemps je me serais enfui chez un autre grand roi; car il se passe ici des faits intolérables! Mais je pense toujours à notre pauvre maître : s'il pouvait revenir et balayer d'ici les seigneurs prétendants!

Ulysse l'avisé lui fit cette réponse :

---

1. C'est-à-dire : de Céphallénie.

ULYSSE. — Écoute-moi, bouvier! car tu n'as pas la
mine d'un sot ni d'un vilain, et je vois qu'en ton
cœur peut entrer la sagesse. Donc, écoute mon dire
et mon plus grand serment[a] : si tu restes céans, je
jure que céans, tu reverras Ulysse. Oui! si tu le
désires, tu verras de tes yeux la mort des prétendants
qui font ici la loi.

Le maître des bouviers lui fit cette réponse :

PHILŒTIOS. — Étranger, que le fils de Cronos*
accomplisse ce que tu nous dis là! tu verrais ce que
vaut et mon bras et ma force[b].

Pendant qu'ils échangeaient ces paroles entre eux,
les prétendants tramaient la mort de Télémaque.
Mais voici qu'à leur gauche apparut le présage[1], un
aigle qui montait vers l'azur en tenant une pauvre
colombe.

Amphinomos prit donc la parole et leur dit :

AMPHINOMOS. — Amis, notre projet ne réussira
pas : Télémaque vivra... Ne songeons qu'au festin.

Il dit : tous d'approuver ces mots d'Amphinomos;
chez le divin Ulysse, aussitôt ils rentrèrent pour poser
leurs manteaux aux sièges et fauteuils. On abattit de
grands moutons, des chèvres grasses[c]; on fit cuire,
on trancha les premières grillades; on mélangea le
vin dans le cratère; Eumée distribua les coupes, et

---

a Vers 230-231 : que Zeus soit mon témoin, avant tout autre
dieu et ta table, ô mon hôte, comme aussi le foyer de l'éminent
Ulysse, où me voici rendu.

b Vers 238-239 : Eumée pareillement invoquait tous les dieux
pour le retour du sage Ulysse en sa demeure.

c Vers 251 : des pourceaux gras à lard et la vache des prés.

1. Paraissant sur leur gauche, le présage est défavorable aux
prétendants.

quand Philoetios, le grand chef des bouviers, eut réparti le pain dans les belles corbeilles, ce fut Mélanthios qui servit d'échanson[a].

Dans la salle trapue, auprès du seuil de pierre, Télémaque à dessein avait mis pour Ulysse une petite table avec un pauvre siège; il l'avait installé et servi de grillades; il lui servait du vin dans une coupe d'or et lui disait ces mots :

TÉLÉMAQUE. — Reste assis maintenant à boire avec les hommes : à moi, de te garer de l'insulte et des coups des seigneurs prétendants. Cette maison n'est pas une place publique : c'est la maison d'Ulysse, et j'en suis l'héritier. Aussi bien, prétendants, modérez votre humeur! ni menaces, ni coups, si vous ne voulez pas de querelle et de rixe!

Il dit; tous s'étonnaient, les dents plantées aux lèvres[1], que Télémaque osât leur parler de si haut.

Antinoos, le fils d'Eupithès, répliqua :

ANTINOOS. — Laissons passer le mot, si pénible qu'il soit. Vous avez entendu comment il nous menace!... Ah! le fils de Cronos, Zeus, ne l'a pas voulu : sinon, voilà longtemps déjà que nous l'aurions fait taire en son manoir, ce crieur d'agora!

Il dit; mais Télémaque écoutait impassible. Les hérauts, ce jour-là, conduisaient par la ville une sainte hécatombe vers le bois d'Apollon* où, pour fêter le dieu qui lance au loin ses flèches, le peuple aux longs cheveux s'assemblait sous l'ombrage. On retira du feu les grosses viandes cuites, on y trancha

---

a Vers 256 : vers les morceaux de choix préparés et servis, ils tendirent les mains.

1. C'est-à-dire : se mordant les lèvres.

les parts et l'on fut à la joie de ce festin superbe;
ceux d'entre eux qui servaient mirent devant Ulysse
un morceau tout semblable à celui qu'ils s'étaient
eux-mêmes adjugé; car le fils du divin Ulysse, Télémaque, en avait donné l'ordre.

[Mais Pallas Athéna ne mettait fin ni trêve aux cui-
santes insultes des fougueux prétendants : la déesse
voulait que le fils de Laerte, Ulysse, fût mordu plus
avant jusqu'au cœur.

Parmi les prétendants, il était une brute, du nom
de Ctésippos; il habitait Samé et comptait sur ses
biens immenses pour gagner la main de Pénélope,
en l'absence d'Ulysse. Aux prétendants sans frein, ce
fut lui qui parla :

CTÉSIPPOS. — J'ai deux mots à vous dire, ô fougueux prétendants!... L'hôte a, depuis longtemps,
reçu sa part entière, et c'est fort bien ainsi; il ne
serait ni bon ni juste qu'on manquât d'égards envers
les hôtes, qu'à son gré, Télémaque accueille en ce
logis! Mais je veux, moi aussi, lui faire mon cadeau,
qu'il pourra reporter soit au garçon de bains, soit
à quelqu'un des gens qui servent au manoir de ce
divin Ulysse.

Il dit. Sa forte main avait, dans la corbeille, saisi
un pied de bœuf qu'il lança contre Ulysse; d'un
simple écart de tête, Ulysse l'évita, puis sourit en son
cœur, d'un rire sardonique! Le pied s'en fut taper
dans l'épaisse muraille.

Télémaque aussitôt gourmanda Ctésippos :

TÉLÉMAQUE. — Ctésippos, que ton cœur tienne
pour une chance d'avoir manqué mon hôte et qu'il
se soit garé! Car moi, je t'envoyais en plein cœur
cette pique, et ton père aurait eu à donner le ban-

quet, mais pour tes funérailles, et non pas pour ta
noce... Je ne veux plus chez moi de ces indignités! Je
suis d'âge à tout voir; je comprends bien des choses,
et le bon et le pire; je suis sorti d'enfance, et pourtant
quel spectacle il me faut endurer! mes moutons égor-
gés, et mon vin englouti, et mon pain dévoré! sans
pouvoir, à moi seul, lutter contre le nombre. Mais
allons! renoncez à ces actes de haine ou, si c'est votre
plan de me tuer moi-même à la pointe du bronze,
j'y verrai tout profit! j'aimerais mieux mourir que
voir s'éterniser en ce manoir si beau ces actions
indignes, mes hôtes maltraités, mes femmes de service
traînées au déshonneur!

Il dit. Tous se taisaient. Mais après un silence,
Agélaos, le fils de Damastor, reprit :

AGÉLAOS. — Amis, quand on vous dit des choses
aussi justes, à quoi bon riposter en paroles de
haine[a]? Mais veux-tu, Télémaque, un conseil d'amitié
pour ta mère et pour toi? Je voudrais que votre âme,
à tous deux, l'agréât! Tant qu'un espoir restait au
fond de votre cœur de voir en sa maison rentrer le
sage Ulysse, nul ne trouvait mauvais que ta mère
attendît et nous retînt chez toi!... c'était le bon
parti!... il pouvait revenir, reparaître au logis!...
Mais, aujourd'hui, c'est clair : il ne reviendra plus!...
Donc va trouver ta mère, et dis-lui bien cela[b]. Alors,
mangeant, buvant, tu jouiras en paix de tout ton
héritage, pendant qu'elle aura soin de la maison
d'un autre.

---

a Vers 324-325 : cessez de maltraiter et cet hôte et tous ceux
qui servent au logis de ce divin Ulysse.
b Vers 335 : d'épouser le plus noble et le plus généreux.

Posément, Télémaque le regarda et dit :

TÉLÉMAQUE. — Par Zeus, Agélaos! et par les maux
d'un père qui, loin de notre Ithaque, est mort ou
vit errant! ce n'est pas moi qui fais traîner ce mariage! A ma mère, je dis d'épouser qui lui plaît et
veux lui faire encor tous les cadeaux du monde!
Mais comment la chasser contre sa volonté?... Dire
un mot qui la force à quitter ce logis? ah! non! le ciel
m'en garde!

Télémaque parlait. Mais Pallas Athéna, égarant leur
raison, les fit tous éclater d'un rire inextinguible.
Leurs mâchoires riaient sans qu'ils sussent pourquoi;
les viandes qu'ils mangeaient se mettaient à saigner;
ils voulaient sangloter, les yeux emplis de larmes.
Alors Théoclymène, au visage de dieu :

THÉOCLYMÈNE. — Pauvres gens! à quel mal êtes-
vous donc en proie?... de la tête aux genoux, la
nuit vous enveloppe; elle noie vos visages; sous vos
sanglots ardents, vos joues fondent en larmes! Je
vois le sang couler aux murs, aux belles niches... Et
voici que l'auvent se remplit de fantômes! Ils emplissent la cour! ils s'en vont du côté du noroît, à
l'Erèbe* : dans les cieux, le soleil s'éteint, et la nuée
de mort recouvre tout!

Il dit : un joyeux rire accueillit ses paroles, et le fils
de Polybe, Eurymaque, reprit :

EURYMAQUE. — Cet hôte fraîchement débarqué
n'est qu'un fou! guidez-le, jeunes gens, vers la porte,
au plus vite! qu'il aille à l'agora voir s'il fait nuit ici!

Alors, Théoclymène au visage de dieu :

THÉOCLYMÈNE. — Eurymaque, je n'ai que faire de
tes guides! j'ai mes deux yeux, mes oreilles, mes deux
pieds; ma tête est bien solide, et mon esprit très

sain! Avec eux, je m'en vais. Car je vois arriver
le malheur sur vos têtes, et nul n'échappera, nul
ne s'en tirera parmi vous, prétendants, qui maltraitez les gens et tramez vos forfaits chez ce divin
Ulysse.

Et le devin, sortant du grand corps de logis, s'en
fut chez Piraeos, qui lui fit bon accueil. Mais tous les
prétendants, se regardant l'un l'autre, taquinaient
Télémaque et riaient de ses hôtes. Un de ces jeunes
fats s'en allait, répétant :

Le Chœur. — Télémaque, on n'est pas plus malheureux en hôtes! Regarde celui-là!... un vagabond,
un gueux, qui veut du vin, du pain, mais du travail,
jamais! pas la moindre énergie! un poids mort sur la
terre!... Et l'autre qui se lève et qui fait le devin!...
Écoute-moi, voyons, et prends le bon parti : jetons
ces étrangers sous les bancs d'un navire et qu'on aille
en Sicile en tirer un bon prix!

Il dit; mais Télémaque écoutait impassible; muet,
il regardait son père, ne sachant quand il voudrait
enfin mater leur impudence.

Or, la fille d'Icare, la sage Pénélope, assise en
l'embrasure sur sa riche escabelle, écoutait les propos
de tous et de chacun, et c'était dans la salle un plan-
tureux festin, tout de joie et de rires, pour lequel ils
avaient immolé tant de bêtes! Encor quelques ins-
tants, et le souper qu'allaient leur servir la déesse et
le vaillant héros n'aurait pas son pareil pour le
manque de charme; mais c'est d'eux, les premiers
qu'était parti le crime.]

(CHANT XXI) C'est alors qu'Athéna*, la déesse aux
yeux pers, vint mettre dans l'esprit de la fille d'Icare

d'offrir aux prétendants l'arc et les fers polis[a1]. Par
le haut escalier, la sage Pénélope descendit de sa
chambre. Sa forte main tenait la belle clef de bronze
à la courbe savante à la poignée d'ivoire. Avec ses
chambrières, elle alla tout au fond du trésor où le
maître déposait ses joyaux avec son or, son bronze
et ses fers travaillés, là se trouvaient aussi l'arc à
brusque détente et le carquois de flèches, tout rempli
de ces traits, d'où viendraient tant de pleurs.

[C'est en Lacédémone, un jour qu'en un voyage,
Ulysse avait reçu ces présents d'Iphitos*, l'un des fils
d'Eurytos[2*], semblable aux Immortels.

Tous deux, en Messénie ils s'étaient rencontrés chez
le sage Orsiloque[3] : Ulysse y réclamait la dette que ce
peuple avait envers le sien; car des Messéniens, sur
leurs vaisseaux à rames, avaient aux gens d'Ithaque
volé trois cents moutons ainsi que leurs bergers. C'est
comme ambassadeur, quoique tout jeune encore,
qu'Ulysse était parti pour ce lointain voyage, député
par son père et les autres doyens. Or, Iphitos cherchait ses cavales perdues, douze mères-juments et
leurs mulets, sous elles, en âge de travail : elles
devaient, hélas! causer un jour sa perte, quand il
irait trouver l'homme au cœur énergique, l'auteur des
grands travaux, Héraclès*, fils de Zeus*!... En sa
propre maison, sans redouter les dieux, sans respecter

a Vers 4 : dans le manoir d'Ulysse, jeux et début du meurtre.
1. Voir la note à la fin du chant XIX.
2. Roi d'Œchalie. Voir l'Index.
3. Cet Orsiloque, hôte d'Ulysse, est le père de Dioclès, chez qui
Télémaque, de passage à Phères, s'arrête à la fin du chant III : les
liens d'hospitalité se transmettaient de père à fils.

la table, où il l'avait reçu, où il allait l'abattre, Héraclès, l'insensé! devait tuer cet hôte, pour prendre en
son manoir les juments au pied dur.

C'est elles qu'Iphitos cherchait en Messénie quand,
rencontrant Ulysse, il lui donna cet arc, que le grand
Eurytos jadis avait porté et qu'il avait laissé, en mourant, à son fils dans sa haute demeure. En retour,
Iphitos avait reçu d'Ulysse une lance robuste avec un
glaive à pointe. Ce jour avait fait d'eux les plus unis
des hôtes; s'ils n'avaient pas connu la table l'un de
l'autre, c'est que le fils de Zeus, auparavant, tua Iphitos l'Eurytide, cet émule des dieux. Or, jamais le
divin Ulysse n'emportait le cadeau d'Iphitos, quand,
sur les noirs vaisseaux, il partait pour la guerre : il
gardait au manoir ce souvenir d'un hôte et ne l'avait
jamais porté que dans son île.

Elle allait au trésor, cette femme divine. Elle était
arrivée au seuil en bois de chêne que l'artisan jadis
en maître avait poli et dressé au cordeau; il en avait
aussi ajusté les montants et les portes brillantes.

Aussitôt détachée la courroie du corbeau, Pénélope
au panneau introduisit la clef, fit jouer les verrous et
poussa devant elle : comme meugle un taureau pâtu-
rant dans les prés, le beau battant mugit sous le choc
de la clef, et la porte tourna. Pénélope monta sur
une planche haute, où les coffres dressés renfermaient
les habits couchés dans les parfums.]

Pénélope étendit la main et décrocha l'arc avec le
fourreau brillant qui l'entourait. Puis, s'asseyant et
les prenant sur ses genoux et pleurant à grands cris,
la reine dégaina du fourreau l'arc du maître, et son
cœur se reput de pleurs et de sanglots.

Enfin, dans la grand-salle, elle revint auprès des
nobles prétendants, ayant dans une main l'arc à
brusque détente, dans l'autre le carquois*a*; ses femmes
la suivaient, portant le coffre aux fers, si nombreux,
et au bronze dont jouait ce grand roi.

Elle apparut alors devant les prétendants, cette
femme divine, et, debout au montant de l'épaisse embrasure, ramenant sur ses joues ses voiles éclatants*b*,
elle prit aussitôt la parole et leur dit :

PÉNÉLOPE. — Écoutez, prétendants fougueux, qui
chaque jour, fondez sur ce logis pour y manger et
boire les vivres d'un héros parti depuis longtemps!
Vous n'avez pu trouver d'autre excuse à vos actes que
votre ambition de me prendre pour femme! eh bien!
ô prétendants, voici pour vous l'épreuve : oui! voici
le grand arc de mon divin Ulysse : s'il est ici quelqu'un dont les mains, sans effort, puissent tendre la
corde et, dans les douze haches, envoyer une flèche,
c'est lui que je suivrai, quittant cette maison, ce toit
de ma jeunesse, si beau, si bien fourni! que je crois
ne jamais oublier, même en songe!

Elle dit et donna l'ordre au divin porcher d'offrir
aux prétendants l'arc et les fers polis. Eumée vint en
pleurant les prendre et les offrir. Dans son coin, le
bouvier pleurait aussi en revoyant l'arme du maître.

Alors Antinoos se mit à le tancer :

ANTINOOS. — Ah! les sots campagnards! pensant
au jour le jour!... Ah! couple de malheur! pourquoi
verser des larmes et troubler en son sein le cœur de

a Vers 60 : tout rempli de ces traits d'où viendraient tant de
pleurs.
b Vers 66 : debout à ses côtés, veillaient les chambrières.

cette femme?... Vous savez les tourments où la plonge
déjà la perte de l'époux!... Si vous voulez rester à
table, taisez-vous! si vous voulez pleurer, sortez! mais
posez l'arc! laissez aux prétendants cette lutte ano-
dine : car cet arc bien poli, je ne crois pas qu'on
puisse aisément le bander! Non! ce n'est pas ici,
parmi tous ces convives, qu'Ulysse a son rival; je
l'ai vu de mes yeux et toujours m'en souviens;
j'étais pourtant bien jeune!

Il disait, bien qu'au cœur, il gardât l'espérance de
pouvoir tendre l'arc et traverser les fers; mais c'est
lui, le premier, qui goûterait des flèches envoyées par
la main de l'éminent Ulysse, qu'à cette heure, assis
en son manoir, il raillait en excitant les autres.

Sa Force et Sainteté Télémaque leur dit :

TÉLÉMAQUE. — Ah! misère! c'est Zeus, c'est le fils
de Cronos* qui me trouble l'esprit. Ma mère, cette
femme à l'esprit de sagesse, me prévient qu'elle va
quitter cette maison, pour suivre un autre époux, et
je ris et, d'un cœur léger, me divertis[1]!... Mais allons,
prétendants! Vous avez vu le prix! est-il femme pareille en terres achéennes, dans la sainte Pylos, dans
Argos, dans Mycènes[a]? Mais vous le savez bien! pourquoi vanter ma mère? Allons! pas de prétexte! avan-
cez sans retard et montrez-nous comment on peut
bander cet arc! car je veux essayer, moi aussi, de le
tendre! si je puis le bander et traverser les fers, alors
plus de tristesse! ma mère vénérée gardera ce manoir,
sans aller chez un autre et sans me quitter, moi, qui

a Vers 109 : ou même en notre Ithaque et sur ce continent dont
la côte noircit.

1. Télémaque veut donner le change sur l'origine du mouvement de joie qui lui échappe.

serai désormais l'émule de mon père en ses plus
beaux concours.

Il dit et, son manteau de pourpre rejeté, il se
dressa d'un bond, ôta le glaive à pointe pendu à son
épaule et, pour planter les haches, vint tracer au
cordeau et creuser un fossé, dont il buttait la terre
autour de chaque manche[1]. Pour tous les Achéens,
ce fut une surprise de le voir disposer si bellement
ces haches, dont jusqu'ici, pourtant, ses yeux ne
savaient rien! Puis, montant sur le seuil, debout, il
fit l'essai. Trois fois, pour bander l'arc, il ébranla la
corde. Trois fois, il dut lâcher, malgré tout son
espoir[a].

Il s'y reprit encore, et peut-être allait-il réussir
cette fois, quand Ulysse, d'un signe, arrêta son
effort.

Sa Force et Sainteté Télémaque leur dit :

TÉLÉMAQUE. — Ah! misère! en ma vie serai-je faible
et lâche?... suis-je trop jeune encor pour compter
sur mon bras[b]?... Mais puisque votre bras est plus
fort que le mien, essayez de cet arc! poursuivons le
concours!

Il dit et, sur le sol, ayant déposé l'arc, il l'appuya
aux bois des panneaux joints et lisses, coucha la
flèche ailée sur le joli corbeau, puis reprit le fauteuil
qu'il venait de quitter.

Antinoos, le fils d'Eupithès, dit aux autres :

ANTINOOS. — De la gauche à la droite, allons! que

---

a Vers 127 : de pouvoir tendre l'arc et traverser les fers.

b Vers 133 : et mettre à la raison qui voudrait m'outrager?

1. Comprendre que les fers de hache sont fichés par le tranchant
sur leurs manches, eux-mêmes plantés en terre pour servir de
piquets.

nos amis viennent tous, à la file, en commençant du
même bout que l'échanson!

Tous ayant approuvé ces mots d'Antinoos, ce fut le
fils d'Oenops, Liodès l'aruspice[1] qui s'en vint le premier : son siège était au coin, tout près du beau cratère; seul, il avait l'horreur de leurs impiétés et leur
montrait son blâme. Donc il prit, le premier, l'arc
et la flèche ailée et, montant sur le seuil, debout, il fit
l'essai, mais ne put tendre l'arc. A tirer sur la corde,
il eut bientôt lassé ses blanches mains débiles.

Il dit aux prétendants :

Liodès. — Amis, ce n'est pas moi qui tendrai l'arc :
à d'autres! Mais cet arc va briser et le cœur et la vie à
plusieurs de nos princes! s'il est vrai que, cent fois
mieux nous vaudrait mourir que vivre sans avoir enfin
la récompense d'une si longue attente, après tant de
journées passées en ce manoir! S'il en est dont le
cœur a pu former l'espoir d'épouser Pénélope, la
compagne d'Ulysse, qu'ils tâtent de cet arc! qu'ils le
voient seulement! et nous verrons bientôt leurs cadeaux et leurs vœux s'en aller vers quelque autre
Achéenne au beau voile! Et, quant à Pénélope, c'est
ou le plus offrant ou l'élu du destin qui sera son
époux.

Il dit et, sur le sol ayant déposé l'arc, il l'appuya
aux bois des panneaux joints et lisses, coucha la flèche
ailée sur le joli corbeau, puis reprit le fauteuil qu'il
venait de quitter.

Alors Antinoos se mit à le tancer :

Antinoos. — Quel mot s'est échappé de l'enclos de
tes dents! C'est un mot, Liodès, terriblement cruel!

---

1. Devin spécialisé dans la consultation des entrailles.

j'enrage de l'entendre. Donc, il faut que cet arc brise
à bien des héros et le cœur et la vie, parce qu'un
Liodès n'a pas pu le bander!... Si tu reçus le jour de
ton auguste mère, ce n'est pas pour tirer de l'arc,
lancer des flèches!... Laisse un peu! tu vas voir nos
braves prétendants!

   Il dit et, s'adressant au maître-chevrier :

   ANTINOOS. — Vite, Mélanthios! ranime-nous le
feu! mets auprès du foyer une grande escabelle, cou-
verte de toisons; puis va chercher dans la réserve un
pain de suif pour que nos jeunes gens chauffent l'arc
et le graissent[a]!

   Il dit et Mélantheus, ranimant aussitôt la danse de
la flamme, apporta l'escabeau, qu'il mit près du
foyer, le couvrit de toisons, puis fut chercher le pain
de suif dans la réserve. Quand on eut chauffé l'arc,
les jeunes essayèrent : pas un ne le tendit; la force
leur manquait et l'écart était grand!

   Parmi les prétendants, il ne resta bientôt, avec
Antinoos, que l'autre de leurs chefs, le divin Eurymaque; leur valeur les mettait de beaucoup hors de
pair.

   Or, s'étant concertés, Eumée et le bouvier se déci-
daient ensemble à quitter le logis de leur maître
divin. Derrière eux, le divin Ulysse se leva, sortit de
la maison, et déjà, de la cour, ils franchissaient les
portes, quand il les rappela doucement et leur dit :

   ULYSSE. — Bouvier et toi, porcher, puis-je vous dire
un mot?... vaudrait-il mieux me taire?... J'obéis à mon
cœur et je parle. Voyons! seriez-vous en humeur de
lutter pour Ulysse, si jamais il rentrait, si tout à coup

   a Vers 180 : puis essayons cet arc; achevons le concours!

le ciel le ramenait ici?... de lui, des prétendants, auquel irait votre aide? répondez! n'écoutez que vos
cœurs et vos âmes.

Le maître des bouviers aussitôt répondit :

Philoetios. — Puisses-tu, Zeus le père! accorder à
nos vœux que le maître revienne, que le ciel nous le
rende[a].

Eumée pareillement invoquait tous les dieux pour
le retour du sage Ulysse en sa demeure.

Quand il fut bien certain de connaître leurs cœurs,
Ulysse, reprenant la parole, leur dit :

Ulysse. — Eh bien! il est ici!... regardez-le!... c'est
moi[b]! de tous mes serviteurs, c'est vous seuls que je
vois, après tant de traverses, souhaiter mon retour!
Du moins, de tous les autres, n'ai-je pas entendu un
vœu pour ma rentrée! Aussi je vais vous dire en
toute vérité ce que je compte faire : si quelque jour
un dieu jette sous ma vengeance les nobles prétendants, je vous marie tous deux, je vous donne des
biens, je vous bâtis une maison près de la mienne et,
pour moi, désormais, vous êtes les amis, les frères de
mes fils!... Mais, tenez, s'il vous faut une marque certaine, vos cœurs, sans plus douter, pourront me
reconnaître[c].

A ces mots, écartant ses haillons, il montra la
grande cicatrice. Après l'avoir bien vue, avoir bien
recherché leurs souvenirs du maître, ils jetèrent leurs
bras au cou du sage Ulysse et, tout en pleurs, avec

---

  a Vers 202 : tu verrais ce que vaut et mon bras et ma force.
  b Vers 208 : après vingt ans, je rentre au pays de mes pères.
  c Vers 219-220 : c'est la plaie que jadis de sa blanche défense,
me fit un sanglier, lorsque j'étais allé, avec les fils d'Autolycos, sur
le Parnasse.

amour, ils le baisaient au front, sur les épaules, et le
maître en retour les baisait tous les deux sur le front
et les mains, et le soleil couchant eût encor vu leurs
pleurs, si, pour les arrêter, Ulysse n'avait dit :

ULYSSE. — Laissez larmes et cris! car il ne faudrait
pas que, sortant de la salle, un de leurs gens nous vît
et retournât le dire... Rentrons l'un après l'autre, et
non pas tous ensemble! moi d'abord, vous ensuite!
Et veillez au signal! car ces fiers prétendants vont tous
me refuser mon arc et mon carquois : alors, divin
Eumée, à travers la grand-salle, viens m'apporter cet
arc à moi-même, en mains propres; puis tu diras aux
femmes de fermer sur la salle leurs portes en bois
plein[1] et, si l'on entendait ou des cris ou des coups
dans notre enclos des hommes, que pas une au-dehors
ne sorte! et pas un mot! mais qu'on reste au travail!...
Je te demande, à toi, divin Philoetios, de veiller au
portail de la cour; ferme-le; mets prestement la
barre et noue-la d'une corde.

Sur ces mots, il rentra au grand corps du logis et
reprit l'escabeau qu'il venait de quitter, et bientôt,
après lui, les deux bergers rentraient chez le divin
Ulysse.

L'arc était maintenant dans les mains d'Eurymaque : il le tournait de-ci de-là, pour le chauffer à
la lueur du feu, mais sans pouvoir le tendre, et son
cœur glorieux éclatait de colère. En gémissant, il dit
enfin et déclara :

---

1. Ces portes mènent aux appartements des femmes. Mais elles
ne peuvent ouvrir directement sur le « Mégaron ». Car alors, les
fermer serait donner l'éveil aux prétendants. V. Bérard pense
qu'elles ouvrent sur le couloir dont il sera question plus loin, et
qui longe la grand-salle.

Eurymaque. — Que je souffre, ah! misère! et pour moi et pour tous! Ce n'est pas tant l'hymen qui cause mes regrets! Je sais, en mon dépit, bien d'autres Achéennes, soit en cette cité d'Ithaque entre-deux-mers, soit dans les autres villes... Mais voir notre vigueur dépassée de si loin par le divin Ulysse!... et que pas un de nous n'ait pu tendre son arc!... quelle honte pour nous jusque dans l'avenir!

Antinoos, le fils d'Eupithès, répliqua :

Antinoos. — Non! il n'en sera rien, Eurymaque! oublies-tu quelle fête, aujourd'hui, célèbre notre peuple? et tu sais de quel dieu[1]!... Comment tirer de l'arc aujourd'hui? rien à faire! mais que toutes les haches restent ainsi plantées; personne ne viendra les enlever, je pense, en voulant pénétrer dans la salle d'Ulysse, chez le fils de Laerte!... Allons! que l'échanson nous remplisse les coupes; que l'on fasse l'offrande, puis posons l'arc courbé! Mais pour demain, donnez au maître-chevrier l'ordre de nous fournir la fleur de ses troupeaux : en l'honneur d'Apollon, du glorieux archer, nous brûlerons les cuisses et, reprenant l'essai, finirons le concours.

Tous ayant approuvé ces mots d'Antinoos[a] la jeunesse remplit jusqu'aux bords les cratères; pour les libations, on versa dans les coupes; chacun fit son offrande et but tout son content. Ayant sa ruse en tête, Ulysse l'avisé prit alors la parole :

Ulysse. — Écoutez, prétendants de la plus noble reine[b], mais d'abord Eurymaque et toi, Antinoos au

a Vers 270 : les hérauts leur versaient à laver sur les mains.
b Vers 276 : voici ce que mon cœur me dicte en ma poitrine.
1. On célèbre la fête d'Apollon*, le dieu-archer. Voir au chant précédent.

visage de dieu. J'aurais une prière... Tu viens de pro-
noncer une sage parole en disant qu'aujourd'hui, il
vaut mieux laisser l'arc et s'en remettre aux dieux : demain, ils donneront la force à qui leur plaît. Mais
voyons! prêtez-moi cet arc aux beaux polis; je voudrais essayer la vigueur de mes mains, voir s'il me
reste encore un peu de cette force, qui jadis se trouvait en mes membres alertes, ou si la vie errante et le
manque de soins me l'ont déjà fait perdre.

Il dit; mais le courroux des autres éclata : si le
vieux allait tendre cet arc aux beaux polis!

Antinoos prit la parole et le tança :

ANTINOOS. — Mais tu n'as plus ta tête, ô le plus
gueux des hôtes! Que te faut-il encore? en noble
compagnie, sans le moindre travail, tu sièges au festin, tu prends de tous les plats et tu peux écouter
nos dires et propos! [Jamais un étranger, un mendiant put-il entendre ainsi nos dires? Le vin au goût
de miel t'a donc porté un coup? Tu n'est pas le premier qu'il ait conduit à mal, pour l'avoir engouffré
sans garder la mesure. C'est le vin qui tourna l'esprit
d'Eurytion*! Ce Centaure* fameux était chez les
Lapithes*, dans le manoir du valeureux Pirithoos*.
Il laissa dans le vin sa raison; sa folie emplit de ses
forfaits la maison de son hôte. Les héros en fureur
se jetèrent sur lui. On le traîna dehors, dans la rue,
hors du porche; d'un bronze sans pitié, on moissonna
sur lui son nez et ses oreilles! Et lui, l'esprit toujours
aveuglé, s'en alla, ne rêvant que vengeance en son
cœur affolé. Il en vint cette guerre entre hommes et
Centaures où, le premier de tous, succomba cet
ivrogne! Or, moi, si tu bandais cet arc, je te prédis
un malheur aussi grand! ne compte plus trouver

d'appuis en ce pays! au fond d'un noir vaisseau, nous t'enverrons d'où rien ne te puisse sauver[a]!] Tiens-toi tranquille et bois, sans chercher des rivaux parmi cette jeunesse!

Mais Pénélope alors, la plus sage des femmes :

PÉNÉLOPE. — Je crois, Antinoos, qu'il n'est ni beau ni juste que l'on manque d'égards à l'hôte, quel qu'il soit, que mon fils a chez lui. Mais regarde cet homme! si, grâce à la vigueur de son bras, il tendait, lui, le grand arc d'Ulysse, crois-tu qu'en sa maison, il pourrait m'emmener et m'avoir pour compagne?... Mais lui-même, en son cœur, n'eut jamais cet espoir!... Non! que pas un de vous ne s'en fasse un chagrin! vous pouvez banqueter! rien n'est plus impossible!

Eurymaque, le fils de Polybe, intervint :

EURYMAQUE. — Mais non! fille d'Icare, ô sage Pénélope! jamais nous n'avons cru qu'il pourrait t'emmener!... c'est si peu vraisemblable! Mais nous serions honteux d'entendre hommes et femmes et jusqu'au moins vaillant des Achéens nous dire : « Ah! ces gens sans vigueur! d'un héros éminent ils recherchent l'épouse et ne peuvent bander son arc aux beaux polis, alors qu'un mendiant qui passe, un vagabond, tend sans peine la corde et traverse les fers! » Voilà ce qu'on dirait pour notre déshonneur.

Mais Pénélope alors, la plus sage des femmes :

PÉNÉLOPE. — Eurymaque, tu veux que le peuple vous loue, lorsque, sans respecter la maison du héros, vous venez la manger! Où voyez-vous en tout ceci le déshonneur? Non, regardez cet hôte! il est grand, bien bâti. Il se flatte d'avoir un père de sang noble.

---

a Vers 308 : chez le roi Echétos, fléau du genre humain.

Allons! donne-lui l'arc aux beaux polis! voyons s'il
arrive à le tendre! Pour moi, je vous le dis et vous
verrez la chose : s'il tend l'arc, s'il obtient d'Apollon
cette gloire, je lui donne les habits neufs, robe et manteau, un épieu bien ferré pour écarter de lui et les
chiens et les hommes, un glaive à deux tranchants,
les sandales aux pieds, et je le fais conduire en tels
lieux que son cœur et son âme désirent.

Posément, Télémaque la regarda et dit :

TÉLÉMAQUE. — Ma mère, sur cet arc, aucun autre
Achéen[a] n'a le droit, comme moi, de prêt ou de
refus, selon qu'il me convient! Personne ne pourra
forcer ma volonté : si même il me plaisait d'en faire
le cadeau, pour toujours, l'étranger emporterait cet
arc... Mais rentre à la maison et reprends tes travaux,
ta toile, ta quenouille; ordonne à tes servantes de se
remettre à l'œuvre : l'arc est affaire entre hommes,
d'abord affaire à moi, qui suis maître céans!

Pénélope, en tremblant, regagna son étage, le cœur
rempli des mots si sages de son fils, et lorsqu'à son
étage, elle fut remontée avec ses chambrières, elle y
pleurait encore Ulysse, son époux, à l'heure où la
déesse aux yeux pers, Athéna, vint jeter sur ses yeux
le plus doux des sommeils.

LE MASSACRE

Or le divin porcher, ayant pris l'arc courbé, le
portait vers Ulysse. Mais tous les prétendants le
huaient dans la salle.

a Vers 346-347 : qu'il régisse en seigneur les monts de notre
Ithaque ou les Iles qu'on voit de l'Élide aux chevaux.

Un de ces jeunes fats s'en allait, répétant :

LE CHŒUR. — Misérable porcher, à qui donc t'en vas-tu porter cet arc courbé? Attends un peu, vieux fou! auprès de tes pourceaux, abandonné de tous, les chiens coureurs que tu nourris te mangeront, si jamais Apollon et tous les autres dieux daignent nous écouter!

Il disait. Le porcher*a* remit l'arc en sa place. Mais Télémaque alors lui cria des menaces :

TÉLÉMAQUE. — Vieux frère, avance donc! va lui porter cet arc! Il t'en cuirait bientôt d'écouter tous ces gens! Je vais te reconduire aux champs à coups de pierres, car je suis ton cadet, mais non pas le moins fort : si j'étais aussi sûr que ma force et mon bras l'emportent sur tous ceux qui sont en cette salle, ma colère en mettrait à la porte plus d'un, car je connais leurs trames!

Il dit, et tous les prétendants en joie de rire et, contre Télémaque, leur colère perdit un peu de son aigreur. Le porcher reprit l'arc; à travers la grand-salle, il s'en fut le remettre aux mains du sage Ulysse, puis, ayant appelé la nourrice Euryclée au-dehors, il lui dit :

EUMÉE. — Télémaque t'ordonne, ô très sage Eury-clée, de fermer sur la salle vos portes en bois plein, et, si vous entendiez ou des cris ou des coups dans notre enclos des hommes, que pas une au-dehors ne sorte, et pas un mot!... mais restez au travail!

Il disait : sans qu'un mot s'envolât de ses lèvres, la nourrice ferma la porte entre la salle et le corps du logis.

a Vers 367 : qu'effrayaient tant et tant de huées dans la salle.

Le bouvier, en silence, avait quitté la salle et, le long de l'enceinte, avait couru fermer le portail de la cour. D'un câble de byblos[1], qu'il trouva dans l'entrée, — c'était l'amarre d'un navire à deux gaillards —, il lia les deux barres, puis rentra dans la salle et, les yeux sur Ulysse, il reprit l'escabeau qu'il venait de quitter.

Ulysse tenait l'arc, le tournait, retournait, tâtant de-ci de-là et craignant que les vers n'eussent rongé la corne en l'absence du maître, et l'un des prétendants disait à son voisin :

Le Chœur. — Voilà un connaisseur qui sait jouer de l'arc!... pour sûr, il a chez lui de pareils instruments ou songe à s'en faire un!... Voyez comme ce gueux vous le tourne et retourne en ses mains misérables!

Mais un autre de ces jeunes fats s'écriait :

Le Chœur. — Pour son plus grand profit, qu'il réussisse en tout, comme il va réussir à nous bander cet arc!...

Or, tandis qu'ils parlaient, Ulysse l'avisé finissait de tâter son grand arc, de tout voir. Comme un chanteur, qui sait manier la cithare, tend aisément la corde neuve sur la clef et fixe à chaque bout le boyau bien tordu, Ulysse alors tendit, sans effort, le grand arc, puis sa main droite prit et fit vibrer la corde, qui chanta bel et clair, comme un cri d'hirondelle.

Pour tous les prétendants, ce fut la grande angoisse : ils changeaient de couleur, quand, d'un grand coup de foudre, Zeus marqua ses arrêts. Le héros d'endurance en fut tout réjoui : il avait bien

1. Câble en fibre de papyrus, importé de Byblos.

compris, cet Ulysse divin, que le fils de Cronos, aux pensers tortueux, lui donnait ce présage... Il prit la flèche ailée qu'il avait, toute nue, déposée sur sa table; les autres reposaient dans le creux du carquois, — celles dont tâteraient bientôt les Achéens. Il l'ajusta sur l'arc, prit la corde et l'encoche et, sans quitter son siège, il tira droit au but...

D'un trou à l'autre trou, passant toutes les haches, la flèche à lourde pointe sortit à l'autre bout, tandis que le héros disait à Télémaque :

Ulysse. — En cette grande salle, où tu le fis asseoir, ton hôte, ô Télémaque, fait-il rire de toi? ai-je bien mis au but?... et, pour tendre cet arc, ai-je fait trop d'efforts?... Ah! ma force est intacte, quoi que les prétendants m'aient pu crier d'insultes! Mais voici le moment! avant qu'il fasse nuit, servons aux Achéens un souper que suivront tous les jeux de la voix et ceux de la cithare, ces atours du festin!

Et, des yeux, le divin Ulysse fit un signe et son fils aussitôt, passant son glaive à pointe autour de son épaule, reprit en main sa lance, qui dressait près de lui, accotée au fauteuil, la lueur de sa pointe.

(CHANT XXII) Alors, jetant ses loques, Ulysse l'avisé sauta sur le grand seuil. Il avait à la main son arc et son carquois plein de flèches ailées. Il vida le carquois devant lui, à ses pieds, puis dit aux prétendants :

Ulysse. — C'est fini maintenant de ces jeux anodins!... Il est un autre but, auquel nul ne visa : voyons si je pourrais obtenir d'Apollon* la gloire de l'atteindre!

Il dit et, sur Antinoos, il décocha la flèche d'amertume. L'autre allait soulever sa belle coupe en or;

déjà, de ses deux mains, il en tenait les anses; il s'apprêtait à boire; c'est de vin, non de fin, que son âme rêvait!... qui donc aurait pensé que seul, en plein festin et parmi cette foule, un homme, si vaillant qu'il pût être, viendrait jeter la male mort et l'ombre de la Parque*?

Ulysse avait tiré; la flèche avait frappé Antinoos au col : la pointe traversa la gorge délicate et sortit par la nuque. L'homme frappé à mort tomba à la renverse; sa main lâcha la coupe; soudain, un flot épais jaillit de ses narines : c'était du sang humain; d'un brusque coup, ses pieds culbutèrent la table, d'où les viandes rôties, le pain et tous les mets coulèrent sur le sol, mêlés à la poussière.

Parmi les prétendants, quand on vit l'homme à terre, ce fut un grand tumulte : s'élançant des fauteuils, ils couraient dans la salle, et, sur les murs bien joints leurs yeux cherchaient en vain où prendre un bouclier ou quelque forte lance. Ils querellaient Ulysse en des mots furieux :

LE CHŒUR. — L'étranger, quel forfait! tu tires sur les gens!..., Ne pense plus jouter ailleurs! ton compte est bon! la mort est sur ta tête!... C'est le grand chef de la jeunesse en notre Ithaque, que tu viens de tuer! Aussi, tu vas nourrir les vautours de chez nous.

Ainsi parlaient ces fous, car chacun d'eux pensait qu'Ulysse avait tué son homme par mégarde et, quand la mort déjà les tenait en ses nœuds, pas un ne la voyait!

Ulysse l'avisé les toisa et leur dit :

ULYSSE. — Ah! chiens, vous pensiez donc que, du pays de Troie, jamais je ne devrais rentrer en ce logis! vous pilliez ma maison! vous entriez de force

au lit de mes servantes! et vous faisiez la cour, moi,
vivant, à ma femme!... sans redouter les dieux,
maîtres des champs du ciel!... sans penser qu'un vengeur humain pouvait surgir!... Vous voilà maintenant
dans les nœuds de la mort!

Il disait; la terreur les faisait tous verdir*a*, et le seul
Eurymaque trouvait à lui répondre.

EURYMAQUE. — Ulysse, ah! si vraiment c'est toi qui
nous reviens, notre Ulysse d'Ithaque! tu peux avec
raison parler aux Achéens de ces forfaits sans nombre,
qu'ils ont commis dans ton manoir et sur tes champs...
Mais le voilà gisant, celui qui les causa! c'est cet
Antinoos qui mettait tout en branle!... Ce n'est pas
tant l'hymen que rêvait son envie! il avait d'autres
vues, que le fils de Cronos* n'a pas favorisées : car il
pensait régner sur ton pays d'Ithaque et sur ta belle
ville, quand il aurait tué ton fils en trahison... Mais
puisque le voilà puni par le destin, épargne tes sujets!
Nous allons t'apaiser, trouver dans le pays, soit en
or, soit en bronze, de quoi te rembourser tout ce
qu'on a pu boire et dévorer chez toi, en t'amenant
chacun l'amende de vingt bœufs. Tant que ton cœur
n'aura pas eu ce réconfort, nous ne pouvons trouver
que juste ta colère.

Ulysse l'avisé le toisa et lui dit :

ULYSSE. — Pour me dédommager, vous pourriez, Eurymaque, m'apporter tous vos biens, et ceux
de vos familles, et m'en ajouter d'autres! mon bras
continuerait encor de vous abattre tant que, de vos
forfaits, je n'aurais pas tiré ma complète vengeance!...
Vous n'avez devant vous que le choix : ou combattre

---

a Vers 43 : leurs yeux cherchaient où fuir la tombée de la mort.

ou chercher dans la fuite un moyen d'éviter les
Parques et la mort!... Mais croyez-moi, la mort est
déjà sur vos têtes : pas un n'échappera.

A ces mots, ils sentaient se dérober sous eux leurs
cœurs et leurs genoux.

Eurymaque reprit à nouveau la parole :

EURYMAQUE. — Amis, vous l'entendez! rien ne peut
arrêter ses mains infatigables; puisqu'il tient le carquois et l'arc aux beaux polis, il va, du haut du seuil
luisant, tirer ses flèches tant qu'il lui restera l'un de
nous à abattre!... Ne pensons qu'à lutter!... Allons!
glaives au vent! contre la pluie de mort, prenons
pour boucliers nos tables et, fondant sur lui tous à la
fois, tâchons de le chasser du seuil et de la porte et
courons vers la ville appeler au secours : cet homme
aurait tiré pour la dernière fois!

A ces mots, Eurymaque avec un cri sauvage sortait
son glaive à pointe*a*. Mais le divin Ulysse le prévint et
tira : la flèche, sous le sein, entra dans la poitrine et
courut se planter dans le foie; Eurymaque laissa
tomber son glaive et, plongeant de l'avant, le corps
plié en deux s'abattit sur la table, en renversant avec
les mets la double coupe; le front frappa le sol; le
souffle devint rauque; le fauteuil, sous le choc des
talons, culbuta; puis les yeux se voilèrent.

Alors, tirant son glaive à pointe, Amphinomos
bondit pour attaquer le glorieux Ulysse et dégager la
porte. Mais déjà Télémaque lui plantait dans le dos,
entre les deux épaules, la lance, dont le fer sortit par
la poitrine. Amphinomos tomba; on l'entendit donner du front contre le sol, tandis que, vers le seuil,

---

a Vers 80 : aux deux tranchants de bronze, il bondit vers le seuil.

Télémaque courait sans avoir retiré sa lance à la grande ombre, car le risque était fort que l'un des Achéens l'assaillît de son glaive ou s'en vînt l'assommer quand il se baisserait.

Il courut; en deux bonds, il rejoignit son père, et, montant sur le seuil, lui dit ces mots ailés :

TÉLÉMAQUE. — Mon père, je reviens! je vais chercher pour toi un bouclier, deux piques, un bonnet tout en bronze qui t'entre bien aux tempes, je m'armerai moi-même et j'armerai aussi Eumée et le bouvier; il vaut mieux nous couvrir.

Ulysse l'avisé lui fit cette réponse :

ULYSSE. — Cours, pendant que j'ai là mes flèches pour défense; mais rapporte des armes avant que, de la porte où je vais être seul, ils ne m'aient délogé.

Il disait : Télémaque obéit à son père. Il s'en fut au trésor et, dans les nobles armes, prit quatre boucliers, quatre paires de piques, quatre bonnets de bronze à l'épaisse crinière et revint, tout courant, aux côtés de son père avec son chargement. Ce fut lui qui, d'abord, se revêtit du bronze; puis les deux serviteurs prirent les belles armes pour s'en couvrir aussi, et leur groupe se tint autour du sage Ulysse aux fertiles pensées.

Mais lui, tant qu'il avait ses flèches pour défense, il tirait dans la salle, abattant chaque fois quelqu'un des prétendants qui tombaient côte à côte. A force de tirer, les flèches lui manquèrent. Alors, déposant l'arc contre l'un des montants de la salle trapue, il le laissa dressé au mur resplendissant, puis couvrit ses épaules d'un bouclier plaqué de cuir en quatre couches et sa tête vaillante, d'un bonnet de métal[a]; enfin il prit en

---

a Vers 124 : dont l'aigrette terrible ondulait au cimier.

mains les deux robustes piques à la coiffe de bronze...

Or, dans le plein du mur de la salle trapue, à la pointe du seuil, s'ouvrait une poterne qui menait au couloir; mais elle était fermée de panneaux en bois plein, et le divin porcher, posté là par Ulysse, surveillait cette issue, la seule qui restât.

S'adressant à la troupe, Agélaos leur dit:

AGÉLAOS. — Amis, n'aurons-nous donc personne, pour monter jusqu'à cette poterne et prévenir le peuple, et crier au secours[a]?

Le maître-chevrier, Mélantheus, répliqua:

MÉLANTHEUS. — Mais ce n'est pas possible! Regarde, Agélaos! ô nourrisson des dieux! De la porte d'honneur, qui mène dans la cour, c'est terriblement proche et l'entrée du couloir est tellement étroite[1]! un seul homme y tiendrait contre tous nos assauts, pour peu qu'il fût vaillant... Mais attendez! je vais chercher pour vous des armes [au trésor, car c'est là, ce ne peut être ailleurs, à mon avis, qu'Ulysse et son illustre fils ont déposé les armes].

Sur ce, Mélantheus, grimpant à la muraille, sortit par les larmiers[2] et, courant au trésor, y choisit douze piques, douze casques de bronze à l'épaisse crinière et douze boucliers, qu'il se hâta de rapporter aux prétendants.

Les genoux et le cœur d'Ulysse défaillirent, quand

a. Vers 134: cet homme aurait tiré pour la dernière fois.

1. La « poterne » qui mène au couloir est toute proche (« à la pointe du seuil », dit le poète) de la « porte d'honneur » où se tient Ulysse. En outre, le débouché du couloir auquel mène cette « poterne » est très étroit et peut être facilement gardé par un seul homme. Celui qui voudrait fuir par cette « poterne » s'exposerait donc deux fois à mourir.

2. Lucarnes? Le mot grec est vague.

il les vit couverts de bronze et brandissant leurs
longues javelines : la tâche lui semblait trop lourde!
Il se hâta de dire à Télémaque ces paroles ailées :

ULYSSE. — Télémaque, à coup sûr, c'est l'une des
servantes qui nous vaut du logis cette lutte inégale, à
moins que Mélantheus...

Posément, Télémaque le regarda et dit :

TÉLÉMAQUE. — Non! mon père! c'est moi! je suis
le seul coupable : en quittant le trésor, je n'ai pas
refermé les battants en bois plein; je les ai laissés
contre; leur guetteur sut mieux faire!... Allons, divin
Eumée, va fermer cette porte et tâche de savoir qui
nous a fait le coup : serait-ce une des femmes?...
C'est plutôt Mélantheus, le fils de Dolios?

Pendant qu'ils échangeaient ces paroles entre eux, le
maître-chevrier retournait au trésor afin d'en rapporter encor de belles armes. Mais le divin porcher le vit
et se hâta de prévenir Ulysse, — ils étaient côte à côte :

EUMÉE. — Fils de Laerte, écoute! ô rejeton des
dieux, Ulysse aux mille ruses! c'est bien celui que
nous pensions, oh! la canaille! Le voilà qui retourne
au trésor; réponds-moi : faudra-t-il le tuer, si je suis
le plus fort, ou te le ramener ici, que tu te venges de
tant d'indignités commises sous ton toit?

Ulysse l'avisé lui fit cette réponse :

ULYSSE. — A nous deux, Télémaque et moi, nous
tâcherons, malgré tous les assauts, de les tenir ici, ces
nobles prétendants : vous! courez au trésor! jetez-le
sur le dos! liez-lui bras et jambes! puis attachez la
porte[a] : je veux l'avoir en vie pour le bien torturer!

---

a Vers 175-176 : roulez-le d'une corde et le hissez en haut de
l'une des colonnes, jusqu'au ras du plafond.

Il dit : tout aussitôt, les autres obéirent. Arrivés au
trésor, ils virent Mélantheus qui faisait tout au fond
sa récolte des armes et ne pouvait les voir...

Debout, auprès des deux montants, ils l'attendirent.
Le maître-chevrier, quand il revint au seuil, tenait
dans une main un casque magnifique et, dans l'autre,
un de ces immenses boucliers que le héros Laerte
avait porté au temps de sa prime jeunesse; mais,
rouillé, craquelé, les courroies décousues, il était
aujourd'hui relégué dans un coin.

Les deux bergers alors sautent sur Mélantheus, le
tirent aux cheveux, le rejettent dedans et l'étendent à
terre, déjà tout angoissé, puis le serrent à mort, mains
et pieds attachés*a*; un cordage était là, qui sert à le
hisser au haut d'une colonne, jusqu'au ras du plafond.

C'est toi qui le raillais alors, porcher Eumée :

EUMÉE. — Te voilà bien posé maintenant pour la
nuit!... veille, ô Mélantheus! c'est le lit qu'il te faut!
une couche moelleuse! Ah! tu ne risques pas de
laisser passer l'heure! Quand, sortant de la brume, au
bord de l'Océan*, l'Aurore* montera sur son trône
doré, n'oublie pas d'amener aux prétendants les
chèvres pour le festin à préparer en ce logis!

Et, le laissant pendu en ces nœuds de la mort, les
deux autres, prenant leurs armes, refermèrent la porte
aux bois luisants. Auprès du sage Ulysse aux fertiles
pensées, ils revinrent tous deux.

[Ils étaient en présence, tous respirant l'audace,
mais quatre d'un côté, alignés sur le seuil, et, de
l'autre, en la salle, une foule de braves. Or, la fille de

---

a Vers 190-191 : ils en font un paquet, selon l'ordre d'Ulysse, du
héros d'endurance, de ce fils de Laerte.

Zeus*, Athéna*, vint à eux; de Mentor, elle avait et l'allure et la voix. Ulysse, tout joyeux en la voyant, lui dit :

Ulysse. — Sauve-nous du malheur, Mentor, et souviens-toi des services rendus par ton vieux compagnon : nous sommes du même âge!

Mais, dans son cœur, ces mots étaient pour Athéna : il avait reconnu la meneuse d'armées. Les prétendants, de leur côté, la menaçaient; le fils de Damastor, Agélaos, du fond de la salle, s'était mis à l'apostropher :

Agélaos. — Mentor, ferme l'oreille aux demandes d'Ulysse : pour sa seule défense, il veut te mettre en lutte avec les prétendants!... Sache bien nos desseins, et qui s'accompliraient : quand on aurait tué et le père et le fils, on te tuerait sur eux, pour prix de ta conduite; ta tête en répondrait! puis, quand le bronze vous aurait ôté la vie, on prendrait tous tes biens, et chez toi et dehors; on les mettrait au tas des richesses d'Ulysse, et tes fils ne pourraient plus vivre en ton manoir, ni ta fidèle épouse et tes filles, rester dans la ville d'Ithaque.

Il dit; mais redoublant de courroux, la déesse interpellait Ulysse en ces mots irrités :

Athéna. — Ulysse, n'as-tu plus de force ni d'ardeur?... Toi qui, pour les bras blancs de cette noble Hélène, neuf années sans faiblir, combattis les Troyens, qui tuas tant de gens dans la mêlée terrible et sus, par ta sagesse, enlever à Priam sa ville aux larges rues! A l'heure où te voilà en tes maisons et biens, devant les prétendants ton cœur ne sait que geindre!... Mais, mon bon! reste là, debout à mes côtés, et me regarde faire! tu verras de quel cœur,

parmi les ennemis, Mentor, fils d'Alkimos, sait payer
les bienfaits!

Elle dit, mais laissa la bataille incertaine : elle
voulait qu'Ulysse et son fils glorieux fissent la preuve
encor de leurs force et courage. Changée en hirondelle et prenant son essor, elle alla se poser sur les
poutres du faîte, noircies par la fumée.]

Parmi les prétendants, c'était Agélaos, le fils de
Damastor, qui poussait au combat tous ceux qui sur-
vivaient et luttaient pour la vie [, Eurynomos, Amphimédon, Démoptolème, et Pisandre, de la race de
Polyctor, et le sage Polybe; tels étaient, désormais,
ceux qui, par leur valeur primaient les prétendants];
l'arc et sa pluie de flèches avaient couché les autres.

S'adressant à la troupe, Agélaos leur dit :

AGÉLAOS. — Amis! voici la fin! il lui faut arrêter ses
mains infatigables [: Mentor a disparu : vaine fanfa-
ronnade! en travers de la porte, il ne reste plus
qu'eux]! Lançons nos longues piques, mais pas tous
à la fois! Allons!... les six premiers! tirez!... et plaise
à Zeus de nous donner la gloire d'abattre cet Ulysse!
quand il sera tombé, nous nous moquons des autres!

Il dit; suivant son ordre, les six premiers tirèrent.
Ils avaient bien visé; mais Athéna fit dévier toutes
leurs piques[a].

Quand le divin Ulysse les vit manquer leur coup,
il se reprit à dire, le héros d'endurance :

ULYSSE. — Mes amis, un seul mot! tirons tous
dans le tas! après tant de forfaits, ces gens parlent
encor d'avoir notre dépouille!

---

a Vers 257-259 : une pique frappa dans l'épaisse embrasure;
l'autre, dans le panneau de la porte en bois plein; une autre,
dans le mur, planta sa lourde pointe.

Il dit, et tous les quatre, en visant devant eux, lancent leurs javelines, et la pointe d'Ulysse perce Démoptolème, celle de Télémaque abat Euryadès, et celles du porcher et du bouvier atteignent Elatos et Pisandre[a]. Les autres prétendants reculent vers le fond. Nos gens alors s'élancent et courent retirer des morts leurs javelines. Mais à nouveau, voici que, brandissant leurs piques, les prétendants tiraient. Athéna détourna la plupart de leurs coups : une pique frappa dans l'épaisse embrasure; une autre, dans le plein du panneau de la porte; une troisième, au mur, planta sa lourde pointe, tandis qu'Amphimédon atteignait au poignet la main de Télémaque; mais le bronze ne fit qu'égratigner la peau; lancée par Ctésippos, une autre longue pique, en passant par-dessus le bouclier d'Eumée, lui éraillait l'épaule et, poursuivant son vol, allait tomber à terre.

Autour du sage Ulysse aux fertiles pensées, on riposte, en dardant les piques dans le tas : Ulysse cette fois, le preneur d'Ilion, atteint Eurydamas, tandis que Télémaque abat Amphimédon; le bouvier, Ctésippos, et le porcher, Polybe.

[Fier d'avoir atteint Ctésippos à la poitrine, l'homme qui paît les bœufs lui parlait en ces termes :

PHILOETIOS. — Fils de Polythersès, allons! le beau plaisant! c'est fini des grands mots et des coups de folie! laisse parler les dieux! ce sont eux les plus forts! mais reçois mon cadeau, en échange du pied que tu donnas naguère à ce divin Ulysse quêtant en son logis.

Ainsi dit le pasteur des bœufs aux cornes torses...]

---

a Vers 269 : tous mordent la poussière en cette immense salle.

Ulysse alors, courant au fils de Damastor, le tue à bout de pique; Télémaque, en plein ventre, atteint Liocritos, un des fils d'Evenor, et la pointe s'en va ressortir dans le dos.

[Il s'abat sur la face et son front bat le sol... Et voici qu'Athéna, déployant du plafond son égide* qui tue, terrasse leurs courages. A travers la grand-salle, ils fuient épouvantés : tel, un troupeau de bœufs qu'au retour du printemps, lorsque les jours allongent, tourmente un taon agile. Mais Ulysse et les siens, on eût dit des vautours qui, du haut des montagnes, fondent, le bec en croc et les griffes crochues, sur les petits oiseaux qui tombent dans la plaine en fuyant les nuages; les vautours les massacrent; rien ne peut les sauver, ni bataille ni fuite, et les hommes aussi ont leur part du gibier... C'est ainsi qu'en la salle, assaillis de partout, tombaient les prétendants, avec un bruit affreux de crânes fracassés, dans les ruisseaux du sang qui courait sur le sol.]

Mais, aux genoux d'Ulysse, Liodès s'est jeté : il les prend; il supplie; il dit ces mots ailés :

Liodès. — J'embrasse tes genoux, Ulysse! épargne-moi!... pitié!... Je te le jure : jamais dans ce manoir, je n'ai rien dit, rien fait pour outrager tes femmes! même, quand je voyais les autres mal agir, je mettais le holà; mais ils continuaient de se souiller les mains sans vouloir m'écouter! et leurs folies ont mérité ce sort affreux! Vais-je tomber aussi, quand moi, je n'ai rien fait qu'être leur aruspice?... n'est-il que ce paiement pour avoir bien agi?

Ulysse l'avisé le toisa et lui dit :

Ulysse. — C'est toi qui t'honorais d'être leur arus-

pice! alors, tu dus souvent prier en ce manoir pour
éloigner de moi la douceur du retour et me prendre
ma femme et en avoir des fils!... Ah! non! pas de
pitié! pas de fuite! la mort!

Et, de sa forte main, ramassant sur le sol l'épée
qu'Agélaos mourant avait lâchée, il la lui plonge au
col[a].

Mais le fils de Terpès, l'aède Phémios, cherchait à
éviter la Parque ténébreuse, — lui qui n'avait jamais
chanté que par contrainte, devant les prétendants.
Tenant entre ses bras la cithare au chant clair, il restait indécis, auprès de la poterne : quitterait-il la
salle? irait-il au-dehors, à l'autel du grand Zeus, pro-
tecteur de la cour, s'asseoir contre ces pierres où
Laerte et son fils faisaient jadis brûler tant de cuisses
de bœufs?... dans la salle, irait-il prendre Ulysse aux
genoux?... Il crut, tout compte fait, que mieux valait
encore se jeter aux genoux de ce fils de Laerte. Donc,
ayant déposé sa cithare bombée entre un fauteuil aux
clous d'argent et le cratère, il courut vers Ulysse et
lui prit les genoux et dit en suppliant ces paroles
ailées :

PHÉMIOS. — Je suis à tes genoux, Ulysse, épargne-
moi!... ne sois pas sans pitié!... Le remords te prendrait un jour d'avoir tué l'aède, le chanteur des
hommes et des dieux! Je n'ai pas eu de maître! en
toutes poésies, c'est un dieu qui m'inspire! je saurai
désormais te chanter comme un dieu! donc résiste
à l'envie de me couper la gorge!... Demande à Télémaque! il te dira, ton fils, que si je suis ici, si, pour
les prétendants, je chantais aux festins, je ne l'ai pas

_____

a Vers 329 : sa tête, avec un cri, roule dans la poussière.

cherché, je ne l'ai pas voulu! Mais, nombreux et puissants, c'est eux qui m'y forçaient.

Sa Force et Sainteté Télémaque entendit; il courut vers son père et dit en arrivant :

TÉLÉMAQUE. — Arrête! que ton glaive épargne un innocent!... Sauvons aussi Médon, le héraut! qui toujours a, dans notre demeure, pris soin de mon enfance!... pourvu que, sous les coups d'Eumée et du bouvier, il n'ait pas succombé ou ne soit pas mis en travers de ta course.

Mais Médon l'entendit, car cet homme de sens gisait sous un fauteuil : blotti et recouvert de la peau de la vache fraîchement écorchée, il avait évité la Parque ténébreuse... Il sort de son fauteuil; il rejette la peau; il court à Télémaque; il lui prend les genoux et dit, en suppliant, ces paroles ailées :

MÉDON. — Cher ami, me voici! toi-même, épargne-moi! et détourne de moi la pique de ton père! il est si déchaîné! je comprends sa fureur contre ces prétendants qui lui mangeaient ses biens, chez lui, les pauvres fous, et te traitaient si mal!

Ulysse l'avisé dit avec un sourire :

ULYSSE. — N'aie pas peur! grâce à lui, te voilà hors d'affaire! Que ton salut te prouve, et va le dire aux autres! combien est préférable au crime la vertu. Mais sortez du manoir, l'illustre aède et toi! Asseyez-vous dehors, dans la cour, loin du sang! Il faut qu'en ce logis, ma besogne s'achève!

Sur ces mots, le héraut et l'aède sortirent. Ils s'en furent s'asseoir à l'autel du grand Zeus; mais leurs yeux inquiets voyaient partout la mort. Et partout, dans la salle, Ulysse regardait si quelque survivant, ne restait pas blotti, cherchant à éviter la Parque ténébreuse. Mais tous étaient couchés dans la boue et le sang : sous ses yeux, quelle foule! on eût dit des poissons qu'en un creux de la rive, les pêcheurs ont tirés de la mer écumante; aux mailles du filet, sur les sables, leur tas baille vers l'onde amère, et les feux du soleil leur enlèvent le souffle... C'est ainsi qu'en un tas, gisaient les prétendants.

MARI ET FEMME

Ulysse l'avisé dit alors à son fils :

ULYSSE. — Télémaque, va-t'en appeler de ma part la nourrice Euryclée; j'aurais à lui donner un ordre auquel je tiens.

Sur ces mots, Télémaque obéit à son père et, secouant la porte, il dit à la nourrice :

TÉLÉMAQUE. — Debout! et vite ici! vieille des anciens jours, qui surveilles chez nous nos femmes de service!... Viens! mon père t'appelle; il voudrait te parler!

Il dit et, sans qu'un mot s'envolât de ses lèvres, la vieille ouvrit la porte du grand corps de logis et, marchant sur les pas de Télémaque, entra.

Ils trouvèrent Ulysse au milieu des cadavres : il était tout souillé de poussière et de sang. On eût dit un lion qui vient de dévorer quelque bœuf à l'enclos : son poitrail et ses deux bajoues ensanglantées en font une épouvante... Des pieds au haut des bras, c'est ainsi que le corps d'Ulysse était souillé.

En voyant tous ces morts et ces ruisseaux de sang,

devant un tel exploit, la vieille allait pousser la cla-
meur de triomphe. Ulysse l'arrêta et contint son
envie, puis, élevant la voix, lui dit ces mots ailés :

ULYSSE. — Vieille, aie la joie au cœur! mais tais-
toi!... pas un cri! triompher sur les morts est une
impiété! C'est le destin des dieux qui les tue, et leurs
crimes[a]; mais dis-moi : des servantes qui sont en ce
manoir, lesquelles m'ont trahi, lesquelles sont fidèles?

La nourrice Euryclée lui fit cette réponse :

EURYCLÉE. — Mon fils, je te dirai toute la vérité.
Des cinquante servantes qui sont en ce manoir et que
j'avais dressées à toutes les besognes, à travailler la
laine et subir l'esclavage, il en est douze en tout dont
l'audace éhontée fut sans respect pour moi, pour
Pénélope même... Télémaque achevait seulement de
grandir; sa mère interdisait qu'il commandât aux
femmes!... Mais laisse! que je monte à l'étage brillant
avertir ton épouse; un dieu l'a fait dormir.

Ulysse l'avisé lui fit cette réponse :

ULYSSE. — Elle?... non! pas encore!... avant de
l'éveiller, fais-moi venir ici les filles que tu vis tramer
des vilenies.

Il disait : traversant la grand-salle, la vieille alla
dire aux servantes de venir au plus tôt.

Mais appelant son fils, Eumée et le bouvier, Ulysse
leur disait ces paroles ailées :

ULYSSE. — Commencez à l'instant! qu'on emporte
les morts!... que les femmes vous aident! et vous
prendrez ensuite l'éponge aux mille trous pour laver

---

a Vers 414-416 : qu'on fût noble ou vilain, quand on les abordait, ils n'avaient pour tout homme au monde que mépris; c'est
leur folie qui leur valut ce sort affreux.

à grande eau tables et beaux fauteuils. Quand vous aurez remis tout en ordre au manoir, de la salle trapue emmenez les servantes[a]! faites leur rendre l'âme à la pointe du glaive, sans en épargner une : c'est fini d'Aphrodite* et des plaisirs de nuit aux bras des prétendants!

Il disait; dans la salle, entrait déjà la troupe des filles infidèles. Poussant des cris affreux, versant des pleurs à flots, il leur fallut d'abord emporter les cadavres et ranger tous ces morts au porche de la cour, dans l'entrée de l'enceinte : Ulysse commandait et pressait la besogne; il fallait obéir. Elles prirent ensuite l'éponge aux mille trous pour laver à grande eau tables et beaux fauteuils. Puis Télémaque, Eumée et le bouvier raclèrent tout le sol à la pelle entre les murs épais; les femmes emportaient au-dehors cette boue.

Lorsque, dans la grand-salle, tout fut remis en ordre, on fit sortir les femmes de la salle trapue; on entassa leur troupe en un coin de la cour, entre le pavillon et la solide enceinte : impossible de fuir!

Posément, Télémaque avait dit à ses gens :

TÉLÉMAQUE. — Il ne sera pas dit qu'une mort honorable ait terminé la vie de celles qui versaient l'opprobre sur ma mère et sur ma propre tête et qui passaient les nuits au lit des prétendants!

Ce disant, il prenait le câble du navire à la proue azurée et le tendait du haut de la grande colonne autour du pavillon, de façon que les pieds ne pussent toucher terre... Grives aux larges ailes, colombes qui

---

a Vers **442** : et dans la cour d'honneur, entre le pavillon et la solide enceinte...

vouliez regagner votre nid, vous donnez au filet dressé
sur le buisson, et vous voilà couchées au sommeil de
la mort!... Ainsi, têtes en ligne et le lacet passé autour
de tous les cols, les filles subissaient la mort la plus
atroce, et leurs pieds s'agitaient un instant, mais très
bref.

Alors Mélantheus fut sorti dans la cour. Au-devant
de l'entrée, on lui trancha d'abord, d'un bronze sans
pitié, le nez et les oreilles, puis son membre arraché
fut jeté, tout sanglant, à disputer aux chiens et, d'un
cœur furieux, on lui coupa enfin et les mains et les
pieds.

S'étant lavé ensuite et les pieds et les mains, on
rentra vers Ulysse : l'œuvre était accomplie.

Ulysse était en train de dire à la nourrice :

ULYSSE. — Pour chasser l'air mauvais, vieille,
apporte du soufre et donne-nous du feu : je veux
soufrer la salle. Puis va chez Pénélope et la prie de
venir avec ses chambrières; dépêche-nous aussi toutes
les autres femmes.

La nourrice Euryclée lui fit cette réponse :

EURYCLÉE. — Là-dessus, mon enfant, ton discours
est parfait. Mais il faut te vêtir : je m'en vais t'apporter la robe et le manteau! tu ne peux pas rester
avec ces seuls haillons sur tes larges épaules : on
le prendrait très mal.

Ulysse l'avisé lui fit cette réponse :

ULYSSE. — C'est du feu que, d'abord, je veux en
cette salle.

Sur ces mots, la nourrice Euryclée obéit. Elle apporta
du feu. Elle apporta du soufre. Ulysse en imprégna salle,
manoir et cour. Puis la vieille s'en fut aux grands
appartements raconter la nouvelle et dépêcher les

femmes*a*, qui, se jetant au cou d'Ulysse et le fêtant et lui prenant les mains, couvraient de leurs baisers sa tête et ses épaules; l'envie de sangloter, de gémir le prenait doucement, car son cœur les reconnaissait toutes.

(CHANT XXIII) Mais la vieille Euryclée montait chez sa maîtresse : elle riait tout haut à l'idée d'annoncer que l'époux était là! ses genoux bondissaient; ses pieds sautaient les marches. Elle était au chevet de la reine; elle dit :

EURYCLÉE. — Lève-toi, Pénélope! que tes yeux, chère enfant, revoient enfin l'objet de tes vœux éternels!... Ulysse est revenu : il est dans son manoir! qu'il a tardé longtemps!... Mais viens! Il a tué les fougueux prétendants qui pillaient sa maison, lui dévoraient ses biens et maltraitaient son fils.

La plus sage des femmes, Pénélope, reprit :

PÉNÉLOPE. — Bonne mère, es-tu folle, un dieu peut donc troubler la tête la plus sage! et donner la sagesse à l'esprit le plus faux! toi, si posée jadis, c'est un dieu qui t'égare! Par tous ces racontars, ah! pourquoi te jouer de ce cœur douloureux? pourquoi me réveiller du sommeil qui mettait sur ces paupières closes un joug plein de douceur? Je n'ai jamais si bien dormi depuis qu'Ulysse est allé voir là-bas cette Troie de malheur, — que le nom en périsse! Mais, allons! redescends! retourne à la grand-salle! Si, pour cette nouvelle, une autre de nos femmes m'eût tiré du sommeil, crois bien que, sans tarder, ma colère l'aurait renvoyée du manoir! mais toi, il me faut bien excuser ta vieillesse!

---

a Vers 497 : qui sortirent de la grand-salle avec des torches.

La nourrice Euryclée lui fit cette réponse :

EURYCLÉE. — Mais qui se joue de toi, ma fille? En vérité, Ulysse est de retour! il est à la maison! c'est comme je te dis! C'était lui l'étranger que, tous, ils outrageaient : Télémaque savait de longtemps sa présence, mais prudemment gardait le secret de son père, pour lui donner le temps de punir ces bandits.

A ces mots, Pénélope en joie sauta du lit, prit en ses bras la vieille et, les yeux pleins de larmes, lui dit ces mots ailés :

PÉNÉLOPE. — Bonne mère, ah! vraiment, tu ne me trompes pas? Si, comme tu le dis, il est à la maison, comment donc a-t-il pu, à lui tout seul, abattre cette troupe éhontée? Car chez nous, c'est toujours en nombre qu'ils étaient.

La nourrice Euryclée lui fit cette réponse :

EURYCLÉE. — Je n'ai rien vu, rien su; je n'ai rien entendu que le fracas du meurtre; apeurées, nous restions dans le fond de nos chambres, entre les murs épais et toutes portes closes. De la grand-salle, enfin, Télémaque, ton fils, que son père envoyait, me cria de venir. Quand je revis Ulysse, c'était parmi les morts, debout; autour de lui, leurs cadavres pressés couvraient le sol battu... Si tu les avais vus, quelle joie pour ton cœur[a]!... On les a mis en tas aux portes de la cour; il a fait un grand feu; il a brûlé du soufre; la salle est toute belle; il m'envoie te chercher; suis-moi! que vos deux cœurs s'unissent dans la joie, après tant de souffrances!... Tes vœux de si longtemps, les voilà donc remplis : tu l'as à ton foyer; il est vivant; chez lui, il a pu retrouver et sa femme et

---

a Vers 48 : de poussière et de sang couvert comme un lion[1]

son fils!... et tous ces prétendants, fauteurs de tant de maux, il a pu s'en venger en sa propre maison!

La plus sage des femmes, Pénélope, reprit :

PÉNÉLOPE. — Bonne mère, contiens tes transports et tes rires!... Le revoir au logis! ah! tu sais le bonheur que, tous, nous en aurions, moi surtout et ce fils, qui nous a dû le jour. Mais comment croire un mot des récits que tu fais?... Si quelqu'un vint tuer les nobles prétendants, c'est un dieu qu'indignaient leur audace et leurs crimes! quand on les abordait, qu'on fût noble ou vilain, ils n'avaient pour tout homme au monde que mépris; c'est leur folie qui leur valut ce sort affreux!... Mais loin de l'Achaïe, mon Ulysse a perdu la journée du retour et s'est perdu lui-même.

La nourrice Euryclée lui fit cette réponse :

EURYCLÉE. — Quel mot s'est échappé de l'enclos de tes dents, ma fille?... Il est ici! il est à son foyer, celui que tu pensais n'y voir rentrer jamais... Cœur toujours incrédule, est-ce donc une preuve assurée qu'il te faut?... Cette plaie que jadis lui fit le sanglier à la blanche défense, j'en avais vu la marque, en lui donnant le bain; je voulais te le dire, à toi; mais, des deux mains me prenant à la gorge, il me ferma la bouche : il avait son projet!... Viens! suis-moi : je te mets ma propre vie en gage et, si je mens, tue-moi de la pire des morts!

La plus sage des femmes, Pénélope, reprit :

PÉNÉLOPE. — Bonne mère, je sais ta prudence achevée! mais peux-tu déjouer les plans des Éternels?... Quoi qu'il en soit, allons retrouver mon enfant : je veux voir s'ils sont morts, les seigneurs prétendants, et qui les a tués.

De l'étage, à ces mots, la reine descendit. Quel

trouble dans son cœur! Elle se demandait si, de loin,
elle allait interroger l'époux ou s'approcher de lui
et, lui prenant la tête et les mains, les baiser.

Elle entra... Elle avait franchi le seuil de pierre :
dans la lueur du feu, contre l'autre muraille, juste en
face d'Ulysse, elle vint prendre un siège; assis, les
yeux baissés, sous la haute colonne, il attendait le
mot que sa vaillante épouse, en le voyant, dirait. Mais
elle se taisait, de surprise accablée.

Elle resta longtemps à le considérer, et ses yeux tour
à tour reconnaissaient les traits d'Ulysse en ce visage
ou ne pouvaient plus voir que ces mauvais haillons.

Son fils, en la tançant, lui dit et déclara :

TÉLÉMAQUE. — Ton cœur est trop cruel, mère!
ô méchante mère! de mon père, pourquoi t'écarter
de la sorte?... auprès de lui, pourquoi ne vas-tu pas
t'asseoir, lui parler, t'enquérir?... fut-il jamais un
cœur de femme aussi fermé?... s'éloigner d'un époux
quand, après vingt années de longs maux et
d'épreuves, il revient au pays!... Ah! ton cœur est
toujours plus dur que le rocher!

La plus sage des femmes, Pénélope, reprit :

PÉNÉLOPE. — Mon enfant, la surprise est là, qui
tient mon cœur. Je ne puis proférer un mot, l'interroger, ni même dans les yeux le regarder en face! Si
vraiment c'est Ulysse qui rentre en sa maison, nous
nous reconnaîtrons, et, sans peine, l'un l'autre, car
il est entre nous de ces marques secrètes, qu'ignorent
tous les autres.

A ces mots, le divin Ulysse eut un sourire, et vite à
Télémaque, il dit ces mots ailés, le héros d'endurance :

ULYSSE. — Laisse donc, Télémaque! ta mère en ce

manoir veut encor m'éprouver!... Bientôt, elle pourra
me reconnaître, et mieux : je suis sale, tu vois, et
couvert de haillons; son mépris la retient de voir
Ulysse en moi! Mais nous, tenons conseil pour le
meilleur succès : bien souvent, quand on n'a tué dans
le pays qu'un homme et qui n'a pas grands vengeurs
de sa mort, il faut abandonner sa patrie et les siens!
Nous avons abattu le rempart de la ville, ce que
l'île comptait de plus nobles garçons : qu'en penses-
tu, dis-moi[1]?

Posément, Télémaque le regarda et dit :

TÉLÉMAQUE. — C'est à toi d'y veiller, père : de
par le monde, ta sagesse au conseil est, dit-on, sans
égale; il n'est pas un mortel qui pourrait y prétendre[a].

Ulysse l'avisé lui fit cette réponse :

ULYSSE. — Je vais donc t'exposer ce que je crois le
mieux. Allez d'abord au bain et changez-y de robes!
puis faites prendre aux femmes leurs vêtements sans
tache! et, pour vous entraîner, que le divin aède,
sur sa lyre au chant clair, joue quelque danse alerte.
A l'entendre au-dehors, soit qu'on passe en la rue,
soit qu'on habite autour, on dira : « C'est la noce! »
Car il faut que la mort des seigneurs prétendants ne
soit connue en ville qu'après notre départ, quand
nous aurons gagné notre verger des champs[2]. Là,
nous aurons le temps de chercher quel secours Zeus*
pourra nous offrir.

---

a Vers 127-128 : de toute mon ardeur, je saurai obéir et le
cœur je te jure, ne me manquera pas, jusqu'au bout de mes
forces.

1. Raisonnement *a fortiori* : qu'allons-nous donc faire, nous qui
avons massacré la jeunesse de ce pays?

2. Le domaine de Laërte (voir chant XXIV).

Dociles à sa voix, les autres obéirent. Ils allèrent au bain; ils changèrent de robes, firent parer les femmes, puis le divin chanteur prit sa lyre bombée et, comme il éveillait en leurs cœurs le désir de la douce musique et des danses parfaites, bientôt le grand manoir résonnait sous les pas des hommes et des femmes à la belle ceinture, et, dans le voisinage, on disait à ce bruit :

Le Chœur. — Un mari nous la prend, la reine courtisée!... la pauvre! déserter cette grande demeure!... n'avoir pas eu le cœur d'attendre que revînt l'époux de sa jeunesse!

Et l'on parlait ainsi sans connaître l'affaire. Mais Ulysse au grand cœur était entré chez lui; le baignant, le frottant d'huile, son intendante Eurynomé l'avait revêtu d'une robe et d'une belle écharpe; sur sa tête, Athéna* répandait la beauté[a]; on voit l'artiste habile, instruit par Héphaestos* et Pallas Athéna de toutes leurs recettes, nieller, or sur argent, un chef-d'œuvre de grâce : c'est ainsi qu'Athéna, sur sa tête et son buste, faisait couler la grâce; sortant de la baignoire, il rentra tout pareil d'allure aux Immortels.

En face de sa femme, il reprit le fauteuil qu'il venait de quitter et lui tint ce discours :

Ulysse. — Malheureuse! jamais, en une faible femme, les dieux, les habitants des manoirs de l'Olympe, n'ont mis un cœur plus sec[b]... C'est bien!...

_a_ Vers 157-158 : le faisant apparaître et plus grand et plus fort, déroulant de son front des boucles de cheveux aux reflets d'hyacinthe.
_b_ Vers 168-170 : est-il un autre cœur de femme aussi fermé? s'éloigner de l'époux, quand, après vingt années de longs maux et d'épreuves, il revient au pays!

Nourrice, à toi de me dresser un lit; j'irai dormir
tout seul; car, en place de cœur, elle n'a que du fer.

La plus sage des femmes, Pénélope, reprit :

PÉNÉLOPE. — Non! malheureux! je n'ai ni mépris
ni dédain; je reprends tout mon calme et reconnais
en toi celui qui, loin d'Ithaque, partit un jour sur
son navire aux longues rames. Obéis, Euryclée! et va
dans notre chambre aux solides murailles nous préparer le lit que ses mains avaient fait; dresse les bois
du cadre et mets-y le coucher, les feutres, les toisons,
avec les draps moirés!

C'était là sa façon d'éprouver son époux. Mais
Ulysse indigné méconnut le dessein de sa fidèle
épouse :

ULYSSE. — O femme, as-tu bien dit ce mot qui me
torture?... Qui donc a déplacé mon lit? le plus
habile n'aurait pas réussi sans le secours d'un dieu
qui, rien qu'à le vouloir, l'aurait changé de place.
Mais il n'est homme en vie, fût-il plein de jeunesse,
qui l'eût roulé sans peine. La façon de ce lit, c'était
mon grand secret! C'est moi seul, qui l'avais fabriqué
sans un aide. Au milieu de l'enceinte, un rejet d'olivier éployait son feuillage; il était vigoureux et son
gros fût avait l'épaisseur d'un pilier : je construisis,
autour, en blocs appareillés, les murs de notre
chambre; je la couvris d'un toit et, quand je l'eus
munie d'une porte aux panneaux de bois plein, sans
fissure, c'est alors seulement que, de cet olivier coupant la frondaison, je donnai tous mes soins à
équarrir le fût jusques à la racine, puis, l'ayant bien
poli et dressé au cordeau, je le pris pour montant où
cheviller le reste; à ce premier montant, j'appuyai
tout le lit dont j'achevais le cadre; quand je l'eus

incrusté d'or, d'argent et d'ivoire, j'y tendis des courroies d'un cuir rouge éclatant... Voilà notre secret!... la preuve te suffit?... Je voudrais donc savoir, femme, si notre lit est toujours en sa place ou si, pour le tirer ailleurs, on a coupé le tronc de l'olivier.

Il disait : Pénélope sentait se dérober ses genoux et son cœur; elle avait reconnu les signes évidents que lui donnait Ulysse; pleurant et s'élançant vers lui et lui jetant les bras autour du cou et le baisant au front, son Ulysse, elle dit :

PÉNÉLOPE. — Ulysse, excuse-moi!... toujours je t'ai connu le plus sage des hommes! Nous comblant de chagrins, les dieux n'ont pas voulu nous laisser l'un à l'autre à jouir du bel âge et parvenir ensemble au seuil de la vieillesse!... Mais aujourd'hui, pardonne et sois sans amertume si, du premier abord, je ne t'ai pas fêté! Dans le fond de mon cœur, veillait toujours la crainte qu'un homme ne me vînt abuser par ses contes; il est tant de méchants qui ne songent qu'aux ruses! Ah! la fille de Zeus, Hélène l'Argienne, n'eût pas donné son lit à l'homme de là-bas, si elle eût soupçonné que les fils d'Achaïe, comme d'autres Arès*, s'en iraient la reprendre, la rendre à son foyer, au pays de ses pères; mais un dieu la poussa vers cette œuvre de honte! son cœur auparavant n'avait pas résolu cette faute maudite, qui fut, pour nous aussi, cause de tant de maux! Mais tu m'as convaincue! la preuve est sans réplique! tel est bien notre lit! en dehors de nous deux, il n'est à le connaître que la seule Aktoris, celle des chambrières, que, pour venir ici, mon père me donna. C'est elle qui gardait l'entrée de notre chambre aux

épaisses murailles... Tu vois : mon cœur se rend,
quelque cruel qu'il soit!

Mais Ulysse, à ces mots, pris d'un plus vif besoin
de sangloter, pleurait. Il tenait dans ses bras la femme
de son cœur, sa fidèle compagne!

Elle est douce, la terre, aux vœux des naufragés,
dont Posidon* en mer, sous l'assaut de la vague et du
vent, a brisé le solide navire : ils sont là, quelques-uns
qui, nageant vers la terre, émergent de l'écume; tout
leur corps est plaqué de salure marine; bonheur!
ils prennent pied! ils ont fui le désastre!... La vue de
son époux lui semblait aussi douce : ses bras blancs
ne pouvaient s'arracher à ce cou.

L'Aurore* aux doigts de roses les eût trouvés pleu-
rants, sans l'idée qu'Athéna, la déesse aux yeux pers,
eut d'allonger la nuit qui recouvrait le monde : elle
retint l'Aurore aux bords de l'Océan*, près de son
trône d'or, en lui faisant défense de mettre sous le
joug pour éclairer les hommes, ses rapides chevaux
Lampos et Phaéton, les poulains de l'Aurore.

Ulysse l'avisé dit enfin à sa femme :

ULYSSE. — O femme, ne crois pas être au bout des
épreuves! Il me reste à mener jusqu'au bout, quelque
jour, un travail compliqué, malaisé, sans mesure :
c'est le devin Tirésias qui me l'a dit, le jour que,
débarqué à la maison d'Hadès*, je consultai son
ombre sur la voie du retour pour mes gens et pour
moi... Mais gagnons notre lit, ô femme! il est grand
temps de dormir, de goûter le plus doux des sommeils!

La plus sage des femmes, Pénélope, reprit :

PÉNÉLOPE. — Ton lit te recevra, dès que voudra ton
cœur, puisque les dieux t'ont fait rentrer sous ton

grand toit, au pays de tes pères! Mais puisqu'ils t'ont
donné la pensée de me dire qu'une épreuve te reste,
voyons! il faudra bien qu'un jour, je la connaisse :
la savoir tout de suite est peut-être le mieux.

Ulysse l'avisé lui fit cette réponse :

ULYSSE. — Pauvre amie, à quoi bon me presser
de parler? et pourquoi tant de hâte!... Je m'en vais
te le dire et ne t'en rien cacher; mais ton cœur n'aura
pas de quoi se réjouir, et moi-même, j'en souffre!...
Tirésias m'a dit d'aller de ville en ville, ayant entre
mes bras une rame polie, tant et tant qu'à la fin, j'arrive chez les gens qui ignorent la mer[a]. Et connais
à ton tour quelle marque assurée le devin m'en
donna : sur la route, il faudra qu'un autre voyageur
me demande pourquoi j'ai cette pelle à grains sur ma
brillante épaule; ce jour-là, je devrai, plantant ma
rame en terre, faire au roi Posidon le parfait sacrifice
d'un taureau, d'un bélier et d'un verrat de taille à
couvrir une truie; puis, rentrant au logis, si j'offre à
tous les dieux, maîtres des champs du ciel, la complète série des saintes hécatombes, la plus douce des
morts me viendra de la mer; je ne succomberai qu'à
l'heureuse vieillesse, ayant autour de moi des peuples
fortunés... Voilà ce que le sort, m'a-t-il dit, me
réserve!

La plus sage des femmes, Pénélope, reprit :

PÉNÉLOPE. — Si c'est à nos vieux jours que les dieux
ont vraiment réservé le bonheur, espérons échapper
ensuite à tous les maux!

---

a Vers 270-272 : et, vivant sans jamais saler leurs aliments,
n'aient pas vu de vaisseaux aux joues de vermillon, ni de rames
polies, ces ailes des navires!

Pendant qu'ils échangeaient ces paroles entre eux, la nourrice Euryclée, aidée d'Eurynomé, leur préparait le lit à la lueur des torches.

Quand leurs soins diligents eurent garni de doux tissus les bois du cadre, la nourrice rentra chez elle pour dormir; mais, leur servant de chambrière, Eurynomé revenait, torche en main, pour leur ouvrir la marche. Elle les conduisit dans leur chambre et revint, les laissant au bonheur de retrouver leur couche et ses droits d'autrefois.

FIN DE L'ODYSSÉE

Ici finit l'*Odyssée*.

On ne saurait trop mettre et remettre sous les yeux du lecteur français ce que nous disent les commentateurs antiques au sujet de ce vers 296 du chant XXIII : « Aristophane et Aristarque en font le terme dernier de l'*Odyssée* », disent les scholies des manuscrits *Venetus Marcianus, Vindobonensis, Harleianus* et *Ambrosianus*.

Eustathe, de son côté, blâme violemment Aristophane et Aristarque, « ces deux coryphées de l'ancienne critique, qui osent déclarer bâtard tout le reste de la Poésie actuelle, en écourtant le récit, en le mutilant, en l'étranglant », pour en retrancher des morceaux de toute beauté, tel cet « admirable résumé » des *Récits* en XXIII 310-343, et telle la *Reconnaissance* d'Ulysse par Laerte!

FINALE

CHANTS XXIII-XXIV

Je prends ce titre général pour englober les divers morceaux que les éditeurs antiques ajoutèrent au bout de la *Vengeance* comme conclusion de leur « Poésie » et comme pendant de l'*Ouverture* qu'ils avaient mise en tête. Ces morceaux de différentes sortes, mais d'égale maladresse et grossièreté, peuvent se séparer sans peine les uns des autres :

La Paix ou *Chez Laerte*	XXIII 297-309 344-372 ;
	XXIV 205-548
Résumé de l'Odyssée	XXIII 310-343
Second Voyage chez les Morts	XXIV 1-204

Ces deux derniers morceaux sont de date beaucoup plus récente que le premier. Le *Résumé* surtout est d'une époque où l'on ne comprenait que déjà fort mal le texte authentique. Le *Second Voyage chez les Morts* semble de la même main que le récit d'Agamemnon inséré en notre chant XI.

LA PAIX OU CHEZ LAERTE

Pendant que Télémaque, Eumée et le bouvier s'arrêtaient de danser et, renvoyant les femmes, se donnaient au sommeil dans l'ombre du manoir, les deux époux goûtaient les plaisirs de l'amour, puis les charmes des confidences réciproques. Elle lui racontait, cette femme divine, tout ce qu'en ce manoir, elle avait enduré, lorsque des prétendants la troupe détestable immolait tant de bœufs et tant de moutons gras et faisait ruisseler le vin de tant de jarres, — et tout cela pour elle! Le rejeton des dieux, Ulysse, lui narrait les chagrins qu'il avait causés aux ennemis, puis sa propre misère et toutes ses traverses. Elle écoutait ravie, et le sommeil ne vint lui clore les paupières qu'après qu'il eut fini de tout lui raconter.

[Il commença par la défaite des Kikones, puis sa visite au bon pays des Lotophages; du Cyclope, il conta les crimes et comment il avait châtié ce monstre sans pitié, qui lui avait mangé ses braves compagnons; il dit son arrivée et l'accueil empressé qu'il reçut chez Eole*, puis, le renvoi, hélas! inutile, au pays, et le sort le jetant aux coups de la tempête, et ses cris déchirants sur la mer aux poissons! l'escale à Télépyle, en pays lestrygon, et le bris de la flotte et le meutre de tous ses compagnons guêtrés et la fuite d'Ulysse, avec son noir vaisseau; il conta tout au long la ruse de Circé et ses inventions, le voyage aux séjours humides de l'Hadès sur son navire à rames, et l'ombre du devin Tirésias de Thèbes, et tous ses compagnons de jadis retrouvés, et sa mère revue, qui l'avait enfanté et nourri tout petit, et les chants entendus ·des Sirènes* marines, et les Pierres Errantes[1], Charybde la divine et Skylla, que personne, jamais, au grand jamais, sans souffrir, ne passa, et l'île du Soleil* et le meurtre des Vaches, et le croiseur frappé de la foudre fumante, et Zeus, le Haut-Tonnant, abattant d'un seul coup tous ses nobles amis, et lui seul échappant aux Parques* de la mort.

Il dit son arrivée en cette île océane où Calypso la nymphe, qui brûlait de l'avoir pour époux, l'enfermait au creux de ses cavernes et, prenant soin de lui, lui promettait encore de le rendre immortel et jeune à tout jamais, mais sans pouvoir jamais le convaincre en son cœur; il dit son arrivée en terre phéacienne après beaucoup d'épreuves, et le cœur de ces gens l'accueillant comme un dieu, lui donnant un vaisseau pour rentrer au pays avec un chargement d'or, de bronze et d'étoffes. C'est par là qu'il finit, lorsque, domptant ses membres, le doux sommeil dompta les soucis de son cœur.][2]

Mais Pallas Athéna, la déesse aux yeux pers, eut alors son dessein. Quand elle crut qu'Ulysse, au lit de son épouse, avait rassasié de sommeil tout son cœur, elle éveilla l'Aurore en son berceau de brume, et, sur son trône d'or, l'aube, pour apporter aux hommes la lumière, monta de l'Océan.

Ulysse se leva de sa couche moelleuse et dit à son épouse :

ULYSSE. — Femme, nous avons eu, l'un et l'autre

1. C'est-à-dire les « Planktes ». Voir au chant XII.
2. Ce résumé médiocre et inexact, des chants IX à XII était considéré comme inauthentique par les Anciens déjà.

déjà, tout notre poids d'épreuves : mon retour te
mettait dans l'angoisse et les pleurs; loin du pays
natal, Zeus et les autres dieux entravaient mes désirs
et me comblaient de maux. Nous voici de nouveau
réunis en ce lit, où tendaient tous mes vœux; il faudra
m'occuper des biens qu'en ce manoir, nous possé-
dons encore, et des troupeaux que ces bandits m'ont
décimés. Oh! je saurai moi-même en ramener en
prise, et beaucoup, sans compter ceux que les Achéens
auront à me donner pour refaire le plein de toutes
mes étables... Mais je voudrais d'abord aller à mon
verger revoir mon noble père, que le chagrin torture...
Je connais ton bon sens; mais écoute un avis : au
lever du soleil, le bruit va se répandre que j'ai, dans ce
manoir, tué les prétendants; regagne ton étage avec tes
chambrières! restes-y! n'interroge et ne reçois personne!

   Il dit. A ses épaules, il mit ses belles armes, fit lever
Télémaque, Eumée et le bouvier, et leur fit prendre
à tous un attirail de guerre. Dociles à sa voix, quand
ils eurent vêtu leurs armures de bronze, la porte fut
ouverte : on sortit du manoir; Ulysse les menait; le
jour régnait déjà; mais, d'un voile de nuit, Athéna les
couvrait pour les faire évader au plus tôt de la ville...

SECONDE DESCENTE AUX ENFERS

(CHANT XXIV) [Répondant à l'appel de l'Hermès*
du Cyllène[1] les âmes des seigneurs prétendants accouraient : le dieu avait en main la belle verge d'or, dont

   1. Le mont Cyllène, en Arcadie, sur lequel une tradition faisait
naître Hermès.

il charme les yeux des mortels ou les tire à son gré
du sommeil. De sa verge, il donna le signal du départ;
les âmes, en poussant de petits cris, suivirent...

Dans un antre divin, où les chauves-souris attachent
au rocher la grappe de leurs corps, si l'une d'elles
lâche, toutes prennent leur vol avec de petits cris :
c'est ainsi qu'au départ, leurs âmes bruissaient. Le
dieu de la santé, Hermès, les conduisait par les routes
humides; ils s'en allaient, suivant le cours de l'Océan* :
passé le Rocher Blanc, les portes du Soleil et le pays
des Rêves, ils eurent vite atteint la Prairie d'Asphodèle[1]
où les ombres habitent, fantômes des défunts, et c'est
là qu'ils trouvèrent, près de l'ombre du fils de Pélée,
près d'Achille, les ombres de Patrocle, du parfait
Antiloque et d'Ajax, le plus beau par la mine et la
taille de tous les Danaens; seul, le fils de Pélée le
surpassait encore. Ils entouraient Achille, quand
l'ombre de l'Atride* Agamemnon survint. Elle était
tout en pleurs et menait le cortège de ceux qui, chez
Egisthe, avaient trouvé la mort et subi le destin.

Ce fut l'ombre d'Achille qui parla la première :

ACHILLE. — Atride, nous pensions que, de tous les
héros, Zeus*, le joueur de foudre, n'avait jamais aimé
personne autant que toi : quand on sait quelle armée
de braves te suivait au pays des Troyens, aux jours
de nos épreuves, à nous, gens d'Achaïe! Mais la
Parque* de mort avant l'heure est venue te prendre,
toi aussi!... hélas, nul ne l'évite! il suffit d'être né!...
Qu'il t'aurait mieux valu subir la destinée et mourir
en Troade, au milieu des honneurs, en plein com-

---

1. Géographie purement mythique, qu'il serait vain de vouloir
préciser.

mandement! Car les Panachéens auraient dressé ta
tombe, et quelle grande gloire tu léguais à ton fils!
Ah! c'est pitié, la mort où t'a pris le destin!

Mais l'ombre de l'Atride en réponse lui dit :

AGAMEMNON. — O bienheureux Achille, ô toi, fils
de Pélée, qui, tout semblable aux dieux, succombas
loin d'Argos, là-bas dans la Troade, et pour qui sont
tombés, luttant sur ton cadavre, les meilleurs des
Troyens et des fils d'Achaïe... Ah! je revois encor,
dans l'orbe de poussière, ton grand corps allongé, tes
chevaux délaissés, et tout ce jour de lutte, qui n'aurait pas fini sans l'orage de Zeus!... En ce soir de
bataille, nous avons rapporté ton cadavre aux vaisseaux. On le mit sur ton lit; on lava ce beau corps
dans l'eau tiède; on l'oignit.

« Sur toi, les Danaens, pleurant à chaudes larmes,
coupaient leurs chevelures. Mais ta mère[1] sitôt qu'elle
apprit la nouvelle, sortit des flots, suivie des déesses
marines, et soudain, sur la mer, monta son cri divin,
et tous les Achéens en avaient le frisson. Ils se seraient
enfuis au creux de leurs vaisseaux, si un homme,
Nestor, ne les eût retenus; en sa vieille sagesse, il fut,
comme toujours, l'homme du bon conseil[a] : « Arrê-
tez, Argiens! restez, fils d'Achaïe! c'est sa mère qui
sort des flots, accompagnée des déesses marines! elle
est venue revoir le corps de son enfant! » A ces mots
de Nestor, la crainte abandonna nos grands cœurs
d'Achéens. Et l'on vit se dresser autour de toi les
filles du Vieillard de la Mer*, qui, pleurant et
criant, revêtirent ton corps de vêtements divins.

---

a Vers 53 : c'est pour le bien de tous qu'il prenait la parole.
1. Thétis*.

« Puis, de leur belle voix, les neuf Muses ensemble
te chantèrent un thrène[1] en couplets alternés : parmi
les Achéens, tu n'aurais vu personne qui n'eût les
yeux en larmes, tant leur allaient au cœur ces sanglots de la Muse. Là, nous t'avons pleuré dix-sept
jours, dix-sept nuits, hommes et dieux ensemble.

« Au dix-huitième jour, on te mit au bûcher et,
sur toi, l'on tua un monceau de victimes, tant de
grasses brebis que de vaches cornues! puis, tu brûlas,
couvert de tes habits divins et de parfums sans
nombre et du miel le plus doux. Autour de ton
bûcher, pendant que tu brûlais, les héros achéens,
gens de pied, gens de char, joutaient avec leurs
armes : quel tumulte et quel bruit!

« Quand le feu d'Héphaestos* eut consumé tes
chairs, au matin nous recueillîmes tes os blanchis,
qu'on lava de vin pur, qu'on oignit de parfums. Ta
mère nous donna une amphore dorée, qu'elle disait
avoir reçue de Dionysos[2]*; mais du grand Héphaestos, cette urne était l'ouvrage. On y versa tes os
blanchis, ô noble Achille, avec ceux de Patrocle, le
fils de Menoeteus. Dans une autre urne, on mit les
restes d'Antiloque, celui qu'après la mort de Patrocle,
ton cœur honora sans rival parmi tes compagnons.
Puis, pour eux et pour toi, toute la sainte armée des
guerriers achéens érigea le plus grand, le plus
noble des tertres, au bout du promontoire où s'ouvre
l'Hellespont : on le voit de la mer; du plus loin, il

---

1. Chant funèbre.
2. Dans les poèmes homériques, il n'est que rarement question
de ce dieu : c'est un des indices qui font croire que cette
« Seconde descente aux Enfers » constitue une addition tardive,
très inférieure au poème authentique

appelle les regards des humains qui vivent maintenant ou viendront après nous. Puis ta mère apporta
les prix incomparables qu'elle avait obtenus des
dieux pour les concours de nos chefs achéens. En
l'honneur d'un héros, tu pus voir en ta vie nombre
de jeux funèbres, quand, à la mort d'un roi, les
jeunes gens se ceignent et s'apprêtent aux luttes ;
mais ton cœur et tes yeux n'auraient pu qu'admirer
ces prix incomparables que nous donnait pour toi
Thétis aux pieds d'argent !... Il fallait que les dieux
te chérissent bien fort !... C'est ainsi qu'à ta mort, a
survécu ton nom et que toujours Achille aura, chez
tous les hommes, la plus noble des gloires !... Mais
moi, qu'ai-je gagné à terminer la guerre ? Si Zeus m'a
ramené, c'est qu'il voulait pour moi cette mort
lamentable, sous les coups d'un Égisthe ! d'une femme
perdue !

Tandis qu'ils échangeaient ces paroles entre eux,
Hermès, le messager rayonnant, survenait avec les
prétendants qu'Ulysse avait tués. Surpris à cette vue,
les deux rois approchèrent, et l'ombre de l'Atride
aussitôt reconnut le fils de Mélaneus, ce noble
Amphimédon, que jadis, en Ithaque, il avait eu pour
hôte.

L'ombre d'Agamemnon, la première, parla :

AGAMEMNON. — Quel malheur en ces lieux
t'amène, Amphimédon ? Dans l'ombre souterraine,
que veut cette levée de héros du même âge !... car,
à faire en la ville, une levée de princes, on n'eût pas
mieux choisi ! Est-ce donc Posidon* qui coula vos
vaisseaux, en levant contre vous le flot des grandes
houles et les vents de malheur ? auriez-vous succombé
sous les coups d'ennemis, lorsque, sur un rivage, vous

enleviez de beaux troupeaux, bœufs et moutons*a*?...
Réponds à ma demande : oublies-tu que je suis ton
hôte?... je m'en vante! Là-bas, en compagnie du
divin Ménélas, j'étais allé chez toi, quand nous
pressions Ulysse de nous suivre vers Troie sur ses
vaisseaux à rames. Il nous fallut un mois de voyage
outre-mer, et quelle traversée! pour décider enfin le
preneur d'Ilion.

L'ombre d'Amphimédon lui fit cette réponse :

AMPHIMÉDON*b*. — Je me souviens de tout, ô nourrisson de Zeus! Tu dis vrai et je vais te répondre en tous
points : écoute de nos vies le triste dénouement. Ulysse
était absent, toujours absent, et nous courtisions son
épouse. Elle, sans repousser un hymen abhorré, n'osait
pas en finir, mais rêvait notre mort sous l'ombre de
la Parque. Veux-tu l'une des ruses qu'avait ourdies son
cœur? Elle avait au manoir dressé son grand métier
et, feignant d'y tisser un immense linon, nous disait
au passage : « Mes jeunes prétendants, je sais bien
qu'il n'est plus, cet Ulysse divin; mais, malgré vos
désirs de presser cet hymen, permettez que j'achève;
tout ce fil resterait inutile et perdu : c'est pour ensevelir notre seigneur Laerte; quand la Parque de mort
viendra tout de son long le coucher au trépas, quel
serait contre moi le cri des Achéennes, si cet homme
opulent gisait là sans suaire! » Elle disait et nous, à
son gré, faisions taire la fougue de nos cœurs. Sur
cette immense toile, elle passait les jours. La nuit,
elle venait aux torches la défaire. Trois années, son

a Vers 113 : ou dans quelque combat sous les murs, pour les
femmes?

b Vers 121 : Atride glorieux, ô toi le chef de nos héros, Agamemnon.

secret dupa les Achéens. Quand vint la quatrième,
à ce printemps dernier[a], nous fûmes avertis par l'une
de ses femmes, l'une de ses complices; alors on la
surprit juste en train d'effiler la toile sous l'apprêt, et
si, bon gré, mal gré, elle dut en finir, c'est que nous
l'y forçâmes. La pièce était tissée tout entière, lavée;
elle nous la montrait; la lune et le soleil ne sont pas
plus brillants... C'est alors qu'un mauvais génie jetait
Ulysse à la pointe de l'île, où vivait le porcher.

« Il y trouva son fils, qui, sur son noir vaisseau,
revenait justement de la Pylos des Sables. Ils firent
contre nous leurs plans de male mort, puis revinrent
tous deux en notre illustre ville. Mais Ulysse suivait,
conduit par le porcher; devant lui, Télémaque avait
montré la route. Revêtu de haillons, Ulysse ressem-
blait au pire des vieux pauvres[b]; personne d'entre
nous, même les plus âgés, ne pouvait reconnaître ce
brusque revenant! On l'accabla de mots insultants
et de coups, et lui, dans son manoir, eut le cœur
d'endurer les coups et les insultes. Mais, enfin
réveillé par le Zeus à l'égide*, il enleva avec son fils
les belles armes et les mit au trésor en fermant les
verrous; le traître alors nous fit présenter par sa
femme l'arc et les fers brillants, instruments de la
joute, mais aussi de la mort pour nous, infortunés!
Or, l'arc était si dur que nul ne put bander, tant s'en
fallait, la corde!... Mais, quand aux mains d'Ulysse le
grand arc arriva, nous eûmes beau crier qu'on le lui
refusât, quoi qu'il en pût bien dire, Télémaque le lui
envoya par Eumée.

---

a Vers 143 : les mois étant finis et les jours s'allongeant.
b Vers 158 : il avait un bâton et de mauvaises loques.

« A peine le héros d'endurance avait-il cet arc entre les mains qu'il en tendait la corde et traversait les fers, et quelle aisance avait cet Ulysse divin! Puis, debout sur le seuil, il vida du carquois ses traits au vol rapide et, d'un œil furieux visant Antinoos, notre chef, il tira... Et ses flèches de deuil en percèrent bien d'autres! Il visait devant lui : nous tombions côte à côte! il était évident qu'un dieu guidait ses coups. Puis, à travers la salle, ils nous tuaient partout, n'écoutant que leur rage : un bruit affreux montait de crânes fracassés, dans les ruisseaux de sang qui couraient sur le sol... Et voilà, fils d'Atrée, quelle fut notre mort. Dans le manoir d'Ulysse, à cette heure nos corps gisent sans sépulture[1]; les nôtres au logis ne savent toujours rien; ils auraient de nos plaies lavé le sang noirci; ils nous exposeraient et nous lamenteraient, dernier hommage aux morts!

L'ombre d'Agamemnon, reprit la parole :

AGAMEMNON. — Heureux fils de Laerte, Ulysse aux mille ruses! c'est ta grande valeur qui te rendit ta femme; mais quelle honnêteté parfaite dans l'esprit de la fille d'Icare, en cette Pénélope qui jamais n'oublia l'époux de sa jeunesse! son renom de vertu ne périra jamais, et les dieux immortels dicteront à la terre de beaux chants pour vanter la sage Pénélope... O forfaits que trama la fille de Tyndare*[2] pour livrer à la mort l'époux de sa jeunesse; quels poèmes d'horreur les hommes en feront! et le triste renom

---

1. Au chant XI, l'ombre d'Elpénor implore d'Ulysse le bûcher pour sa dépouille terrestre : sans quoi, il ne pourrait pénétrer vraiment au Royaume des Morts. Cette croyance est ici contredite : autre signe d'inauthenticité.

2. Clytemnestre.

qu'en aura toute femme, même la plus honnête!

Tels étaient les discours qu'ils échangeaient entre eux, dans la maison d'Hadès*, aux profondeurs du monde].

Descendus de la ville, ils atteignaient bientôt les murs du beau domaine, que Laerte avait pu s'acquérir à force de travail : là était sa maison, entourée des hangars où s'asseyaient, mangeaient et se couchaient les gens qu'il avait condamnés au travail de sa terre; il avait avec lui, pour soigner sa vieillesse, une très vieille femme amenée de Sicile, et c'est là qu'il vivait, loin de la ville, aux champs.

Ulysse, alors, dit à ses gens et à son fils :

ULYSSE. — Vous entrerez tout droit dans la maison de pierre et pour notre repas, vous tuerez aussitôt le cochon le plus gras; je m'en vais aller voir ce que pense mon père, s'il me reconnaîtra, si ses yeux parleront ou ne verront en moi qu'un inconnu, après une si longue absence.

Il dit et, leur donnant son attirail de guerre, il envoya ses gens tout droit à la maison, puis courant s'informer au verger plein de fruits. Il entra dans le grand enclos : il était vide; Dolios[1] et ses fils et ses gens étaient loin : conduits par Dolios, ils ramassaient la pierre pour le mur de clôture.

Ulysse dans l'enclos ne trouva que son père, bêchant au pied d'un arbre. Or, le vieillard n'avait qu'une robe sordide, noircie et rapiécée. Une peau recousue, nouée à ses mollets et lui servant de guêtres, le garait des épines, et des gants à ses

---

1. Vieux jardinier, dévoué à Pénélope (voir au chant IV).

mains le protégeaient des ronces; sur la tête, il
avait pour se garer du froid, sa toque en peau de
chèvre.

Tout cassé de vieillesse, le cœur plein de chagrin,
il apparut aux yeux du héros d'endurance, et le divin
Ulysse ne put tenir ses larmes. Il s'arrêta auprès d'un
poirier en quenouille. Son esprit et son cœur ne
savaient que résoudre : irait-il à son père, le prendre,
et l'embrasser, et tout lui raconter, son retour, sa
présence à la terre natale[a]?... Il pensa, tout compté,
qu'il valait mieux encore essayer avec lui des paroles
railleuses.

C'est dans cette pensée qu'il alla droit à lui,
cet Ulysse divin. Tête baissée, Laerte était là qui
bêchait.

Arrivée près de lui, son noble fils parla :

ULYSSE. — Vieillard, tu te connais aux travaux du
jardin : quelle tenue! quels arbres! vigne, figuiers,
poiriers, oliviers et légumes, tu ne négliges rien...,
du moins en ton verger, car, — laisse-moi te dire
et ne te fâche pas, — sur toi, c'est autre chose! Le
soin te manque un peu; quelle triste vieillesse!
quelle sale misère! et quels linges ignobles! Ce n'est
pas un patron qui te néglige ainsi pour punir ta
paresse! A te voir, rien en toi ne trahit l'esclavage,
ni les traits, ni la taille! tu me sembles un roi ou l'un
de ces vieillards qui n'ont plus dans la vie qu'à se
baigner, manger, puis dormir à la douce. Mais allons!
réponds-moi sans feinte, point par point : quel est
donc ton patron! à qui donc ce verger?... Autre
chose à me dire; j'ai besoin de savoir : est-il vrai que

_a_ Vers 238 : ou bien l'interroger afin de tout savoir.

la terre où je suis soit Ithaque? quand je venais ici,
un passant, rencontré en chemin, me l'a dit... Oh!
c'est un pauvre esprit, qui n'a su me donner aucun
détail précis ni même me répondre au sujet de mon
hôte... Je demandais s'il vit ou si la mort l'a mis aux
maisons de l'Hadès. Mais, puisque te voilà, écoute
et me comprends. Jadis, en mon pays, un homme
vint chez nous que j'accueillis en hôte, comme tant
d'autres gens qui me venaient de loin : jamais
ami plus cher n'est entré sous mon toit! Il se
disait d'Ithaque et vantait sa naissance, ayant pour
père un fils d'Arkésios, Laerte. Je l'emmenai chez
moi, le traitai de mon mieux et lui donnai mes
soins : j'avais maison fournie! Au départ, je lui fis
les présents qu'il convient, car il eut sept talents de
mon bel or ouvré, sans compter un cratère à fleurs,
tout en argent, douze robes, autant de manteaux
non doublés[a] et, pour finir, il prit à son choix
quatre femmes, parmi mes plus jolies et fines tra-
vailleuses.

Mais Laerte, en pleurant, lui fit cette réponse :

LAERTE. — Étranger, c'est ici le pays que tu cherches; mais il est au pouvoir de bandits sans pudeur.
Tu perdis les présents dont tu comblas cet hôte!...
Ah! s'il vivait encor, si tu l'avais trouvé en ce
pays d'Ithaque, cadeaux, accueil d'ami, il ne t'eût
reconduit que sa dette payée; n'est-ce pas l'équité
de rendre à qui nous donne?... Mais allons! réponds-
moi sans feinte, point. par point : voilà combien
d'années que tu reçus chez toi cet hôte malheureux? Car c'est mon fils, le pauvre! ou, du moins, il

---

a Vers 277 : tout autant de tapis, et de belles écharpes.

le fut! Mais, loin de tous les siens et du pays natal, les poissons de la mer, l'auraient-ils dévoré?... sur terre, serait-il devenu la pâture des fauves et rapaces?... Ni sa mère, ni moi, qui l'avions mis au jour, n'avons pu le pleurer et le voir au linceul!... Ni sa femme, qui lui coûta tant de présents, la sage Pénélope, ne put, comme il convient, lamenter son époux autour du lit funèbre et lui fermer les yeux, dernier hommage aux morts! Mais autre chose encor; j'ai besoin de savoir : quel est ton nom, ton peuple, et ta ville et ta race? où donc est le croiseur qui chez nous t'amena?... ton divin équipage?... nous viens-tu, passager, sur un vaisseau d'autrui? Ont-ils repris la mer, quand tu fus débarqué?

Ulysse l'avisé lui fit cette réponse :

ULYSSE. — Oui, je vais là-dessus te répondre sans feinte. Moi, je suis d'Alybas[1] où j'ai mon beau logis; mon père est Aphidas, fils de Polypémon, qui fut roi, et mon nom, à moi, est Epérite. Je rentrais de Sicile; hors de ma route, un dieu m'a jeté sur vos bords; mon navire est mouillé loin de la ville, aux champs... Pour Ulysse, voici quatre ans passés déjà que, dans notre pays, il est venu, le pauvre! puis en est reparti. Au départ, il avait les oiseaux à sa droite; en le reconduisant, je l'en félicitais, et lui, tout en marchant, me disait son bonheur!... Nous avions bien l'espoir de reprendre, tous deux, ces échanges d'accueils et de brillants cadeaux!

Il disait; la douleur enveloppait Laerte de son nuage sombre et, prenant à deux mains la plus noire poussière, il en couvrait ses cheveux blancs, et ses

---

1. Peut-être Métaponte, en Italie méridionale?

sanglots ne pouvaient s'arrêter. Le cœur tout remué, Ulysse commençait à sentir ses narines picotées par les larmes.

Il regarda son père; il s'élança, le prit, le baisa et lui dit :

ULYSSE. — Mon père! le voici, celui que tu demandes... Je reviens au pays, après vingt ans d'absence!... Mais trêve de sanglots, de larmes et de cris! Ecoute! nous n'avons pas un instant à perdre! Car, j'ai, sous notre toit, tué les prétendants; j'ai vengé mon honneur et soulagé mon âme, en punissant leurs crimes.

Mais Laerte, prenant la parole, lui dit :

LAERTE. — Si j'ai bien devant moi Ulysse, mon enfant, je ne veux me fier qu'à des marques certaines.

Ulysse l'avisé lui fit cette réponse :

ULYSSE. — Que tes yeux tout d'abord regardent la blessure que jadis au Parnasse, un sanglier me fit de sa blanche défense : c'est toi qui m'envoyas, et mon auguste mère; car chez Autolycos*, mon aïeul maternel, m'attendaient les cadeaux qu'à l'un de ses voyages, il vous avait ici promis de me donner... Une autre preuve encor? dans les murs de ce clos, je puis montrer les arbres que j'avais demandés et que tu me donnas, quand j'étais tout petit; après toi, je courais à travers le jardin, allant de l'un à l'autre et parlant de chacun; toi, tu me les nommais. J'eus ces treize poiriers, ces quarante figuiers, avec ces dix pommiers! Voici cinquante rangs de ceps, dont tu me fis le don ou la promesse; chacun d'eux à son temps pour être vendangé, et les grappes y sont de toutes les nuances, suivant que les saisons de Zeus* les font changer.

Mais Laerte, à ces mots, sentait se dérober ses genoux et son cœur : il avait reconnu la vérité des signes que lui donnait Ulysse. Au cou de son enfant, il jeta les deux bras, et le divin Ulysse, le héros d'endurance, le reçut défaillant. Mais il reprit haleine; son cœur se réveilla; pour répondre à son fils, il prononça ces mots :

LAERTE. — Au sommet de l'Olympe, dieux, vous régnez encor, s'il est vrai, Zeus le père! que tous ces prétendants ont payé leurs folies et leurs impiétés. Mais voici que me prend une crainte terrible : c'est que les gens d'Ithaque sur nous vont accourir; partout des messagers vont porter la nouvelle aux Képhalléniotes!

Ulysse l'avisé lui fit cette réponse :

ULYSSE. — Laisse-là ce souci! que ton cœur soit sans crainte!... Mais rentrons au logis qui borde le verger! C'est là que Télémaque, Eumée et le bouvier, envoyés devant moi, ont dû nous préparer le repas au plus vite.

Il l'emmène, à ces mots, vers la jolie maison. Ils arrivent bientôt au grand corps du logis. Ils trouvent Télémaque, Eumée et le bouvier, qui tranchaient force viandes et déjà mélangeaient le vin aux sombres feux.

Mais Laerte au grand cœur était entré chez lui. Sa vieille de Sicile au bain l'avait conduit, frotté d'huile, vêtu de son plus beau manteau. Debout auprès de lui et versant la vigueur à ce pasteur du peuple, Athéna* le rendait et plus grand et plus fort que jadis aux regards.

Il quitta la baignoire, et son fils étonné, quand il le vit en face pareil à l'un des dieux, lui dit, en élevant la voix, ces mots ailés :

ULYSSE. — Oh! père, assurément, c'est l'un des
Éternels qui te montre à nos yeux et plus grand et
plus beau!

Laerte, posément, le regarda et dit :

LAERTE. — Ah! pourquoi, Zeus le père, Athéna!
Apollon*! hier, en notre maison, pourquoi n'étais-je
pas ce qu'autrefois je fus, quand, avec mon armée de
Képhalléniotes, je pris au bout du cap, là-bas en
terre ferme, la forte Néricos? c'est moi qu'on aurait
vu, l'armure sur le dos, marcher aux prétendants et
nous en délivrer et, dans notre manoir, rompre bien
des genoux! et la joie t'eût rempli le cœur au fond
de toi!

Tandis qu'ils échangeaient ces paroles entre
eux, les autres achevaient les apprêts du repas; en
ligne, prenant place aux sièges et fauteuils, on se
mettait à table, quand le vieux Dolios rentra avec
ses fils. Le vieux les ramenait des champs, très
fatigués : la vieille de Sicile, leur mère, avait couru là-bas les appeler; tout en les élevant, c'est elle
qui donnait ses bons soins au vieillard appesanti
par l'âge. En revoyant Ulysse, leurs cœurs le recon-
nurent. Mais ils restaient debout, en proie à la surprise.

Ulysse les reçut de ses mots les plus doux :

ULYSSE. — Vieillard! prends place à table! quittez
cette stupeur! Nous avons tous, depuis longtemps,
grand appétit; mais, sans toucher au pain, nous
restions là, dans ce logis, à vous attendre!

Il dit; mais Dolios, lui ouvrant les deux bras, venait
droit à son maître et prenait le poignet d'Ulysse et le
baisait et disait, élevant la voix, ces mots ailés :

DOLIOS. — Ami, tu nous reviens! tous nos vœux

t'appelaient; mais nous n'espérions plus!... Puisque
la main des dieux te ramène, salut! sois heureux à
jamais par la grâce du ciel!... Mais sans feinte réponds; j'ai besoin de savoir : la sage Pénélope sait-
elle ton retour et ta présence ici? ou faut-il l'avertir?

Ulysse l'avisé lui fit cette réponse :

Ulysse. — Elle sait tout, vieillard! ne t'occupe de
rien!

Il dit et Dolios, sur l'escabeau luisant, s'assit, et
comme lui, ses enfants s'empressaient autour du
noble Ulysse et lui prenaient les mains et lui disaient
leurs vœux; puis, côte à côte, auprès de Dolios, leur
père, ils allèrent s'asseoir.

Pendant qu'à la maison, ils faisaient ce repas, déjà
la Renommée, rapide messagère, avait couru la ville.
Elle allait, racontant le sort des prétendants et leur
fin lamentable. Et la foule, accourue de partout à sa
voix, assiégeait de ses cris, de ses gémissements, la
demeure d'Ulysse. Chacun y prit ses morts pour les
ensevelir. On mit sur des croiseurs les morts des
autres villes; on chargea des pêcheurs d'aller les
reporter, chacun à son foyer. Puis le peuple d'Ithaque
à l'agora s'en vint, le cœur plein de tristesse. Quand,
le peuple accouru, l'assemblée fut complète, Eupithès
se leva. Un deuil inconsolable avait empli son cœur :
car le divin Ulysse, de sa première flèche, lui avait
abattu son fils Antinoos.

C'est en pleurant sur lui qu'il prenait la parole :

Eupithès. — Contre les Achéens, mes amis, quels
forfaits n'a pas commis cet homme!... Il est parti,
nous emmenant sur des vaisseaux une foule de
braves : il a perdu ses gens, perdu ses vaisseaux
creux!... Il revient, et voyez! il nous tue les meilleurs

des chefs képhalléniotes. Allons! Il ne faut pas qu'il s'enfuie vers Pylos ou la divine Élide, chez les rois épéens... Marchons! nous resterions à jamais décriés! jusque dans l'avenir, on dirait notre honte, si nos frères, nos fils demeuraient sans vengeurs! Pour moi, je ne saurais avoir goût à la vie; je préfère la mort, la descente au tombeau. Non! ne leur laissons pas le temps de s'embarquer!

Il disait, et ses pleurs excitaient la pitié de tous les Achéens.

Mais le divin aède et le héraut survinrent : ils sortaient du manoir d'Ulysse, d'où le sommeil venait de les quitter, et chacun, à les voir au milieu de la foule, demeurait étonné.

Médon prit la parole et posément leur dit :

Médon. — Gens d'Ithaque, deux mots; ce n'est pas sans l'aveu des dieux, des Immortels, qu'Ulysse a fait cela. Car j'ai vu de mes yeux, une divinité debout auprès de lui, sous les traits de Mentor. C'était un Immortel qui tantôt l'excitait, visible à ses côtés, et tantôt dans la salle, allait troubler les autres qui succombaient en tas.

Il disait et le peuple entier verdit de crainte.

Alors, pour leur parler, un héros se leva, le vieil Halithersès, un des fils de Mastor, qui, seul d'entre eux, voyait avenir et passé. C'est pour le bien de tous qu'il prenait la parole :

Halithersès[a]. — C'est votre lâcheté, amis, qui fit cela! Vous ne nous avez crus, ni moi, ni le pasteur de ce peuple, Mentor, quand nous voulions

---

a Vers 454 : gens d'Ithaque, écoutez : j'ai deux mots à vous dire.

brider les folies de vos fils[1]!... Vous laissiez leurs
forfaits s'accomplir!... Les impies! ils pillaient
le domaine, ils outrageaient la femme du maître
qui jamais ne devait revenir!... Mais songeons au
présent! acceptez mes conseils : ne marchons pas
contre eux! c'est courir de nous-mêmes, au-devant
du malheur.

Il dit; en grand tumulte, la plus forte moitié du
peuple se leva; mais les autres, restés en séance, blâ-
maient l'avis d'Halithersès et, derrière Eupithès, ils
s'élançaient aux armes. Toute bardée de bronze aux
reflets aveuglants, une troupe se forme au-devant de
la ville, dans la vaste campagne. Eupithès, l'insensé!
en a pris la conduite : il espérait venger le meurtre de
son fils; mais, sans en revenir, c'est là-bas qu'il devait
finir sa destinée.

Athéna dit alors à Zeus, fils de Cronos* :

Athéna. — Fils de Cronos, mon père, suprême
Majesté! réponds à ma demande! n'as-tu pas en ton
cœur quelque dessein caché? Vas-tu faire durer cette
guerre funeste et sa mêlée terrible?... ou veux-tu
rétablir l'accord des deux partis?

Zeus, l'assembleur des nues, lui fit cette réponse :

Zeus. — Pourquoi ces questions, ma fille, et ces
demandes[a]? Fais comme il te plaira; mais voici mon
avis. Puisque les prétendants ont été châtiés par le
divin Ulysse, pourquoi ne pas sceller de fidèles serments? il garderait le sceptre; nous, aux frères et fils

---

a Vers 479-480 : ne nous as-tu pas fait toi-même décréter
qu'Ulysse rentrerait pour châtier ces gens?

1. Au chant II, en effet, Halithersès est intervenu en ce sens
devant les Achéens assemblés.

de ceux qui sont tombés, nous verserions l'oubli, et, l'ancienne amitié les unissant entre eux, on reverrait fleurir la richesse et la paix.

Il dit et redoubla le zèle d'Athéna, qui partit, s'élançant des sommets de l'Olympe...

Ils avaient leur content de ce repas si doux et le divin Ulysse, le héros d'endurance, avait pris la parole :

ULYSSE. — Que l'on sorte pour voir et veiller aux approches.

Il dit, et l'un des fils de Dolios sortit, pour obéir à l'ordre.

A peine sur le seuil, voyant toute la troupe, il cria vers Ulysse ces paroles ailées :

LE CHŒUR. — Les voici! ils sont là! aux armes! et plus vite!

Il disait : se levant, tous revêtent leurs armes, les six garçons du vieux, Ulysse et les trois autres; Laerte et Dolios prennent aussi les armes, soldats chenus, servants de la nécessité. Tous revêtus de bronze aux reflets aveuglants, ils ouvrent la grand-porte et, sur les pas d'Ulysse, ils quittent la maison. Mais la fille de Zeus, Athéna, approchait : de Mentor, elle avait et l'allure et la voix et, joyeux de la voir, le héros d'endurance appelait Télémaque. Il disait à son fils, cet Ulysse divin :

ULYSSE. — Télémaque, c'est l'heure! entre dans la mêlée! souviens-toi seulement, en cet instant des braves, de ne pas entacher le renom des aïeux; car on a jusqu'ici vanté de par le monde leur force et leur courage.

Posément, Télémaque le regarda et dit :

TÉLÉMAQUE. — Si tel est ton désir, tu pourras voir,

mon père, que, suivant tes paroles, ce cœur n'entache pas le renom de ta race.

Il dit et, plein de joie, Laerte s'écriait :

LAERTE. — Quel jour pour moi, dieux qui m'aimez! je suis heureux! j'entends, sur la valeur, mon fils se quereller avec mon petit-fils!

Athéna, la déesse aux yeux pers, intervint :

ATHÉNA. — Ô fils d'Arkésios, le plus cher des amis! adresse ta prière à la Vierge aux yeux pers, à Zeus le père aussi! puis brandis et envoie ta pique à la grande ombre!

Et Pallas Athéna animait le vieillard d'une vigueur nouvelle : il invoque aussitôt la fille du grand Zeus, puis brandit et envoie sa pique à la grande ombre qui, d'Eupithès, atteint le casque aux joues de bronze; sans repousser le coup, le bronze cède et craque; l'homme, à grand bruit, s'effondre, et ses armes résonnent. Sur ceux du premier rang, Ulysse tombe alors avec son noble fils : du glaive et de la pique, de revers et de taille, ils frappent; sous leurs coups, tous auraient succombé et perdu le retour, si la fille du Zeus à l'égide, Athéna, n'eût pas poussé un cri qui, tous, les arrêta :

ATHÉNA. — A quoi bon, gens d'Ithaque, cette cruelle guerre? sans plus de sang, quittez la lutte, et tout de suite!

A ces mots d'Athéna, tous ont verdi de crainte : la terreur fait tomber les armes de leurs mains; le sol en est jonché. La voix de la déesse ne leur laissant au cœur que le désir de vivre, ils s'enfuient vers la ville. Le héros d'endurance, avec un cri terrible, se ramasse; il bondit cet Ulysse divin, et l'on eût dit un aigle à l'assaut de l'éther. Mais le fils de Cronos, de

sa foudre fumante, frappe le sol devant la déesse aux
yeux pers, et, tournée vers Ulysse, la fille du dieu fort,
Athéna, lui commande[a] :

ATHÉNA. — Arrête! Mets un terme à la lutte indé-
cise, et du fils de Cronos, du Zeus à la grand-voix,
redoute le courroux!

A la voix d'Athéna, Ulysse, tout joyeux dans son
cœur, obéit : entre les deux partis, la concorde est
scellée par la fille du Zeus à l'égide, Athéna[b].

---

[a] Vers 542 : fils de Laerte, écoute! ô rejeton des dieux. Ulysse
aux mille ruses!

[b] Vers 548 : de Mentor, elle avait et l'allure et la voix.

INDEX MYTHOLOGIQUE
POUR L'ILIADE ET L'ODYSSÉE

Alcmène Voir HÉRACLÈS.

Alphée L'Alphée est un fleuve du Péloponnèse. Personnifié, on le donne pour fils d'Océan et de Téthys, et pour le père d'Orsiloque, roi de Phères en Messénie. Épris d'Artémis et d'une de ses nymphes, Aréthuse, Alphée poursuivit l'une et l'autre, en vain : la déesse se fit méconnaissable parmi ses suivantes; Aréthuse fut changée en source.

Amazones Peuple de femmes, gouverné par une femme, établi sur les bords de la mer Noire. Chasseresses, guerrières, cantonnant les hommes dans des travaux serviles, mutilant leurs enfants mâles, elles avaient coutume d'enlever un sein à leurs filles, pour leur permettre de tirer de l'arc. Elles luttèrent entre autres contre Bellérophon, qui fit d'elles un grand massacre, et contre Héraclès.

Amphitrite La « Belle de la Mer ». Fille de Nérée, elle mène la troupe nombreuse de ses sœurs. Poseidon surprit un jour ses danses et s'éprit d'elle : il l'épousa et ne lui fut guère plus fidèle que Zeus à Héra. De leur union naquirent pourtant plusieurs enfants, dont le plus célèbre est Triton.

Aphrodite Nombreux sont ses noms, diverses sont les traditions qui la concernent. Le poète l'appelle parfois Cypris ou Cythérée, rappelant ainsi que la déesse a ses principaux sanctuaires à Cythère et à Chypre. Mais il paraît ignorer la légende qui la fait naître de l'écume des flots : l'*Iliade* la nomme fille de Zeus et de Dioné. L'*Odyssée*, au chant VIII, la prétend femme d'Héphaestos et raconte en détail son adultère avec Arès. Aphrodite eut, au reste, bien d'autres amours, divines (Hermès, Poseidon) ou humaines : Adonis et le Troyen Anchise, dont elle conçut Enée. On comprend la protection qu'elle accorde au combat à ce héros. Elle protège aussi Pâris, mais pour d'autres raisons : Pâris pour la beauté, l'avait préférée à Athéna et à Héra. Aphrodite est la déesse de l'amour et de la fécondité, du désir amoureux et de la beauté qui l'excite. Beauté noble, par opposition à la beauté d'une Athéna; beauté blonde : souvent le poète la nomme « l'Aphrodite d'or ».

Apollon Apollon est le fils de Zeus et de Latone, qui le mit au monde à Délos, en même temps qu'Artémis. Redoutable par son arc, il est d'abord un dieu guerrier : il massacre les enfants de Niobé; au début de l'*Iliade,* ses flèches répandent la peste dans l'armée achéenne. On touche ici à un deuxième caractère d'Apollon, dieu de la médecine capable d'envoyer et de guérir les maladies.

Il possède la lyre et la flûte : il inspire poètes et devins; son principal oracle est à Delphes, où il s'établit après le meurtre du serpent Python.

Dieu d'une grande beauté, il eut d'innombrables amours, avec les nymphes, les muses, les mortelles et même les jeunes gens. Ces amours souvent malheureuses se terminèrent parfois par la métamorphose de l'être aimé en plante ou en fleur. La nymphe Daphné fut changée en laurier, les héros Hyacinthos et Cyparissos devinrent jacinthe et cyprès. On s'explique qu'Apollon se relie étroitement à la végétation et à la Nature, jusqu'à faire figure de divinité pastorale. Sa personnalité comporte enfin des éléments solaires : l'épithète de Phœbos, « le Brillant », alterne fréquemment avec son nom, ou s'y associe.

Arès Dieu de la guerre, né de Zeus et d'Héra. Toute bataille réjouit son cœur sanguinaire, mais l'*Iliade* en fait habituellement l'allié des Troyens. La Discorde, la Crainte et la Déroute l'accompagnent; il n'est pas invincible pourtant. Diomède, aidé par Athéna, réussit à blesser le dieu.

Arès « de bronze », c'est-à-dire cuirassé et casqué, sait aussi être amoureux. L'*Odyssée* le montre amant d'Aphrodite. Avec des mortelles, il eut de nombreux enfants qui héritèrent l'ardeur guerrière de leur père.

Argo (ARGONAUTES) Voir JASON.

Ariane Voir MINOS et voir THÉSÉE.

Artémis Sœur jumelle d'Apollon, Artémis apparaît chez Homère comme la chasseresse qui parcourt forêts et cimes montagneuses, habile à tirer de son arc d'or et à percer de flèches non seulement les bêtes sauvages mais les hommes aussi : Artémis, éternellement chaste, s'oppose à la voluptueuse Aphrodite et défend jalousement sa virginité; elle fait périr ceux qui, tel Orion, tentent de lui porter atteinte. Pour des raisons différentes, les filles de Niobé (massacrées par Artémis tandis qu'Apollon massacrait leurs frères) Ariane, Œnée, roi de Calydon, eurent à souffrir de la colère de cette déesse vindicative.

Il est à noter que Homère ne connaît pas Artémis comme divinité lunaire.

Asclépios Dieu de la médecine. Il est le fils d'Apollon et de Coronis, une fille de roi. Après une naissance dramatique, l'enfant fut confié au Centaure Chiron, qui lui enseigna la science des maladies et des remèdes. Asclépios était si habile qu'il parvenait à ressusciter les morts, bouleversant du coup l'Ordre voulu par Zeus, qui le foudroya.

L'*Iliade* fait intervenir ses deux fils, Podalire et Machaon, leur attribuant à peine moins d'habileté qu'à leur père.

Até Até personnifie l'Égarement. Zeus, qu'elle trompa une fois, la précipita du haut de l'Olympe pour en faire aux hommes le présent funeste.

Athéna (Pallas Athéna) Selon la tradition Athéna sortit tout armée de la tête de Zeus. C'est une déesse guerrière dont la chasteté n'est pas moins farouche que celle d'Arté mis. Dans l'*Iliade*, elle s'attache à protéger les Grecs, ne pouvant pardonner à Pâris d'avoir préféré à sa beauté majestueuse et pure la sensualité d'Aphrodite. Elle favorise « l'Homme aux mille ruses », Ulysse, entre tous les Grecs : il faut y voir le symbole d'une autre fonction d'Athéna, déesse de l'intelligence, qu'il s'agisse de l'intelligence spéculative ou des arts et des techniques. L'Attique lui doit l'introduction de l'olivier et de sa culture. Athéna, protectrice de nombreuses villes, dont Athènes n'est pas la moindre, est vénérée aussi en Béotie, dans l'île d'Eubée, en Thessalie, dans le Péloponnèse, dans les îles grecques et en Asie Mineure. A Troie même elle recevait un culte particulier. Pallas est une des épithètes rituelles de la déesse.

Atlas Les traditions varient beaucoup au sujet de ses origines. Hésiode le donne pour frère de Prométhée. Parce qu'Atlas avait pris part à la lutte des Géants, ses semblables, contre les dieux, Zeus le condamna à soutenir le ciel sur ses épaules. Cela explique l'assimilation plus tardive d'Atlas à une montagne d'Afrique du Nord dont le sommet est souvent couronné de nuages.

Atrée (Atrides) Fils de Pélops, père d'Agamemnon et de Ménélas. La légende des Atrides, l'une des plus riches du fonds grec, avec l'enchaînement fatal de crimes et de vengeances abominables qui la marque, trouve son origine dans la haine mutuelle d'Atrée et de Thyeste, son frère cadet. Atrée, pour châtier Thyeste de lui avoir disputé le trône de Mycènes et surtout d'avoir séduit son épouse, lui fit manger la chair de ses propres enfants. Mais Thyeste engendra Egisthe, sur le conseil d'un oracle qui lui avait promis un vengeur. Plus tard, en effet, Egisthe tua Atrée et remit a Thyeste le pouvoir royal. Plus tard encore, les Grecs assiégeaient Troie, Egisthe était resté dans le Péloponnèse : il parvint à séduire Clytemnestre, femme d'Agamemnon, avant de tuer l'époux légitime à son retour. Mais le couple devait bientôt tomber sous les coups d'Oreste, poussé par Électre à venger leur père.

Aurore La « déesse aux doigts de rose » est la sœur du Soleil et de la Lune. Elle a l'éclat d'une éternelle jeunesse et son destin l'incite à aimer tout ce qui lui ressemble. Elle s'éprit en particulier d'un frère de Priam, Tithon, l'enleva, obtint pour lui l'immortalité en oubliant de prier Zeus de le lui garder toujours jeune. Tithon lui donna pour fils Memnon; mais à la fin, accablé par l'âge, il perdit l'apparence humaine et fut changé en cigale.

Autolycos Ulysse descendait des dieux puisque son grand-père maternel, Autolycos, était né d'Hermès. Autolycos hérita de son père une grande habileté pour voler : ses larcins sont innombrables. Il aurait, d'autre part, enseigné la lutte à Héraclès. Il suivit Jason dans sa quête de la Toison d'Or.

Bellérophon Ce héros, de la race de Sisyphe, dut s'exiler d'Éphyre, sa patrie, par suite d'un meurtre involontaire. Proétos, le roi de Tirynthe, l'accueillit; mais la reine l'accusa faussement d'avoir voulu la souiller. Pour se venger de Bellérophon, Proétos l'envoya à son beau-père Iobatès, qui régnait sur la Lycie, en lui confiant un mystérieux message : c'était un arrêt de mort. Alors Iobatès imposa au héros des épreuves successives, où il aurait dû cent fois périr, n'eût été son origine divine. Le poëte de l'*Iliade,* au chant VI, énumère ces travaux et il évoque aussi le mariage de Bellérophon et sa mort, causée par sa démesure.

Briarée Géant aux cent bras et à cinquante têtes. Fils de la Terre et d'Ouranos (certains disent de Poseidon). Briarée est son nom divin; les hommes l'appellent Égéon.

Cadmos Fondateur légendaire de Thèbes, en Béotie. Près du site de la ville future, il tua un dragon gardien des lieux. Athéna lui conseilla de semer les dents du monstre; il en sortit des hommes armés qui, aussitôt, s'entre-tuèrent. Cadmos reçut pour épouse la déesse Harmonie, qui lui donna plusieurs filles, dont Ino.

Cassandre Son malheur est proverbial : fille de Priam et d'Hécube, elle avait reçu d'Apollon le don de prophétiser, mais non celui de persuader et ses avertissements divinatoires restèrent toujours lettre morte. Après la prise de Troie, Cassandre fut le lot d'Agamemnon; elle périt avec lui sous les coups d'Égisthe et de Clytemnestre.

Castor On connaît la légende de Zeus qui se change en cygne pour s'unir à Léda; la même nuit, Léda s'unit aussi à Tyndare, son époux mortel, et cette double étreinte eut pour fruits Castor et Pollux, Hélène et Clytemnestre.
Castor et Pollux — les Dioscures — s'illustrèrent par leur lutte contre Thésée, ravisseur d'Hélène, et dans l'expédition des Argonautes. Plus tard, Castor ayant péri, Zeus offrit à Pollux l'immortalité, mais Pollux ne voulut de ce présent qu'à condition de le partager, un jour sur deux, avec son frère.

Centaures Ces hybrides fabuleux présentent une tête et un buste d'homme unis à une croupe de cheval. Homère insiste sur leur brutalité. On les dit fils d'Ixion, mais le plus fameux d'entre eux, Chiron, qui fut le père nourricier d'Achille, de Jason, d'Asclépios passait pour le fils de Cronos. Le principal mythe relatif aux Centaures est celui de leur lutte contre les Lapithes.

Champs-Élysées Voir Enfers.

Charites Autre nom des Grâces. Elles sont trois sœurs, filles de Zeus et d'une Océanide, Eurynomé; elles habitent sur l'Olympe et souvent se mêlent aux danses des Muses. Divinités de la Beauté, elles accompagnent tantôt Apollon, tantôt Aphrodite.

Chimère Monstre à tête de lion, au corps de chèvre, à la queue de serpent et qui, en outre, exhale des flammes. Élevée par Amisodaros, un roi de Carie, la Chimère fut tuée par Bellérophon, après qu'Iobatès eut ordonné à celui-ci de la combattre.

Chiron Voir Centaures.

Cronos (Cronide) Cronos appartient à la première génération des dieux. Fils d'Ouranos, il émascula et détrôna son père. De Rhéa, sa propre sœur, il engendra Déméter, Héra, Hadès, Poseidon : mais il avait la fâcheuse coutume de dévorer ses enfants, craignant d'être détrôné à son tour. Rhéa parvint un jour à le tromper, en lui faisant avaler une pierre à la place du dernier-né; cet enfant était Zeus. Quand il eut grandi, Zeus força Cronos à rendre toute sa progéniture, qu'il avait engloutie, et il engagea la lutte : malgré l'aide des Titans, ses frères, Cronos fut vaincu, précipité et enchaîné dans le Tartare.

Dardanos Fils de Zeus et d'une fille d'Atlas, Electre. Fondateur mythique de la citadelle de Troie. Dardanos est le père d'Ilos, héros éponyme d'Ilion, le grand-père de Trôs aux illustres chevaux et l'ancêtre en ligne directe du roi Priam.

Dédale A ce sculpteur, à cet architecte fameux l'Antiquité rapportait toutes les inventions primitives. Banni d'Athènes pour cause de meurtre, il se réfugia en Crète, où le roi Minos lui fit exécuter plusieurs ouvrages, dont le Labyrinthe. Bientôt Dédale y fut enfermé, ayant déplu à Minos; mais il s'en échappa grâce à un subterfuge qui, l'imprudence aidant, allait coûter la vie à son fils Icare. Lui-même·fut plus heureux et les ailes qu'il s'était fabriquées le portèrent jusqu'en Sicile.

Déméter Divinité de la fécondité par excellence, tout particulièrement de la terre cultivée et du blé. Cette fille de Cronos et de Rhéa, quoique sœur de Zeus, conçoit de celui-ci Perséphone (ou Coré). L'enfant lui est enlevée un jour par Hadès. Inconsolable, Déméter se met à rechercher sa fille, abandonnant son rôle bienfaisant de divinité nourricière. La terre est alors menacée de famine, si bien que Zeus doit intervenir auprès d'Hadès pour qu'il consente à rendre Perséphone à sa mère six mois de l'année sur douze. Homère rapporte une autre légende : l'amour de Déméter pour un fils de Zeus,

Iasion, qui l'étreignit sur un champ trois fois labouré et lui donna un fils, Ploutos (la Richesse).

Déméter est surtout honorée en Sicile et à Eleusis, où sa légende constitue l'élément central des Mystères.

Deucalion Celui que mentionnent les poèmes homériques est le fils de Minos et de Pasiphaé et le grand-père du Crétois Mérion qui combat devant Troie. Il se distingue bien du fils de Prométhée, son homonyme : ce dernier, quand Zeus envoya le Déluge aux hommes, fut averti par son père d'avoir à construire une arche; l'arche lui sauva la vie, ainsi qu'à son épouse Pyrrha et permit à la race humaine de ne pas s'éteindre.

Dioné Honorée surtout à Dodone, cette déesse de la première génération y est nommée l'épouse de Zeus, sans se confondre pourtant avec Héra. L'*Iliade* fait d'elle la *mère d'Aphrodite*.

Dionysos Le plus récent des dieux de la Grèce. Chez Homère, il n'occupe qu'une place accessoire, alors qu'il deviendra l'une des figures les plus importantes de la religion grecque. Il est le fils de Zeus et de Sémélé, elle-même fille de Cadmos. Héra, jalouse, prend l'enfant en haine et frappe de folie Ino, qui l'avait recueilli à la mort de Sémélé. Dionysos est alors confié par son père aux nymphes de Nysa (les Hyades) et l'*Iliade* raconte comment le roi thrace Lycurgue poursuivit les nourrices du dieu, épouvantant celui-ci qui se précipita dans la mer où Thétis l'accueillit.

La légende de Dionysos est trop riche pour être résumée ici, même à grands traits. Rappelons seulement que Dionysos est le dieu de la vigne, du vin, du délire mystique. Un cortège animé lui fait escorte, composé du vieillard Silène, toujours ivre, de Ménades échevelées et dénudées, porteuses du thyrse et de Satyres aux pieds de bouc.

Éaque Éaque est né de Zeus et d'une nymphe. Il a pour fils Pélée, Achille pour petit-fils. La piété extrême d'Éaque lui valut de compter, après sa mort, parmi les juges des Enfers.

Mais les poèmes homériques ignorent cette tradition.

Égée Un des premiers souverains de l'Attique, père de Thésée. Pour avoir causé la mort d'un fils de Minos, il dut s'engager à payer chaque année au Minotaure un tribut de cinquante jeunes garçons et de cinquante jeunes filles. Ce fut l'origine de l'expédition de Thésée. A son retour, Égée, trompé par la couleur des voiles du navire qui portait son fils crut que le Minotaure avait triomphé. Il se précipita dans la mer qui porte encore son nom.

Égide Il s'agit d'un bouclier merveilleux, arme offensive autant que défensive, symbole de la puissance souveraine. L'égide est faite avec la peau de la chèvre Amalthée, elle est frangée de têtes de serpents et porte en son milieu la tête de la Gorgone. C'est l'attribut de Zeus et d'Athéna qui, en l'agitant, répandent la terreur.

Enfers Séjour des morts, sur lequel règnent Hadès et Perséphone.

L'*Iliade* place les Enfers sous terre, à mi-chemin de la voûte céleste et du Tartare, où sont enchaînés les dieux détrônés et les Titans. L'*Odyssée,* en revanche, les situe à la surface, mais dans la contrée la plus reculée du monde. Là, toutes les âmes, quelle qu'ait été leur vie terrestre, mènent la même existence inerte et morne. Les fleuves infernaux les emprisonnent : le Styx, l'Achéron, le Cocyte et le Pyriphlégéton. Un chien monstrueux, Cerbère, veille à l'entrée.

Après Homère, la description des Enfers s'enrichit et se diversifie. Le nocher Charon fait traverser aux âmes l'onde sinistre. Les juges Éaque, Minos et Rhadamante, siégeant dans une prairie fleurie d'asphodèles, distinguent les bons des méchants. Les premiers jouissent, dans les Champs-Élysées, sous une lumière plus brillante, d'une vie moins misérable et plus proche de la vie terrestre. Les autres sont relégués dans le Tartare, qui tend à devenir un lieu de supplices. C'est là que souffrent les grands criminels Tantale, Tytios et Sisyphe.

Enyo Déesse de la guerre, fille, mère ou sœur d'Arès (parfois nommée par Homère Ényalios).

Éole Éole est le fils d'Hippotès (ou de Poseidon). Il est le maître des vents. L'*Odyssée* situe son royaume dans les îles Éoliennes, aujourd'hui les îles Lipari.

Érèbe L'Érèbe est la personnification de l'Obscurité infernale.

Érechtée Héros athénien, premier roi de la ville. Il se confond à l'origine avec Erichtonios, recueilli et élevé par Athéna sur l'Acropole. On lui attribue l'organisation de la fête des Panathénées.

Érinyes (Érinys) Lorsque Cronos mutile Ouranos son père, des gouttes de sang font naître de la Terre ces divinités vengeresses. Les Érinyes veillent essentiellement à l'Ordre du monde et punissent tout ce qui le trouble, l'homicide surtout, mais aussi l'indiscrétion des devins tentés de donner aux mortels une connaissance trop certaine de l'avenir. Zeus même leur est soumis.

Eurymédon Voir GÉANTS.

Eurytion L'un des Centaures, qui provoqua la lutte de ses frères contre les Lapithes (voir cet article).

Eurytos d'Œchalie Ce roi messénien était un archer sans rival humain; il osa défier Apollon qui, pour punir son audace, le fit périr prématurément. On disait qu'Eurytos avait été le maître d'Héraclès. D'autres traditions en font au contraire son ennemi, au point qu'Héraclès tua le fils du roi, Iphitos, pour une affaire de troupeau volé. Cet Iphitos avait hérité de l'arc paternel, qu'il donna par la suite à Ulysse; ce fut l'arme du massacre des Prétendants.

Filandières (Les Tristes Filandières) Voir PARQUES.

Géants Les traditions varient beaucoup à leur sujet. L'*Odyssée* les mentionne comme un peuple voisin des Phéaciens, gouverné par Eurymédon. Hésiode ne connaît pour sa part que trois géants, les Hécatonchires (Géants aux cent bras) : Briarée, Gygès et Cottos. Plus tard apparaît la tradition de la

Gigantomachie : les Géants reprennent contre Zeus la lutte que les Titans avaient déjà soutenue contre lui. Une seconde fois, la victoire resta au roi des dieux.

Génies de la Mort (ou **Kères**) Divinités secondaires qui entraînent les défunts dans l'Hadès.

Gorgô (Gorgone) Il y avait en fait trois Gorgones, mais l'appellation, pratiquement, a été réservée à la plus célèbre d'entre elles, Méduse. Horrible à voir, avec sa chevelure hérissée de vipères, la Gorgone pétrifie tous ceux que fixe son regard. Persée réussit pourtant à la décapiter et de la blessure s'échappa le cheval Pégase. Par la suite, Persée fit don de la tête de la Gorgone à Athéna, qui la fixa sur l'égide.

Grâces Voir CHARITES.

Hadès Tandis que ses frères Zeus et Poseidon recevaient l'un le royaume du Ciel, l'autre celui de la mer, Hadès obtenait en partage le monde souterrain, sur lequel il règne, avec Perséphone, en maître implacable qui ne laisse échapper aucune des âmes dont il a la garde.
Sa place dans les légendes est faible. Il prend part aux côtés de Zeus à la lutte contre Cronos et les Titans et c'est alors qu'il reçoit son casque merveilleux, qui le rend invisible. Hadès est d'autre part le ravisseur de Perséphone (voir Déméter). Personnalité assez peu marquée, en somme, dont le nom devient une simple variante de celui d'Enfers.

Harpyes Divinités ravisseuses, représentées comme des femmes à longue tunique, pourvues d'ailes et de serres d'oiseaux. Homère nomme Podargé qui s'unit au Zéphyr et donna naissance aux chevaux d'Achille. Les Harpyes emportent les âmes des morts; parfois elles enlèvent les enfants ou les jeunes filles — telles les filles de Pandareus.

Hébé Fille de Zeus et d'Héra. Son nom même indique qu'elle personnifie la Jeunesse. Sur l'Olympe, elle sert le nectar aux dieux. Ganymède la remplace dans cette fonction et elle devient l'épouse d'Héraclès, après l'apothéose du héros.

Hélios Hélios est le nom grec du Soleil. Sa personnalité se distingue de celle d'Apollon, tout en restant assez imprécise. Il apporte la lumière au monde et parcourt le ciel à cet effet, monté sur un quadrige d'or aux rênes d'or. Mais il est inférieur aux divinités olympiennes : c'est ainsi qu'il ne peut exercer lui-même sa vengeance contre les compagnons d'Ulysse.

On fait du Soleil le fils d'un Titan, Hypérion. Il a deux sœurs, l'Aurore et la Lune, une progéniture nombreuse où l'on remarque Circé, la magicienne, et l'épouse de Minos, Pasiphaé. Avec Néère, il eut deux filles, Phaétousa et Lampétie, qui veillent sur ses troupeaux.

Héphaestos Dieu du feu, né de Zeus et d'Héra. L'*Iliade* propose deux versions contradictoires sur l'origine de son infirmité, respectivement à la fin du chant I et au chant XVIII. Héphaestos, bien que laid et boiteux, a pour femme la plus belle des déesses, Aphrodite; mais celle-ci ne se fait pas faute de le tromper. Il est le patron des artisans, des métallurgistes surtout. Artisan merveilleux, il a pour aides les Cyclopes dans ses forges de Lemnos ou de l'Etna. C'est lui qui fabrique les outils, le mobilier des dieux ainsi que les nouvelles armes d'Achille.

Héra Sœur et épouse de Zeus, elle règne avec lui sur l'Olympe. Elle a su se montrer reconnaissante envers l'Océan et Téthys, qui l'ont élevée, cherchant à apaiser leurs querelles conjugales; mais au reste on la représente elle-même comme une épouse acariâtre et rancunière : il faut avouer que Zeus donnait prétexte à sa jalousie! Les maîtresses et les bâtards du roi des dieux eurent fort à souffrir de sa haine. Les Troyens également : car Héra ne pouvait pardonner au fils de Priam, Pâris, de lui avoir préféré la beauté d'Aphrodite.

Héraclès Les origines d'Héraclès sont illustres. Épris d'Alcmène, l'épouse d'Amphitryon, Zeus prit les traits du mari légitime, alors en campagne, pour parvenir à ses fins, et de cette nuit d'amour le héros devait naître. Dès lors, il fut la victime des fureurs d'Héra qui le soumit au roi d'Argos, Eurysthée. Grâce à sa force prodigieuse, à ses armes, sa massue, son arc et ses flèches infaillibles, Héraclès vint pourtant à bout des Douze Travaux qui devaient servir à sa gloire. Il s'agissait ou bien de dompter des monstres, le Lion de Némée, l'Hydre de Lerne, les Oiseaux du lac Stymphale; ou bien de s'atteler à une besogne répugnante et servile, comme de nettoyer les écuries d'Augias; ou bien de conquérir l'impossible : le Sanglier d'Érymanthe, la Biche de Cérynie, aux pieds de bronze et aux cornes d'or, le Taureau de Crète, amant de Pasiphaé, les juments du roi Thrace Diomède qui dévorèrent leur maître, la ceinture de la reine des Amazones, Hippolyté, les bœufs de Géryon, le chien Cerbère, les pommes d'or des Hespérides.

Héraclès mourut de la jalousie d'une femme : Déjanire lui fit don d'une tunique trempée dans le sang du Centaure Nessus. Héraclès, vaincu par d'horribles souffrances, construisit sur l'Œta son propre bûcher et supplia Philoctète d'y mettre le feu.

Hermès Hermès est le fils de Zeus et de Maïa, une nymphe engendrée par Atlas. Comme messager des dieux, il porte la baguette des hérauts. C'est lui aussi qui guide les voyageurs et qui conduit aux Enfers les âmes des morts. Dieu des idées subtiles, il protège le commerce et le vol. Tout enfant, il avait dérobé les troupeaux d'Apollon : contre la première lyre, qu'il inventa, il put rester maître de son butin.

Heures Les « Heures » sont, en fait, les déesses des saisons. Aussi la garde des portes du Ciel leur est-elle confiée : elles contiennent ou font sortir les nuages. Homère ne mentionne ni leur origine ni leur nombre. Hésiode en compte trois et leur donne pour parents Zeus et Thémis.

Iasion Voir DÉMÉTER.

Ilithyie(s) Déesse des accouchements. Fille de Zeus et d'Héra, elle sert au besoin les rancunes de sa mère et néglige d'assister les ennemies de celle-ci. On parler parfois des Ilithyies comme d'une entité collective.

Ino Fille de Cadmos et d'Harmonie, elle veille sur Dionysos enfant, s'attirant ainsi la haine d'Héra. Frappée de folie par la déesse, Ino se jette dans la mer. Les Néréides l'accueillent parmi elles, sous le nom de Leucothéa. Dès lors, Ino-Leucothéa vient en aide aux marins en péril et sauve Ulysse.

Iris Messagère des dieux. Son nom désigne aussi l'arc-en-ciel, qu'on peut concevoir comme une liaison entre le Ciel et la Terre. Ses interventions sont fréquentes dans les poèmes homériques.

Iphitos Voir Eurytos.

Ixion Sa légende est postérieure à Homère et à Hésiode. Malgré les bienfaits de Zeus, Ixion tente de séduire Héra et s'unit à un nuage façonné à l'image de cette déesse. Les Centaures sont issus de cet étrange accouplement. Mais la punition de Zeus fut terrible. Ixion fut assujetti à une roue enflammée qui l'emporte éternellement dans l'espace.

Jason Ce descendant d'Éole, fils d'Aeson, eut lui aussi pour maître le Centaure Chiron. Il appartenait à la maison royale d'Iolcos. Dépossédé par son oncle Pélias, Jason, plus tard, lui réclama son bien : alors Pélias l'envoya conquérir la Toison d'Or, en Colchide. Le héros s'embarqua sur le navire Argo, avec les Argonautes, ses compagnons. Parmi eux Orphée, Castor et Pollux, peut-être Héraclès. Après bien des aventures, l'expédition réussit, grâce à la fille du roi de Colchide, Médée, qui aimait Jason. Aussi passionnée dans sa haine que dans son amour, elle devait, longtemps après, punir d'une affreuse manière l'infidélité du chef des Argonautes, en tuant sa rivale et les enfants qu'elle-même avait eus de lui.

Kythérée Voir Aphrodite.

Lapithes Cette peuplade mi-historique mi-légendaire habitait la Thessalie; elle avait pour roi Pirithoos. La tradition rapporte que, lors des noces de Pirithoos et d'Hippodamie, les Centaures, conviés, s'enivrèrent et voulurent faire violence aux femmes lapithes. Un furieux combat s'ensuivit, d'où les Lapithes sortirent victorieux. Ils devaient, plus tard, être exterminés par Héraclès.

Latone (Léto) Fille d'un Titan, elle est la mère des dieux Apollon et Artémis. L'enfantement fut rendu très pénible par la jalousie d'Héra, qui refusait à sa rivale tout asile où elle pût accoucher, et qui prétendait retenir sur l'Olympe Ilithyie, protectrice des femmes en couches. Latone, mère aimée de ses enfants, trouva en eux des vengeurs de son honneur offensé, tant contre Tityos que contre Niobé.

Léda Voir CASTOR.

Mélampous Mélampous, devin et guérisseur, descend de Tyro (voir ce nom). Il est aussi le neveu du roi de Pylos, Nélée. L'*Odyssée* raconte comment il conquit, pour son frère Bias, la main de Péro, fille de Nélée. Après cet exploit Mélampous fut appelé par le roi d'Argos, Proétos, pour qu'il guérît ses filles frappées de folie. Le devin y réussit encore, reçut en récompense une partie du royaume d'Argolide, épousant même l'une de ses patientes.

Memnon Voir AURORE.

Minos Ce roi de Crète est né de Zeus et d'Europe. S'il fut un époux détestable pour Pasiphaé, qu'il trompait sans cesse, il passait pour un souverain juste et clément, pour un civilisateur et un législateur excellent. On disait qu'il allait consulter Zeus de neuf en neuf années, sur le mont Ida. Ces mérites lui valurent de siéger comme juge aux Enfers, avec son frère Rhadamante. Parmi ses nombreux descendants, citons Deucalion, Ariane, Phèdre.

Muse(s) C'est seulement après Homère que la tradition les individualise et les spécialise. On fait d'elles neuf sœurs,

filles de Zeus et de Mnémosyne (la Mémoire). Chanteuses
célestes dont les chœurs et les hymnes égaient tous les festins
des dieux, elles président plus généralement à la mémoire
et à l'inspiration. Calliope se voit assigner l'éloquence, Clio
l'histoire, Erato la poésie légère, Euterpe la flûte, Melpo-
mène la tragédie, Polhymnie la pantomime, Terpsichore la
danse, Thalie la comédie, Uranie l'astronomie.

Mycènes (Mycéné) Fille du dieu-fleuve Inachos, en Argolide, Mycènes a donné son nom à la ville d'Agamemnon.

Naïades Voir Nymphes.

Néère Voir Hélios.

Nérée (Néréides) Nérée, souvent appelé « le Vieillard de la
Mer », épithète qu'il partage avec Protée et quelquefois
avec Phorkys, est le fils de la Terre et de l'élément marin
personnifié, Pontos. C'est un vieillard barbu, bienfaisant et
doux, qui possède un double pouvoir : celui de prédire
l'avenir et celui de se métamorphoser à volonté. Auprès de
lui, dans sa demeure du fond de l'Océan, Nérée a cinquante
filles, les Néréides, dont les plus illustres sont assurément
Amphitrite, l'épouse de Poseidon, et Thétis, la mère
d'Achille.

Nymphes Ces divinités secondaires incarnent les sources, les
bois, les montagnes, les attraits de la Nature. Souvent elles
servent de suivantes à des divinités majeures, comme Artémis,
et les dieux olympiens ne dédaignent pas leurs amours. Souvent aussi elles sont les nourrices d'un dieu ou d'un héros.
Elles possèdent un don de prophétie. D'après Homère, les
nymphes sont filles de Zeus. Il en existe plusieurs sortes :
les Naïades sont les nymphes des eaux, les Oréades, celles
des montagnes; les Hamadryades naissent et meurent avec
les arbres qu'elles habitent.

Océan Dans la représentation antique de l'Univers, l'Océan
n'est pas une mer mais un fleuve qui entoure la Terre conçue
comme un disque plat. L'Océan divinisé est le fils d'Ouranos

et de la Terre — un des Titans par conséquent — et l'époux de Téthys, sa sœur. Il a engendré trois mille fils, qui sont les Fleuves, et autant de filles, les Océanides, qui président aux sources.

Œdipe Le chant XI de l'*Odyssée* résume l'essentiel de sa légende. Fils du roi de Thèbes Laïos et d'Épicaste (que les Tragiques nomment Jocaste), Œdipe est abandonné à sa naissance parce que le devin Tirésias a prédit à Laïos qu'il mourrait de la main de son fils. Or l'enfant est recueilli par un berger et élevé à Corinthe. Il apprend un jour quelle doit être sa destinée et, pour la fuir, il gagne Thèbes, ignorant l'identité de ses parents. Sur son chemin il tue un passant avec lequel il s'était querellé — et ce passant n'est autre que Laïos; puis, ayant délivré le pays du Sphinx qui le terrorisait, il épouse Épicaste sans savoir qu'elle est sa mère. Mais bientôt la vérité se découvre... C'est ici que les Tragiques ont le plus sensiblement modifié la légende; dans la tradition épique, même après le suicide d'Épicaste, Œdipe continue à régner sur Thèbes et meurt simplement dans une guerre qu'il livre aux Minyens.

Orion Géant passionné de chasse, dont l'Aurore s'était épris pour sa grande beauté. Artémis, qu'il avait offensée soit directement soit en la personne d'une de ses suivantes, le fit mourir d'une piqûre de scorpion. L'animal et sa victime furent tous deux métamorphosés en constellations.

Ouranos Le Ciel. Fils, puis époux de la Terre, il lui donne une descendance si nombreuse qu'elle s'en plaint à ses fils les Titans et le dernier d'entre eux, Cronos, mutile son père d'un coup de faucille : or le sang qui jaillit de la blessure sur la Terre en fait naître une nouvelle progéniture, parmi laquelle les Érinyes. Par l'intermédiaire de Cronos, Ouranos est à l'origine de toute la génération des Olympiens.

Pallas Voir ATHÉNA.

Pandareus Il nous est connu surtout par ses filles. Cléothéra,

Méropé et Aedon, restées orphelines, furent prises en affection par les déesses olympiennes, qui les éduquèrent. Mais, profitant de ce qu'Aphrodite était remontée au Ciel pour leur choisir des époux, les Harpyes les enlevèrent et les asservirent aux Erinyes.

Aedon est l'héroïne déplorable d'une autre légende : elle tue par méprise, dans un accès de jalousie, son propre fils; revenue de son erreur, elle implore la pitié des dieux, qui la changèrent en rossignol.

Parques Divinités du Destin, contre lesquelles les dieux mêmes ne peuvent rien; leur nom grec est « Moires ». Dans l'épopée homérique la Parque n'est encore qu'une entité. Ensuite se développe le symbolisme des trois sœurs, Atropos, Clotho, Lachésis, filles de Thémis et de Zeus, qui tissent, dévident ou coupent la trame de chaque destinée humaine; de là leur dénomination de « Tristes Filandières ».

Pélops Voir ATRÉE et TANTALE.

Persée Fils de Zeus et Danaé, ancêtre d'Héraclès. Acrisios, le père de Danaé, voulant empêcher sa fille de concevoir un enfant appelé, d'après l'oracle, à le supprimer, l'avait enfermée dans une chambre souterraine, mais Zeus s'y introduisit sous la forme d'une pluie d'or et se fit aimer. L'épisode le plus célèbre de la légende de Persée est sa lutte contre la Gorgogne. Grâce à l'aide divine et surtout grâce au casque d'Hadès, le héros parvint à décapiter Méduse.

Perséphone Voir DÉMÉTER.

Philomèle Fille du roi d'Athènes Pandion. Sa sœur, Procné, avait eu un fils de son mari Térée. Or Térée s'éprit de sa belle-sœur et la violenta. Pour se venger Procné tua son enfant, le fit bouillir et manger à Térée, sans qu'il le sût. Le crime se découvre : Térée se lance à la poursuite des deux sœurs, armé d'une hache. Au moment où il va les atteindre, les dieux ont pitié d'elles et les changent, l'une en rossignol, l'autre en hirondelle; Térée, quant à lui, fut changé en huppe.

Phœbos Voir APOLLON.

Phorkys Frère de Nérée, ce dieu de la mer a l'une de ses demeures dans l'île d'Ithaque : c'est le « port de Phorkys » où les Phéaciens font aborder Ulysse, au chant XI de l'*Odyssée*.

Pirithoos Fils de Zeus et de Dia, elle-même épouse d'Ixion; roi des Lapithes (voir ce mot).

Pollux Voir CASTOR.

Poseidon Dieu de la mer, armé du trident et monté sur un char que tirent les Tritons, mi-hommes mi-dauphins, et qu'escortent les Néréides. Il est aussi le dieu des mouvements du sol, « l'Ébranleur de la Terre ».

Comme Zeus et comme Hadès, Poseidon est le fils de Cronos et de Rhéa. Époux d'Amphitrite il se montre le plus volage des dieux. Aussi le trouve-t-on à l'origine de nombreuses généalogies mythiques. Sa descendance est très souvent malfaisante, parfois même monstrueuse. Entre autres, les Lestrygons et le cyclope Polyphème sont ses enfants.

Les poèmes homériques rapportent plusieurs légendes qui concernent ce dieu : ses révoltes contre Zeus auquel il n'est guère soumis; la part qu'il prit à la construction des remparts de Troie et la manière dont il fut trompé par Laomédon.

Protée Ce « Vieillard de la Mer » garde les troupeaux de phoques de Poseidon. Il partage plusieurs caractères avec Nérée. Prophète, il n'accepte de révéler l'avenir qu'à ceux qui le saisissent : or il a le don de se métamorphoser à l'infini. Il échappe longtemps à Ménélas lorsque, sur le conseil de la nymphe Idothée, fille du dieu, l'Atride vient pour l'interroger.

Rhadamante Frère de Minos, aussi juste que celui-ci et, comme lui, juge aux Enfers. La visite qu'il aurait faite à Tityos, d'après le chant VII de l'*Odyssée*, représente une tradition isolée qui n'est pas autrement connue.

Rhéa Fille de la Terre et d'Ouranos, elle épouse son frère

Cronos et lui donne Hestia, Déméter, Héra, Hadès, Poséi-
don et Zeus. Seul, Zeus, grâce à la ruse maternelle, échappe
aux mâchoires de Cronos (voir ce nom). Il forcera son père
à rendre vie à ses aînés.

Sirènes Monstres à demi femmes, à demi oiseaux. L'*Odyssée*,
qui les cite pour la première fois, n'en connaît que deux et
les fait résider au large d'Amalfi. Leur chant mélodieux attire
invinciblement les navigateurs dans les flots, où ils se noient.
Postérieurement à Homère, le nombre des Sirènes s'accroît
et leur légende s'enrichit.

Sisyphe Fils d'Éole et roi de Corinthe, rusé entre tous les
hommes, Sisyphe est célèbre par le châtiment qui lui est
imposé aux Enfers : il est condamné à hisser éternellement
au sommet d'une montagne une pierre énorme qui retombe
sans cesse. Les traditions ne s'accordent pas sur le motif de
cette punition.

Soleil Voir HÉLIOS.

Styx Voir ENFERS.

Tantale Autre grand criminel, celui-ci n'est pas moins
illustre que Sisyphe. Dévoré de faim et de soif, il est, aux
Enfers, plongé dans un lac d'eau fraîche dont les rives sont
bordées d'arbres aux fruits magnifiques. Chaque fois que
Tantale tend les mains, chaque fois qu'il avance les lèvres,
les fruits s'écartent, l'eau reflue hors de sa portée.
De son vivant Tantale, fils de Zeus, était un prince d'Asie
Mineure, riche et aimé des dieux. Quel fut son crime ?
D'avoir dévoilé aux hommes les secrets de Zeus, selon certains ; selon d'autres, d'avoir servi aux dieux, lors d'un
festin, les restes de son fils Pélops, qu'il avait préalablement
coupé en morceaux. Les dieux ressuscitèrent Pélops et châ-
tièrent le père criminel.

Tartare Voir ENFERS.

Terre La Terre comme divinité (Gaia) est invoquée quelquefois par les héros d'Homère, mais c'est dans la *Théogonie*

d'Hésiode qu'elle prend toute son importance. C'est l'élément primordial, la déesse-mère et nourricière universelle. Sans le concours d'aucun principe mâle, elle fait naître Ouranos; puis, s'unissant à celui-ci, elle donne le jour aux Titans, dont le plus jeune, Cronos, engendra les dieux olympiens. La Terre apparaît aussi comme une déesse protectrice des serments.

Téthys Il faut se garder de confondre la Néréide Thétis, mère d'Achille, avec Téthys, la plus jeune des filles de la Terre et du Ciel. Téthys, mariée à l'Océan, son frère, a pour enfants les trois mille Fleuves et les trois mille Océanides.

Thémis Déesse de la justice et des lois divines. Elle est, elle aussi, la fille d'Ouranos et de Gaia. Partageant la vie des dieux de l'Olympe, elle compte au nombre des épouses de Zeus, dont elle conçut les Heures, les Parques, certaines nymphes ainsi qu'Astrée (qui devint la constellation de la Vierge).

Thésée Fils d'Égée. Héros national d'Athènes, il passe pour avoir vécu une génération avant la guerre de Troie. Dès son adolescence, il défait Sinnis, Sciron et Procuste, redoutables bandits qui infestaient l'Attique. Mais à coup sûr son plus grand titre de gloire est sa victoire sur le Minotaure : la fille du roi Minos, Ariane, éprise du héros, lui avait fait don d'un peloton de fil qui lui permit, après avoir terrassé le monstre, de retrouver l'issue du Labyrinthe. Fuyant la Crète, Thésée emmena Ariane avec lui mais, d'après l'*Odyssée*, elle périt à Naxos victime de la jalousie de Dionysos.

Devenu roi d'Athènes, Thésée défend sa ville contre l'invasion des Amazones. Il prend part à toutes les expériences de l'âge héroïque, aux côtés du roi des Lapithes, Pirithoos, son ami fidèle.

Thétis Voir NÉRÉIDES.

Thyeste Voir ATRÉE.

Titans Fils du Ciel et de la Terre. Au nombre de six, ils ont les six Titanides pour sœurs. Cronos est le plus jeune d'entre eux ; aidé par ses frères (à l'exception d'Océan), il détrône Ouranos. Quand Zeus à son tour entre en rivalité avec son père, les Titans résistent dix années aux côtés de Cronos ; cette lutte fameuse, la Titanomachie, se termine à l'avantage de Zeus et les Titans, vaincus, sont précipités dans le Tartare et y restent enchaînés sous la garde des Géant aux cent bras, les Hécatonchires.

Tithon Voir AURORE.

Tityos Un des Géants, fils de la Terre. Pour avoir tenté de violer Latone, il est supplicié éternellement aux Enfers : deux vautours dévorent son foie sans cesse renaissant.

Tyndare Voir CASTOR.

Tyro TYRO descend d'Éole par son père Salmoneus ; elle épouse son oncle Crétheus, auquel elle donne trois fils, Aeson (père de Jason), Phérès et Amythaon. Auparavant elle avait été prise par le dieu Poseidon, qui lui fit deux jumeaux, Pélias et Nélée. C'est ce dernier qui fonde Pylos et engendre Nestor.

Vieillard de la Mer Voir NÉRÉE ou **Protée.**

Zeus Le Roi de l'Olympe, l'époux d'Héra, le père des dieux. Sur sa naissance, voir Cronos.

Soustrait à son père, Zeus enfant fut élevé en Crète par les nymphes du mont Ida et nourri par la chèvre Amalthée. Puis, arrivé à l'âge adulte, il se lança à la conquête du pouvoir souverain, s'en empara, mais bientôt il eut à le défendre à son tour contre les Géants (voir cet article).

Les unions de Zeus sont innombrables, avec des déesses ou avec des mortelles ; pour mener à bien ses entreprises, le dieu n'hésite pas à prendre les formes les plus diverses, à se faire cygne avec Léda, taureau avec Europe, pluie d'or aux yeux de Danaé. Ces aventures sont loin d'être goûtées par Héra ; des querelles conjugales troublent souvent l'Olympe, obligeant les autres dieux à intervenir.

Zeus est le dieu des phénomènes atmosphériques : dieu de la

lumière, assembleur des nuées, maître du Tonnerre (les foudres qu'il brandit symbolisent sa toute-puissance); d'un froncement de sourcils, il est capable d'ébranler la Terre. Plus généralement, il incarne la puissance qui domine et gouverne le monde, en s'efforçant d'y faire régner l'ordre et la justice. Il est l'interprète des Destins, auxquels il ne veut ni ne peut rien changer.

TABLE

LES RÉCITS CHEZ ALKINOOS

LA VENGEANCE D'ULYSSE

Table 481

IMPRIMÉ EN FRANCE PAR BRODARD ET TAUPIN
Usine de La Flèche (Sarthe).
LIBRAIRIE GÉNÉRALE FRANÇAISE - 6, rue Pierre-Sarrazin - 75006 Paris.
ISBN : 2 - 253 - 00564 - 9